別冊 受験ジャーナル

7年度 国立大学法人等職員採用試験攻略ブック

PART 1 「これが私の仕事です」 2

職員インタビュー

PART 2 こんな試験が行われる！ 21

PART 3 過去問を解いてみよう！ 73

PART 4 7年度予想問題 265

［表紙デザイン］鳴田小夜子（KOGUMA OFFICE）
［表紙イラスト］高橋由季

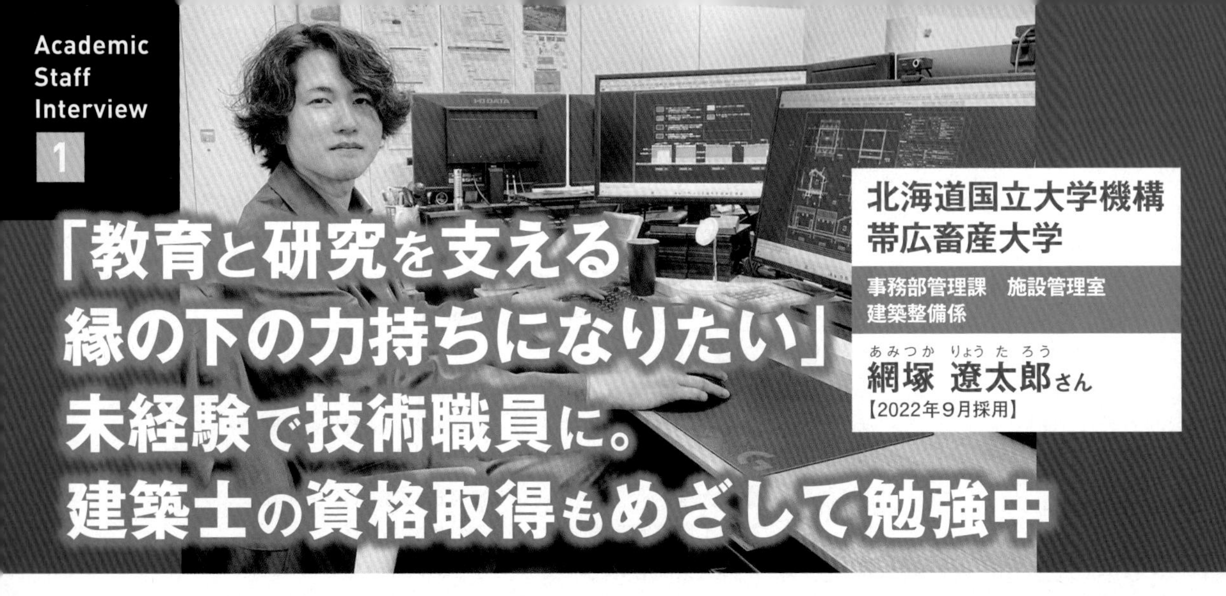

Academic Staff Interview 1

「教育と研究を支える縁の下の力持ちになりたい」未経験で技術職員に。建築士の資格取得もめざして勉強中

北海道国立大学機構
帯広畜産大学
事務部管理課　施設管理室
建築整備係
網塚 遼太郎（あみつか りょうたろう）さん
【2022年9月採用】

――初めに、施設管理室の概要を教えてください。

施設管理室は、事務部の施設企画管理係と、私が所属する整備係に分かれています。私は採用当初、施設企画管理係に配属されたので、どちらの仕事も経験しています。

施設企画管理係では、工事にかかわる支出伝票の作成や各省庁からのアンケートへの対応、施設整備に関連する予算の管理などを行っています。

整備係は建築整備、電気設備整備、機械設備整備の３つの部署に分かれており、大学の施設や既存インフラの修繕と保守管理を担当しています。また、新しい建物の建設や既存建物の改修において、設計や施工が適切に行われているかのチェックや管理も行っています。

――網塚さんのご担当業務は？

私の担当業務は、日常的な修繕業務、年間を通して行う建設・改修業務、そして事務関連業務の大きく３つに分かれています。

日常的な修繕業務は、大学施設内で発生するさまざまな不具合への対応です。特にドアの不具合や雨漏り、窓関係の修繕が多いです。まずは自分で現場を確認し、自力で修理できるかどうか判断します。私で対応できない場合は、専門の業者に連絡し、現場で打合せをしてから修繕を発注します。この業務を最も頻繁に行っています。

建設・改修業務は、年間に数件、新しい建物の建設や既存建物の改修プロジェクトがあるので、それにかかわるものです。これらのプロジェクトは規模が大きく、数千万から数億円になることも。まず、春先に設計業務を行い、設計業者を入札で選びます。その後、設計が大学の意見を反映し、規定に沿って進んでいるかを確認します。工事が始まると、現場確認や業者との打合せを通じて、設計図どおりに工事が進行しているかをチェック。特に８月から翌年の３月末にかけては、この確認作業を集中的に行っています。

事務関連業務は、建築に直接かかわる内容について、私が対応しています。特に専門知識が必要な部分は、私が対応することが多いです。

日常的な修繕業務に伴うDIY修理に関しては、もともと興味はあったものの、実際に取り組む機会は少なかったのですが、仕事を通じてドアの修理や網戸の取り外し方、鍵の交換方法などを上司に教わりながら習得しています。最近では、教員室の開かなくなった鍵を自分で交換しました。本学のキャンパスは東京ドーム約39個分と広く、施設職員でも大学の端まで行ったことのある人はなかなかいないくらいです。トラブルの場所によっては、自分の車で行くしかありません(笑)

――北海道という寒い地域ならではの大変なことはありますか？

春に雪解けが始まると、屋根に積もった雪が解けて、雨漏りに似た現象が発生することがあります。修繕にはかなりの費用がかかるため、対応するかどうかを検討することになりますが、修繕範囲が広くなると予算確保が必要です。年度中に予算を組んで、次年度に修繕できるかどうかを話し合うケースが多いですね。

工事も、冬の影響は避けられません。現在、2025年３月末の完成をめざして、農場再開発工事（Ⅳ期）と馬施設新営工事（Ⅱ期）が並行して進められています。再開発では、「畜産フィールド科学センター実習棟」の隣に、職員の管理棟や講義室、ハーベスターなどの大型農機具を含む複合施設を建設しています。馬施設

土間(床)の鉄筋コンクリートの配筋検査

網塚さんが意匠(内外装デザイン)を担当した建物

網塚さんの上司が意匠した施設

新営工事(Ⅱ期)では、馬を収容する施設の隣に、覆馬場(おおいばば)という、馬が走るための砂場、いわゆるパドックに屋根をかけた大きな体育館のような施設を建設しています。

コンクリートを使う基礎工事を冬に行うと、コンクリートを入れる際に「養生」が必要になり、凍結を避けるための暖房をかなり使うため、非常にコストがかかります。そのため、できるだけ冬が来る前に基礎工事を終わらせることを目標としています。鉄骨や壁の工事は雪が降っても進めることができるので、まずは基礎工事をどこまで完了できるかが重要なポイントです。

――やりがいを教えてください。

不具合を修理したときに、「助かったよ、ありがとう」と直接言っていただけることがうれしいです。それがきっかけで顔を覚えてくださり、声をかけてもらうこともあります。

また、この仕事をきっかけに、建築士の資格取得をめざすようになり、現在、京都芸術大学の建築デザインコースの通信教育を受けています。そこで学んだことを活かして、CAD(コンピュータ上で設計や製図を行うツール)で設計図を書きました。1か月近くかかって完成させたときは達成感がありました。

――難しさはありますか?

畜産大学ならではの苦労として、馬に気を遣うことが挙げられます。なぜなら、馬は非常に繊細な動物で、少しの音や動きにも敏感に反応してしまうからです。本学にはサラブレッドが13頭、ポニーが10頭ほどおり、もし馬が驚いて猛ダッシュしたり、人を蹴ったりすれば、命にかかわる危険があります。そのため、業者には、毎週の定例会議で、「馬に注意してください」と繰り返し伝えています。通常の工事現場とは違い、クラクションを鳴らさないようにしてもらうほか、掘削作業をできるだけ静かに行うように重機の動きを調整してほしいなど、細かい指示を出さなければなりません。また、背の高い仮囲いを設けて、工事現場が馬の視界に入らないようにしています。工事を安全に進めるために、馬の目と耳を守り、できるだけ静かな環境を保つ工夫は欠かせません。

――これまでに経験しておいてよかったことを教えてください。

私は広島にある商船高等専門学校を卒業しました。航海士の勉強のために、長期間、船で共同生活を行うと、閉鎖的な空間ということもあり、どうしてもイライラしそうになりました。しかし、そこで気持ちを切り替えて、しんどいときにも笑顔で過ごすようにすると、全体の雰囲気も良くなり、自分も前向きに過ごせることを学びました。このことを忘れずに、仕事をしています。職場も働きやすい環境で、周りの皆さんが優しく、年の離れた私を息子のようにかわいがってくださいます。

――今後の抱負をお願いします。

異動して1年経っていないので、専門用語の理解を含め、全体的な業務の流れを学んでいきたいです。また、2、3年後には2級建築士の資格を取得できるように勉強を続けたいと思っています。

――読者に一言お願いします。

技術職員は専門的な資格や経験が必要と思われがちですが、私のように未経験でも大丈夫です。大学でも未経験者を育成する動きが増えているので、教育や研究の支えとなりたいという気持ちがあれば、ぜひ挑戦してみてください。

ある1日のスケジュール

8:30	始業
8:30~	生コンクリート品質検査立ち合い(生コン打設日は、打設前に求める品質を満たしているか、複数項目を検査)
9:00~	メールチェック、教員・学生からの修繕依頼場所の現地確認
10:00~	事務作業(修繕内容を写真とともに簡潔にまとめ、業者へ見積依頼)
11:00~	進行中の修繕工事の業者打合せ(施工日や施工内容、注意事項などの擦り合わせ)
12:00~	お昼休憩
13:00~	施工現場確認(設計図や文科省基準に沿って、適切に施工できているか、確認)
14:30~	施工業者打合せ(図面チェックなど、発注者と施工者の意見の擦り合わせ)
16:00~	発注に使う図面の作図や資料作成
17:15	終業

(取材:黒澤 真紀)

Academic Staff Interview 2

大学予算に関する業務を通して、本学全体を支えています！

弘前大学

財務部財務企画課　予算企画室
予算グループ予算企画担当

熊谷（くまがい） 遊太（ゆうた）さん
【2016年度採用】

――部署の概要について教えてください。

私が所属している予算企画室は、2つの担当に分かれています。一つ目が私の所属している予算企画担当で、主に本学全体の年度予算案の作成や調整業務を行っています。もう一つが、主に財務的な分析や本学の予算を管理する業務を行っている予算管理担当です。

――熊谷さんの担当業務について教えてください。

現在、主に2つの業務を担当しています。一つ目が、本学に配分される運営費交付金を文部科学省に要求する概算要求関連業務です。運営費交付金は本学の収入の約2割を占める重要な財源であり、国の政策や本学の特徴・強みを見定め、本学の教育や研究をさらに発展する取組みをするために必要となるお金です。毎年文部科学省から本学の運営状況に関する資料や、大学運営の改革を支援する予算を要求する資料の提出についての通達が届くので、その枠組みに沿って文部科学省に資料を提出します。その資料作成のために、研究面で挙げられた実績や、学生さんの卒業・修了状況、修学支援の実施状況や経営ガバナンスに関する資料のほか、大学運営の改革についての事業計画など、多岐にわたるデータを取りまとめ、文部科学省指定のフォーマットにそれらの情報を落とし込む作業を担当しています。

もう一つは学内予算配分業務です。毎年、各部署からの要望事項に関して詳しい内容をヒアリングします。そして、将来的なビジョンや中期目標・中期計画といった経営方針を踏まえて、予算作成方針を策定し、その予算作成方針をもとに、収入と支出の見込み額を整理します。最後に予算実施計画を策定し、それにのっとって各部署に予算を配分しています。

事務局

――ほかに担当している業務はありますか？

文部科学省から本学に配分された予算は、使用に当たってルールが決められています。それを踏まえたうえで、学内の職員・先生方が予算の使い道を私の部署に相談に来られるので、そのような相談に対応する業務も行っています。

また、年度の途中で、予算が追加で必要となった場合の相談を受け付ける場合もあります。各部署に配分される予算は、本来は年度初めに決まっていますが、「ここまでならば追加で予算を配れます」と提案ができることがあるので、相談に来た方に安心してもらえるよう、丁寧で親身な対応を心掛けています。

そのほかには、学長、理事などの経営陣がめざしている本学の方向性と、大学職員といった現場で働く方々ができること・やりたいことのすり合わせも行っています。

――いろいろな業務を担当されているのですね。

そうですね。業務は多岐にわたっています。特に、お金に関する事柄の問合せは、大体がうちの部署に回ってくるので、打合せの回数も多いですが、業務は基本的に担当者ごとの縦割りではなく、上長を含めたチームとして対応しているため、ほかの職員に相談しやすい環境です。学内での予算編成の1～3月と、文部科学省に提出する概算要求関連資料を

部局との打合せの様子

正門

作成する6～7月は忙しくなりますが、業務量の調整がきくため、毎日忙しいわけではありません。定時帰りもできるため、歳の近い方々に声を掛けて飲み会もできますし、充実しています。休暇も取りやすいです。

――附属病院で働いていた経験もあるそうですね。

はい。附属病院の医事課と経理調達課で働いていました。最初に配属された医事課では、来院された患者さんに対して、国や各自治体で実施している医療費助成制度の案内をしていました。医療費の助成制度を利用するに当たっては、病院の先生の診断書が必要なため、診断書を医師に作成していただく手配も行っていましたね。

次に配属となった経理調達課では、診察の際に必要となるガーゼ、包帯、手術用メスなどの物品購入業務を担当していました。当時は新型コロナウイルス感染症が猛威をふるっていたため、マスクやアルコールなどが足りず、調達に走り回っていました。

――研修などはありましたか？

全国の大学附属病院の若手職員などを集めた、泊まり込みの研修がありました。研修内容は、医療事務の基礎を学ぶことやグループワークなどでしたが、こうした研修制度は附属病院のみならず、ほかの部署でも行っており、大学法人職員向けの全国的な研修があるほか、中堅職員や係長などの役職がついたときに行われるなど、キャリアに応じた研修もあります。学内には仕事のマニュアルもありますし、右も左もわからない状態から就職しても、業務におけるフォロー体制は整っていると思います。

――業務を行ううえで工夫していることはありますか？

現在の部署は「なぜ、予算がこのように決まったか？」といった、数字に関する説明の機会が多い部署です。予算については金額を決定するまでに複雑な計算を必要としているため、相談に来た職員などにもわかるように、かみ砕いて説明するように心掛けています。

――今後、大学職員にはどのような人材が求められると感じますか？

自発的に行動できる人が求められていると思います。現在、大学業界全体が、少子化で学生確保が難しくなっているうえ、国家予算からの運営費交付金が減額されており、今までとは違った方法で大学運営をしていかないといけません。そこで、積極的に新しい大学のあり方を模索したり、自分にできることは何かないかと探したりできる人が、大学には必要だと感じています。

――最後に、今後の抱負と読者に向けてメッセージをお願いします。

学生のため、地域のため、本学がさらに成長して発展できるように、私自身の見識を深めて視野を広げ、さらなるスキルアップをめざしたいですね。大学職員は教育や研究の最先端に触れられるだけではなく、地域産業の振興からさまざまな研究のサポートまでかかわることができる魅力的な仕事です。皆さんもぜひ興味を持ってみてください。

ある1年間のスケジュール

4月 5月	前年度の決算に向けて予算執行状況の取りまとめ、調書類の作成
6月 7月	文部科学省へ提出する概算要求資料の作成、学内調整
8月 9月	学内公募事業の予算配分に向けたヒアリング、および役員による評価の実施
10月 11月	補正予算案の編成作業（当初予算で見込んだ収入額の修正や、追加で支出が必要になった事項の整理）
12月 1月 2月 3月	次年度学内予算の編成作業 （部局ヒアリング、所要額や収入額の整理等）

（取材：武末 典子）

Academic Staff Interview 3

大学共同利用機関法人
情報・システム研究機構

本部事務局　本部事務部
企画連携課　研究推進係

寺井（てらい）　勇人（はやと）さん
【2018年４月採用】

情報学から遺伝学、南極観測まで先端研究を裏方から支えています！

──「大学共同利用機関法人 情報・システム研究機構」について教えてください。

まず、大学共同利用機関とは、個別の大学では維持することが難しい最先端の大型装置や大量の学術データ、貴重な資料などを全国の研究者に無償で提供し、個々の大学の枠を越えた共同研究を推進する研究機関です。大学共同利用機関法人は国内に４つあり、情報・システム研究機構（通称：ROIS（ロイス））のほかに、人間文化研究機構、自然科学研究機構、高エネルギー加速器研究機構があります。

当機構は４つの研究所（国立極地研究所、国立情報学研究所、統計数理研究所、国立遺伝学研究所）から構成され、情報とシステムという視点から、生命、地球、自然環境、人間社会といった複雑な現象や問題について研究を進めています。また、2016年には全国の研究者の共同利用・共同研究の拠点となるデータサイエンス共同利用基盤施設を新たに設置し、データサイエンスを全国規模で推進しながら、さまざまな社会課題を解決するための研究に取り組んでいます。

国立情報学研究所

──寺井さんは、なぜROISを志望したのですか？

大学時代は理系学部で主に情報系と数学の分野を学びましたが、４年次に研究室に入った際、「頭の中にある発想を研究計画に落とし込んで試行錯誤を重ね、最終的には論文などの形で研究成果を社会に還元する」という研究者の情熱に触れ、その活動をサポートする職に就きたいと思うようになりました。学生の在籍がない大学共同利用機関法人は研究者のための組織なので、必然的に事務職員の支援対象も研究者ということになります。その活動方針が私の思いと合致していました。

──2018年に採用され、今年度で7年目ですが、これまでにどのようなお仕事を？

ROISの事務職員は、事務全般を統括する本部事務局か、４つある研究所のいずれかに配属されます。私が最初に在籍したのは本部事務部（東京・港区）の研究推進係で、ここでは、研究プロジェクトの資金調達を支援する外部資金の申請業務や、研究不正および研究費不正使用を防止するための研修業務を担当しました。また、ROISから海外の研究機関に物品を送る際、それらが軍事転用されるリスクがないか、送り先の国や機関を安全保障の観点から審査する輸出管理の業務にも従事しました。

次に配属されたのは国立極地研究所（東京・立川市）でした。ここでは、南極の観測基地「昭和基地」で活動する南極観測隊のために食料や生活必需品、研究機器などの物資を調達する業務に携わりました。

その後の２年間は、文部科学省に研修生として出向し、さまざまな学術研究を資金的に援助する科学研究費助成事業の公募要領を更新する仕事や、文部科学省が所管する、ROISを含めた４つの大学共同利用機関法人の活動成果を評価する業務に携わりました。異動のたびに、新しい業務分野に挑戦でき、私たち職員の成長を後押ししてもらえることはROISで働く魅力の一つだと感じています。

──現在の業務には、どんなおもしろさや、やりがいがありますか？

外部資金の申請業務では、研究者が作成した研究計画書などの審査書類の提出から、採択されたかどうかの審査結果の報告、採択された場合には研究資金を受け取るための手続、最終的には研究成果をまとめた報告

書の提出までの一連の事務を研究者に代わって行います。この業務のおもしろさは、各研究者が情熱を注いで形にした研究の内容を、世に出る前に知ることができる点です。研究費の金額が億単位に及ぶ長期で壮大な研究から、早期に社会貢献できそうな実用的な研究まで、計画書を読むだけで胸が高鳴ります。これらの先端的な研究を事務職員として支える実感が得られることも、この業務の魅力の一つです。

――南極観測隊のための物資調達も、スケールが大きく、やりがいがありそうですね。

国立極地研究所が南極と北極で行っている観測や研究は国家プロジェクトでもあるので、物資調達担当という立場からその一端にかかわることができるという意味で、やりがいは大きいです。ただ、一方では難しさもあります。たとえば2024年11月中旬に、第66次観測隊を乗せた観測船「しらせ」が南極に向けて横須賀港を出航します。その時点ですべての物資を「しらせ」に搭載しておかなければなりませんが、隊員が決まる時期の都合もあり、物資調達に割ける期間は通常3か月程度しかありません。私が物資調達を担当したのは4年ほど前でしたが、1年分の物資を約3か月間で調達するのがこの仕事です。たとえば、食材を調達する際には、観測隊の庶務担当と連携しながら、南極の観測基地で調理を担当するシェフのリクエストをもとに調達リストを作成。これをもとに各業者への発注を行います。発注する品目は生鮮品の野菜、肉、魚から冷凍食品、菓子類、飲料品まで多岐にわたり、常温輸送が可能なものと冷凍輸送が必要なものを分けながら手配を進めます。短期間での大量発注となるため、発注漏れや納品漏れがないよう入念にチェックすることが求められました。

ちなみに、私たち事務職員も手を挙げれば、毎年11月に日本を出発する南極観測隊に参加できるチャンスがあります。事務職員が入隊できる枠は毎年2人程度です。その枠に入るには、南極の過酷な環境に適性があるかを見極める面接や訓練、身体検査などを受ける必要がありますが、ROISでは、「一度はチャレンジしてみたい」と考えている若手職員が少なくありません。また、入隊経験のある職員の多くは「もう一度、南極に行きたい」と言います。私も物資調達の仕事を通じて、事務職員が南極で行う業務について知ることができたので、いつかはチャレンジしてみたいと思っています。

――最後に、読者に向けてメッセージをお願いします。

ROISの研究活動は理系の分野が中心ですが、私たち職員の業務は事務的な側面が強いので、文系・理系を問わず活躍できるフィールドが広がっています。また、最先端の研究に触れる機会も多いので、日常の業務の中でさまざまな発見や驚きを得られる点や、学術界に貢献する実感を得られる点も魅力だと感じています。研究機関ということで雰囲気が固いイメージを持つかもしれませんが、ROISの上司や先輩職員には気軽に話せる人が多く、仕事を覚えながら率直に意見交換できる開放的な職場です。また、組織の規模が比較的小さいので、職員どうしのつながりが強く、仕事上の悩みや困り事を打ち明けやすい環境も整っています。

私たちの活動に関心を持たれた方は、ぜひROISの門をたたいてみてください。ともに成長していける仲間をお待ちしています。

（取材：輿山 英雄）

ある1年間のスケジュール

4月	科学研究費助成事業（科研費）など競争的研究費の採否結果を研究者に報告
5月	研究不正防止研修・研究費不正使用防止研修の実施
6月	科研費の申請手続、研究成果報告書の提出など
7月	外国出張や外国人研究者の受入にかかわる安全保障輸出管理の審査など
8月	文部科学省・経済産業省が実施する安全保障輸出管理の説明会に参加
9月	南極観測隊にかかわる安全保障輸出管理の審査
10～11月	内部監査（各研究者が外部資金を適切に使用しているかを監査）
12月	研究費の執行状況の確認など
1～2月	研究不正防止研修・研究費不正使用防止研修の受講状況の報告、翌年度の研修に向けた準備
3月	研究者の所属機関変更にかかわる手続など

Academic Staff Interview 4

富山大学

研究推進部　学術コンテンツ課

山本 愛奈（やまもと あいな）さん

【2023年4月採用】

大学図書館から、学生の勉学や教員の研究をサポートする仕事です

──なぜ富山大学で働きたいと思ったのですか？

私は京都府内の大学を卒業後、京都市が公共図書館の運営を委託している企業に入社し、図書館のカウンター業務などに携わりました。その中で刺激になったのが、図書館を利用する方々の「知りたい」「学びたい」という純粋な意欲です。次第に、自分がその助けになりたい、という思いが強くなり、利用者とさらに深くかかわることができる大学図書館に魅力を感じるようになりました。国立大学法人には「図書系職員」の採用枠があるのですが、ちょうどその頃、募集をしていたのが富山大学でした。

──入職後の配属は？

本学の3つの附属図書館の運営を担う学術コンテンツ課に配属され、2024年度で2年目を迎えました。私が在籍する中央図書館では、施設管理や勤怠管理などを担当する総務担当、本や雑誌の購入と電子ジャーナルの契約を担うコンテンツ担当、カウンター業務をメインに行うサービス担当の３班に分かれており、私はサービス担当として勤務しています。公共図書館では利用者の年齢層が広く、幼児向けの絵本の読み聞かせから年配の方の調べ物の相談まで幅広い対応が求められましたが、大学図書館では教員や学部生などがほとんどなので、利用者の立場や利用目的が、より明確です。そのぶん、一つ一つの相談や要望を、深く掘り下げることが求められます。2年近く働いてみて、大学図書館のほうが自分には合っているなと実感しています。

──現在はどのようなお仕事を？

図書館のカウンター業務がメインですが、ほかには、学内の図書館に所蔵がない文献を他大学から入手できる図書館間の相互利用サービス「ILL（Inter Library Loan）」に関連する業務を担当しています。教員や学生などからの申込みを受け、大学図書館どうしでつながる専用システムを使って文献を検索し、所蔵のある図書館からそのコピーや現物を取り寄せます。著作権の関係で指定された箇所が複写できない、また、国内に所蔵館がないときなど、希望どおりに入手できないケースもあり、その場合には購入など、ほかの入手手段を紹介することもあります。

また、例年、４～６月の時期に行う新入生向けの図書館ガイダンスではガイド役となり、図書館の利用方法を案内します。ガイダンスは15～20人程度のクラス単位で行うことが多く、貸出・返却の手続から図書の分類や書架の並び、グループ学習室など館内施設の利用方法までをひととおり説明します。その際には、新入生がつまずきやすい点に配慮して説明することを意識しています。たとえば、レポートのまとめ方がわからず、不安になっている学生も多いので、レポートや論文の書き方に関する本がまとめて置いてあるエリアを紹介する、といった形です。

また、館内イベントを運営するのも私たちの役割です。本学の中央図書館には、「耳無芳一の話」「ろくろ首」などを収録した『怪談』などを代表作とする明治時代の作家、小泉八雲の蔵書や資料を2,400点ほど取りそろえる「ヘルン文庫」があります。ヘルン文庫は2024年で100周年を迎え、10～11月に記念イベントを開催する予定ですが、現在は展示に必要な物品をそろえたり、来場者が楽しめる展示構成を考えたりと、準

2024年に100周年を迎えた中央図書館５階にある「ヘルン文庫」

これまで利用者サービスがメイン業務だった山本さん。「今後は蔵書の整備など裏方の仕事にも携わりたい」という。

中央図書館（五福キャンパス）

富山大学五福キャンパスのシンボル、黒田講堂

備を進めているところです。

このイベントの一環で図書館ナイトツアーを行う予定で、この企画にも携わっています。これは小泉八雲が妻・セツさんに明かりを落として『怪談』を読み聞かせていたという逸話にちなんだイベントです。2025年秋から放送されるNHKの朝ドラ『ばけばけ』の主人公はその小泉セツさん。今後ますます注目度は高まると思うので、私自身もイベントが楽しみです。

――仕事にやりがいを感じている部分はありますか？

大学図書館のカウンター業務は望んでいた仕事でもあるので、やりがいは大きいですね。毎日、館内のカウンターにはたくさんの学生が相談に訪れます。本人が求めている本が明確ではなく、どう探せばいいか困っている学生には“連想ゲーム”を使います。会話の中で、どのような情報を求めているのかを聞き出し、出てきたキーワードから、「次に連想できるものは？」と問いかけていくことで、学生が求めているものを徐々に絞り込んでいくイメージです。

その一方で、レポートの提出時期が近づくと、カウンターには「課題に役立つ本はどこにありますか？」と直接的な答えを聞きに来る学生も増えてきます。自分で何も調べずに相談に来たという状況であれば、答えになる本をあえて示さずヒントになるような情報だけを提供し、学生が主体的に考え、自分で探すという行動を促すこともあります。学生に「楽をさせてはいけない」ことは教員からも言われており、日々、サポートが行きすぎないように気をつけてはいますが、その辺りのさじ加減は難しいなと感じています。

――仕事をしていて前向きな気持ちになれるのはどのようなときですか？

先日、ある教員から「いろいろお手伝いしてもらったおかげで、無事に論文を提出できました。ありがとう」と言ってもらえたときはうれしかったです。依頼を受けて海外の図書館から文献を取り寄せることがあるのですが、その方からもアメリカの大学図書館に所蔵されている資料の取り寄せを依頼され、手続を私が担当しました。

海外から文献を取り寄せる際には、日本と著作権の運用が異なる点に注意が必要です。たとえば、著作権が有効な著作物のコピーを取り寄せる場合、その対象となるのは全文ではなく一部分のみというのが基本的なルールですが、「一部分」の解釈が国によって異なります。日本の図書館では一般的に著作物全体の半分以下であるのに対し、韓国の国立中央図書館では3分の1以下という扱いになっていました。日々の業務の中でこうした諸外国との違いを知ること自体がおもしろく、研究活動を下支えできていると実感できたときには、うれしさが込み上げてきます。

――読者に伝えたい、大学図書館で働く魅力とは？

大学図書館で働く職員は、もともと図書館業務にかかわりたいと思って入職してきた人が多く、仕事に対してとても熱意があります。「こうすればもっと使い勝手が良くなるよね」「こうすれば図書館の魅力が高まるよね」といった会話が雑談の中から自然と出てきます。私はこの環境が好きですし、だからこそもっと頑張ろうと前向きになれる。そこが、大学図書館で働く魅力だと思います。

ある1日のスケジュール

8時30分	出勤、中央図書館の開館準備
9時～11時	メール対応、図書館間の相互利用サービス「ILL」の学外への依頼、学外の図書館から到着した文献の開封
11時～12時	ILLに関する会計業務
12時～13時	昼休憩（基本的には館内の職場で昼食。まれに学食へ）
13時～16時半	カウンター業務、ILLの対応など
17時15分	退勤

（取材：興山 英雄）

Academic Staff Interview 5

奨学金関係業務を担当 経済面の不安なく 学生生活を送れるよう支援

独立行政法人
国立高等専門学校機構
舞鶴工業高等専門学校
学生課 学生支援係
池澤 容子(いけざわ ようこ)さん
【2007年4月採用】

──初めに、所属部署について教えてください。

本校の事務部門は総務課・学生課の2課制で、総務課には5つの係、学生課には4つの係（教務係、学生支援係、学術情報係、寮務係）があります。私は2007年に採用後、総務課5年、学生課教務係3年を経て、学生課学生支援係に配属されました。この係は産休・育休を含め2024年度で10年目です。

──学生支援係ではどのような業務を担当されていますか。

現係に異動して約5年間は就職事務を主に担当していましたが、2021年度からは、高等学校等就学支援金や日本学生支援機構奨学金を中心に、授業料に関する支援全般を担当しています。

就学支援金事務では、制度の対象となる500人近い1～3年生全員に対して申請の意向を確認するため、保護者に申請書類を郵送します。申請はオンラインで行われ、全保護者の方に、申請希望の有無などをシステムに入力してもらいます。それが機構本部からさらに文部科学省に送られ、採否が決まります。採用が決まれば、その後の手続など、サポートを行います。

本校には、給付と貸与を合わせて約60人の日本学生支援機構奨学生がいますが、推薦をはじめ、採用後の各種説明会や適格認定等の事務などを中心に担当しています。給付・貸与が始まればそれで終わりではなく、貸与の場合は返還までずっと対応します。奨学金は国や自治体のほか、さまざまな制度があり、その他の奨学金についても推薦業務を担っています。当係で把握していない奨学金制度で学生から受けたいと相談があれば、こちらでも調べます。その場合、申請は本人が直接行いますが、在学証明の提出や所見の記入など申請に至るまでサポートします。

就学支援金も主な奨学金も申請用のサイトなどは異なりますが、いずれも機構本部が集約しています。機構本部ともやり取りしながら学生の皆さんが経済面でも安心して勉学に打ち込めるよう支援することが私たちの役割です。ですから、早めに報・連・相を行い、何事も即対応を心掛けて日々仕事をしています。

──ほかにはどのような業務をされていますか。

通常は授業料支援の業務が主ですが、それ以外では課外活動関係業務があります。全国高専体育大会の地区予選を兼ねる近畿地区高専体育大会では、近畿地区の他6高専の選手や引率顧問を迎え、毎年度2種目を本校が主催校として運営を行っています。係3人で2種目の競技を分担し、必要な物品の購入から当日の運営管理まで行います。基本的に土日開催で、2種目とも同日とは限りませんが、いずれもだいたい2人ずつが出勤して業務に当たっています。他校が主催する競技は引率教員にほとんど委ねる形ですが、バスの手配や宿泊場所、弁当の斡旋など、競技以外の手伝いをしています。

また、毎年11月初めに年度最大のイベント、高専祭が開催され、その運営補助も係全員で行っています。準備は夏から始め、学生が提出した露店などに必要な物品購入希望の見積書を確認して発注し、検品するなどの業務を行います。学生主体なので当日は写真撮影や見回り程度ですが、スムーズに運営され、学生時代の最高の思い出となるよう、高専祭実行委員会の補佐に努めています。

全国高専デザインコンペの運営も係で担当

――仕事上の成長実感や、「うれしかったこと」「やりがい」についてお聞かせください。

現係は実質８年足らずですが、学生とともに成長している実感があります。最初の就職事務では、多くの学生が１、２社目で内々定をもらう中、年明けまで就職活動を続けていた学生がようやく内定を得たときの喜びは計り知れないものがありました。その頃にはこちらも度重なる企業とのやり取りで顔見知りも増え、人間関係を広げられ、成長を感じました。

こんなこともありました。普段の成績はそんなに芳しくないある学生が就職活動を終えたとき、仲間の学生と一緒に紙袋いっぱいの菓子類を持ってきて、感謝の意を表してくれました。学生が菓子箱に書いてくれた温かい手書きのメッセージは、その後の業務の大きな励みにもなっています。奨学金関係の事務は煩雑かつ膨大ですが、どんなに細かくても一つ一つの業務が学生の皆さんの支援につながるものであり、毎日のようにやりがいを感じています。

諸事情でなかなかレポートを提出できないなど、常に課題が後回しになってしまう学生もいます。そうすると、家庭で奨学金を希望していても、申請も遅れがちです。保護者から連絡を受け、学生に打診して、きめ細かな指導を行ったことで、採用までこぎつけられたこともありました。本当に良かったと、ほっとしました。学生からすぐに申請希望が出されれば問題ないのですが、すべてがそうはいきません。目の前の仕事に追われがちですが、スムーズにいかないケースも想定して、早めに対処できるよう日々努めています。

――職場の雰囲気はいかがですか。

とてもアットホームな職場です。係員が長期休暇を取ったり係長の配属がなかったりと、人数的には大変なときもありました。だからこそ通常４人のところ２人に半減したときは、お互いに“戦友”と呼べるような強い絆ができ、係を離れても励まし合っています。今は非常勤の職員も含めて５人体制です。私は少し人見知りなところがあったのですが、この職場の雰囲気が自分に合っているし、人間関係も良く、本校の職員になって本当に良かったと思います。

「とてもアットホームな職場です」
正門と校舎

――今後の抱負をお願いします。

本校においても、近年ワークライフバランスが、実現してきています。今まで超過勤務や家庭、育児のことを考え、上司から勧められていた昇任を避け続けていました。しかし、ワークライフバランスが維持されるのであれば、受けてみようかと思っています。そして今後は上司の期待も受け入れて、学校全体を引っ張っていく存在でありたいです。

――読者に一言お願いします。

仕事では、つらいこともありますが、充実した１日１日を終えることは、そのまま確実に生きる力となっています。学生時代を再度、疑似体験しながら将来を模索することができる魅力が、学校事務にはあるのではないかと思います。

ある１年間のスケジュール

4月	奨学金申請者書類確認 推薦審議資料作成
5月	奨学金申請者推薦業務 高等学校等就学支援金受給資格認定申請業務
6月	高専体育大会運営
7月	課外活動夏合宿運営
8月	高等学校等就学支援金収入状況届出業務
9月	後期授業料免除申請書類確認
10月	高専祭運営補佐
11月	卒業アルバム関係業務
12月	キャリアセミナー関係業務
1月	卒業記念品関係業務
2月	課外活動春合宿運営
3月	日本学生支援機構奨学金適格認定

（取材：宮崎 恵美子）

Academic Staff Interview 6

独立行政法人
国立高等専門学校機構
宇部工業高等専門学校
学生課　教務・入試係
佃 友里（つくだ ゆり）さん
【2020年４月採用】

海外留学を希望する学生を全力でサポート 若手が多く、チャレンジできる環境です！

――初めに、学生課の概要を教えてください。

学生課は、学生の日常的な授業や課外活動、さらには学生寮に関する幅広いサポートを担当する部署です。学生生活を支える役割があり、学生が最も身近に感じる存在なのではないでしょうか。当課は３つの係に分かれており、それぞれが異なる業務を担当しています。

まず、教務・入試係では、教育課程の編成や修学指導、入学者選抜、進級・卒業に関する手続を主に担当しています。また、学生の成績管理や出席確認、インターンシップや国際交流の支援に関する業務も行っています。

次に、学生係は、学生の課外活動や奨学金の手続、進路支援など、日常の学生生活全般に関する業務を担当しています。高専祭やクラスマッチといった学校行事のサポート、さらに体育大会やロボットコンテストといったイベントの運営も含みます。学生が充実した学生生活を送ることができるよう、さまざまな支援をしています。

留学生と日本人が混住する国際寮

最後に、寮務係は、学生寮の管理と運営を担当し、寮生の諸手続や生活指導など、寮生が快適に生活できる環境の整備をしています。また、寮内の行事や集会の企画も重要な業務の一環です。

――佃さんの担当業務は？

私は2023年４月に教務・入試係に配属され、国際交流の業務を担当しています。

なかでも中心となるのは、学生の海外留学に関する業務です。留学希望者の募集からJASSO海外留学支援制度やトビタテ！留学JAPANといった奨学金に関する手続、航空券や海外旅行保険の手配、さらには留学後の単位認定まで多岐にわたり、留学に関する一連のサポートを行っています。特に、本校での留学が初めての海外渡航という学生も多いため、説明は丁寧に行うよう心掛けています。

本校は国際交流が非常に盛んで、留学を希望する学生が多いという特色があります。これまで、シンガポール、台湾などのアジアの国々や、オーストラリアなどへの留学をサポートしてきました。2024年度は円安の影響を受けながらも、７月には台湾で開催された国際学会「日台カンファレンス」に20人の学生が参加し、夏休みには60人以上の学生が留学するなど、多くの学生が海外での学びの機会を得ています。春季休業中も2023年度は約20人の学生が留学しました。

繁忙期は３月から５月にかけての留学希望者の多い夏季休業中の留学に関する業務がピークを迎える時期です。この時期は係内で業務を共有したり、早い段階で打合せをするなど工夫をし、スムーズにかつミスがないよう仕事を進められるよう特に意識しています。また夏季休業中の留学は、各種奨学金を受給して留学をする学生も多いため、その手続の取りまとめも私の担当です。奨学金があることで留学が実現する学生も少なくないため、欠かせない業務の一つです。どの時期でも共通なのですが、学生が無事に渡航し、留学が開始できたと聞くと、ほっとします。

ただし、留学開始後も、現地からの相談対応や奨学金支給の手続、帰国後の単位認定や報告書作成など、年間を通じて業務を行います。

――やりがいを教えてください。

学生たちから無事に帰国したとの報告を受けると、大きな達成感があります。彼らが留学を通じて夢を叶え、成長していく姿を見守ることに、大きなやりがいを感じています。

私も大学２年のときにオーストラ

リアへ４週間の語学留学をしましたが、視野が広がり、帰国後は物事に対して積極的になれたと思います。同じように、学生たちも留学先での経験で自信をつけ、考えを深めているようです。学生が留学後に留学先での経験を活かし、国際交流に関するイベントを企画、実施することもあります。成長した姿を見られることは、この仕事の喜びでもありますし、将来のキャリアへの１歩を踏み出すサポートができていることがうれしいです。

――教育研究活動の国際化、グローバルキャンパスの実現に向けて職員のスキルを高めることを目的とするグローバルSD研修にも参加されたと伺いました。

グローバルSD研修では、マレーシアのペナンにあるマレーシア科学大学（USM）で英語研修やOJTに取り組みました。英語でコミュニケーションを取り、大学の研究支援や入試広報の業務を学びました。

研修中、現地の企業で働く日本人にも出会い、彼らがどのように活躍しているかを実感。また、マレーシア政府派遣留学生が高専には在学しているのですが、その卒業生のコミュニティの皆さんと交流する貴重な機会が得られました。日本から参加した職員のスキルが高いことにも驚き、大きな刺激を受けました。このときの参加者とは今も交流が続いています。

――これまでに経験しておいてよかったことを教えてください。

先ほど述べた、オーストラリアでの短期留学です。また、大学在学中、「COC＋事業（地（知）の拠点大学による地方創生推進事業）」に参加し、友人とともに地域活動に取り組んだことも大きいです。もともと公務員志望でしたが、このときに大学職員の方々にサポートしていただいたことがきっかけで、私も学生のチャレンジを応援したいと思うようになったので、今のキャリアへつながる大切な経験だったと思います。

グローバルSD研修で参加者の皆さんと

2022年には創立60周年を迎えた

――職場の雰囲気を教えてください。

30代から40代の職員が多いです。私が入職した際には、20代の職員は私一人でしたが、その後若手の採用が進み、最近では20代の職員も増えています。特に年齢層の低い職員が新しいことに積極的にチャレンジできる環境が整っており、活発に意見を出し合える雰囲気があります。また、ワークライフバランスも重視され、子育てや家庭の事情に配慮した柔軟な働き方が可能です。頑張ったぶん、成果が評価される職場なので、やりがいを感じています。

――今後の抱負をお願いします。

これまで国際交流の業務を担当してきましたが、学生課の業務は幅広く、まだ、業務を十分に理解できていないところもあります。今後は、さまざまな業務に取り組む中で、苦手分野を克服しつつ、周囲を支えられる職員になれるよう、成長していきたいです。

――読者に一言お願いします。

就職活動では、思うように進まず焦ることもあるかもしれません。私も同じ経験をしましたが、若手でも自分で考え、仕事に取り組める今の職場で成長でき、やりがいを感じています。皆さんも、高専での業務に興味があれば、ぜひ前向きに受験を考えてみてください。

ある１年間のスケジュール

4～9月	・夏季休業中の留学に関する業務（説明会の実施、渡航手続や奨学金の取りまとめ、参加学生や研修担当教員のサポートなど） ・前年度春季休業中の留学の帰国後に関する業務（留学の成果報告会や単位認定など）
9～10月	・次年度のJASSO海外留学支援制度の申請 ・春季休業中の留学に関する準備（募集要項の作成など）
10～1月	・春季休業中の留学に関する業務（説明会の実施、参加学生や研修担当教員のサポートなど） ・夏季休業中の留学の帰国後に関する業務（留学の成果報告会や単位認定など） ・次年度のトビタテ！留学JAPANの申請に関する業務（各種書類の取りまとめや申請書類のチェックなど）
1～3月	・夏季休業中の留学に関する準備（募集要項の作成など）
通年随時	・学内外の国際交流イベントや学生の海外派遣に関する業務（イベント実施のための各種手配など） ・短期留学生受入に関する業務の補助

（取材：黒澤 真紀）

Academic Staff Interview 7

長崎大学

総務部　人事課　人事企画班

戸田 航大（とだ こうた）さん

【2019年4月採用】

職員の採用・異動を担う部署で業務にまい進中です！

──長崎大学に採用されてからどのような部署を経験しましたか？

初めに配属となったのは文教地区事務部会計課会計班で、本学職員が出張をした際の旅費の処理や、他大学の先生や企業の取締役などの方々が本学で講演を行った際に支払う謝金の処理を担当していました。その後、業務の係替えがあり、本学（多文化社会学部、教育学部）の予算の管理や、本学の先生方が獲得してきた科学研究費や受託研究費などの外部資金の管理を担当しました。

総務部人事課人事企画班に異動となった現在は、職員の採用・異動に関する業務や、採用された職員の給与の決定、すでに在籍している職員への給与の支給、通勤・住宅などの各種手当の認定を行う部署に所属しています。

──人事課にはほかにも部署があるそうですね。

人事課には人事企画班以外に2つの部署があります。1つ目が人事管理班で、本学職員の労働時間の管理や休暇申請、労働災害の処理、職員の研修関連業務などを行っている部署です。もう1つが業務支援室で、ここでは主に障がい者雇用の推進が行われています。

──現在担当している業務について教えてください。

私は主に職員の採用・異動に関する業務を担当しています。具体的な業務の流れは、まず、各部署の総務担当から「こうした人を採用したい」「この人をあの部署へ異動させたい」といった事柄が書かれた上申書が提出されます。その上申書に記載された内容が承認された後、職員の採用・異動先が書かれた辞令書や、勤務時間や給与情報などが記載された労働条件通知書を発行します。それらの書類の作成や、情報を人事システムに入力する作業が私の仕事です。

──ほかに担当している業務はありますか？

事務職員採用の筆記・面接試験の関連業務を行っています。筆記試験に関しては、使用する試験会場の確保から始まり、試験日前日には会場のホワイトボードへの必要事項の記載、座席表の準備、会場案内の立て看板のセッティングなどをしています。筆記試験当日は試験冊子の搬入、試験実施本部のセッティングなどを行い、試験終了後は答案用紙を発送します。面接試験では、受験者・面接官の日程調整、面接日が決まったら受験者に日程の連絡を行います。面接当日は、受験者を面接室へ誘導するなど、試験がスムーズに進むようにサポートしています。

ほかには、全学教授等選考委員会の運営業務を行っています。これは毎月実施されているもので、各学部から「新たにこういう先生を雇いたい」「このポジションに空きができたため、先生を外部から採用したい」という要望が出た際に、選考についての方針を審議するものです。私はこの委員会の開催に当たり、会場における席札の準備、マイクの設置、会議に必要となる資料の準備などを行っています。

──厚生労働省などから労務に関する問合せが来るそうですが？

はい。厚生労働省など外部からの調査依頼に回答する業務も私が担当しています。あらかじめ人事システムに、本学の全教職員数や一定の職種における職員数などのデータが入力してありますので、情報を集計し

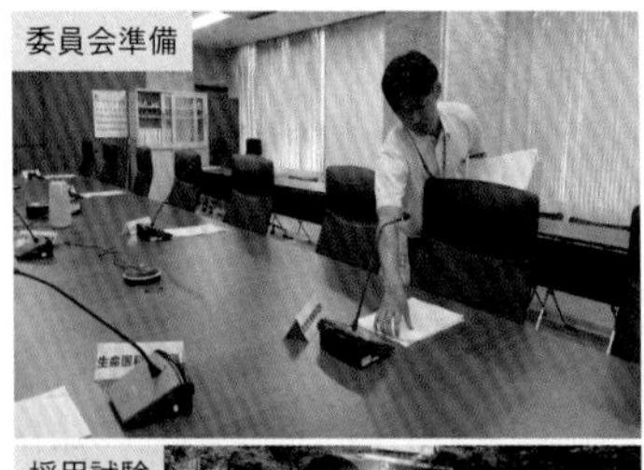
委員会準備

採用試験会場設営

て、報告しています。

——業務を行ううえで、心掛けていることはありますか？

採用・異動に関する業務を行っている部署なので、たくさんの個人情報を取り扱います。そのため、ミスがないよう細心の注意を払って業務を行っています。たとえば採用に関する業務では、人事システムに給与支給条件の入力ミスがあると、その人の生活基盤を揺るがすことになりかねません。そのため、ミスが起こらないように何度も内容を確認しながらデータ入力をするようにしています。また職員の異動に関しては、情報が書かれた書類を机上に置く際に裏返す、打合せで使い終わった資料はすぐにシュレッダーにかける、などの工夫をしています。

——繁忙期はいつ頃ですか？

年度始めの採用・異動といった職員の入れ替わりの時期に向けて、数百件に上る上申書の提出があるため、３月末は忙しいですね。また、事務職員の採用試験を実施する関係で、７～８月辺りも忙しくなります。

現在の部署に異動になって、初めて迎える年度末は提出された多くの上申書を見て「このままでは業務に対応しきれない！」と焦ったことがあります。上司と先輩職員に相談したところ、私の担当業務を皆さんに分担してもらうことになりました。あのまま一人で業務を行っていたら期限内に業務が終わらず、周りに迷惑を掛けたかもしれません。この経験から、ときには周囲の人々を頼り、また、業務が終わらず困っている人がいたらサポートするように心掛けています。

——仕事をとおして学ぶことがあるのですね。

ほかにも、業務をしていくうえで学んだことがあります。それは、人の質問に答えるときの心構えです。

事務局
附属図書館

中部講堂

今の部署では上申書を提出してくる各部署の総務担当の方々から「これから職員を採用するが、こちらで作成した募集要項に不備がないか」「学内の規則に採用条件が抵触していないか」などの相談を受けることがあります。そうした質問に正確に答えられるように、法律や規則を読み込むなど下調べをしたり、調べても判断に迷うような点については諸先輩方に意見を求めたりして、相手が安心して業務を進められるようにサポートしています。

——最後に、読者へのメッセージをお願いします。

長崎大学では、さまざまな業務を担当できます。自分に適したキャリアパスを描きやすいですし、温かい方が多いです。皆さんもぜひ機関訪問にお越しください。

ある１年間のスケジュール

月	旬	業務	業務
4月	上旬		
	下旬	業務説明会（九州地区）	
5月	上旬		調書作成
	下旬	人事異動ヒアリング	
6月	上旬	7月人事異動処理業務	
	下旬		
7月	上旬	事務職員採用筆記試験	
	下旬	業務説明会	
8月	上旬		調書作成
	下旬	事務職員採用面接試験	
9月	上旬		
	下旬		
10月	上旬		
	下旬		
11月	上旬		
	下旬	内定者懇談会	
12月	上旬	事務職員登用試験	調書作成
	下旬		
1月	上旬		
	下旬		
2月	上旬		
	下旬	4月人事異動処理業務	年度末および年度始処理業務
3月	上旬		
	下旬		

（取材：武末 典子）

[コラム] 国立大学法人とは？

国立大学は、平成16年４月から法人化し、文部科学省が設置する国の機関から、各大学が独立した法人格を持つ「国立大学法人」へと生まれ変わりました。国立大学法人は、国が財政的に責任を持つ独立行政法人の枠組みをもとに、自主・自律という大学の特性を加えた新しい法人制度です。性格の似たものに、高度な学術研究の拠点となる国立天文台などの大学共同利用機関法人や、国立高等専門学校機構、国立青少年教育振興機構などの独立行政法人があります。

なお、国立大学法人等職員の身分は、「非公務員型」の法人職員であり、国家公務員ではありません。

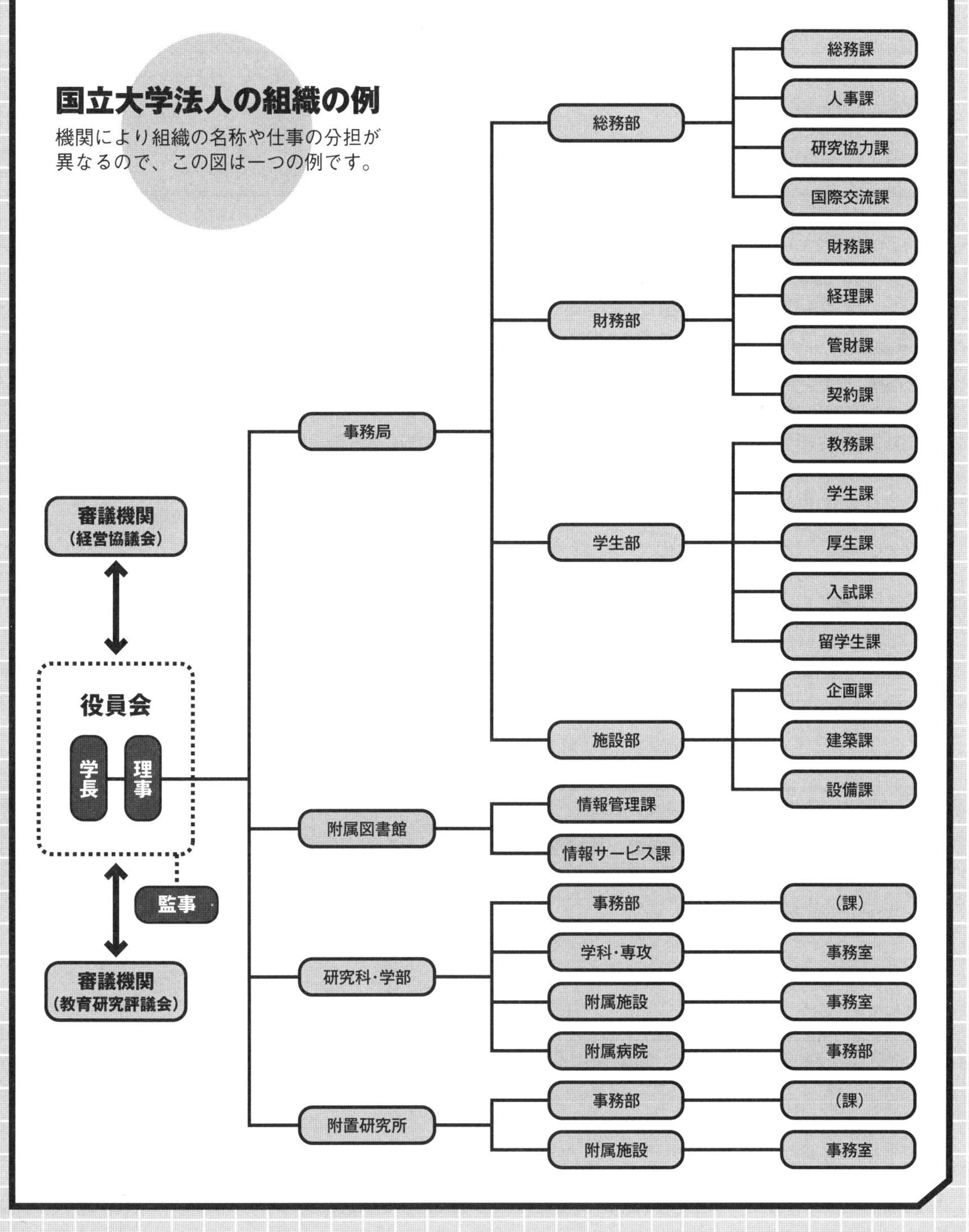

[コラム] 多岐にわたる職員の仕事

国立大学法人等職員の仕事といえば、学生への対応業務を思い浮かべる人が多いかもしれませんが、実際の職員の業務は多岐にわたります。

ここでは、業務内容を大きく8つの系列に分けて、それぞれの仕事を簡単に紹介します。

なお、職員採用試験で受験した試験区分により、主な勤務先と業務内容は、おおむね下の表のようになります。

試験区分	主な勤務先	主な業務内容
[事務系] 事務、図書	大学・高専等の事務局（部）、図書館、学部、研究所、附属病院等	総務・人事系、財務系、教務・学生系、研究協力・国際交流系、医療事務系、図書系
[技術系] 電気、機械、土木、建築、化学、物理、電子・情報、資源工学、農学、林学、生物・生命科学	大学・高専等の施設関係部門、技術部門等	施設系技術、教育・研究支援系（教室系）技術

総務・人事系

大学等の経営や組織の運営を円滑に進めるとともに、教職員の仕事や生活をサポートする業務です。

▶総務、庶務関係
- 事務の総括、連絡調整
- 役員会、教育研究評議会、経営協議会、教授会等の各種会議の運営
- 入学式、学位授与式その他の各種行事の運営
- 学内規則、規程等の制定・改廃
- 大学の運営、組織改革等にかかわる事項の企画、立案
- 中期目標、中期計画の企画・立案および点検、評価
- 渉外事務

▶人事関係
- 職員の採用、異動、退職等の人事管理
- 職員の給与、諸手当の決定
- 職員の研修の企画、立案、実施
- 職員の健康管理、災害補償
- 職員の福利厚生、労働時間・休暇の管理
- 職員の服務、労使協定に関する業務

▶企画渉外関係
- 広報活動の企画、立案、実施
- 広報刊行物の編集、発行
- 情報公開に関する業務　等

財務系

法令や規定等に基づき、組織運営を財務面から支える業務です。

▶財務関係
- 予算の立案、要求、配分、管理
- 決算および財務諸表の作成
- 会計に関する監査、統計調査
- 会計諸規定に関する業務

▶資金管理関係
- 余剰金、積立金、借入金、債権等の管理
- 運営費交付金、授業料、入学料、検定料等の収入業務
- 職員の給与、出張旅費等の計算および支給
- 購入物品等の代金の支払い
- 寄附金や補助金の受入れ・支出
- 消費税の申告

▶資産管理関係
- 土地・建物、構築物等の固定資産の管理
- 職員宿舎の貸与および維持保全
- 学内の防災・警備
- 教育・研究のための寄附金、補助金等の経理

▶契約関係
- 物品の購入、借入、請負その他の契約、調達
- 役務の調達
- 物品等の管理　等

教務・学生系

学生の入学から卒業まで、学業および生活面をサポートする業務です。

▶入試関係
- 学生募集、入試広報
- 大学入学共通テストの実施
- 個別学力試験の実施
- 入試調査統計、入試改善

▶教務、学務関係
- 学生の入退学、留学、卒業等の手続きおよび学籍の管理
- カリキュラムの編成、履修手続きおよび修学指導
- 試験の実施および学業成績の管理
- 教育実習、教育職員免許の手続き
- 研究生、科目等履修生、聴講生等の受入手続きおよび修学指導
- 他大学との単位交換に関する業務
- 授業評価、教育方法等の改善・充実
- 学位に関する業務（審査）

▶学生支援関係
- 学生の生活指導および学生相談
- 奨学金および入学料・授業料免除の手続き
- 学生の課外活動の支援および課外活動施設の管理
- 学生寮の管理運営
- 学生の教育研究災害傷害保険、旅客運賃割引証に関する業務
- 学生の健康管理および福利厚生、環境衛生に関する業務
- アルバイトの紹介

▶就職支援関係
- 就職情報の収集、提供
- 学生の就職活動の指導、相談およびインターンシップに関する業務
- 就職ガイダンス、就職セミナー等の企画、実施
- 就職に関する各種統計調査　等

研究協力・国際交流系

学術研究の振興助成、海外との学術交流、留学生交流を推進する業務です。

▶研究協力関係
- 学術研究の推進に関する企画、立案および調査
- 科学研究費補助金や各種研究助成金の申請、報告
- 放射線同位元素等の使用や組換えDNA実験の申請、届出
- 公開講座等の企画、実施

▶産学連携関係
- 民間機関等との共同研究
- 受託研究の受入れ、報告
- 寄附講座、寄附研究部門の設置、運営
- 知的財産の創出、保護、活用
- 内地研究員、在外研究員に関する業務

▶国際交流、留学生関係
- 国際交流の企画、立案
- 外国の大学等との学術交流
- 外国人研究員等の受入れ、研究者の海外派遣
- 国際シンポジウム等の開催
- 外国人留学生の受入れおよび修学・生活指導、生活支援
- 外国人留学生の奨学金、宿舎等に関する業務
- 入国管理手続き
- 地域における留学生支援
- 学生の海外留学派遣　等

医療事務系

主に大学病院で、医療や看護などの仕事がスムーズに進むようサポートする業務です。

▶医事関係
- 外来患者の受付
- 入院患者の入院、退院の手続き
- 診療費用・入院費の計算、収納、領収書の発行
- 社会保険等への診療報酬の請求
- 各種診療関係証明書の発行
- 医療安全、医療事故対策
- 医療相談、医療訴訟に関する業務
- 地域医療支援業務
- 公費負担医療に関する業務

▶医療情報関係
- 医療に関する情報収集、調査、統計
- 医療情報システムの管理、運用
- 医療情報システムの将来設計の企画、立案
- 病院管理会計システムの管理、運営
- 各種医療情報データの集積、提供
- 病歴情報等の管理、保管、情報公開
- 医療に関する各種統計調査　等

図書系

学術情報サービスについてのさまざまなニーズに応え、教育・研究をサポートする業務です。

▶情報サービス関係

・図書館資料の閲覧、貸出、返却
・図書館資料の保存、配架、点検
・図書館資料の参考調査、情報検索
・閲覧室、書庫の管理、整理整頓
・図書館の利用案内、広報
・図書館資料の他機関との相互利用、文献複写
・電子図書館の構築、運営
・電子ジャーナル等の刊行情報の調査、利用指導

▶情報管理関係

・図書館情報システムの企画、立案、管理、運用
・図書館資料の目録情報データベースの作成、管理
・図書館資料の選定、発注、契約、受入れ
・図書費の予算管理
・図書に関する調査統計、諸報告
・図書館事務の連絡調整　等

施設系技術

大学等の施設について、整備計画、施工監理、維持保全まで、すべてをマネージメントします。

▶施設整備関係

・施設整備に関する企画、調査
・施設の中・長期整備計画の策定
・施設の整備等に関する工事の契約、監督
・施設の整備等に関する工事の計画、設計、積算、施工監理、検査
・施設の整備等に関する図面の整理、保存

▶施設保全関係

・建物、電気、水道、ガス設備、外構等の維持管理
・施設の維持保全にかかわる点検、保守、衛生管理、運転監視および警備
・安全衛生管理にかかわる計画、点検、指導、助言
・エネルギーの使用の管理および合理化　等

教育・研究支援系（教室系）技術

多岐にわたる教育・研究活動を円滑に進めるため、それぞれの専門知識を活かし、技術面から支援します。

▶技術支援関係

・各種実験データの測定、処理および分析、提供
・教育・研究の技術支援
・学生の実験・実習の企画、立案および準備
・学生の実験・実習の技術指導および助言
・研究・実験用の機械・機器・装置等の開発、設計・製作、維持、管理・運用
・研究・実験用各種資料の採取、保存および標本作成
・機器操作方法等の技術指導
・安全作業指導

▶維持管理関係

・機械、機器、装置等の整備
・適切な作業環境の保持　等

PART 2

こんな試験が行われる！

国立大学法人等職員採用試験（統一試験）は、申込みから一次試験合格発表までは全国統一で行われるが、業務説明会は各地区独自に行われ、二次試験については各採用機関別に実施される。本PARTをよく読んで、国立大学法人等職員採用試験のシステムを理解しよう。

採用までのプロセス

国立大学法人等職員（非公務員）の採用については「**国立大学法人等職員統一採用試験**」として、全国７地区（北海道、東北、関東甲信越、東海・北陸、近畿、中国・四国、九州）の各実施委員会で行われている。

この試験からは、国立大学法人のほか、独立行政法人国立高等専門学校機構および放送大学といった機関や、大学共同利用機関法人（研究機構・研究所）、独立行政法人である国立博物館・美術館、教育施設などの機関の職員の採用も行われる。

試験区分には、事務系として「事務」「図書」の２区分、技術系として「電気」「機械」「土木」「建築」「化学」「物理」「電子・情報」「資源工学」「農学」「林学」「生物・生命科学」の11区分がある。ただし、地区内の機関で採用予定のない区分については試験を実施しない。実施の有無については各地区の実施委員会のホームページで確認してほしい。

統一試験における申込みから採用までの流れを23ページの図にまとめた。以下、試験の内容や採用までのプロセスと、それぞれの注意点などを解説していこう。

①申込受付

日程は全国統一である。試験案内等もホームページ上で公表され、申込みはインターネットで受け付ける。その際、「国立大学法人等グループ会員サービス」に登録し、マイページを開設することが必要となっている。受験票はマイページあてに送信される。一次試験の際には、自分で印刷した受験票を持参する（顔写真データの事前アップロードが必要）。

②一次試験

全国統一で実施され、他地区との併願はできない。すべての区分について、五肢択一式の教養試験（120分、40問）が課される。

内容は社会、人文、自然に関する一般知識（20問）および文章理解、判断推理、数的推理、資料解釈に関する一般知能（20問）で、大学卒業程度の一般の公務員試験に準じている（詳しくは27ページの「教養試験の概要」を参照）。

③一次試験合格発表

一次試験合格者は、一次試験実施の約半月後に発表される。一次試験合格者は各地区の実施委員会が作成する「第一次試験合格者名簿」に登載される。各機関はこの名簿に基づき面接考査等の二次試験を行い、採用内定者を決めるというシステムになっている。

名簿は一次試験合格発表日から原則１年間保管され、各機関で欠員が生じた場合には、その都度、この名簿に基づき二次試験が実施される。

④採用説明会・機関訪問の開催

地区ごとに、おおむね一次試験合格発表後に採用予定のある機関が参加する合同の採用説明会や機関（職場）訪問などが開催される。ただし、一次試験の直後から機関訪問を受け付けたり、合同の採用説明会の前に独自の説明会を行う機関もあるので、志望先の情報を確認しよう。

“独自に行われる試験”

国立大学法人等職員の採用ルートは統一試験だけではない。例年、東北大学、東京大学、京都大学、大阪大学などは、統一試験のほかにも、独自に職員の募集を行っている。また、統一試験からの採用はせずに、独自試験で採用を行う機関もある。

66～69ページには、小社が行ったアンケートにおいて、独自採用を行ったと回答した機関について、採用実績や選考過程についての一覧表を掲載している。

独自試験の実施の時期は、機関によってまちまちなので、各機関のホームページをこまめにチェックしたり、電話で問い合わせるなどして、積極的にアプローチしてほしい。

申込みから採用まで（令和６年度統一試験の場合）

①受験資格

平成６（1994）年４月２日以降に生まれた者。

②試験区分

機関によって異なるが、事務系２区分のほか、技術系の11区分を募集する（下図参照）。

③採用までの流れ

申込み～一次試験合格発表までの日程は全国共通で、一次試験では、全地区、全区分共通の教養試験が課される。二次試験は各機関で実施される面接等の考査となるが、図書については全地区共通の専門試験も課される。二次試験の結果、内定が提示される。

一次試験合格発表後のプロセスは地区によって若干異なる。詳しくは各地区の実施委員会のホームページで確認してほしい。

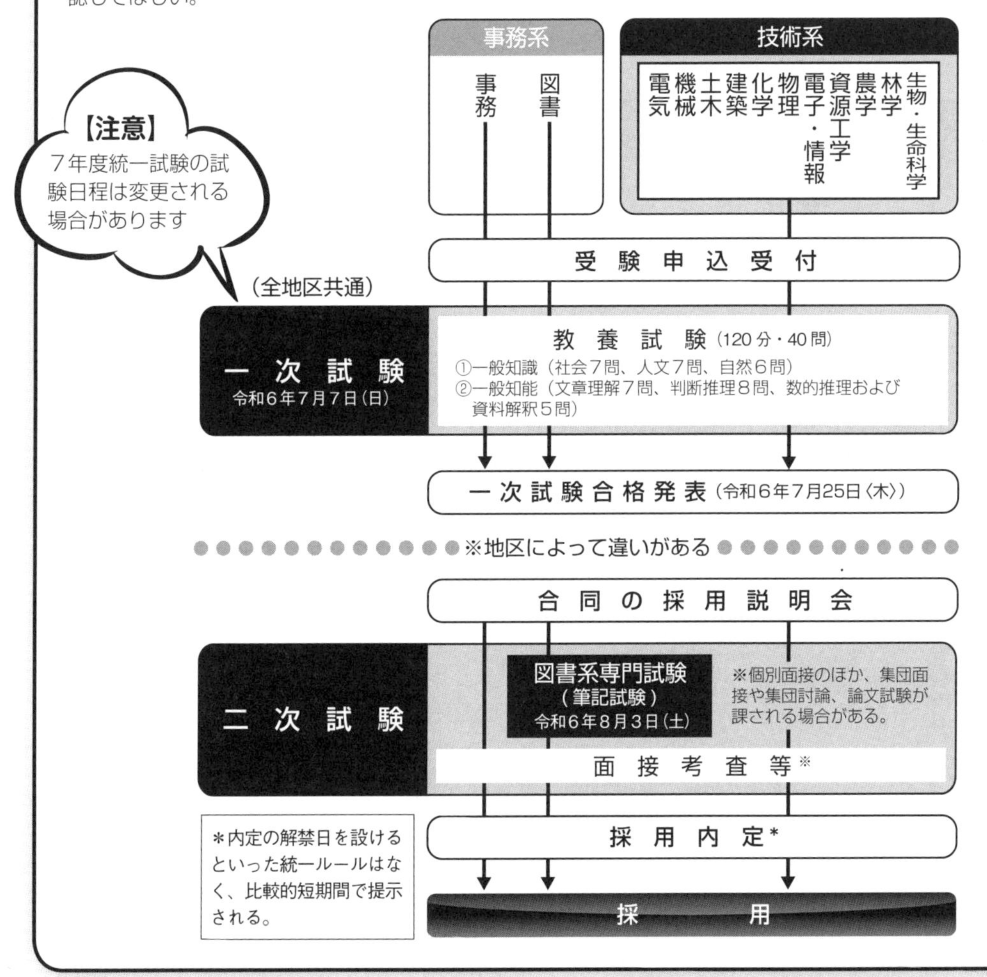

説明会や機関訪問への参加は絶対不可欠なものではないが、各機関の業務内容や職場の雰囲気を知る絶好の機会であるため、積極的に参加しよう。

日程等の詳細は各地区の実施委員会や各機関のホームページで確認できる。事前予約が必要な機関もあるので、注意しよう。

⑤二次試験

各機関が独自に行う。日程は機関により異なるので、複数の機関の試験を受けることが可能である。合同の採用説明会の際に予約できるほか、採用予定のある機関に連絡を取り、二次試験の受験を申し出ることもできる。

内容は面接考査が主で、個別面接のほか、集団面接や集団討論が行われたり、論文試験や適性検査が課されることもある。また、エントリーシート審査（書類選考）を行う機関もある。機関ごとの詳細は60～65ページに掲載した「採用実績、業務説明会・二次試験（面接考査）等一覧」を参照してほしい。面接は複数回設けられている場合が多く、クリアした人が次のステップに進むようになっている。

なお、図書区分は、図書系二次専門試験（筆記試験）を実施した後、機関別に面接考査を行う（受験に当たって、司書資格は必要でない）。

また、技術系については、必要に応じて考査が行われる（機関によって異なる）。

⑥採用内定

内定の解禁日を設けるといった統一ルールはなく、比較的短期間で内定が提示される。

内定の受諾は１機関のみ可能で、同時並行で別の機関の面接を受けている場合は、速やかにその旨を伝えて辞退すること。また、受諾した場合、試験実施委員会に「第二次試験合格届」を提出する。

⑦採用

採用予定時期はおおむね試験の翌年の４月１日だが、既卒者の場合は、機関の欠員状況によっては４月を待たずに採用になることもある。

※　※　※

38～59ページには受験者から寄せられた機関別の二次試験情報をまとめた。質問項目だけでなく、面接での雰囲気や内定が出るまでの流れなどもレポートされている。それぞれの機関のカラーの違いをじっくり研究して、有効な対策を立てよう。

勤務条件・福利厚生

■勤務時間

原則として８：30～17：15の１日７時間45分（週38時間45分）である。

■休日

土曜日、日曜日（完全週休２日制）と祝日および年末年始（12/29～1/3）。

※勤務時間、休暇は職種や勤務場所によって異なる場合がある。

■休暇等

年次有給休暇は年間20日（ただし、４月採用の場合、その年は15日）で、20日を限度として翌年に繰り越すことができる。ほかに特別休暇（夏季、結婚、産前・産後、忌引等）や病気休暇、育児休業、介護休業などがある。

■給与・手当

初任給は、機関により異なるが、約190,000円～約230,000円（学歴や採用前の職歴等により個別に決定）で、これに加えて、通勤手当、住居手当、扶養手当、期末・勤勉手当（毎年６月、12月に支給）、超過勤務手当、地域手当（物価の高い都市に勤務する職員を対象とするもの）などが支給される。

■研修

新規採用職員研修をはじめ、階層別研修（中堅職員研修、主任研修、係長研修、課長補佐研修等）のほか、目的別研修（担当している業務の実務研修、語学研修、海外派遣研修、民間派遣研修、図書系職員研修、技術職員研修）などがある。

■昇進

各職員の能力や勤務成績などに基づいて上位のポストに昇進していく。一般事務職員の場合、係員→主任→係長・専門職員→課長補佐・専門員→課長・事務長→部長→理事・局長といったパターンになる（ポストの職名は各機関によって異なる）。

■人事異動・人事交流

異動は本人の適性や職務経験などを総合的に勘案しながら、おおむね２～３年ごとに行う。

また、職員の資質の向上のため、同地区の他の機関との人事交流（一定期間の勤務）も行われており、若手職員が文部科学省に研修生として勤務する制度も設けられている。

■福利厚生

文部科学省共済組合等に加入し、国家公務員と同様に病気やけが、出産、死亡または災害の際などの給付や退職、障害、死亡に対する年金などの給付を受けたり、全国の国家公務員共済組合連合会の宿泊・保養施設を割安で利用できる。また、積立貯金制度もある。

さらに、体育館、グラウンド、テニスコート、プール等の体育施設を昼休みや勤務時間終了後に利用したり、附属図書館を利用することもできる。

採用プロセス Q&A

Q1 一次試験は全国共通ということですが、どの地区で受験してもよいのでしょうか？
また、複数地区の併願は可能でしょうか？

A 一次試験は採用希望地区にかかわらず、受験に便利な地区で受験できます。

また、複数地区の併願はできません。ただし、図書および技術系区分については、採用予定数が限られているため、一次試験合格者の採用機会の増加を図る観点により、他地区での採用を希望することもできます。他地区採用希望を届け出ると、他地区の採用試験実施委員会へ「第一次試験合格者名簿」が提供され、その結果、当初希望地区以外の機関から二次試験の実施についての連絡が来る場合もあります。

Q2 具体的な志望先はいつ頃までに決めればよいでしょうか？
また、どのように情報を収集すればよいか教えてください。

A 二次試験（面接考査等）は一次試験合格発表からほどなくして始まります。地区によって違いはありますが、採用説明会や機関訪問はおおむね一次試験合格発表の前後に行われています。志望先の決定は早ければ早いほどよいでしょう。遅くとも一次試験の前までには決定しておかないと出遅れてしまいます。

本書のPART 1や各機関のホームページの情報をチェックするとともに、地区によっては秋～春に受験予定者を対象とする説明会が開催されていますので、そういった機会を有効に活用することも大切です。

なお、各機関では年間を通じていつでも問合せには応じてくれますので、個別に情報の提供を求めたり、実際に訪問して説明を聞くことをお勧めします。早い段階である程度志望先を固めておくことで、時間に限りのある採用説明会や機関訪問をスムーズに進めることができます。

Q3 合格発表後の説明会に参加するに当たって、どのようなことに注意すればよいでしょうか？

A 合格発表後の説明会については、一次合格発表の直前頃から実施委員会や各採用機関のホームページで公表されます。事前予約が必要な場合もありますので、こまめにチェックしておきましょう。

また、合同の採用説明会が開かれる場合、その場で二次試験の予約を受け付けているケースもあるので、どの機関の説明会に参加するかはあらかじめ決めておき、効率的に回るようにしましょう。なお、その場で面接が行われることはありませんが、きちんとした服装で行くのは当然のマナーです。

Q4 複数の機関の二次試験を受験予定ですが、第一志望でない機関から先に内定が出た場合、どうすればいいでしょうか？

A 二次試験は、日程が重ならない限り、複数の機関を受験できますが、内定は1つしか受けられません。ある機関から内定を提示されたが、別の機関からの連絡を待っているという場合は、その旨をきちんと伝えましょう。機関によっては返事を保留してくれることがあります。

複数の機関からの内定に応じることは各機関の採用予定や他の受験者の活動にも大きな影響を及ぼします。安易に受諾して、後で辞退することがないよう、慎重に行動してください。誠意を持った対応を心掛けましょう。

Q5 いくつかの機関の二次試験を受験したものの、希望どおりの結果が出ていません。採用の機会はいつまであるのでしょうか？

A 内定が得られず、引き続き採用を希望する場合は、採用試験事務室に希望届（意向届）を提出します。提出期限が定められており、提出がなかった場合は採用希望者として取り扱われないので、注意が必要です。

欠員が生じた機関は追加募集を行い、採用希望者名簿に基づいて二次試験を実施します。どうしても特定の機関の職員をめざすなら次年度に再受験するしかありませんが、それまでに追加募集が行われる可能性もありますので、情報には注意しましょう。

令和6年度　国立大学法人等職員採用試験　一次試験実施結果

試験区分＼地区		北海道	東北	関東甲信越	東海・北陸	近畿	中国・四国	九州	合計
事務	申込	598 (296)	1,162 (598)	5,198 (2,736)	1,815 (1,050)	1,883 (1,111)	1,737 (905)	2,888 (1,472)	15,281 (8,168)
	一受	403 (203)	820 (404)	3,180 (1,653)	1,207 (711)	1,011 (596)	1,149 (602)	1,981 (1,007)	9,751 (5,176)
	一合	298 (141)	435 (209)	1,489 (712)	781 (445)	646 (365)	683 (360)	992 (485)	5,324 (2,717)
	競争	1.4	1.9	2.1	1.5	1.6	1.7	2.0	1.8
図書	申込	12 (8)	16 (12)	131 (97)	19 (14)	49 (38)	34 (26)	32 (20)	293 (215)
	一受	8 (8)	15 (11)	94 (65)	16 (13)	35 (27)	26 (22)	26 (15)	220 (161)
	一合	6 (6)	8 (5)	43 (25)	15 (12)	23 (17)	12 (9)	13 (6)	120 (80)
	競争	1.3	1.9	2.2	1.1	1.5	2.2	2.0	1.8
電気	申込	0 (0)	6 (0)	14 (4)	3 (0)	4 (2)	3 (0)	9 (1)	39 (7)
	一受	0 (0)	3 (0)	8 (4)	1 (0)	2 (2)	1 (0)	9 (1)	24 (7)
	一合	0 (0)	3 (0)	5 (2)	1 (0)	1 (1)	0 (0)	6 (0)	16 (3)
	競争	―	1.0	1.6	1.0	2.0	―	1.5	1.5
機械	申込	4 (1)	7 (1)	10 (0)	6 (0)	4 (0)	0 (0)	13 (1)	44 (3)
	一受	4 (1)	4 (0)	7 (0)	5 (0)	1 (0)	0 (0)	12 (1)	33 (2)
	一合	3 (1)	3 (0)	6 (0)	4 (0)	1 (0)	0 (0)	10 (1)	27 (2)
	競争	1.3	1.3	1.2	1.3	1.0	―	1.2	1.2
土木	申込	―	14 (3)	7 (2)	5 (4)	―	―	3 (0)	29 (9)
	一受	―	8 (2)	4 (1)	1 (1)	―	―	2 (0)	15 (4)
	一合	―	5 (2)	3 (1)	1 (1)	―	―	1 (0)	10 (4)
	競争	―	1.6	1.3	1.0	―	―	2.0	1.5
建築	申込	2 (1)	1 (0)	9 (5)	5 (1)	6 (2)	5 (3)	10 (5)	38 (17)
	一受	2 (1)	0 (0)	5 (2)	1 (0)	1 (1)	3 (2)	8 (4)	20 (10)
	一合	2 (1)	0 (0)	4 (2)	1 (0)	1 (1)	2 (1)	7 (3)	17 (8)
	競争	1.0	―	1.3	1.0	1.0	1.5	1.1	1.2
化学	申込	3 (1)	4 (3)	9 (3)	11 (7)	3 (2)	―	5 (2)	35 (18)
	一受	2 (1)	2 (2)	4 (0)	6 (4)	3 (2)	―	4 (1)	21 (10)
	一合	2 (1)	2 (2)	4 (0)	6 (4)	2 (2)	―	4 (1)	20 (10)
	競争	1.0	1.0	1.0	1.0	1.5	―	1.0	1.1
物理	申込	1 (0)	1 (1)	12 (3)	1 (0)	―	―	4 (1)	19 (5)
	一受	1 (0)	0 (0)	6 (1)	0 (0)	―	―	4 (1)	11 (2)
	一合	0 (0)	0 (0)	6 (1)	0 (0)	―	―	4 (1)	10 (2)
	競争	―	―	1.0	―	―	―	1.0	1.1
電子・情報	申込	1 (0)	1 (0)	20 (2)	4 (0)	0 (0)	4 (1)	8 (2)	38 (5)
	一受	1 (0)	0 (0)	13 (1)	2 (0)	0 (0)	2 (0)	7 (2)	25 (3)
	一合	1 (0)	0 (0)	11 (1)	2 (0)	0 (0)	2 (0)	7 (2)	23 (3)
	競争	1.0	―	1.2	1.0	―	1.0	1.0	1.1
資源工学	申込	―	0 (0)	0 (0)	―	―	―	―	0 (0)
	一受	―	0 (0)	0 (0)	―	―	―	―	0 (0)
	一合	―	0 (0)	0 (0)	―	―	―	―	0 (0)
	競争	―	―	―	―	―	―	―	―
農学	申込	―	2 (2)	17 (10)	9 (3)	―	9 (4)	―	37 (19)
	一受	―	1 (1)	8 (4)	7 (2)	―	2 (0)	―	18 (7)
	一合	―	1 (1)	6 (2)	7 (2)	―	2 (0)	―	16 (5)
	競争	―	1.0	1.3	1.0	―	1.0	―	1.1
林学	申込	2 (0)	2 (1)	―	―	―	―	3 (1)	7 (2)
	一受	1 (0)	0 (0)	―	―	―	―	2 (0)	3 (0)
	一合	1 (0)	0 (0)	―	―	―	―	2 (0)	3 (0)
	競争	1.0	―	―	―	―	―	1.0	1.0
生物・生命科学	申込	―	3 (2)	4 (0)	8 (3)	6 (2)	5 (1)	10 (5)	36 (13)
	一受	―	3 (2)	2 (0)	4 (3)	3 (2)	4 (1)	7 (4)	23 (12)
	一合	―	3 (2)	2 (0)	4 (3)	2 (1)	2 (1)	5 (2)	18 (9)
	競争	―	1.0	1.0	1.0	1.5	2.0	1.4	1.3
合計	申込	623 (307)	1,219 (623)	5,431 (2,862)	1,886 (1,082)	1,955 (1,157)	1,797 (940)	2,985 (1,510)	15,896 (8,481)
	一受	422 (214)	856 (422)	3,331 (1,731)	1,250 (734)	1,056 (630)	1,187 (627)	2,062 (1,036)	10,164 (5,394)
	一合	313 (150)	460 (221)	1,579 (746)	822 (467)	676 (387)	703 (371)	1,051 (501)	5,604 (2,843)
	競争	1.3	1.9	2.1	1.5	1.6	1.7	2.0	1.8

※（　）内は女性の内数。
※申込＝申込者数、一受＝一次受験者数、一合＝一次合格者数、競争＝競争率（一次受験者数÷一次合格者数）。

教養試験の概要

教養試験は全区分共通のもので、科目構成や問題の内容は大卒程度の一般的な公務員試験に準じている。６年度試験においては、120分・40問必須解答（五肢択一式）である。平均点や合格最低点等は発表されていないため、確実なことはいえないが、公務員試験同様、満点の７割以上を得点できるよう準備を進めていこう。

教養試験の問題は、大きく一般知識分野と一般知能分野に分けられ、それぞれ20問出題されている（下の教養試験科目別出題数参照）。

一般知識分野

〈出題科目〉

●社会科学…政治、法律、経済、社会
●人文科学…地理、世界史、日本史、思想、文学・芸術
●自然科学…数学、物理、化学、生物、地学

１科目当たりの出題数は１～２問と少ないものの、出題範囲が広いため、すべての科目を満遍なく学習するのは難しい。そのため、出題数の少ない科目や苦手な科目を「捨て科目」にする人が多いが、科目を絞りすぎると、準備をした科目で難問が多かった場合、７割の得点が確保できなくなるおそれがある。28～33ページの「科目別傾向＆対策」を参照し、苦手な科目についても、頻出テーマだけは押さえておくことをお勧めする。

なお、社会科学の経済や社会では、例年、時事問題も出題されており、政治でも時事に関連した内容の出題が見られるので、日頃から社会の動きに注意を払う必要がある。

●教養試験科目別出題数

分野・科目			出題数
一般知識分野	社会科学	政治	1
		法律	2
		経済	2
		社会	2
	人文科学	地理	2
		世界史	2
		日本史	2
		思想	1※
		文学・芸術	
	自然科学	数学	1
		物理	1
		化学	1
		生物	2
		地学	1
一般知能分野	文章理解	現代文	3
		英文	4
	判断推理		8
	数的推理		4
	資料解釈		1
計			40

※「思想」「文学・芸術」は、いずれか１問出題

一般知能分野

〈出題科目〉

●文章理解（現代文、英文）
●判断推理（空間把握含む）
●数的推理
●資料解釈

文章理解は、与えられた長文の読解力を問う問題、**判断推理・数的推理**は、与えられた条件を整理して状況を把握するとともに結論を導く推理力が求められる問題、**資料解釈**は与えられた数表や図表（グラフ）を読み取る問題である。いずれも、特別な知識を必要とするものではなく、その場で与えられた条件から考えて解く問題である。

とはいえ、限られた時間内で解くためには、「解法」のマスターが不可欠だ。本誌のPART３に掲載している過去問やPART４の予想問題をはじめ、地方上級公務員試験向けの問題集なども利用して問題演習を積み重ね、得点源にできるよう準備をしてほしい。ただし、なかには、どうしても解けない苦手なタイプの問題や、解くのに時間がかかる難問もある。本試験でそのような問題が出た場合は、いたずらに時間をかけず、確実に解ける問題に注力するよう切り替えるべきだ。問題のタイプを見極める目を養うためにも、さまざまな問題に触れておく必要があるだろう。

科目別 傾向&対策

一般知識分野

【政治】

✔ここにチェック!

- 日本と各国の政治制度
- 日本と各国の選挙
- 国際情勢・安全保障
- 国際連合・国際機関
- 政治思想とその変遷

ここ数年は、比較政治、アメリカの大統領制、安全保障を巡る知識を問う問題、各国の選挙制度や選挙結果、国連についての理解を前提とした問題などが出題されている。今後も、各国の政治の制度や動き、安全保障、政治思想などの出題が予想される。対策として重要なのは、各国の政治や国際機関に関する制度と最近の情勢を連動させながら知識を整理し、理解を深めることである。そのためには、模擬試験の問題や過去問を実際に解き、解説をよく読み理解しよう。また、『公務員試験　速攻の時事』(実務教育出版)などの教材を用いて効率的に学習することも重要である。その際、政治や国際社会に関する近年のニュース、特に、判例や法改正、安全保障や国際機関の動向などについては特に注意し、細部まで確認しておこう。

【法律】

✔ここにチェック!

- 幸福追求権
- 信教の自由
- 国会
- 内閣
- 裁判所

憲法からの出題が中心を占める。ただし、日本国憲法の条文や最高裁判所の判例だけでなく、その周辺の民法・刑法・地方自治法などの関連知識や時事的な政治的な知識も、選択肢の一部で問われることがある。また、学説上の論点を問う問題もときどき出題されており、重要な論点に関する通説的見解には注意しよう。

学習に当たっては、出題の中心となる憲法に最優先的に取り組むべきである。まず、頻出テーマは、条文だけでなく判例の内容も含めて、基礎知識を正確に押さえる必要がある。その際には、公務員試験の教養科目の法律だけでなく、専門試験の憲法(基礎レベルのみ)の過去問も演習しておくことが非常に効果的である。さらに、初出題が予想される、信教の自由の那覇孔子廟事件、最高裁判所裁判官の国民審査、そしてトランスジェンダーおよび旧優生保護法の手術に関する違憲判決などの新判例にも注意しておくとよい

【経済】

✔ここにチェック!

- 令和6年度予算
- 日本銀行の金融政策
- 物価と為替レート
- 国民所得概念
- 市場均衡(需要曲線と供給曲線)

ここ7~8年は、時事が重視されている。それまでのミクロおよびマクロ経済理論を中心とする出題から、少なくとも1問は時事系の出題、あるいは時事的要素を含む選択肢が配された出題が定着した。ただし、政策的・時事的出題であっても、経済理論、もしくは財政・金融制度の知識が基盤として必要である(4年度以降は、連続してこのパターンである)。

とはいえ、理論的・制度的背景の理解が必要となる出題傾向であるから、理論も対策しておくことが望ましい。予想問題はこの点にも配慮した問題を取り上げたが、より幅広い内容を身につけておきたい場合、『新スーパー過去問ゼミ　社会科学』1冊で、基本から応用までカバーできる。時事については『速攻の時事』の特に日本経済、経済政策、財政の3つの章の内容でほとんどの出題に対応できる。加えて、日頃から経済系、特に出題の多い財政・金融政策は当然、物価水準やGDPや為替レートなどに関するニュースにも目配りする習慣をつければ、『速攻の時事』の内容が頭に入りやすくなる。

【社会】

✔ここにチェック！
- 社会保障・社会保険等
- 労働事情
- 国際情勢
- 環境問題
- 食料・資源・エネルギー問題、人口問題等

ニュースやデータなどを踏まえた細かい知識が問われていることもあり、難易度が少し高めの問題が多い。近年出題された内容は、日本の子ども・児童についての動向、ヨーロッパ情勢、第４次産業革命、環境問題をはじめとした諸問題、食料自給率の動向、社会保障や労働問題、エネルギーなど、多岐にわたる。ただし、重要なニュースの内容を整理し、『速攻の時事』などをしっかり読み、理解しておけば、得点できるものがほとんどである。その際は、代表的な統計データの動向も把握しておこう。

今後出題が予想されるテーマとしては、科学技術、環境問題、人口問題、食料・資源・エネルギー問題、医療、年金、介護、少子・高齢化、雇用・労働などが挙げられる。さらに、各地の地域紛争、民族問題、国際会議や首脳会談の内容やテーマなどについても注目しておきたい。全体として、日本と世界の社会問題の動向をつかむことがポイントである。

【地理】

✔ここにチェック！
- 自然環境（地形・気候）
- 農林水産業
- エネルギー資源・鉱産資源・工業地域
- 世界地誌（主要国の概略、文化、貿易）
- 日本（地形・気候、貿易）

自然環境の出題が頻出で、特に地形と気候がほぼ交互に出題されている。大地形（造山帯・プレート）と小地形（扇状地、三角州、自然堤防、河岸段丘、海岸地形、氷河地形など）の成因が、土地利用や自然災害などと関連づけて出題されている。気候では、ケッペンの気候区の特徴やハイサーグラフから気候区を判断する問題が多い。農林水産業では、最新の統計、主要作物の分布などを把握しておきたい。エネルギー・鉱産資源では、主要生産国、貿易、用途、国際機関などからの出題が多い。世界地誌では、東南アジア諸国が頻出しているが、アフリカも増えている。南北アメリカ、ヨーロッパ、オセアニアなどの状況を理解しておくのは当然で、最近の紛争地域や島国にも注目しよう。日本に関する出題も増加している。地形・気候と災害との関連や農産物の生産県、各国との貿易に関する問題も多い。難問・奇問は少ないので、過去問を中心に、浅く広く対策してほしい。

【世界史】

✔ここにチェック！
- 第一次世界大戦と戦時外交
- 第二次世界大戦後の世界秩序
- パレスチナ問題
- 明・清
- オスマン帝国

出題のうち１問は非ヨーロッパ地域からで、６年度のインド史は想定外だったかもしれない。世界の一体化（大航海時代）が始まったとき、地中海から中国までを支配していたのは、《オスマン帝国―サファヴィ朝―ムガル帝国―明》である。これらの帝国がいかにしてヨーロッパ勢力の支配下に組み入れられてゆくのかという視点でまとめると有効だ。もう１問は第一次世界大戦時の外交である。戦後の敵領土や植民地の分配を保証して味方に引き入れる秘密外交が横行した。パレスチナ問題も、第一次世界大戦におけるイギリス外交の矛盾が、現在まで続く出発点であることを理解しておきたい。

時間対効果を見極めた対策が必要である。市民革命以前は見切って、市民革命から21世紀までを徹底的に学習しよう。その中に、アジア・アラブの国々、民族がいかにして組み入れられていくかという視点で歴史を組み立てていくのが、最も効率的な勉強のしかただろう。

【日本史】

✔ここにチェック！
- 平成時代の政治と経済
- 戦後日本の政治と経済
- 戦前昭和史の重要な出来事
- 江戸時代の対外関係
- 御成敗式目から武家諸法度まで

６年度は、５年度に引き続いて平成時代が出

題された。平成時代の始まりは、政治的には、1993（平成５）年の非自民８党派連立内閣の成立であり、経済的には1990（平成２）年のバブル崩壊の始まりである。平成はまさに「失われた30年」である。しかし、正答するにはかなり細かい知識（政治・経済レベル）を必要とすることにも注意したい。いずれにしても戦後史、なかでも高度経済成長期（1950～74年）から、低成長期、バブル経済、平成不況までの政治・経済・社会に関する出題頻度はこれからもますます多くなるだろう。

前近代ではやはり江戸時代からの頻度が高いが、テーマ別通史についても準備しておいたほうが賢明だ。テーマとしては、古代から江戸時代までの政治や土地制度（租税）・公武関係・貨幣史（金属）・仏教史・法制史が取り上げられることが多い。それはどれだけ日本史に対する一般常識を持っているかどうかである。

【思想】

ここにチェック！

- 歴史学習に登場する有名思想家たち
- 世界の宗教

思想と文学・芸術は毎年どちらか一方のみ出題されている。隔年ではないが、過去９回中５回が思想なので、ほぼ半々となる。公務員試験で定番の有名思想家についての正誤問題も、思想が出題された５回のうち２回のみなので、有名思想家について整理・暗記しておけば点が取れるというものでもない。有名思想家や三大宗教等を歴史学習のついでに押さえるようにし、公務員試験用のドリルを使うなど省エネ学習を心掛けたい。

【文学・芸術】

ここにチェック！

- 日本の各時代の文化
- 世界史学習の中の文化史

過去５回の出題うち文学が３回なので、一応文学が出やすいとはいえる。しかし、文学・芸術も思想と同様、そもそも出る確率が５割であるうえに、その範囲はあまりに広く、対策の立てようがない。文学・芸術のための準備時間はほかの教科に回し、歴史学習の中で各時代の文化を確認する程度にとどめよう。それでも文学・美術・音楽等多くのジャンルに応用が利く。速攻用ドリル等の利用も効率的である。

【数学】

ここにチェック！

- 二次関数と一次関数
- 指数・対数関数
- 三角比・三角関数
- 図形と方程式、領域

関数が頻出である。過去には、三角関数が２・26年度、二次関数が４・30・28年度、一次関数が５年度、対数関数が元年度に出されている。６年度は三角関数までは必要なかったが、その基礎となる三角比の知識を問う問題であった。出題傾向に偏りが大きいので、頻出分野は押さえておく必要がある。対策は、関数、図形と方程式の演習から行う。まず、高校数学Ⅰ・Ⅱの教科書等を利用し、基本公式を見直す。教科書の例題レベルで十分なので、基本的な問題を繰り返し解いておきたい。苦手な人も、例題の多い問題集を読み、解き方を覚えてしまえばよい。余力があれば、指数・対数や、不等式・絶対値などの基本的な式の計算も演習しておきたい。

【物理】

ここにチェック！

- 力のつり合い
- 波の性質
- 運動方程式、等加速度運動
- 熱力学

力学中心だが、過去には、24年度に熱力学、29・26年度に波動、２・27年度に電磁気からの出題があり、バランスよく出題されている。中学理科の出題が多く、求め方が示されることも多い。６年度の電磁気（モーター）の問題も中学レベルの簡単なものであった。対策は、中・高の教科書で基本を見直すことに尽きる。求め方が示されることが多いので、暗記よりも、理解に重点を置こう。３年度が波動、４・５年度が力学からの出題で、６年度は順序どおり電磁気からの出題であった。７年度は、波動または力学の可能性が高い。まず、力学（特に力のつり合いと運動方程式）、次に波動、余力があれば熱力学に進もう。深入りしすぎず、教科書の例題の解き方を押さえる程度でよい。

【化学】

ここにチェック！

・溶液の性質
・物質の構造
・気体の性質と製法
・化学反応の量的関係

理論化学と無機化学からの出題が中心である。理論は酸と塩基・中和、化学反応、原子構造など、幅広く出題されている。重要分野を素直に問う問題が多い。6年度は化学反応の量的関係が問われたが、中学レベルの定比例の法則の理解を問うものであった。過去には有機の出題もあるが、日常的な内容で特に対策の必要がない問題であった。

対策は、中学理科の復習と、高校理論化学の基礎演習から始める。理論は例題の演習をすることが効率がよい。軽く済ませるなら解法を読むだけでもよい。頻出分野の金属、気体の性質や製法、有機化学の知識問題なども簡単に見直しておく必要がある。

【生物】

ここにチェック！

・恒常性
・同化・異化
・遺伝子
・生物の集団
・発生・生殖

生物は広い範囲から出題されるが、なかでも、恒常性、同化・異化、遺伝子の出題率がやや高い。まずは、これらのテーマについて対策を進めたい。ただし、5年度の生態系に関する環境問題や、6年度の生物の系統など、頻出テーマから外れた分野からも出題されている。問題の難易度はそれほど高くないので、高校教科書や参考書の太字部分を中心に、広く浅く必要な知識を身につけよう。

テーマごとに要点や暗記が必要な用語を簡潔にまとめてある公務員試験対策用の参考書を利用すると、効率的に対策することができる。また、妥当なものの組合せを選ぶ問題であれば、問題文の内容をすべて理解できなくても、選択肢を絞り込めば正答を導くことができる可能性があるので、過去問や問題集で練習しておくとよいだろう。

【地学】

ここにチェック！

・地殻の変動
・地球の構成物質
・天体
・大気と海洋

地球の構成物質と地殻の変動・大気と海洋・天体のいずれかの分野からの出題が繰り返されている。出題間隔から考えると、7年度は地球の構成物質と地殻の変動に注意が必要である。特に出題頻度の高い、地震と火山はしっかりと押さえておきたい。5年度には小惑星探査機「はやぶさ」に関する問題が出題されたが、地学は時事的な内容から出題されることがある。問われそうなキーワードを意識しながら、過去数年分の地学に関するニュースを確認しておくとよい。全体的に問題の難易度は高くないので、教科書に太字で記載されるような部分を中心に、広く浅く効率的に学習を進めよう。

オススメ教材と学習法

●一般知識科目

公務員試験を併願するなら、本文でも紹介している「新スーパー過去問ゼミ」シリーズ（実務教育出版）を使うとよい。新たに購入するのなら、「超約ゼミ」シリーズや、公務員試験の過去問を「正文化」した「過去問ダイレクトナビ」シリーズ（いずれも実務教育出版）が手軽で使いやすい。

時事問題対策としては、本文でも紹介しているとおり、『速攻の時事』（実務教育出版）がオススメである。

手元に大学入試用の教材や高校の教科書があれば、それも活用できる。

一般知能分野

【文章理解】

現代文の難易度はやや高い。要旨把握が頻出だが、元年度と６年度は内容把握、２年度は空欄補充も出題された。テーマは人文科学（哲学、思想、芸術など）が頻出で、社会科学、自然科学からの出題もある。問題演習が必須で、良問が多い国家一般職などの過去問も利用して、出題形式や幅広い分野の文章に慣れておこう。

英文は要旨把握が最頻出だが、最近は内容把握も出題されているので、今後も注意が必要だ。１問にかけられる時間は限られているため、選択肢の日本語を手がかりにし、文章を速く読み要旨をつかむ必要がある。ほかの公務員試験の過去問も使い、出題形式に慣れておこう。時間を計りながら問題を解くと効果的である。時事問題、人文科学・社会科学のエッセイからの出題が多いので、内容がわかっている英文記事などの多読を勧める。

【判断推理】

出題数は８問で、その内訳は、文章理論系から４問、図形から４問が平均的である。また、６年度は１つの問題に対して複数単元の知識が必要な出題はなかったが、例年、単元を横断した出題が見られるので、いかにさまざまな単元の問題に取り組んだかが点数に直結する。

文章理論系は命題、対応関係、位置関係が超頻出単元となっており、特に対応関係は例年試合などの問題を交えて複数題の出題となっている。６年度は、試合の問題でトーナメント戦が出題されたが、これまではあまり出なかったテーマであり、７年度の対策としては、総当たり戦を重点的にやっておくとよいだろう。命題は、４年ほど基本的な問題が出題されているが、過去にはベン図の応用などを用いた問題も出題されているので、しっかりと押さえておこう。また、ほかの公務員試験では、全数調査を用いて表を使って解くような問題も出題されているので、対策しておきたい。対応関係の問題は１対１対応の問題、位置関係では平面の問題が多く、基礎レベルの問題が多い。

頻出テーマとしては、数量相互の関係、操作の手順が挙げられる。数量相互の関係は、和や差などの条件から具体的な数値を場合分けすることが多く、一見計算問題に見えるが、しっかりと手を動かして表などを作成することが大切である。操作の手順に関しては、基本的には最終段階から逆算していく問題が多いが、６年度の問題では、与えられている条件からはありえない操作を読み解くことが正答への糸口となった。

対策としては、命題、論理、対応関係、位置関係、数量相互の関係、操作の手順を押さえておくことが重要である。ただし、例年、問題によって難易度のバラつきが激しく、思いもよらぬ問題で時間がかかってしまって、後の問題に影響を及ぼすことがあるので、手が止まってしまう問題があれば次の問題に行くという、割り切る姿勢も大切である。

図形に関しては、例年平面と立体それぞれから出題されている。平面に関しては、回転・軌跡、平面構成が頻出単元となっている。軌跡に関しては、６年度は、図を正確に描いていくことが重要な問題であった。基礎的な計算知識だけで解くことのできるものは少ないため、難易度の高い問題まで解いておく必要がある。平面構成の問題に関しては、公式などの数が多くないため、類題をしっかりと解き、実際に解く際は、明らかな条件から場合分けをして解き進めていくことが重要である。

立体に関しては、立体図形の切断、展開図が頻出単元となっている。基本的な理論をしっかりと押さえておき、複雑な立体図形の切断や展

●判断推理の頻出テーマ●

出題箇所		頻出度
論理		◎
文章条件からの推理	対応関係	◎
	位置関係	◎
	試合の勝敗	○
	発言推理	△
数量条件からの推理	数量相互の関係	○
	操作の手順	○
平面図形	平面図形の構成と分割	○
	回転・軌跡	◎
	折り紙	△
	経路	△
空間図形	立体図形の構成と分割	○
	正多面体	○
	サイコロ	△
	展開図	◎
	投影図	△
	立体の切断	◎

開図も解けるようにしておこう。

【数的推理】

出題数は４問程度であり、整数問題、方程式（数量問題）、速さはほぼ毎年出題されていたが、６年度は速さの出題は見られなかった。整数問題は難易度がそこまで高いものは出題されておらず、素因数分解、約数・倍数、商と余りなどを押さえておけば解ける問題が出題されている。方程式に関して、６年度は分数について調べる問題が出題された。こちらの難易度もそれほど高くなく、立式がしっかりできていれば容易に正答できたため、普段の勉強の中で「なぜその式を作るのか」ということを意識しておこう。速さに関しては、６年度は出題がなかったが、例年は難易度のバラつきが見られる。旅人算や流水算が特に頻出であり、できれば速さと比まで使いこなせるようにしておこう。

残りの数題は、比と割合、仕事算が頻出単元である。比と割合の問題は基礎的問題が出題されていることが多いので得点源となる。実際、６年度の割合の問題も過去問とほぼ同様のものが出題されており、かつ、難易度もそこまで高くなかった。基本を押さえるような勉強をしておこう。仕事算に関しては、２年に１度のペースで出題されているので、７年度の出題は考えにくい。基本的な仕事算だけ押さえておけば十分であろう。

●数的推理の頻出テーマ●

出題箇所		頻出度
数と式の計算	約数・倍数	○
	整数問題	◎
	数の計算	△
	素因数分解	○
方程式と不等式	方程式	○
	不等式	○
	年齢算	△
	速さ・距離・時間	◎
	比・割合、濃度	◎
	仕事算	○
平面図形		△
場合の数		△
確率		○

【資料解釈】

出題数は１問で固定されている。例年、複数のグラフを用いた問題が出題されている。６年度も、棒グラフと折れ線グラフの複合問題であった。この類の問題の特徴としては、①選択肢の計算は比較的簡単、②グラフの読み取りがやや難しい、③見えていない数値を出す必要がある、の３つが挙げられる。

対策としては、実数を用いる問題で基礎的な計算方法（平均や指数、対前年度増加率など）を学び、積極的に複雑なグラフの問題に取り組むことが重要である。

オススメ教材と学習法

●文章理解

苦手な人は実務教育出版の『文章理解　すぐ解ける〈直感ルール〉ブック［改訂版］』や『無敵の文章理解メソッド』など、基本的な解法が学べる教材を活用しよう。

苦手意識のない人は、最初から公務員試験の過去問集を使って演習を進めよう。問題数が多く、解説もわかりやすい『新スーパー過去問ゼミ７　文章理解・資料解釈』が定番だが、ヘビーすぎると感じる場合は『集中講義！　文章理解の過去問』がオススメ（いずれも実務教育出版）。

●判断推理・数的推理

まずは、『判断推理がわかる！　新・解法の玉手箱』『数的推理がわかる！新・解法の玉手箱』（いずれも実務教育出版）などを使って、基本の解法パターンを身につけることが大切だ。その後は過去問（本誌PART ３）を繰り返し解き、解法の勘を養おう。地方上級、市役所などの公務員試験の過去問にも手を伸ばしてほしい。

●資料解釈

『新スーパー過去問ゼミ７　文章理解・資料解釈』で、資料の特徴や出題パターンを研究しよう。苦手な人には、資料の読み方や計算方法が詳しく解説されている『集中講義！　資料解釈の過去問』がオススメだ。

福島工業高等専門学校に内定

東北地区に合格
令和５年度

関根 悠真（せきね ゆうま）さん
［福島大学人文社会学群行政政策学類（令和６年卒）
採用時の年齢：22歳］

学習期間：のべ９か月
１週間の平均学習時間：40時間

得意科目　判断推理、社会科学、人文科学
不得意科目　数的推理、資料解釈、経済学

●併願状況●
福島県行政事務➡ 一次不合格
福島大学➡ 最終不合格
宮城教育大学➡ 最終不合格

福島工業高等専門学校を志望した理由は、福島高専の魅力発信に尽力し、全国から入学希望者を集い、ひいては福島高専での学生たちの学びを、福島県の発展につなげていきたいと考えたからです。併願先は、福島大学と宮城教育大学です。前者は母校であり、母校の学生を支え、福島県の発展に貢献したいと考えたため、後者は自身が教員免許取得に向けて取り組んだ経験から、教員を志す学生の支援がしたいと考えたため、志望しました。

一次試験対策
学習計画を立て、繰り返し学習した！

学習の手段としては、独学では難しいと感じたため、クレアールという通信講座を選択しました。自宅のみならず、学校での自習や通学の際にも使用できたため、使い勝手が良かったです。１か月に１度、学習計画を立て、そこから逆算し、１週間単位、１日単位で取り組む学習時間を割り出しました。１日当たりの学習時間は、午前中に３時間、午後に３～５時間ほど確保していました。自宅よりも図書館のほうが集中しやすいと感じたため、基本的に大学や自宅周辺の図書館で学習しました。大学の図書館では、公務員試験対策を行っている友人が学習していたため、一緒に切磋琢磨できたことが、学習の継続につながったと感じています。

学習方法としては、何度も繰り返す、これに尽きると思います。特に判断推理、数的推理、経済学などの公式を覚えて解く科目は、土台である公式を理解していないと歯が立たないので、何度も繰り返して早めの段階で覚えておくのがベストだと思いました。

一般知能分野

数的推理、資料解釈がとても苦手だったので、主にこの２分野に力を注ぎました。数的推理が得意な友人は、隙間時間に取り組んでいたようなので、自分の得意不得意に合わせて、まとまった時間に学習する科目を決定するとよいと思います。

一般知識分野

社会科学、人文科学は得意科目だったため、『速攻の時事』を通学中に読んだり、寝る前に社会科学の問題集を数問解くなど、隙間時間に対策していました。

模擬試験の活用

模擬試験については、12月から５月頃までに、５回ほど受験しました。模試の解き直しノートを作成し、間違えた問題だけでなく正答し

学習スケジュール

科目		12月	1月	2月	3月	4月	5月	6月	7月
一般知能分野	判断推理					テキスト１回目		テキスト２回目	
	数的推理			テキスト１回目				テキスト２回目	
	資料解釈							テキスト１回目	
	文章理解					テキスト１回目			
一般知識分野	社会科学		テキスト１回目						
	人文科学			テキスト１回目					
	自然科学				テキスト１回目				
時事						『速攻の時事』流し読み			
面接対策		民間併願による面接対策							国立大学法人等面接対策

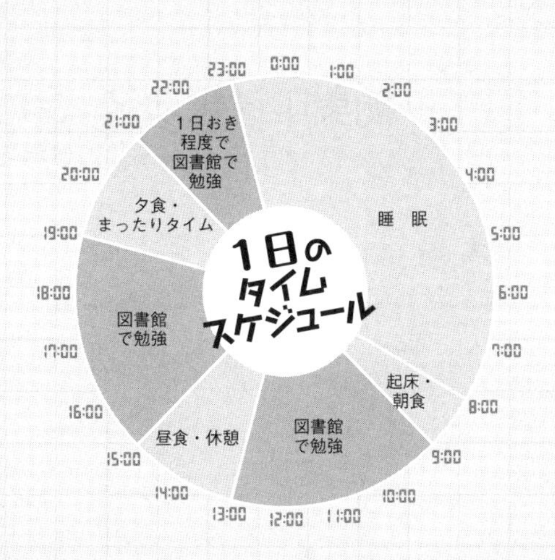

オススメの1冊

『国立大学法人等職員採用試験攻略ブック』 ▶実務教育出版

地方上級や民間就職の結果が振るわない中、この本のおかげで効率良い学習を進めることができました。過去問が記載されているほか、各機関ごとの面接試験について、これまでの先輩方の情報が載っているため、非常に対策しやすいです。これさえあれば乗り越えられる！

た問題についても、自分で見やすく色や図を用いてノートにまとめるようにしていました。

苦手科目の対策については、通信講座で学習していたため、すぐに担当の先生に質問できる状況ではなかったことから、わからない点は、ともに公務員試験対策を行っていた友人に質問するようにしました。一方で、少し考えてもわからない問題は、切り替えて次の問題に取り組むようにしました。

また、スマートフォンは普段どおり使用し、自分に無理のない範囲で学習を行いました。休憩中は音楽を聞いて気分転換をしていました。

国立大学法人の一次試験では、手応えがなく不合格だと思っていました。しかし、いざ蓋を開けてみると合格だったので、とても嬉しかったことを覚えています。

二次試験対策

自ら行動し、積極的に情報収集した！

二次試験対策については、民間就活もしていたため、12月頃から冬期インターンシップ選考に向けて面接練習を行いました。対策の方法としては、何度も話す練習が重要であると考え、学内の就職支援課や新卒ハローワーク、友人など、多くの方々に面接練習をしてもらいました。

また、自己PRの作成に向けて、学内での取組みやアルバイトでの活動を1月頃までに整理して話せるようにしました。志望動機は自分の体験談を絡めて作成することを意識しました。提出書類を作成する際には、タイピングの場合も手書きの場合も、誤字脱字がないように注意し、手書きの場合は丁寧に書くことを意識しました。

情報収集

業務説明会では、概要説明や部署紹介、給与形態や選考スケジュールなどの説明がありました。より詳細なことが知りたかったため、職場見学会にも参加しました。職場見学会では、実習工場や図書館、管理棟を見学させていただき、自分が働く姿がイメージできました。また、実際に働いている職員の方々にお話を伺うことができ、疑問点を払拭することができたため、非常に良い機会になりました。機会があれば、ぜひ参加すべきだと思います。

情報収集では、自分から貪欲に情報を収集する姿勢が重要だと思います。私自身、業務説明会だけでは理解できなかった部分は個別に連絡し、教えていただくようにしました。自ら行動することが重要であると思います。すべての機関ではありませんでしたが、比較的柔軟に対応してくださったので、既卒などで情報が得にくい方も、個別に問い合わせて情報収集をするとよいと思います。

最後に

私は決して成功したと胸を張って言えるような立場ではありません。私の周りには複数の公務員に合格した優秀な友人がいます。そんな私ですが、唯一誇れることは「どんなときも前向きに」取り組んだということです。民間就活や教育実習が重なり、思うような結果を出すことができない中でも、あきらめずに取り組み続けました。くじけそうなときもありましたが、友人や家族の温かさのおかげで、常に前を向くことができました。

また、「なんとかなる」精神も持ち続けました。就職活動を通じて、選考は面接官との相性や運の要素もかなり大きいと実感しました。そのため、「第一志望先から内定がもらえなくてもなんとかなる」という精神で取り組むことが大事だと思います。どうしても第一志望の機関で働きたい場合は、就職浪人や中途採用など、道はいくらでもあります。就職活動をしているとどうしても盲目になりがちですので、行き詰まったときには一度立ち止まって、楽観視することも大切だと思います。あまり深く考えずに、楽しむことが重要です。皆さんの就職活動を応援しています。

関東甲信越地区に合格
令和6年度

山梨大学に内定

E・Mさん ［九州大学医学部保健学科（令和4年卒） 採用時の年齢：25歳］

学習期間：のべ6か月
1週間の平均学習時間：14時間
得意科目 文章理解、生物
不得意科目 判断推理、数的推理、数学

●併願状況●
なし

私は国立大学看護学科を卒業し、看護師として働いていましたが、結婚に伴い、現職場を退職します。不規則勤務であり、心身ともにきつかったので、看護師から事務系職員に転職したいと思うようになりました。福利厚生がしっかりしている職場で働きたいと漠然と考え、職探しをしていたところ、公務員がぴったりだと感じました。役所等も候補には入れたのですが、残業の少なさやクレーム対応の有無等のQOL、長く勤め続けることができる職場かどうかを検討し、国立大学法人等職員を第一志望として学習することにしました。現職の都合上、休みを希望どおりに取ることは難しかったため、6年度は国立大学法人等職員採用試験に絞り、もし不合格であれば、7年度に国立大学法人等職員を含む公務員試験を再度受験するつもりでした。

一次試験対策
短い学習期間で集中して対策！

受験するに当たり、まずは一次試験を通過しなければいけません。7月に一次試験があるのですが、結婚が決まったのが2月であったため、実質半年しか学習の期間がありませんでした。さらに仕事と両立しなければならなかったため、予備校に通うこともできず、独学で学習を進めました。

学習方法としては、テキストと問題集を各1冊に絞り、適宜模試を受けて現在の実力を測りつつ、試験に慣れるようにしていました。テキストはⒶを、問題集はⒷを使用しました。テキストはひたすら空き時間で暗記を行い、判断推理や数的推理は最低2周し、自力で解けるように練習しました。2月から5月でテキストの内容をあらかた暗記、問題集を1周し、6月以降はテキストの復習と問題集2周目を行いました。仕事の都合上、月に60時間程度しか学習時間が取れなかったので、学習は常に集中して取り組みました。

また、独学では心が折れそうだったので、「Studyplus」というアプリで学習時間を記録し、ほかの人の記録を見て一緒に学習をしている気分になっていました。

一般知能分野

判断推理、数的推理がとても苦手であったため、1日最低3問は解くようにし、どの問題も2周以上できるようにしました。文章理解の現代文や英文は得意であったため、問題集のみで対策はしませんでした。英単語はアプリを使い、1日10分程

学習スケジュール

科目	2月	3月	4月	5月	6月	7月	8月
一般知能分野・一般知識分野	ⒶⒷ1周目				ⒶⒷ2周目		
時事	Ⓒを毎日寝る前に1章ずつ見る、ニュースを見る						
面接対策						就職支援センターで適宜	

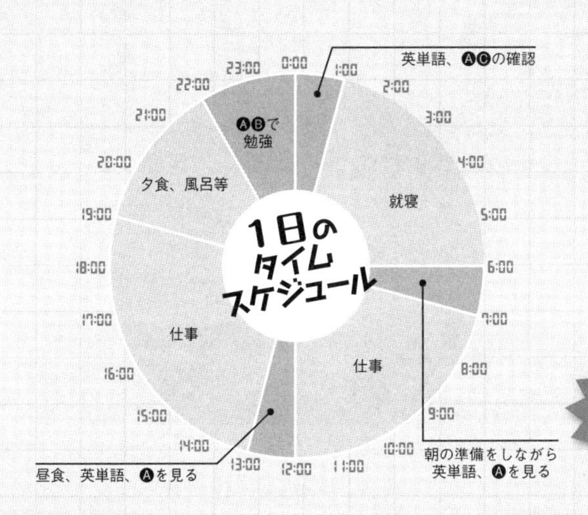

オススメ参考書

一次試験関連

Ⓐ『2か月完成 動画とアプリで学ぶ 教養試験』 三木拓也、池田麻奈美 ▶翔泳社

Ⓑ『地方上級 教養試験 過去問500』 ▶実務教育出版

©『公務員試験の教科書 時事本』ましゅー ▶キャリアード合同会社

オススメの1冊

『国立大学法人等職員採用試験攻略ブック』 ▶実務教育出版

度単語の復習をしました。

一般知識分野

社会科学はテキストで復習し、問題集で出てきた内容を学習し、知識を増やして深めるようにしていました。

人文科学に関しては、大学受験時にセンター試験で使用した地理のみ、テキストで復習を行い、そのほかはまったく手を着けず、完全に運に任せていました（ここは参考にしないほうがよいと思います）。ゼロから覚えるより復習に時間を割いたほうがよいと判断したためです。

自然科学は、数学は判断推理、数的推理と内容が被るもののみ解き、ほかは捨てました。物理は捨て、化学と生物は高校で履修していたため、テキスト、問題集で復習しました。地学は地理と内容が被るため復習していません。

一次試験対策に関しては、とにかく反復して問題を解くことが大切だと思います。すべての分野を完璧にすることは不可能であるため、余裕がない人は高校や大学で履修していない分野は捨て、履修した分野の復習に徹することが大切だと思います。

また、「公務員のライト」というサイトで、無料で「ライト模試」という模試を受験することができます。母数は多くありませんが、自分の学力のレベルを知ることができます。仕事をしながら学習を進めている方でも、いつでも自宅で受験できるため利用しやすいと思います。

二次試験対策
自己分析を行い、面接回答の基盤に！

６年度は７月７日に一次試験、25日に合格発表だったため、８日から面接練習、エントリーシートの作成を始めました。エントリーシートの添削や面接練習は県の就職支援センターを利用していました。エントリーシートを書く際に、自己分析を行いますが、ここで行った自己分析が面接の回答の基盤となると思います。エントリーシートから読み取れる人物像と面接の回答が乖離しないように気をつけて、面接練習を行いました。また、面接練習は繰り返し行っていましたが、やはり実際の面接は緊張します。緊張したときに変なことを口走らないように面接の練習は多ければ多いほど良いと思います。

国立大学法人は既卒者や転職者も受験することが多い試験かと思いますが、一次試験に通れば、面接では新卒、既卒関係なく採用してくれていると感じました（実際、私が内定をもらった大学では転職者の採用のほうが多かったようです）。

情報収集に関しては、国立大学法人主催の説明会のほか、SNSを使用しました。LINEのオープンチャットには、既卒者、転職者向けの国立大学法人受験情報交換のグループや新卒者向けのものがあったため、両方に参加して情報を得るようにしていました。

最後に

私は日程の都合上、学習を始めた時期も遅く、受験先も１つのみと、かなりイレギュラーであると思います。仕事と並行して学習、エントリーシートの作成、面接練習を進めるために、オン・オフの切り替えには気をつけていました。集中して毎日最低２時間は学習を行い、睡眠時間は削らないようにしていました。複数受験予定の方は受験先に合わせてエントリーシートの作成や面接練習が必要であるため、余裕をもって行うことをおすすめします。

最後に、私が行った願掛けですが、太宰府天満宮でお守りを購入し、受験まで身につけていました。そのお守りの効果も少なからずある（メンタル面でも）と思いますので、自分の心の支えを作るのも一つの手だと思います。後悔のないように学習に励んでください。皆さんが志望先に合格できますように。

機関別 二次試験情報

以下は、平成30〜令和6（2024）年度の受験者から寄せられた情報に基づいて作成した。事前の準備の参考にしてほしい。

ただし、選考方法は変更されることがあり、受験区分によっても異なる可能性がある。

北海道地区

北海道教育大学・事務（6年度）

〈合同説明会〉

※一次試験合格者のみ、後日開催される北海道地区の合同説明会に出席できる。その場で履歴書を提出し、二次試験の申込みをした。一次選考日は２日間（８月初旬）設けられ、自分で好きな日時を指定することができる。早い者順なので、第一志望の大学から説明会ブースに行ったほうがよい。

〈一次選考〉

●集団面接（30～40分：受験者３～４人、面接官３人）

《質問内容》簡単な自己紹介。今日起きてからここへ来るまでに何をしたか順を追って説明／５キャンパスあるが希望が通るなら最初はどこで勤務したいか。そこで何をしたいか／今までの挫折の経験。うまくいかなかった出来事／自分は他人からどう見られていると思うか／私（面接官は）に何かオススメして。物、本、趣味、休日の過ごし方など、なんでも／どんな職員になりたいか

※１つの時間帯につき、３グループが別室で同時に行われた。私の場合は、面接官１人につき２問ずつ、計６問の質問だった。広い部屋のため、大きな声でハッキリ話す必要がある。回答は面接官が名前を呼んだ順番だった。前問で１番目の回答者だった人は、次は１番目ではなくなるように、平等に当てられていた。

待合室では全員が前を向いて座り、呼ばれるまで待機する。緊張感があり、全員姿勢良く座っていた。受付は穏やかな雰囲気だった。廊下に矢印等の張り紙はあるが、集合場所の受付はかなり奥まで歩いたところにあった。不安な人は、先にキャンパス地図で入口を確認し、校舎内の地図で指定教室を見ておくと安心だ。

面接中は緊張感はあったが、圧迫感はまったくなかった。時折、面接官が笑って感想を述べてくれたり、追加で質問をされたりした。特に「面接官へのオススメ」の質問では、面接官が質問を交えつつ会話のように話を進めるなど、笑顔で会話が弾んだし、ほかの受験者の回答もおもしろいと思えた。緊張感を持って答えるべき質問と、自身の人柄を見せるべき質問と、その差が重要だと感じた。時間が少し余ったため、社会人１年目をどう過ごせば良いかというアドバイスをくださり、前向きな気持で面接を終えることができた。

試験はあくまで手段、私の目的はこの仕事に就くこと、と手段と目的を見失わないように意識した。

〈読者にメッセージ〉

私は一問一問に答えを用意するのではなく、面接の質問を「過去・現在の自分に関する質問」と「未来や仕事内容に関する質問」の２パターンに大きく分け、自分で語れる引き出しを作って対策しました。

まずは自分のこれまでの人生を振り返り、出来事やその時期の活動を自身の感想を交えつつ、伝記本のように書き出しました。自身の経験や性格に関する質問へは、この中から抜粋し、自分のお気に入りの偉人エピソード紹介、のような気持で対策しました。

将来像や未来・仕事に関する質問への対策は、大学経営や大学職員の仕事に関する本を購読しました。筆者の意見や共感できる部分をメモしていき、知識を拝借しつつイメージを膨らませました。やみくもに冊数は増やさず、読了

してから次の本へ進みました。その結果、受験のためだけではなく、人生を豊かにする読書にもなりました。面接合格の指南書や、模範的な回答例も有効ですが、本を読むのもおすすめです。

室蘭工業大学・事務（3年度）

〈一次選考〉

●個別面接（15分：面接官2人）

《質問内容》趣味・特技／室蘭について知っていること／学生時代にやって学んだこと／4月以外の採用でも働けるか。10月や1月はどうか（現在、別のところで働いているため）／室蘭工業大学に関するニュースで知っていること／ストレス解消法

〈二次選考〉

●集団面接（35分：受験者3人、面接官3人、進行役1人）

《質問内容》今までで一番達成感を感じたこと／仕事をするうえでモチベーションを上げる方法。どのようなときにモチベーションが上がるか／上司や同僚とコミュニケーションを円滑に進めるうえで、最も大切なこと／あなたのモットー（→深掘り）／大学職員として働くうえで心掛けたいこと／今の仕事の経験を室蘭工業大学にどのように活かせるか／これだけは絶対にほかの人に負けないということ／2年目の職員になったと仮定して、上司がいろいろな理由をつけて休んでいる場合、あなたはどのような行動を取るか

〈最終選考〉

●個別面接（15分：面接官3人、進行役1人）

《質問内容》今までの決断の中で一番難しい決断はなんだったか／室蘭の人口は／志望動機（詳しく）／上司からの間違った指示に対してどのように対応してきたか／前職から現職に転職した理由／志望動機以外で転職する理由／今住んでいるところから離れることに抵抗はないか／教育に関する仕事（学生対応等）だけではないが問題ないか／今の職場の人は仕事を辞めるのを知っているか／大樹町に室蘭工業大学のサテライトスペースがあるのを知っているか／趣味（詳しく）

北海道国立大学機構・事務（3年度）
（小樽商科大学、帯広畜産大学、北見工業大学）

〈一次選考〉

●集団面接（30分：オンライン、受験者3人、面接官3人）

《質問内容》自己紹介を1分程度／趣味。得たもの／自分を有名人にたとえると誰か／これまでに最も苦労したこと。そこから学んだこと／大学職員になったらやりたいこと。心構え

※面接官3人は各大学1人だった。

〈二次選考〉

●個別面接（25分：面接官4人）

《質問内容》自己PRを3分で／長所と短所をそれぞれ。その理由／趣味と特技／地元（北海道外）からなぜ北海道なのか。東京（大学時代暮らした場所）からなぜ北海道なのか／なぜ前職から現職に転職したのか。国立大学法人はこれまで受験していなかったのか／併願先。第一志望はどこか／どのように国立大学法人の勉強をしてきたか（内容、勉強方法、使っている本、予備校等）／ずっと教育にかかわる仕事ができるわけではないがそれでもよいか／前職で不満に思っていたこと／転勤可能か

※面接官は各大学の課長1人と進行役だった。

〈三次選考〉

●個別面接（30分：面接官3人）

《質問内容》名前をフルネームで／今日は何で来たか。何分かかったか／履歴書の経歴の確認／志望動機／北海道国立大学機構の志望動機（個別の大学の志望動機を履歴書に記載したため）／3大学の志望順位。理由も／趣味のマラソンについて。走っているときは何を考えているか／今やっている業務。その業務で大変なこと／資格は前職で取得したのか。何か目標を持って資格取得をしたのか。今は何か勉強をしているか／大学時代の学部と専攻。学部と前職は関係がないようだが

※面接官は、各大学の事務局長だった。

事前にオンラインで職場紹介があった（3大学合同）。参加して実際に働いている人の話を聞き、働きたいと改めて強く思った。質問されたらあまり時間をかけないで答えることを意識していた。

東北地区

弘前大学・事務（3年度）

〈一次選考〉

●適性検査（35分：SPI〈Webテスト〉）

※各自、言語能力と非言語能力を受験した。

私は今までSPIを受けたことがなく、言語能力も非言語能力も試験時間内に終わらず、言語能力については半分くらい問題が解けなかった。でも合格したので、適性検査でかなりミスをしてもあきらめずに面接を受けてほしい。

●性格検査（30分）

※質問に対して「当てはまる」「どちらかと言うと当てはまる」「どちらかと言うと当てはまらない」「当てはまらない」から１つ選ぶ形式だった。

●個別面接（15分を３回：面接官３人）

《質問内容》自己PRに書いたアルバイトについて深掘り。なぜ続けようと思ったか。大変だったこと。現在の役割／部活について。役割。大変だったこと。コロナ禍で影響を受けたか。どのように乗り越えたか／資格について。なぜ取ろうと思ったか。活かせそうか／弘前大学に対する改善点。部活をやっているからこその不満／弘前大学の魅力／志望動機の深掘り。学生支援について、自身はどのような支援を受けたか。今後どういった支援をしていきたいか／志望動機以外でやってみたい仕事／福利厚生などすべてを無視したらどういった仕事をしてみたいか／併願状況／親は地元を離れることに賛成か／何か質問はあるか（２人から聞かれた）

※だいたい、面接カードに書いたことに添って質問された。面接官は３人とも優しい雰囲気で、会話に近い感じで話せた。

試験が終わった後、振り返ると、話し言葉になっていたかもしれないと不安になったが、無事受かっていた。学生言葉が出て幼い印象にならないように、和やかな雰囲気でも面接ということを忘れないようにするべきだと思う。笑顔で礼儀正しく話すのがベスト。

〈最終選考〉

●個別面接（20分：オンライン、面接官４人）

《質問内容》弘前大学の学生として感じた弘前大学の良い点と悪い点は何か／やってみたい仕事／趣味／ここ１～２年で特に力を入れた活動／自己PRで書いていたアルバイトでの具体的な状況。その困難をどう乗り越えたか／資格について、どうして取ろうと思ったか。資格欄に書いていること以外で何か主体的に取り組んで得たものがあれば／併願状況／(併願していた)市役所と大学職員の違いは／地元を離れることになるが両親は反対してないか

※最終面接の面接官は役員で、私のときは優しい雰囲気でざっくばらんに話すことができた。オンライン面接だったこともあるかもしれないが、冷静に答えることができたと思う。

宮城教育大学・事務（5年度）

〈一次選考〉

●集団討論（60分：受験者７人、試験官３人）

《テーマ》災害の記憶を風化させないために、日々の生活の中でどのようなことに取り組んでいくべきか。

※発表なし。自身は特に役職（タイムキーパー等）に就かず討論したが選考通過したため、どれだけ調和のある議論ができたかを評価されたのではないかと推測する。結果は、合格者のみに電話にて連絡。

〈最終選考〉

●個別面接（20分：面接官３人）

《質問内容》書いてある以外の志望動機／大学で学んでいる内容／宮城教育大学の課題／併願状況（どうして宮城教育大学なのか）／サークルのことについて／希望している部署にならないときはどうするか／私の強み／職員になったらやりたいこと／趣味のこと／東北は好きか／宮城に就職になることを親はなんと言っているか／関心のある教育問題

※いたって普通の面接だった。ただ、面接官から複数の事象を一度に質問され、すべてに回答できなかった。結果は、面接の次の日から

合格者のみに電話で連絡がいくことになっていた。

福島大学・事務（5年度）

〈一次選考〉

●集団面接（30分：オンライン、受験者３人、面接官３人）

《質問内容》自己紹介と自己PRを手短に／卒業論文について。概要と予想される結論。なぜそのテーマを選択したのか／ストレス発散法／どうして福島大学を受けたのか、簡単に。そのきっかけ／逆質問

※オンライン形式であったため、笑顔ではっきり話すことを心掛けて臨んだことが好印象につながったと感じている。本学のOBということもあり、話が弾んだ。特に面接官の一人が、取り組んでいる卒論に関して興味を示してくれた。また、逆質問で本学OBならではの質問を投げることができた点も、差別化できたと感じている。結果は、合格者のみに電話にて連絡。

〈最終選考〉

●個別面接（20分：面接官３人）

《質問内容》志望動機／自己紹介／（エントリーシートに記載していたため）福島大学ならではの魅力とは／併願状況／公務員試験は受験したか／アルバイトの具体的な業務／自分の希望部署ではなかったらどうするか／大学職員として求められる資質能力／上司と意見が食い違ったら／集団で信頼関係を作るためには

※いたって普通の面接だった。私は、文科省の資料まで読み込んで臨んだが、ほかの受験者と差別化できなかったように感じている。「大学職員に求められる能力」や「希望の部署ではない場合」といった質問に対し、自分としては根拠のある回答ができたと感じていたが、面接官には響いていないようだった。結果は合格者のみに電話にて連絡。

福島工業高等専門学校・事務（5年度）

●職場見学会

※現地で開催されたので、参加した。後日、人事担当に尋ねたところ、職場見学会に参加した者は、ほかの受験者よりも加点されるらしい。

〈一次（最終）選考〉

●個別面接（60分：面接官６人〈うち書記２人〉）

《質問内容》福島高専の魅力／志望動機／自己PRと、その深掘り／特技と、その深掘り／趣味と、その深掘り／併願状況／自治体等は志望しなかったのか／今回で面接は何回目か／最近気になるニュースと、その深掘り／大学のキャリア支援の状況。どのようなキャリア支援をしてもらったか／今何分くらい経ったと思うか／最後に伝えたいことはあるか

※選考が一度だけでいきなり最終面接だったため、非常に緊張した。試験情報が少なかったので、対策には苦労した。自身が行った対策としては、全国の国立大学法人等で聞かれた面接内容を片っ端から答えられるように練習した。また、福島高専の行っている取組みを学校要覧だけでなく、インターネットを活用し隅から隅まで調べ尽くした。後日聞いたところ、学生課長、人事課長、総務課長、事務局長が面接官だったらしい。時間も１時間程度と長丁場であり、ずっと緊張していた。面接内容は幅広く質問されたが、私はすべて回答できた。特に、業界の理解に関する質問は、要覧やインターネットの情報を隅から隅まで確認しておいたことが良かったと感じている。結果は、合否に関わらず電話にて連絡。

関東甲信越地区

筑波大学・事務（6年度）

〈一次選考〉

●集団面接（受験者２人、試験官２人）

《質問内容》アイスブレイク／志望動機／自己PR／希望する業務／趣味について

※４人ずつ呼ばれた後、２人ずつのグループに分かれそれぞれで集団面接を行った。１度目の面接が終わった後、グループを入れ替えて異なる試験官でもう一度面接を行った。全体的に和やかな雰囲気だった。

●個別面接（10分：試験官３人）

《質問内容》自己PR／併願状況／学生時代の取組み

※集団面接の後に実施。和やかな雰囲気だった。

〈最終選考〉（試験官３人）

●個別面接

《質問内容》志望動機／自己PR／趣味・特技／希望する業務ではない業務を担当することになっても大丈夫か／併願状況

筑波技術大学・事務（30年度）

〈一次選考〉

●個別面接（20分：面接官３人）

《質問内容》名前／志望動機／大学職員をめざしたきっかけ／あなたの趣味の魅力／聴覚障害者や視覚障害者と接したことはあるか／希望と違う部署に配属されてもよいか

課題「大学の知名度を上げるための企画を考え、上司（試験官）に提案してください」

※履歴書（所定のもの）の内容について質問される。最後に課題が出された。

〈二次選考〉

●個別面接（20分：面接官４人）

《質問内容》名前／志望動機／大学職員をめざしたきっかけ／就職活動の状況、民間でほかに受けている業界／これまでの経験を職員としてどのように活かせるか／（TOEICの点数に言及し）英語の勉強は継続しているのか

群馬大学・事務（2年度）

〈一次選考〉

●個別面接（オンライン、面接官４人）

《質問内容》大学職員として何がやりたいか／どのような職員になりたいか／働くうえで大切だと思うこと／併願状況／群馬大学から最終合格をもらったらどうするか／忙しいこともあるがどうやっていくか／群馬大学について知っていること／群馬大学の良いところ／最近一番楽しかったこと／（面接カードに書いた）関心を持っていることについて

〈最終選考〉

●個別面接（オンライン、面接官４人）

《質問内容》志望動機と自己PR／大学職員としてやりたい仕事／群馬大学の学部をすべて言えるか／自己PRについて／アルバイト経験／ストレス解消法／サークルでの役割／得意科目／大学時代、一番時間をかけて取り組んだこと／対立していることをまとめた経験は／新型コロナウイルス感染症の影響で大学の授業が変わっているが、あなたが考える「大学にしてほしいこと」は／合格をもらったらどうするか

※一次、最終ともにZoomを使った面接だった。一次選考は柔らかい雰囲気で、話をきちんと聞いてもらえたので、落ち着いて答えることができた。最終選考は役員面接だったが、難しい質問はなかった。

埼玉大学・事務（30年度）

〈一次選考〉

●集団討論（30分：受験者４人、面接官２人）

※テーマは口外しないように言われた。同じ時間に集まった４人で行った。課題が書いてある紙と鉛筆が用意されており、デジタル式の時計が置かれている。その時計を基準として討論をした。

埼玉大学の年間スケジュールや取組みを頭に入れて、自分なりにまとめておけば良かったと思う。結果は発表しなくてよいが、討論の終着点はチームとして出すべきだった。

●集団面接（60分：受験者４人、面接官３人）

《質問内容》どうして母校を選んだのか／既卒として空白期間に何をしていたのか／埼玉大学を志望した理由／やってみたい業務／自己PR／いつから働くことができるか／これまで（今年度）の併願状況／残業についてどう思うか

《ほかの人への質問内容》（職歴のある人に）どんな仕事をしているか。前職を含めた経歴。どうして辞めたのか／（大学院生に）どんな研究をしているか

※集団討論を行った４人が一緒に面接を受けた。

千葉大学・事務（４年度）

〈一次選考〉

●個別面接（25分：オンライン、面接官２人）

〈二次選考〉

●個別面接（25分：オンライン、面接官３人）

〈最終選考〉

●適性検査（35分：オンライン）

●個別面接（25分：面接官４人）

《質問内容》志望動機／現在通っている大学、学部を選んだ理由／学生時代に注力したこと、そこから得た力やこれからの活かし方／サークル、アルバイト（内容や苦労したこと、工夫したこと）／説明会に参加した感想、印象に残っている話／やりたい業務、その理由／やりたい業務ができない場合どうするか／コミュニケーションを取るときに工夫していること、意見が伝わらないときにどうしているか／キャリアプラン、これからどう成長していきたいか／あなたはリーダータイプか、フォロワータイプか／採用されたらどこに住むか／併願状況、志望度／大学で学んでいる内容、最も印象的な授業／コロナ禍で大変だったこと／千葉大学にどのように貢献できるか／趣味／単調な仕事に飽きて辞める人も多いが、あなたは大丈夫か／学長の名前を知っているか

※面接は３回とも似た質問だったが、学長の名前は最終面接で聞かれた。また、最終面接では特に深掘りされ、どのような意味でこの言葉を使ったかなど、細かい質問もあった。回数を重ねるたびに面接官が増え、質問数も増えるため、エピソードはできるだけ多く用意したほうがよい。３回とも、最後に意気込みや自己PRを述べるよう言われたので、しっかり準備しておくべきだと思う。

東京大学・電子・情報（５年度）

〈一次選考〉

●専門試験（電子・情報）（45分、択一式）

※オンラインで実施。

〈二次選考〉

●個別面接（面接官５人）

《質問内容》志望動機（１分くらい）／現在行っている個人事業について／転職を考えた理由／大学院での研究内容／研究で使っていたサーバーやソフトウェアについて。サーバーの導入やインストールは自分でやったのか／集団で取り組んだこと。どのような役割だったのか／前職ではどのようなことをしていたのか／ITツールは使いこなせるのか／千葉のキャンパスの配属となったら、自宅から通うか、家を借りるか／逆質問

※面接官が５人と数に圧倒されてしまったが、Zoomでの面接だったので落ち着いて答えることができた。

〈最終選考〉

●個別面接（30分：面接官５人）

《質問内容》志望動機（１分くらい）／大学院での研究内容／集団で取り組んだこと。どのような役割だったのか／現在行っている個人事業について／転職を考えた理由／採用されたらどのようなことをしたいのか／自己PR

※最終面接は意思確認の感じだと聞いていたが、深掘りがそれなりにあり、時間もかかっていたので、油断しないで臨むといいかもしれない。未経験でも可能性はあるので、興味があれば電子・情報区分で受験してみるのもいいと思う。

東京医科歯科大学・事務（4年度）

〈一次選考〉

●適性検査（オンライン）

※知能要素はなく、性格検査のみだった。

●個別面接（20分：オンライン、面接官2人）

《質問内容》東京医科歯科大学はいつどのように知ったか／学生時代に力を入れたこと／PCスキル／その他のスキルに書いた内容について／勤務上配慮してほしいこと／他機関の選考状況と志望度／併願先と東京医科歯科大学の比較

※Zoomでの面接。圧迫はなく、面談に近かった。志望動機は聞かれず、提出書類の内容を確認するような流れだった。

東京学芸大学・事務（4年度）

〈一次選考〉

●個別面接（20分：面接官3人）

《質問内容》大学まで迷わなかったか／志望動機／ここ1か月でうれしかったことと嫌だったこと／10年後の姿／やりたい仕事／大学職員の仕事のイメージ／自分の特技や特性をどう活かせるか／ストレスを感じるとき／併願状況と軸／最後に聞きたいことはあるか／言い残したこと

※とても和やかな面接だったが、始まってすぐに、椅子に置いたカバンが落下してしまった。面接官が拾いに来てくれたが、ここで行動できなかったところがマイナス評価につながったのかもしれない。

東京農工大学・事務①（3年度）

〈一次選考〉

●集団討論（20分：受験者3人、試験官3人）

《テーマ》在宅勤務の職員と窓口対応を行う職員との間に生じる不公平感の解消方法

※発言は挙手制で、各受験者は一度だけ面接官

に質問可能だった。

●集団面接（30分：受験者3人、面接官3人）

《質問内容》志望理由／失敗経験をどのように乗り越えたか／前職の退職理由／理系出身だが、技術職は検討したか／併願状況

※集団討論の後、そのまま集団面接へ移行した。受験者どうしで話し合って意見をまとめるよくある形式ではなく、面接官も含めた意見交換のような雰囲気だった。

〈最終選考〉

●個別面接（20分：面接官7人）

《質問内容》学長メッセージビデオを試聴した感想／農業や環境問題に対する問題意識／これから農学を学ぶ大学生へのメッセージ／前職の退職理由／短所を克服するためにしていること／学生の要求にどのように対処するか／社会人としての経験の中で印象に残っていること

※私は農学系の出身のため、学長から農学分野に関する質問があった。学長や役員を含む面接官7人に囲まれ、緊張感はあった。最終面接前に学長メッセージビデオのYouTubeのリンクが送付されるので、必ず視聴して学長の考えや自分の感想をまとめておくとよい。

東京農工大学・事務②（3年度）

〈一次選考〉

●集団面接（50分：受験者6人、面接官3人）

《質問内容》学長ビジョンに基づいた大学運営における問題について、解決策を提案して（挙手制）／（個別に）履歴書に添った質問を1問

（転職理由、志望動機等）／ほかの受験状況
※結果はメールで来た。面接では実現可能なことを言ったほうがよいと思う。「意見は前の人とできるだけかぶらないように」と言われたので、できるだけ早めに意見を言おう。

〈最終選考〉

●個別面接（20分：面接官８人）

《質問内容》志望動機／転職理由（かなり深く）／ほかの受験機関を見たうえで、どうしてそこを受験しているのか
※役員面接だった。かなりきつめの質問をされたが、目を見て誠実に伝えることが大切だと思う。結果は遅い時間に電話で来た。

東京工業大学・電子・情報（5年度）

〈一次選考〉

●個別面接（試験官２人）

《質問内容》志望動機／現在行っている個人事業について／転職を考えた理由／大学院での研究内容。研究で使っていたサーバーやソフトウェアについて。業務用のサーバーを使った経験や、ネットワーク関係の業務経験／チームで成し遂げた経験。そのときの役割／自己PR／逆質問
※基本的なことがほとんどだったたので、そこまで難しくはなかった。

〈最終選考〉

●個別面接（30分：試験官４人）

《質問内容》志望動機／自己PR／現在行っている個人事業について／転職を考えた理由／個人事業をチームでやろうとは思わなかったのか／周りからどんな人だと言われているか／短所／趣味は週にどのくらいやっているのか／併願状況／逆質問
※「合格体験記」には「形式的なものだ」とあったので、気楽に臨んだが、がっつりとした面接となり、答えづらい質問もいくつかあった。最終合格（内定）を取ることができたので、自信を持って臨むことが大切だと思う。

東京工業大学・事務（30年度）

〈一次選考〉

●個別面接（20～30分：面接官３人）

《質問内容》志望理由／自己PR／どんな人と一緒に働きたいか／教職協働とはいうが、教員と同等な立場で仕事をしていけるのか／東京工業大学で活躍する先生の名前を知っているか／東京工業大学の強い研究分野は何か／どのような仕事をしたいか／希望の仕事以外になったらどうするか
※東京工業大学のことをよく知らないと答えにくい質問が多かった。

〈最終選考〉

●個別面接（20分：面接官３人）

《質問内容》志望理由／自己PR／どのような課外活動をしていたか／苦手な人とどのようにつきあっていくか／人間関係をどのように構築するか／希望する業務は何か／ほかの内定先ではなく、どうして東京工業大学なのか／質問したいことはあるか
※一次、最終ともに穏やかな雰囲気で進んだ。

東京海洋大学・事務（30年度）

〈一次選考〉

●適性検査（20分）

※問題数が多いので急いだ。

●集団面接（25分：受験者３人、面接官３人）

《質問内容》最初に１分間で志望理由／頑張ったこと／苦労したこととそれを乗り越えたこと／なぜボランティアサークルに入ったのか。学習支援ボランティアの対象学年。学習ボランティアで教えるときに心掛けたこと。悩みを聞くときに心掛けたこと／長所と短所／コミュニケーションを円滑にする際に大切なこと／苦手なタイプとその人への対処法／東京海洋大学の特徴を簡潔に／併願状況の確認／逆に何か質問はあるか
※当日の流れは、「面接カード記入（15分）→適性検査→集団面接」。基本は指名制で、逆質問のみ挙手制だった。事前に書いていた履歴書には「外国語能力の程度／パソコン技能の程度／その他業務上有用と思われる技能」の欄があったが、今回の面接では特に聞かれなかった。面接カードの内容は「志望理由／趣味特技とそのエピソード／大学の専攻とそのエピソード／最も力を入れたこととそのエピソード／自己PR／希望部署の有無。その部署名

とやりたい仕事」だった。

〈二次選考〉

●個別面接（20分：面接官４人）

《質問内容》名前と志望動機を１～２分で／なぜ経営学部に進学したのか。大学で学んだこと／外国語能力について。なぜ英語が必要だと感じたのか／パソコン能力について／簿記検定をなぜ取ろうと思ったのか／頑張ったことについて。役割／入っているサークルは。どんなサークルか／併願について。国立大学法人は東京海洋大学だけか。なぜここだけなのか／東京海洋大学のイメージ。どのように働いていきたいか／やりたい仕事について。具体的にはどんなイメージか／頑張ったことや達成したことは何か。どんな人生観になったか／海とのかかわり／海についての気になるニュース、課題

※個別面接のみで、面接官４人のうち１人は進行役。一次選考のときよりも面接官の役職や年齢が高めで、雰囲気も少し硬めだった。前回の面接前に記入した面接カードの内容に添った質問と、あまり難しくはないがその場で考えるような質問があった。

お茶の水女子大学・事務（4年度）

〈一次選考〉

●集団面接（20分：受験者４人、面接官３人）

《質問内容》志望動機／特技について／在校生ということで教員とは顔見知りだと思うが、やりにくくはないか。教員に依頼することになるが、大丈夫か／女性研究員を増やすには／女性職員として何をしたいか

※ある程度長めに話さないとアピールできないと感じた。

電気通信大学・事務（3年度）

〈一次選考〉

●個別面接（15分：面接官３人）

《質問内容》志望動機／転職理由／自己PR、自己紹介／現職の仕事を辞めてしまうことに後ろめたさがあるか

※一次選考の前に機関訪問があり、そこで面接の予約をした（機関訪問に来た順に面接予約）。和やかな雰囲気だった。

〈最終選考〉

●個別面接（15分：面接官３人）

《質問内容》志望動機／転職理由／英語の実力について／ほかの受験機関を見てどうしてこの大学を受験したのか

※結果は実施最終日の夜に電話で伝えられた。

横浜国立大学・事務（4年度）

〈一次選考〉

●個別面接（20～30分：面接官２人）

《質問内容》学生時代に勉学以外で励んだこと（ボランティアを２回行ったことを回答）／志望動機／ボランティアについて（動機、内容、役割、出会った困難と解決策）

〈二次選考〉

●集団面接(60分：受験者５人、面接官４～５人)

《質問内容》自己紹介（PR）と志望動機／横国大にどんなイメージを持っているか／横国大の職員について（他大学と比べてどのようなことが求められるか）／DXとは何か。また、その業務や大学への活かし方について／横国大の短所とライバル校はどこか／自分の長所・短所とその業務への活かし方、改善の仕方／ストレス解消法

〈三次選考〉

●個別面接（20～30分：面接官６～７人）

《質問内容》志望動機／横国大の短所／自分の性格の長所と短所／（短所は完璧主義と答えたので）チームワークで他人の短所が気になるか／併願先との志望度／癖のある人や嫌な人とどのように付き合うか／人とコミュニケーションを取るうえでの最大の困難とその解決策／やりたい業務とやりたくない業務／第一志望で挙げた大

学について、なぜその大学を志望するのか
※私は既卒なので、新卒とは別日程で面接が行われた。面接は非常に穏やかで明るい雰囲気だった。選考が進むにつれ、人柄と誠実さが見られていると感じた。また、時事問題の対策をしておいてよかったと思う。志望度で他大学と迷っていることを伝えたが、合格することができた。

山梨大学・事務（6年度）

〈一次選考〉

●性格検査（30分）

●面接カード記載（15分）

《内容》併願状況／外国語スキル／ワークライフバランス／使用したことがあるパソコンソフト／趣味、特技

●個別面接（20分：面接官4人）

《質問内容》自己紹介、自己PR（1分）／なぜ山梨大学か／併願状況／山梨の印象／出身大学の良い点を3つ／出身大学の悪い点を1つ／前職の経験で事務に活かせそうなことはあるか／なぜ転職するのか／趣味／逆質問

※面接官からは、各人3～5個程度質問された。比較的和やかな空気だった。

〈二次選考〉

●面接カード記載（15分）

《内容》併願状況／山梨大学について知っていること／興味のある部署／最近興味、関心を抱いたニュース

●個別面接（20～30分：面接官4人）

自己紹介、自己PR（1分）／志望動機／なぜ山梨大学か／山梨県の印象／事務員として大切なこと／事務員はどのようなイメージか／希望部署について。配属されない可能性もあるがそのときはどうするか／大学時代に力を入れたこと／どのように面接会場まで来たか／逆質問

※面接官4人のうち1人は一次面接と同じ人だったが、その人からは質問はなかった。そのほかの3人から3～5問質問された。一次面接と比較し、面接官の態度が厳しめだった。

放送大学学園・事務（6年度）

〈一次選考〉

●集団面接（受験者2～3人、試験官3人）

《質問内容》志望動機／周りの人からどのような人だと言われるか／自覚している短所とそれにどのように対処しているか／希望する業務／希望する業務ではない業務を担当することになっても大丈夫か／苦手な人のタイプとその人との付き合い方／放送大学の知名度を上げるためにはどのようなことを行っていくと良いと思うか

※順番を変えながら当てられた。

国立天文台・事務（元年度）

〈一次選考〉

●集団面接（30分：受験者2人、面接官3人）

《質問内容》どこから来たか／志望理由／チリやハワイ勤務になってもいいか／人事や経理という仕事担当になったとしたらどうするか／語学力はどの程度か／学生時代に力を入れたこと／逆質問

●個別面接（20分：面接官5人）

《質問内容》どうやって来たのか／前回の面接内容の確認／特技について／語学に自信はあるか／なぜ、併願先である○○も志望しているのか／併願先の進捗状況／併願先とうちと両方内定したらどうするか／内定が出てから4月までどうするか／アルバイト／学校やアルバイト以外の社会経験／ボランティア／人物試験の感想

※チリやハワイ勤務になる可能性もあるので、語学力については詳しく聞かれた。また、併願先についても詳しく聞かれたので、併願先の志望動機もしっかりと答えられるようにする必要がある。

高エネルギー加速器研究機構・事務（2年度）

〈一次選考〉

●個別面接（20分：面接官4人）

《質問内容》志望動機と自己PRをそれぞれ1分程度で／自己PRについてさらに詳しく／部長の経験があると書いてあるが、その中で苦労したことは／高エネルギー加速器研究機構に来たことはあるか。どのような印象を持ったか／ボランティア活動の経験があれば教えて／短所は。その短所を克服するために努力していることはあるか／併願状況

大学入試センター・事務（元年度）

〈一次選考〉

●集団面接（30分：受験者５人、面接官５人）

《質問内容》志望理由と自己PR／苦手なこと／人生で一番失敗したことと具体的なエピソード／周りからどんな人間だと言われるか／長期休暇の使い方／逆質問

●個別面接（20分：面接官５人）

《質問内容》志望理由／なぜ国家公務員を志望しなかったのか／学生時代の経験を入職後どう活かせるか／どの課で働きたいか／最近の気になるニュースとその理由、あなたの考え／自己PR／リーダーとして心掛けていること／逆質問

※面接前に若手職員との座談会があった。面接自体も比較的和やかだった。志望動機や具体的にどの課で働きたいかについて詳しく聞かれたので、事前に説明会に参加するとよい。また、休みが取りやすい環境なので、長い休みがあったらどうするかというユニークな質問もあった。

国立科学博物館・事務（４年度）

〈一次選考〉

●個別面接（20分：オンライン、面接官２～３人）

《質問内容》志望動機／実際に携わりたい業務／親の職業／学生時代に力を入れたこと／大学で学んでいること／卒論の内容／大学近辺の博物館に行ったことがあるか／財務諸表や予算を見たことがあるか／学部について

国立情報学研究所（５年度）

〈一次選考〉

●個別面接（試験官５人）

《質問内容》自己PRと志望動機を５分以内で／現在行っている個人事業について／転職を考えた理由／チームで取り組んだ経験。どのような役割だったか／大学院での研究内容。研究で使っていたサーバーやソフトウェアについて。サーバーのOSは何を使っていたか。ソフトウェアの言語や使い方を簡単に／今やっている情報系の勉強や取組みはあるか／逆質問

※情報系の専門的な機関だったので、情報系学科出身ではなかったり、経験がないと厳しいかなと感じた。少なくとも、情報系の勉強や取組みをしているということを伝える必要があると思った。

国立高等専門学校機構・事務（３年度）

〈一次選考〉

●個別面接（面接官２人）

《質問内容》志望動機／相談会に参加した感想／高等専門学校は知っていたか。高等専門学校と大学の違いは／学生時代に力を注いだこと／親しい人にどのような性格だと言われるか。その理由。それに対して自分はどう思うか／全国転勤は大丈夫か／英語はできるか／併願状況と順位／最後に質問は何かあるか

※面接官が２人で気軽な雰囲気の面接だった。

〈二次選考〉

●個別面接（30分：面接官４人）

《質問内容》志望動機／併願状況／自己PR／やりたい仕事の内容／アルバイト経験／敵対心むき出しの人とどう接するか／どのような職員になりたいか／転勤は全国あるが大丈夫か／学生時代の専攻について／オフィスソフトの習熟度について／語学力

※今まで受けた面接の中で一番答えづらかった。普段からしっかり面接の準備をすることと、本番でどれだけ焦っても内心では落ち着いて笑顔を忘れないことが大切だと思った。

東海・北陸地区

金沢大学・事務（5年度）

〈一次選考〉

●論文（40分、500字）

《テーマ》現在や未来の課題を探求、克服するための「未来知」を持つ人材を育成するためにどのような取組みをすべきか。

※面接前に行われた。後日ほかの日程の友人に話を聞いたところ、テーマは「ダイバーシティについて」だったので、日程によってテーマが違うようだ。

●性格検査（10分）

※Web inventory。なるべく早くやる。

●集団面接（15分：面接官3人、受験者4人）

《質問内容》趣味について／最近あったうれしいこと／運動はするか／大学でやってみたい仕事

※答える順はどちらかの端からで、面接官は30～40歳代。かなりラフな雰囲気で常に笑いが絶えないゆるりとした雰囲気だった。普段の素の姿を見ようとしているのが伝わった。用意しすぎないリラックスした自然な回答で良いが、口調や態度が砕けすぎないようには気をつけるべき。

●個別面接（15分：面接官4人）

《質問内容》あなたの住んでいる○○町について1分程度で紹介して／大学で力を入れたこと／希望の部局（学生支援課）で何ができると思うか／金沢大学で良かったと思うこと／挫折を乗り越えることができた要因は何か／論文テーマの「未来知」とは何か。あなた自身が「未来知」を持った人材になるために何をしようと思うか／併願状況を教えて／アルバイトはしているか／大学図書館と市立図書館の違い。大学図書館の嫌なところ

※集団面接の後に行われた。適度な緊張感だった。過去の体験談から、「小論文については必ず聞かれる」とあったので、その内容については待ち時間に振り返っておくとよい。「うん、うん」とうなずいたり「大変よくわかりました」と言ってくれたので、話しやすかった。

※エントリーシート、履歴書の分量が多い。細かく読まれている感じではなかったが、丁寧に書くべきだと思う。集団面接でも個別面接でも、面接官も全員の手元にiPadがあった。面接表や小論文の内容を見ながら話していると思われる。

東海国立大学機構・事務（6年度）

〈一次選考〉

●書類選考

《内容（文章形式のものから抜粋）》志望動機／自己PR／強みと弱み／これまでの学びで得たものをどう仕事に活かすか／機構職員としてどのような仕事に就きたいか。どう貢献するか

〈二次選考〉

●AI面接（70分）

《質問内容》働くうえで重視したい価値観／なぜほかの公務員などではなく東海国立大学機構なのか／家族や友人からどんな人と言われるか／力を入れて取り組んだ経験と深掘り／工夫や改善をした経験と深掘り／目標を決めて取り組んだ経験と深掘り／計画を立てて取り組んだ経験と深掘り／海外に長期滞在した経験

※SHaiNを使用。過去の経験に関する質問が多い。SHaiNについて調べたところ、質問内容は採用側が指定できるようだが、経験に関する質問はほかの機関と同じだった。2回受けて異なっていたのは「志望動機の有無」「大切にしていることが普段か仕事限定か」「周りからの人物評価か自己評価か」の初めの3問だけ。1つの質問を1分以内に答える練習と、1つのエピソードを概要・背景・行動・結果に分けて答える準備をするべきだと思う。志望動機をうまく答えられなくても通過できたので、エピソードから人物像を評価されていると感じた。

東海国立大学機構は、東海・北陸地区の中では採用人数も受験者数も最多の機関。機関訪問は2回開催され、1回で80人ほど参加していた。個別での機関訪問は受け付けていないとのことなので、詳しく話を聞きたい場

合は機関訪問の日の予定を意地でも空けておくか、一次試験以前に機関訪問を打診してみると良いと思う。ほかの機関と比べると書類選考やAI面接といった対面ではない選考方法が多いので、エントリーシートを添削してもらうなど準備をしっかり行えば最終面接までは進めると思う。

〈最終選考〉

●個別面接

※辞退したため内容は不明。案内のメールには所要時間の記載なし。

浜松医科大学・事務（3年度）

〈一次選考〉

●集団面接（20分：受験者４人、面接官３人）

《質問内容》志望動機と自己PRを簡潔に／これまでの経験で苦労したこと。そこから学んだこと／転職理由／趣味とストレスについて／自分を成長させる育成方法は何か／前職での経験をどう活かすか／浜松医科大学のイメージ／逆質問

※淡々と進んだ。浜松医科大学のイメージについて詳しく聞かれたため、大学の強みや取組みについて調べておく必要がある。ここで差がついたように感じる。

●集団討論（35分：受験者４人、試験官３人）

《テーマ》国立大学法人の仕事を小中学生に理解してもらうためにはどう説明したらよいか。公務員との比較を交えて議論してください

※紙とペンを与えられ、それぞれがメモを取りつつ議論する。役割指定は自由だった。最終発表はない。難しいテーマだったが、論点をしっかり把握して、国立大学法人職員の仕事内容を把握しておけば、対策は可能である。数日後メールにて合否連絡があった。

〈二次選考〉

●個別面接（40分：オンライン、面接官４人）

《質問内容》自己紹介と志望動機、自己PRを３分で／転職理由とその深掘り／エントリーシートに書いた内容についての深掘り／前職での職務内容／前職で得られた知識や経験をどう活かすか／浜松医科大学について思うこと／今後の医療業界についての自分の考え／志望順位

※対面での面接予定だったが、静岡県内の緊急事態宣言に伴いオンラインにて開催された。終始和やかな雰囲気での面接だった。今後の医療業界の質問は予想外だったが、前職での知識とニュースや日本の現状を踏まえて説明したところ、反応が良かった。面接練習も重要だが、大学がかかわる分野の話題について自分の意見や考えを持ってくことの大切さを再認識させられた。即日、電話にて合格通知を受けた。

愛知教育大学・事務（6年度）

〈一次選考〉

●AI面接（70分）

《質問内容》普段心掛けていること／長所とそれをどう活かせるか／接するとストレスを感じる人／困難に感じた状況と深掘り／力を入れて取り組んだことと深掘り／改善した経験と深掘り／目標を決めて取り組んだことと深掘り／組織をまとめた経験／プランを立てて取り組んだ経験と深掘り／チームで話し合った経験と深掘り／イレギュラーに対応した経験と深掘り／海外に長期滞在した経験／プランを修正した経験と深掘り／困っている人を助けた経験と深掘り／人から相談を受けた経験と深掘り／反対されても自分の意見を貫き通した経験と深掘り／方針に納得できなかった経験と深掘り／資格や試験に計画を立てて取り組んだ経験と深掘り／ほかに計画を立てた経験と深掘り

※SHaiNを使用した。35～75分かかると案内があった。深掘りは、背景・理由→行動→結果の順で聞かれることが多い。すべての回答を１分以内にまとめつつ、前述の深掘り項目を分けて答えないといけないので、慣れていないと「詳しく教えてください」と再度質問されてしまう。

〈二次選考〉

●集団面接（受験者６人、面接官４人、司会者１人）

《質問内容》小学生のときの夏休みの宿題への取組み方（①計画を立てて、②好き（嫌い）な科目から、③最後にまとめて、のうち当てはまるものに挙手（評価ではなくアイスブレイクとして）／志望動機と愛知教育大学の魅力を１分程度で

※グループワークを含む集団面接で、集合から

解散までは2時間弱だった。面接官は全員課長職、ほかに司会者。回答の順番は端から順もあれば挙手制もあった。司会者が陽気で、面接官の表情は開始前は厳しかったがアイスブレイクや面接官の自己紹介を通して和ませようとする意志を感じた。始まってからは終始和やかに進んだ。

●グループワーク（議論30分：受験者６人、面接官４人、司会者１人）

《テーマ》愛知教育大学の知名度を上げるためのグッズを１つ考案し、その活用方法も考える。

《質問内容》自分だったら考えたグッズを買うか／役割分担を決めていたか／グループワークの自己評価、①40点未満、②40～80点、③80点以上、のうち当てはまるものに挙手／自己評価の減点の理由を一言で

※３つ封筒があり、受験者のうち１人が好きな封筒を選びテーマが発表される形式だった。発表は２分程度で、代表者が発表した後にほかの人にも補足説明を促された。私は発表はしなかったが、意見を出しつつほかの受験者の意見に「それ良いですね！」など反応を大きめにした（素に近い状態）ところ、合格した。

愛知教育大学は、私が受験した機関の中では最も和やかだと感じた。若い職員が中心となっている雰囲気。司会者は40歳代だったが、明るく受験者を笑わせてくれるような雰囲気で、職場の様子としては最も好印象だった。そのため、協調性や明るさが問われているのではないかと感じた。

〈最終選考〉

●個別面接

※辞退したため内容は不明。集合時間から終了までは１時間程度と案内があった。

名古屋工業大学・事務（3年度）

〈一次選考〉

●集団面接（20～30分：受験者3人、面接官3人）

《質問内容》生年月日と名前／面接シートに書いた趣味について／現在の仕事で印象に残っている出来事／これまでの経験でミスしたこと。解決策／希望の部署以外でも大丈夫か／英語力について／併願状況

※志望動機等は聞かれなかったので、その人の性格等を見ていたのではないかと思う。非常に温かい雰囲気で、自分の伝えたいことが伝えられた。笑いもあったり、和やかな雰囲気だった。

〈二次選考〉

●性格検査（クレペリンテスト、40分）

●個別面接（面接官６人）

《質問内容》生年月日と名前／志望動機（答えた内容についてさらに深掘りされた）／なぜ転職をしたいと思ったのか／転職をすることを誰かに相談したか／自己PRと具体的なエピソードについて／留学について／今の企業ではなく名古屋工業大学の志望理由／どの部署でもやっていけるか／併願状況と志望順位／最後に伝えておきたいこと

※一次選考に比べ、かなり堅い雰囲気。答えた内容や面接カードについての深掘りが多かったので、自己分析や志望動機等をしっかり伝える必要があると感じた。また、名古屋工業大学を選んだ理由を明確にしたほうがよい。

豊橋技術科学大学・事務（3年度）

〈一次選考〉

●集団面接（オンライン、受験者6人、面接官3人）

《質問内容》志望動機と大学職員をめざした理由について／これまで頑張ってきたこと／職場で困難に当たったこと。その解決方法／周りの人からどう思われているか／物事はじっくり考える派か、すぐに行動に移す派か／デジタルトランスフォーメーションが進んでいるが、どう貢献できるか

※Zoomでの面接だった。順番はランダムで、指名制。ほかの人がしゃべっているときは、画面は点けたままで、音声はオフだった。

最終選考は、個人面接（25分：オンライン）の予定。ほかの機関で内定をもらったため、私は辞退した。

三重大学・事務（6年度）

〈一次選考〉

●**個別面接**（25分：面接官３人、司会者１人）
《質問内容》職務経歴の確認／志望動機／希望業務以外の業務は知っているか／併願状況・志望度／遠方だが通勤はどうするか／仕事をするうえで大切にしていること／仲間がついてきてくれなかったときの対処法／現職を辞めるとなると痛手ではないか／転職をめざした具体的な理由・その深掘り／弱みの深掘り／希望業務について具体的な行動は考えているか／苦手なタイプと対応方法
※面接官は全員課長クラス、ほかに司会者。質問内容はエントリーシートに基づいたものだった。エントリーシートの内容にコメントをくれながら、穏やかな雰囲気で質問された。

〈最終選考〉

●**性格検査**（SPI、70分）
※複数の受験者が集められて同時に受験した。

●**個別面接**（25分：面接官３人、司会者１人）
《プレゼンテーマ》自身が10年後に活躍する姿を強みや実績を用いて伝える。
《質問内容》現職の確認／現職の会社の理念／把握している大学職員の業務／これまでの成功事例と失敗事例／希望業務に携われる可能性は低いが、たとえば病院事務でもできるか／ストレス発散方法／第二希望の業務／意見がぶつかったときにどうするか。経験も交えて
※３分のプレゼンを含む。司会者は、一次選考の面接官だった人事課長。大学職員の役割など、業務理解が求められるような質問内容だった。プレゼン内容は大学の目標に基づいたものにするのが良いかもしれない。雰囲気は一次選考と比べると厳しめで深掘りも多い。ただ面接官がコメントや説明をする時間も長めなので、回答する時間は比較的少なめだった。
　ほかの大学と比べると、面接官の笑顔が少なめで質問も深掘りが多かった。これまでの実績や志望動機、業務理解は徹底的に行うと良いと思う。

核融合科学研究所・事務（６年度）

〈一次選考〉

●**個別面接**（30分：面接官３人）
《質問内容》交通手段。勤務時も同じかどうか／志望動機／機関名に「核」という字がついているが、核融合や研究所について暗いイメージはないか／TOEICの点数はそこそこなのに英語の自己評価は１（一番低い）となっているのはどうしてか／転職の理由／県外への異動の可能性もあるが問題ないか／これまでの成功体験とその要因／苦労した経験と対処法／勤務していると大変なこともあるがどう対処するか。経験も交えて／ストレスには強いほうか／ストレス発散方法／人と話すことは好きか
※質問は、エントリーシートの内容が３分の２ほどと、残りは独自の評価項目についてだった。終始穏やかな雰囲気で回答に対するコメントも多かった。

〈最終選考〉

●**個別面接**（30分：面接官３人）
《質問内容》来所手段／職歴についての確認／自己PRの深掘り／志望動機の深掘り／自己PRについてさらに深掘り／スポーツ経験はあるか／部活動の経験と年数／珍しいサークルについて入部の理由。そのサークルに入ってみてどうだったか／大学時代はフランス語を専攻していたそうだがパリオリンピックは見たか。オリンピックでどの種目が印象に残っているか／リモートワークのメリットとデメリット／１人でコツコツやる仕事とみんなでやる仕事のどちらが性に合っているか／意見がぶつかったときはどうしているか／第一志望はどこか／ストレス発散方法／志望動機を叶えられるとは限らないがどう考えているか／逆質問
※待合室で事前資料を記入した。内容は、「アルバイト経験・職歴」「ボランティア経験」「パソコンスキル」「併願状況」「面接官に伝えたいこと」「質問」。一次選考よりも厳しい表情だったが、質問の仕方は優しかった。
　機関訪問の日程前に、「一次試験の合格者名簿を見て連絡しました」と電話があり、機関訪問に関する案内があった。マイナーな機関なので予約者が少なかったのではないかと思う。最終選考が終わった当日の夕方には合格の電話があった。志望動機について、なぜ核融合なのか深掘りされたので、詳しく伝えられるようにしておくと良いと思う。

近畿地区

滋賀医科大学・事務（6年度）

〈一次選考〉

●書類選考（エントリーシート）

《内容》氏名、住所、学歴、職歴、資格／志望動機／長所・特技等を踏まえたセールスポイント／積極的に挑戦または打ち込んできたこと／趣味・特技／得意科目・専門分野

※メールで提出。

〈二次選考〉

●個別面接（30分：面接官３人）

《質問内容》機関訪問について（8/1に行われた機関訪問に参加していたので、感想などを聞かれた）／志望動機を１分程度で（ESに記載したことの補足・ポイントを押さえて）／大学職員のイメージ／いつ頃から大学職員を考え始めたか／併願状況／１分程度で滋賀医科大学を説明／滋賀医科大学でどんな仕事がしたいか／趣味について／アルバイトの経験／ESに書いたこと以外で力を入れてきたこと／周りの人からどんな人だと言われるか／残業することもあるが大丈夫か／失敗経験や挫折経験、それをどのように乗り越えたか／逆質問

※５～６人が同じ時間帯に集められ、それぞれ別の部屋に呼ばれた。和やかな雰囲気で非常に話しやすく、最後までずっと笑顔でしっかり聞いてくれた。ただ、話が進みやすいぶん質問の数は多かった印象がある。質問は返答に困るようなものはあまりなかったが、「私（面接官）が滋賀医科大学をまったく知らないと仮定して、１分程度で滋賀医科大学を説明して」という質問は少し戸惑った。機関訪問は必ず参加しなければならないわけではないが、面接で聞かれた際もそこから話を広げやすいので、可能であれば参加したほうが良いと思う。

〈三次選考〉

●個人面接（35分：面接官５人）

《質問内容》志望動機を１分程度で（ポイントを押さえて）／滋賀医科大学でどんな仕事がしたいか／希望の部署以外でも働けるか／通勤時間／自分の長所と短所／力を入れたこととそこから学んだこと、身につけたこと／困ったとき周りの人に相談できるほうか／合わない人とも一緒に仕事ができるか／ボランティア先（学習支援）の人からはどのような人だと言われるか。エピソード／コツコツ地道に作業するのと、企画立案や運営などとはどちらが向いているか

※１人ずつ別々の集合時間が通知されている様子で、控室にも私と後の受験者だけだった。面接官は５人いて、二次選考のときよりも緊張感があったが、笑顔でうなずいたりしながらしっかりと聞いてくれたので、過度に緊張することはなかった。５人いるので、少し難しいが、全員に目線を配りながら話せると良いのではないかと思う。二次選考と比べ、実際に働くことを想定した質問（こういうこともあるが大丈夫か、こういうときはどうするかなど）や自身の経験の深掘りをする質問が多かった。自分の性格や特徴、経験を見直し、滋賀医科大学で働きたい理由をしっかりと考えておけると、焦らず答えられるのではないかと思う。

京都大学・事務（2年度）

〈一次選考〉

●個別面接（20分：オンライン、面接官２人）

《質問内容》再受験に至った理由／エントリーシートの記載内容（自由記述）について

※私は独自試験も受け、最終面接まで残ったため、この面接では主に、再受験に至る経緯や理由を中心に聞かれた。次回以降の面接に向けてのアドバイスもいただけた。

〈二次選考〉

●個別面接（30分：オンライン、面接官３人）

《質問内容》再受験に至った理由／自分を動物にたとえるなら何か／リーダーシップについて、みんなを引っ張るか、後ろから支援するか、どちらのタイプか

※遠隔地かつ独自試験で最終面接まで残ったため、特別にオンライン面接で対応していただいた。

〈最終選考〉

●個別面接（30分：面接官３人）

《質問内容》再受験に至った理由など

※面接というよりも雑談のような感じだった。

京都教育大学・事務（元年度）

〈一次選考〉

●集団面接（30分：受験者６人、面接官４人）

《質問内容》大学のことをどのように調べたか／学年スケジュールを見て気づいたこと／最近腹が立ったこと／ストレス解消法

※回答はすべて挙手制だった。志望動機や自己PRは聞かれず、どれだけ京都教育大学について調べてきたか、どの程度興味を持っているかについて見ているようだった。

神戸大学・事務（6年度）

〈一次選考〉

●書類選考（エントリーシート）

《質問内容》志望動機／職務内容／あなたが神戸大学に貢献できることを、長所・特技・勤務経験を踏まえて

〈二次選考〉

●集団面接（30〜40分：面接官３人）

《質問事項》志望動機／神戸大学の職員に向いていると思うところ／意見が対立したときに自分の意見を曲げるか押し通すか／日常生活で心がけていること／自分を言葉で表すと

※10席用意されていたが、集合していたのは９人だった。あらかじめ分けられていたグループ（新卒４人、既卒５人）が発表され、既卒組は面接→討論、新卒組はその逆の順で行われた。

　並び順に指名された質問もあれば、挙手制、ランダムに指名された質問もあった。各質問の答えに対して、さらなる質問を投げかけられる。特に２番目の質問については「ほかの大学でもよいのでは」などが投げかけられていた。最後の質問のみ「時間がないので１人30秒で」と時間指定された。正直手応えは感じられなかった。

●集団討論（40分：面接官３人）

《テーマ》神戸大学のマスコットキャラクター「うりぼー」の一般的な認知度を高めるための方策を考えよ。

※待合室で集団討論に関する注意事項（時間を厳守すること、開始直後に司会役を必ず決めること等）が配布された。ただし待合室では私語を禁止されるので、雑談や集団討論の役割等について事前に相談することはできない。

　着席後に課題が記載された用紙を確認する。討議の前に司会役を必ず決めることと、討議と発表までを40分間の時間厳守で行うことの指示があった。司会を決めた後は時間配分を全員で共有してから討議を開始した。まず５分程度のシンキングタイムを設けて、個々のアイデアを発表していった。各自のアイデアを認めつつ、それらを組み合わせて発展させるような討議をした。時間を大幅に残して意見が出そろったため、さらなる発展を試みた。しかし本筋から脱線してしまうことを懸念する意見が出たため断念し、時間配分を前倒して発表を行った。臨機応変に空気を読んで対応することが必要だと感じた。

〈最終選考〉

●性格検査（20分：52問）

※PCで行った。意図がわからないような問いもあったが、特段準備をする必要はないと感じた。

●個別面接（30分：面接官４人）

《質問内容》志望動機について／ワークライフバランスについてどう思うか／あなたにとって仕事とは何か／前職でよかったこと、また改善してほしいことは。また改善してほしいことに対して、あなたが行動したことはあるか／大切にしている価値観は／特技に記載している競技は続けていないのか／退職理由／英語の勉強をするつもりはあるか／働きながら転職活動することは考えなかったか／理想のリーダーとは／あなた自身のリーダー像／新しい環境に身を置いたときに心掛けていること。また心掛けた結果、どうだったか

※性格検査→個別面接の順番で行われ、90分の枠に２人ずつ呼び出されているようだった。待機時間が長かったので、職員や受験者と話をして過ごした。

　性格検査終了後、20〜30分待機したのちに面接室に呼ばれた。面接官の自己紹介によ

れば、人事部のトップ４人のようだった。
基本的にこちらの答えを深掘りする質問をされるが、終始和やかで、笑いが起こるような雰囲気だった。エントリーシートに沿った質問や深掘りをされることはほぼなかったが、自己分析をしていたおかげでスムーズに答えられたと思う。各質問の本質をくみ取り、記載したエピソードにどのようにつなげるかを考えて話すことを心掛けた。よくある想定問答を使って、自分を深掘りする作業がとても重要だと感じた。

国際日本文化研究センター・事務（元年度）

〈一次選考〉

●集団討論（25分：受験者５人、試験官３人）
《テーマ》「長時間勤務の解消方法について」
※課題は試験官が口頭で発表したが、司会などの選出について特に指示はなかった。最後のまとめの発表も含めて時間は25分。後ろにホワイトボードがあり、発表のために自由に使ってよいと言われた。最初の５分間で各自意見を考えた後に、それぞれが発表。具体的な方法を挙げる人と「まず長時間勤務を生み出す原因を分析すべき」と主張する人とに分かれた。その後、両者を折衷する形で「原因を分析してから、具体的な方法を挙げていく」という流れとなった。最後の５分間でまとめの発表を行った。発表者については意見をまとめるうえで積極的にアイデアを出していたメンバーが立候補し、各自がメモしていた内容も付け加えながら発表した。その際、ホワイトボードは使用せず、口頭での発表だった。
試験前に緊張を和らげようと、待合室では受験者どうしで少し雑談をしていた。そのおかげか、試験中も互いに名前で呼び合うなど、スムーズに討論が進行したと思う。まとめの発表時間を含めて25分なので、時間管理はシビアに行い、余計な議論をふっかけて足を引っ張り合わない心掛けが必要。この後、すぐに集団面接に入るので、頭の切替えをすばやく行う必要があった。

●集団面接（50分：受験者５人、面接官３人）
《質問内容》志望動機／これまでに最も力を入れて取り組んできたことと、その経験を業務にどう活かせるか／これまでに最も苦労したことと、それをどう乗り越えたか／苦手な人に対して、これまでどうつきあってきたか／集団作業で頑張ったことはあるか／公務員を併願している人が多いが、公務員の魅力はなんだと思うか
※奇をてらった質問はまったくなかった。エントリーシートで書いた内容を見直し、自己分析を怠らないようにするなど、基本的な面接対策を前もって行い、回答するときは短くまとめるように心掛ければ大丈夫だと思う。集団討論から休む間もなくすぐに集団面接に移るので、集中力の持続が求められる。実際に受験者の中には質問に対して正しく回答できず、面接官から再質問される人もいた。

〈最終選考〉

●個別面接（30分：面接官４人）
《質問内容》志望動機／人文学に対する危機感を覚えたきっかけは何か／当センターの存在については前から知っていたか／大学院で研究を続けてみたいと思わなかったか／アルバイト経験について／人を教える仕事に興味はわかなかったか／留学先の国の魅力について／自分の性格を端的に言うと／コミュニケーションを取るうえで気をつけること／上司と意見が合わなかったらどうするか／ストレス解消法／深く思いつめることはないか／将来どのような職員になりたいか／併願先からも内定の連絡が来たらどちらを選ぶか／今の住所から通勤できるか

和歌山工業高等専門学校・事務（２年度）

〈一次選考〉

●個別面接（15～20分：面接官５人）
《質問内容》最近の気になるニュース／なぜ高専なのか／なぜ和歌山高専なのか／残業が多いことに関してどう思うか／教員に信頼されるためにはどうすればよいか／定型的な仕事が多いことに関してどう思うか
※基本的にはエントリーシートの内容に添ったもの。「最近の気になるニュース」「なぜ高専なのか」「なぜ和歌山高専なのか」については深掘りされた。自己PRよりも、学校職員への適性や志望動機が問われた。圧迫面接ではないが、「併願先として受けよう」という気持ちでは通らないと思った。

中国・四国地区

鳥取大学・事務（30年度）

●職場訪問
※２日間職場訪問が行われた。

〈一次選考〉

●適性検査（クレペリン検査、60分）

●集団討論（20分：受験者６人、試験官４～６人）
《テーマ》「理想の上司とはどのような上司か」
※討論開始前に３分間与えられ、「３つのうち１つだけテーマを選んで。どのテーマにするか、書記・司会・タイムキーパーなど、６人で決めて」と言われた。20分間で討論し、最後１分間で、１人が討論の内容を発表した。次に同じ部屋で集団面接が行われた。

●集団面接（30分：受験者６人、面接官５人）
《質問内容》志望動機。いつから志望していたのか／自分のセールスポイント。それをどのように仕事に活かすか／もし希望と違う部署に配属されたらどうするか／鳥取大学に関する最近のニュースや取組みは何があるか／大学職員として働くうえで何を心掛けるか。その理由
※エントリーシートに添う質問が多かった。

島根大学・事務（3年度）

〈一次選考〉

●集団討論（20分：受験者４人、面接官２人）
《テーマ》地方大学の運営について
※テーマは事前に教えられる。その後に個別面接（５分）に移り、集団討論の反省点や改善点などが聞かれた。

意見の内容よりもコミュニケーションの部分やマナー、チームで働くうえでの人間性を見られていると感じた。

岡山大学・事務（3年度）

〈一次選考〉

●書類選考

〈最終選考〉

●個別面接（20分：オンライン、面接官３人）
《質問内容》集団の中でコミュニケーションを取るために必要なことは何か／志望動機（簡潔に）。なぜ学校の先生ではなく大学の職員なのか。学生支援以外に興味のある部署はあるか。大学生活の中で留学生と交流した経験はあるか／初対面の人とコミュニケーションを取るのは得意か／履歴書の志望動機にSDGsの目標を挙げたのはなぜか／ほかの大学の志願状況について／大学時代に行ったボランティアについて詳しく／アルバイトでどういうことを学んだか／もし職員として採用されなかった場合その後の進路はどのように考えているのか／最後に言い残したことがあれば
※面接官は最初に「緊張していると思いますがリラックスして臨んでください」と声を掛けてくれて、質問に答えているときもうなずきながら聞いてくれた。主に履歴書に書いたことから深掘りされて聞かれるという感じで、たまに想定外のことを聞かれることもあった。

山口大学・事務（2年度）

〈一次選考〉

●集団討論（受験者４～５人、試験官４人）
《テーマ》Ａグループ「腕時計で時刻を確認することがあるが、スマートフォンや携帯電話で時刻を確認することについて」、Ｂグループ「スマートフォンや携帯電話で時刻を確認することもあるが、腕時計で時刻を確認することについて」
※５分で自分の意見を考え、20分討論し、２分以内で発表。発表後、相手のグループへの質問タイムがあった。

●集団面接（受験者４～５人、面接官５人）

《質問内容》（1分以内に以下の各質問に回答）あなたの考える大学職員のあり方。どのような職員になりたいか／学生時代に一番頑張ったことと、それを職員としてどう活かすか／これだけは他人に負けないこと／採用されたらやりたいこと
※クールビズだったが、終始マスク着用で、仕切りがあった。集団面接の回答順は質問ごとに異なった。

徳島大学・事務（3年度）

〈一次選考〉

●集団討論（20分：受験者4人、試験官6人）
《テーマ》AIに代用できない大学職員の仕事
※議題はランダムだった。事前に集団討論があることは知らされない。

●集団面接（10分：受験者4人、面接官6人）
《質問内容》徳島大学職員としてやってみたいこと／経験した困難と乗り越え方
※質問には簡潔に答えるほうがよい。部屋が少し広くソーシャルディスタンスもあるので、声が小さい人は注意してほしい。

鳴門教育大学・事務（元年度）

〈一次選考〉

●集団面接（40分：受験者5人、面接官4人）
《質問内容》志望動機／関心のあるニュース／自己PR／あなたが広報係なら、どのように大学を広報するか／あなたが学長になった場合、最初に何に取り組むか（実現可能性は考えない）／自分を動物にたとえると／自分を色にたとえると
※面接の前に、面接官がリラックスするように、と優しく話し掛けてくれた。クールビズ期間だったが、私以外は上着を着ていた。

香川大学・香川高等専門学校・事務（4年度）

〈一次選考〉

●集団面接（60分：オンライン、受験者4人、面接官3人）
《質問内容》志望理由／エントリーシートに記載の趣味・特技を行っていて感じる醍醐味や、趣味・特技を有効に使えたと思うエピソード／長所、自身の能力を示すエピソード／短所とそれを克服するためにしていること／コロナ禍以前の生活に戻ることができたら何がしたいか／併願状況
※和やかな雰囲気だった。大学の取組みに関する質問はなく、人物重視の質問が多かった。面接官が相づちを打ってくれて、話を広げる質問をしてくれるので、話しやすかった。

愛媛大学・事務（3年度）

〈一次選考〉

●個別面接（10分：面接官2人）
《質問内容》志望動機と自己PR（1分以内で簡潔に）／興味があるといったもの以外でやってみたいこと／愛媛県のイメージ／前職の業務内容と難しかったこと／愛媛大学が取り組むべきだと思うこと
※他大学と比べて和やかな雰囲気だった。業務内容や大学のデータ等についてときどき追求されるが、わからないことは素直に「わからない」と答えても問題なさそうだった。

高知大学・事務（3年度）

〈一次選考〉

●集団面接（受験者3人、面接官6人）
《質問内容》志望動機（他機関と比較して）／職場のコミュニケーションで大切だと思うこと／周囲からどんな人といわれるか。それはネガティブにとらえると～といえるが、それについてはどうか
※ほかの受験者が全員既卒の人だったので、既卒は既卒でまとめられていたと思う。

〈二次選考〉

●個別面接（20分：面接官6人）
《質問内容》TOEFLのスコアがあるが、外資系等をめざそうとは思わなかったのか／学生時代のサークル活動について／出身大学の学部について／最近笑ったエピソード／採用時期について／他機関の採用状況について／採用するメリット／採用されたらやってみたいこと（仕事でもプライベートのことでも）／学生時代に思い出に残っていること／留学経験について
※エントリーシートに添って質問されていると感じた。

九州地区

九州大学・事務（5年度）

〈一次選考〉

●エントリーシート提出

《項目》志望動機（300字）／社会人として働くうえで大事だと思うことと、その理由（400字）／あなたの自慢を具体的なエピソードを含めて教えて（字数制限なし）

※図、写真、絵等の使用可だった。

試験案内（一次面接の合格連絡日）から締切りまで4日しかなかったため、注意。

●性格検査（20分、130問）

※質問に対し、どのくらい当てはまるかを５～６段階で回答する形式だった。質問内容に難しいものはなく、日常生活に関するものが多かった。

〈二次選考〉

●個別面接（15分：面接官３人）

《質問内容》志望動機を一文で説明して／大変だったこと、乗り越えた取組み（簡単に）／やりたい業務について。やりたい業務以外の業務でどのように働くか／大学の取組みで良いと思うもの／大阪オフィス、東京オフィス等を利用したことはあるか／理想の上司とはどんな人だと思うか／自分の意見と異なる意見を上司が持っていた場合、異を唱えるか。どうするか／上司に対して要望はあるか。上司に何をしてほしいか／大学をどんな場所と思うか／逆質問

※中央の面接官は突っ込み役で、少し緊張感があった。短い回答を求められた点や、仕事に対する姿勢や上司についての質問が多かった点が印象的だった。

〈最終選考〉

●個別面接（15分：面接官３人、進行１人）

《質問内容》１分で自己PR／ボランティア活動（エントリーシート記載の活動）を振り返りは個人的に何点だと思うか。その理由／あなたはどんな人と思われているか／他の選考状況。どのような理由で志望しているのか／民間企業の選考に関して。人数の規模はどれくらいか／九州大学にどのような改善をしてほしいか／特に九州大学で働く魅力はあるか

※試験までの待機時間は、人事部の人が２人いる部屋に通された。待機しているほかの受験者と共に、入職後に向けて人事部が質問に回答するという形で話をした。面接の質問の中では、ほかの選考状況について、予想以上に具体的に聞かれた。就活の軸と志望動機を重視している印象だった。

エントリーシートをしっかりと準備する、職員になった自分を想定しておく、大学の情報を熟知しておくことなどが、大事だと感じた。

佐賀大学・事務（5年度）

〈一次選考〉

●エントリーシート提出

《項目》志望動機／専攻内容／課外活動等／趣味・娯楽／自己紹介／最近関心を持った事柄／ほかの選考状況

●集団面接（30分：オンライン、面接官５人、受験者５人）

《質問内容》志望動機／自己PR／やりたい仕事／苦手な人について／病院での勤務について。病院での仕事を知っているか

※受験者に同じ質問をしていた。当たる順番はランダムだった。受験者の一人が応答に非常に手間取ったというトラブルがあり、時間が押しているようで、質問数が想定より少なかった。もっと魅力をアピールしたかったという心残りはあった。時間も少ないので、基本的な質問にしっかりと答える練習をすべきだと感じた。

〈最終選考〉

●個別面接（10～15分：面接官５人）

《質問内容》１分で自己アピール／やりたい仕事／学園祭に参加してくれるか。学園祭でどんな仕事をしてみたいか／体力に自信はあるか／英語はどの程度話せるか。英語を話すことに抵抗はないか／ほかの選考状況。なぜ佐賀大学で働きたいか／逆質問

※集合時間の15分前にもかかわらず、「前の面接が早く終わったため、面接開始時間を10

分早めてよいか」という相談があった。私は承諾して早めに面接を受けたのだが、イレギュラーだとは思った。遅くなることは想定していたが、早くなることもあるようだ。

業務説明会はオンラインだが、参加必須。志望動機が非常に大切だと思った。また、大学病院の事務についての知識や理解もするべきだ。

長崎大学・事務（4年度）

〈一次選考〉

●個別面接（10分：オンライン、面接官３人）

《質問内容》自己紹介／転職理由／現職での失敗経験とそのときの対応／将来的にどのような社会人になりたいか／ストレス発散方法／最近あった楽しかったこと

〈最終選考〉

●個別面接（30分：面接官５人）

《質問内容》自己紹介／他の選考状況／志望動機／どのような業務に携わりたいか／就労可能日／逆質問

熊本大学・事務（3年度）

〈一次選考〉

●集団面接（30分：受験者６人、面接官３人）

《質問内容》熊本大学の志望動機／採用されたらどのような形で大学に貢献できるか／最近気になったニュース、時事について／日常生活を送るうえで心掛けていること／最近楽しかったこと

大分大学・事務（5年度）

〈一次選考〉

●エントリーシート提出

《項目》志望動機／長所・自己アピール／趣味・特技等

※おそらく、エントリーシートで人数を絞ってはいないと思う。

●性格検査（適性検査TAL）

※変わった試験だったが、深く考えずに回答した。悪印象にはならないように気をつけた。

●個別面接（15分：面接官２人）

《質問内容》自己PR／志望動機／やりがいについて。深堀り／大変だったことと乗り越えたこと／やりたい業務。やりたい業務以外に配属されたらどう考えるか。どんな仕事をしていきたいか／大学職員に最も必要な資質／最後に一言

※穏やかな雰囲気だった。ほめてくれる場面もあった。質問内容は基本的なものだった。

●集団討論（40分：受験者６人、試験官３人）

《テーマ》生成AIについて考えをまとめなさい

※個別面接の後に実施され、準備時間10分、討論30分だった。準備時間には議論の方向性や役割について話すように指示があった。討論30分の中で、3分間試験官に向けてまとめを発表するように指示があった。受験者６人にはそれぞれ番号が振られ、番号で呼び合った。討論中はマイクで会話した。

〈最終選考〉

●個別面接（15分：面接官３人、進行１人）

《質問内容》大学で学んだこと／大学で学んだことを大学でどう活かすか／なぜ大学職員になりたいのか／（課外活動のリーダーとして）一番大事にしていたものは何か／大分大学の研究で知っているものはあるか／（志望動機のやりがいに触れて）やりがいを重視しているのはなぜか／（特技欄のExcelに触れて）この特技はどのように鍛えられたのか／最後に一言

※質問内容は基本的な内容だった。一部知識を問う質問もあったため、情報収集は必須だと思う。少しだけ緊張感のある雰囲気だった。ほめられた際に「恐縮です」と謙遜の発言を挟み、気を抜かないようにした。

面接は、エントリーシートを見て質問するため、面接で話すことを逆算してエントリーシートを書くべき。特に大分大学では、エントリーシートに関する深掘りが多く感じた。

鹿児島大学・事務（3年度）

〈一次選考〉

●集団面接（25分：オンライン、受験者４人、面接官３人）

《質問内容》鹿児島大学の志望動機について／学生時代に最も力を入れて取り組んだこと。それに対する自己評価／もし採用されたらどの部門でどんな仕事がしたいか／仕事中はチームワークが重要になるが、チームワークを発揮するために重要だと思うこと

令和６年度統一試験の採用実績、業務説明会・二次試験（面接考査）等一覧

令和６年度国立大学法人等職員採用試験に関する小社のアンケートについて、令和６年度の統一試験からの採用実績もしくは試験の実施があった国立大学法人等からの回答内容をまとめた結果が次表である（空欄は回答なし。予定のものも含む）。令和６年度の統一試験は、申込受付期間は５月15日～29日（インターネット受付のみ）、一次試験は７月７日（日）、一次合格者発表は７月25日（木）であった。

一覧表の見方

職種別採用人数、出身大学等…（　　）内は女性の内数、「—」は採用なし。

二次試験受験者数…令和６年度の二次試験（採用機関別の選考）の受験者数。

業務説明会等…「形式」の欄の「合同」は地区合同説明会に参加、「機関」は機関個別の説明会を実施（日付は実施した日程）。業務説明会を実施しない場合は、「×　電話で対応」などとしている。「業務説明以外の内容」の欄は業務説明会等で行ったこと（紹介：若手職員による仕事紹介、訪問：機関〈職場〉訪問、個別：個別面接・面談、集団：集団面接・面談）。

二次試験（面接考査）…選考の段階（日程を含む）および選考の種目。個別：個別面接、集団：集団面接、討論：集団討論・グループディスカッション、GW：グループワーク、プレゼン：プレゼンテーション。

（10月４日現在）

地区	採用先担当部署	職種別採用人数 事務	図書	その他の職種	出身大学等	二次試験受験者数	業務説明会等 形式	業務説明以外の内容	二次試験（面接考査）
北海道	北海道教育大学 総務企画部人事課	14 (8)	1 (1)	—		74人	合同 (7/29)		一次選考（8/5～8/7）：集団 二次選考（8/22～8/23）：個別
北海道	旭川医科大学 人事課	2 (1)	—	—	非公表	19人	合同 (7/29)	紹介、質疑応答	一次選考（8/1～8/5）：個別・15分、小論文 二次選考（8/8～8/9）：個別、適性検査、実技試験
北海道	北海道国立大学機構 総務課人事第一係	4 (2)	—	—	非公表	21人	合同 (7/29)	紹介	一次選考（8/2）：個別・30分 二次選考（8/9）：個別・30分、適性検査、小論文
北海道	函館工業高等専門学校 総務課人事係					※1	合同 (7/29)	紹介	7/30：集団 ※2
北海道	苫小牧工業高等専門学校 総務課人事係	0	—	—		6人	合同 (7/29)	紹介	一次選考（7/30）：集団・40分 二次選考（8/26）：個別・30分、実技試験・15分
北海道	旭川工業高等専門学校 総務課人事・労務係	—	—	機械1(0)		10人	合同 (7/29)	紹介、訪問（技術区分のみ）	**事務区分**　一次選考（7/30）：集団・40分 二次選考（未定）：個別 **技術区分**　一次選考（9/9）：個別・30分
東北	弘前大学 総務部人事課	6 (2)	—	—	非公表	45人	合同 (8/3、8/4)		一次選考（8/29～8/30）：個別・30分 二次選考（9/17～9/18）：個別・30分
東北	岩手大学 法人運営部人事課	1 (0)	—	—		7人	合同 (8/3、8/4) (オンライン)	紹介	一次選考（9/2）： 個別（課題レポートについてのプレゼン含む）・20分 二次選考（9/2）：個別・20分 **技術系**専門考査：**電気**　小論文、専門試験 ※3
東北	宮城教育大学 経営企画課人事係	2 (1)	—	—	非公表	約60人	合同 (8/3、8/4)	集団	一次選考（8/21～8/22）：討論 二次選考（8/27）：個別
東北	秋田大学 人事課	4 (2)	—	機械1(0)	非公表	17人	合同 (8/3、8/4)	紹介、オンラインによる質疑応答	一次選考（8/27～8/28）：集団 二次選考（9/5～9/6）：個別
東北	山形大学 総務部人事課	10 ※ 4	—	—	非公表	30人	合同 (8/3、8/4)	集団 ※5	一次選考（8/28）：討論 二次選考（9/6）：個別
東北	福島大学 人事課	6 (3)	—	—	非公表	約50人	合同 (8/3、8/4)	質疑応答	一次選考（8/21～8/23）：集団・30分程度 二次選考（8/28～8/30）：個別・20分程度
東北	八戸工業高等専門学校 総務課職員係	1 (1)	—	—	非公表	2人	×		9/10：個別・20分
東北	秋田工業高等専門学校 総務課人事係	—	—	電気1(0)	非公表	1人	合同 (8/3) (オンライン)	オンラインによる質疑応答	9/30：個別・40分 **技術系**専門考査：プレゼン ※6
東北	鶴岡工業高等専門学校 総務課人事係	1 (0)	—	—	非公表	1人	合同 (8/4)	相談会（参加者からの質問に応答）	8/29：個別・20分

※1：二次試験の募集を行ったが応募者なし
※2：道内４高専が合同で実施
※3：専門試験は課題となる電子回路の組み立て
※4：実際の採用人数ではなく募集人数
※5：事前にYouTubeに業務説明の動画を掲載
※6：プレゼンは事前に資料（任意様式）を提出し、資料をもとに実施

地区	採用先 担当部署	職種別採用人数			出身大学等	二次試験受験者数	業務説明会等		二次試験（面接考査）
		事務	図書	その他の職種			形式	業務説明以外の内容	
関東甲信越	茨城大学 総務部人事労務課	選考中			非公表	55人	機関 (8/22、8/23)	紹介	一次選考（9/10～9/16）：個別・15分 二次選考（10/1～10/3）：個別・20分、適性検査 **技術系**専門考査：口頭試問
	筑波大学 総務部人事課	15 (12)	3 (3)	農学1(0)	東北大院、東京大院、九州大院、法政大院、筑波大、群馬大、千葉大、新潟大、富山大、九州大、札幌市立大、獨協大、上智大、日本大、明治大、早稲田大	約150人	合同 (7/27)		一次選考（7/30～8/1）：集団 二次選考（8/6～8/23）：個別 **技術系**専門考査：口頭試問
	筑波技術大学 大学戦略課人事係	1 (1)	—	—	非公表	約10人	合同 (7/27)	紹介	8/20～8/22：個別・20分
	宇都宮大学 企画総務部人事課	3 (1)	—	電気0	非公表	25人	合同 (7/27)	紹介	適性検査 ※7 一次選考（8/27）：集団・30分 二次選考（9/4）：個別・30分 **技術系**専門考査：口頭試問
	埼玉大学 総務部人事課	5 (5)	—	—		68人	合同 (7/27) 機関 (8/22)	紹介、訪問（機関のみ）	一次選考（9/26～9/27）： 個別・15分、討論・30分 二次選考（10/2）：個別・25分 三次選考（10/8）：個別・25分
	千葉大学 総務部人事課 人材戦略係	14 (13)	1 (0)	機械0、化学0 ※8	非公表	約150人	合同 (7/27)	紹介	**事務**　7/30～8/9：個別×3、適性検査 ※9 **図書**　8/6～8/9：個別 **機械**　8/2 ※10
	東京大学 本部人材育成課 職員採用・研修チーム	14 (5)	2 (1)	建築1(1)、物理1(0)、電子・情報1(0)	北海道大、岩手大、東北大、茨城大、筑波大、埼玉大、千葉大、東京大、東京外国語大、東京学芸大、お茶の水女子大、一橋大、横浜国立大、長岡技術科学大、富山大、静岡大、三重大、京都大、大阪大、首都大学東京、東京都立大、静岡文化芸術大、京都府立大、大阪市立大、青山学院大、桜美林大、学習院大、慶應義塾大、芝浦工業大、上智大、専修大、中央大、東京電機大、東洋大、日本大、法政大、明治大、立教大、早稲田大、金沢工業大、ケイセンビジネス公務員カレッジ、富山高等専門学校　※過去5年		合同 (7/27)	質疑応答	**事務**　一次選考（7/30～8/1）：書類選考 二次選考（8/4）：討論 三次選考（8/17～8/18）：個別 四次選考（8/21～8/22）：個別 **図書**　一次選考（8/3）：筆記試験 二次選考（8/6～8/9）：個別 三次選考（8/23）：個別 **電気、機械、建築** 一次選考（8/2）：個別 二次選考（8/7）：個別 **物理、化学、電子・情報** 一次選考（8/1～8/2）：個別 二次選考（8/7）：個別
	東京医科歯科大学 総務部人事企画課 人材育成係	6 (3)	—	電気1(1)	福島大、電気通信大、熊本大、高崎経済大、中央大、日本大、亜細亜大	57人	合同 (7/27)	質疑応答	一次選考（7/30～8/2）：書類選考 二次選考（8/7）：個別・20分 三次選考（8/19～8/21）：個別・30分
	東京外国語大学 人事労務課 人事労務係	1 (1)	—	—		37人	合同 (7/27)	オンラインによる大学・事務組織等紹介、質疑応答	一次選考（8/5～8/6）：集団・60分 二次選考（8/20）：個別・30分
	東京学芸大学 総務部人事課	4 (2)	1 (0)	—	非公表	56人	合同 (7/27)	紹介、訪問（7/30～8/8〈図書系のみ〉）	**事務系**　一次選考（7/31～8/2）：個別 二次選考（8/7）：個別 **図書系**　一次選考（8/20～8/21）：個別 二次選考（8/23）：個別
	東京農工大学 人事課任用係	10 (5)	—	—	非公表	55人	合同 (7/27) 機関 (7/18)	紹介、質疑応答	一次選考（7/29～7/31）：集団・40分 二次選考（8/2、8/5）：個別・20分 三次選考（8/7）：GW・80分
	東京科学大学 人材育成課 ※11	16 (9)	—	電子・情報1(0)		約120人	合同 (7/27)	紹介、質疑応答、二次試験の案内	一次選考（8/1～8/5）：個別・約30分 二次選考（8/21～8/30）：個別・約30分 **技術系**専門考査：書類選考または口頭試問
	お茶の水女子大学 人事労務課 人事担当	3 (3)	—	—	非公表	約70人	合同 (7/27)	紹介	一次選考（7/29～7/31）：集団・30分 二次選考（8/5～8/6）：個別・30分
	横浜国立大学 総務企画部 人事・労務課	3 (3)	—	—		116人	合同 (7/27)	紹介	一次選考（8/5～8/6）：個別・30分 二次選考（8/8～8/9）：個別・30分
	新潟大学 総務部 人事企画課	2 (1)	1 (0)	土木1(1)、化学1(0)	非公表	約70人	合同 (7/27)		**事務**　一次選考（7/29～8/6）： 個別・約20分、討論・約40分 二次選考（8/21～8/29）：個別・約30分 **図書**　一次選考（8/6）：個別・約20分 二次選考（8/9）：個別・約30分 **化学**　8/27：個別・約30分 **土木**　9/9：個別・約30分
	長岡技術科学大学 総務課人事労務室 人事係	2 (0)	—	—	非公表	約10人	合同 (7/27)	チャットによる質疑応答	一次選考（8/20）：個別・15分（オンライン） 二次選考（8/27）：個別・20分

※7：適性検査は書類審査合格者のみ
※8：化学は9/9より採用予定数を0人→1人に変更
※9：適性検査は最終面接前に実施
※10：機械は応募者なし
※11：2024年10月1日に、東京工業大学と東京医科歯科大学の統合により、東京科学大学となる。実績は統合前の東京工業大学の状況

PART 2 こんな試験が行われる！

地区	採用先 担当部署	職種別採用人数 事務	図書	その他の職種	出身大学等	二次試験受験者数	業務説明会等 形式	業務説明以外の内容	二次試験（面接考査）
関東甲信越	信州大学 総務部人事課 人事総務グループ	9 (2)	1 (0)	建築0、化学1(0)	非公表	55人	合同 (7/27)	紹介	一次選考（8/5～8/9）：集団・60分 二次選考（8/27～9/5）：個別・30分
	放送大学学園 総務部総務課 人事係	4 (2)	—	—	非公表	82人	合同 (7/27)	紹介	一次選考（7/31～8/2）：集団・20分 二次選考（8/7～8/8）：個別・20分 三次選考（8/9）：個別・20分
	自然科学研究機構 事務局 人事労務課 人事給与係	2 (1)	—	—		14人	合同 (7/27)	紹介	一次選考：書類選考（作文） 二次選考（8/7）：個別（オンライン） 三次選考（8/27）：個別
	国立天文台 事務部総務課 人事係	1 (0)	—	—		54人	× 電話で対応		一次選考（8/5～8/8）：個別・20分 二次選考（8/28～8/29）：個別・30分
	高エネルギー加速器研究機構 総務部人事・職員課 人事第二係	2 (1)	—	機械1(0)	非公表	18人	合同 (7/27)	紹介	**事務**　一次選考（8/5）：個別・15分（オンライン） 二次選考（8/19）：個別・20分 **施設系技術職員（機械）** 8/7：個別・20分
	情報・システム研究機構 事務局本部事務部 総務課人事・労務係	3 (0) ※12	1 (1)	—		38人	合同 (7/27)	紹介	一次選考（8/2～8/7）：集団・30分 二次選考（8/21～8/22）：個別・20分 ※13
	大学入試センター 総務課 人事・人材係	3 (2)	—	—	非公表	約70人	合同 (7/27)		一次選考（7/31～8/2）：集団・25分 二次選考（8/7～8/9）：個別・30分
	国立青少年教育振興機構 総務部人事課 人事企画係	4 (2)	—	—	非公表	25人	合同 (7/27)	紹介	一次選考（8/21）：集団・30分、職員との懇談 二次選考（8/26）：個別・15分
	国立女性教育会館 総務課 人事・企画係	1 (1)	—	—	非公表	15人	合同 (7/27) 機関 (8/20、8/21)	訪問	一次選考（9/9～9/12）：個別・30分 二次選考（10/2～10/3）：個別・30分、小論文
	国立科学博物館 経営管理部総務課 人事・労務担当	2 (1)	—	—	非公表	53人	合同 (7/27)	紹介	一次選考（8/5～8/7）：個別・20分 二次選考（8/14）：個別・25分、適性検査 三次選考（8/20）：個別・25分
	物質・材料研究機構 人材部門人事室	1 (1)	—	—	非公表	15人	合同 (7/27)	紹介	一次選考（8/1～8/2）：個別・30分 二次選考（8/8）：個別・30分
	防災科学技術研究所 総務部人事課	2 (1)	—	—	非公表	37人	合同 (7/27)		一次選考（9/5～9/6）：個別・30分 二次選考（9/13）：個別・30分
	国立美術館 人事担当係	3 (0)	—	—		62人	合同 (7/27)		一次選考（8/9～8/14）：個別・20分 二次選考（8/21）：個別・30分
	大学改革支援・学位授与機構 管理部総務課 人事第1係	6 (2)	—	—	非公表	約80人	合同 (7/27)	紹介	一次選考：書類選考 二次選考（8/26）：集団 三次選考（9/4）：個別
	国立高等専門学校機構本部 人事課人事係	4 (2)	—	電気1(0)	非公表	約60人	合同 (7/27) 機関 (7/31、8/1、8/2)	紹介、訪問	一次選考（8/7～8/8、8/27～8/28）：個別・30分 二次選考（8/20、9/2）：個別・30分 **技術系**専門考査：口頭試問
	茨城工業高等専門学校 総務課人事・労務係	1 (1)	—	—		6人	機関 (8/20)	紹介、訪問、集団	一次選考（9/4）：集団・40分 二次選考（9/20）：個別・30分
	小山工業高等専門学校 総務課総務係	選考中	—	—			合同 (7/27)	紹介	9/19：個別・30分
	長野工業高等専門学校 総務課人事係	—	—	機械1(0)	非公表	2人	× 電話とメールで対応		8/22～8/23：個別・30分
東海・北陸	富山大学 総務部人事課	12 (11)	1 (1)	電気1(0)、農学または生物・生命科学から1	非公表	約80人	機関 (8/5)	紹介、集団	**事務系**　一次選考（8/5）：適性検査・20分 二次選考（8/26～8/28）：個別・20分 三次選考（9/9～9/11）：個別・25分
	金沢大学 総務部人事労務課 人事総務係	5 (4)	—	—	非公表	72人	× 電話とメールで対応 ※14		一次選考（8/2、8/5～8/7）：個別・15分、小論文・30分程度 二次選考（8/21、8/23）：個別・15分、WEB適性検査 **技術系**専門考査：非公表

※12：事務は統計数理研究所、国立情報学研究所、国立極地研究所による合同実施
※13：事務区分の日程。図書区分は別日程
※14：7/8に職員採用説明会および若手職員との懇談会開催

地区	採用先 担当部署	職種別採用人数			出身大学等	二次試験受験者数	業務説明会等		二次試験（面接考査）
		事務	図書	その他の職種			形式	業務説明以外の内容	
東海・北陸	北陸先端科学技術大学院大学 人事労務課人事係	5 (2)	—	—		27人	機関 (8/1、8/2)	紹介	一次選考（8/7～8/9）：個別・15分 二次選考（8/22～8/23）：個別・20分
	福井大学 総務部人事労務課	1 (1)	—	—	非公表	25人	機関 (7/26、7/30)		一次選考（8/2～8/7）：適性検査 二次選考（8/26）：個別 三次選考（9/10）：個別 **技術系**専門考査：個別
	東海国立大学機構 総務部人事企画課	16 (12)	1 (1)	機械1(0)	非公表	178人	機関 (7/26) ※15	紹介、先輩職員との懇談、福利厚生についての紹介	**事務・図書** 一次選考（7/27～8/1）：書類選考 二次選考（8/10～8/18）：AI面接 三次選考（8/30～9/6）：個別・20分 **技術** 一次選考（8/8～8/9）：書類選考 二次選考（8/26～8/27）： 個別・20分、専門筆記試験・45分 ※16
	静岡大学 総務部人事課 人事係	選考中	—	機械1(0)、化学1(1)	非公表	約110人	機関 (7/29〈事務系〉、8/2〈研究支援系〉)	紹介、訪問、個別	一次選考（8/1～8/6）：AI面接 二次選考（8/20〈既卒〉） （9/9、9/11〈新卒〉※17）：個別 三次選考（8/29〈既卒〉） （10/7、10/8〈新卒〉）：個別 **技術系（研究支援系）** 8/7：個別 **技術系（施設系）** 8/28：個別
	浜松医科大学 人事課任用係	3 (1)	—	—	非公表	約15人	機関 (7/30) ※18	個別、若手職員によるパネルディスカッション	一次選考（8/8）：集団、討論 二次選考（8/22～8/23）：個別
	愛知教育大学 総務・企画部 人事労務課	選考中	—	—		約50人	機関 (7/26)	紹介	一次選考（8/2～8/4）：AI面接 二次選考（8/21～8/22）：集団・60分 三次選考（8/29）：個別・25分
	豊橋技術科学大学 人事課人事係	5 (3)	—	—	非公表	約20人	機関 (8/1)	紹介、訪問	一次選考：集団 二次選考：個別
	三重大学 企画総務部 人事労務チーム	4 (2)	—	—		約45人	機関 (7/29)	紹介、訪問	一次選考（8/5～8/7）：個別 二次選考（8/23～8/28）：個別、SPI検査 **技術系**専門考査：個別、SPI検査
	国立遺伝研究所 人事・労務係	1 (0)	—	—		約10人	機関 (8/1、8/2〈オンライン〉)	訪問、質疑応答	一次選考（8/8）：個別・20分 二次選考（8/21～8/22）：個別・20分
	自然科学研究機構（基礎生物学研究所・生理学研究所・分子科学研究所・岡崎統合事務センター） 人事労務課人事係	2 (0)	—	生物・生命科学1(1)	非公表	約50人	機関 (7/31)	紹介 （オンライン）	**岡崎統合事務センター** 一次選考（8/22、8/23、8/25）：個別・35分 二次選考（8/30）：個別・30分 **基礎生物学研究所** 9/10：個別・35分 **技術系**専門考査：口頭試問
	富山高等専門学校 総務課人事労務担当	2 (2)	—	—		13人	機関 (8/5、8/6)	紹介、訪問	一次選考（8/25）：討論・30分、小論文 二次選考（8/30）：個別・20分
	福井工業高等専門学校 総務課人事労務係	3 (2)	—	—	非公表	7人	機関 (8/9)	訪問、集団	一次選考（9/6）：GW・60分 二次選考（9/20）：個別・25分
	豊田工業高等専門学校 総務課人事労務係	2 (1)	—	—	慶應義塾大、南山大	35人	機関 (8/5、8/6、8/7)	紹介、訪問、集団	一次選考（8/23）：適性検査 二次選考（9/4）：個別・15分 三次選考（9/19）：個別・25分
	鈴鹿工業高等専門学校 総務課人事給与係	—	—	化学1(1)	非公表	1人	機関 (8/2)	紹介、訪問、個別	8/29：個別・20分 **技術系**専門考査：口頭試問
近畿	滋賀大学 人事労務課	3 (1)	—	—	非公表	約30人	×	電話とメールで対応、資料をHPに掲載	一次選考（8/8）：集団 二次選考（8/28～8/29）：個別
	滋賀医科大学 人事課人事係	9 (7)	—	化学1(1)、生物・生命科学1(0)	非公表	45人	機関 (8/1)	紹介、訪問	一次選考（8/16）：個別・25分 二次選考（8/22）：個別・20分
	京都教育大学 総務・企画課 人事グループ	2 (2)	—	—	非公表	約55人	×	電話で対応、HPに資料掲載	一次選考（8/30）：集団、適性検査 二次選考（9/12）：個別
	京都工芸繊維大学 人事労務課 人事企画係	4 (2)	—	—	非公表	約50人	機関 (7/30)	紹介	一次選考（8/29～8/30）：個別・30分 二次選考（9/9～9/11）：個別・40分

※15：東海国立大学機構として、岐阜大学、名古屋大学による合同実施
※16：専門筆記試験は個別面接の前に実施
※17：台風による延期後の日程
※18：7/23に同様の内容で説明会を実施

地区	採用先 担当部署	職種別採用人数			出身大学等	二次試験受験者数	業務説明会等		二次試験（面接考査）
		事務	図書	その他の職種			形式	業務説明以外の内容	
近畿	大阪大学 人事課人事計画係						×	電話、訪問（要事前連絡）、メールで質問対応	一次選考（9/上）：集団、討論 二次選考（9/下）：個別 三次選考（10/上）：個別
	大阪教育大学 総務部人事課 人事係	2 (2)	—	—	非公表	113人	機関 (7/31)	紹介、訪問、集団	一次選考（8/5～8/10）：個別・15分 二次選考（8/22～8/23）：個別・20分
	神戸大学 総務部人事課	18 (14)	2 (1)	—	非公表	約160人	機関 (7/26)	紹介	一次選考（8/16、8/17、8/19、8/21）：集団、討論 二次選考（8/29、8/30、9/2、9/3）：個別、適性検査
	奈良国立大学機構 機構人事課	10 (10)	—	—	非公表	63人	×	電話で対応、資料をHPに掲載	一次選考（8/22～8/24）：個別・15分 二次選考（8/30）：個別・25分
	和歌山大学 人事労務課人事係	7 (5)	—	—	非公表	45人	機関 (8/2)	紹介、訪問	一次選考（8/27）：集団・30分 二次選考（9/10）：個別・20分、小論文・20分
	和歌山工業高等専門学校 総務課人事係	—	—	機械1(0)	非公表	1人	機関 (8/23)	紹介、訪問	9/19：個別・30分 **技術系**専門考査：口頭試問
中国・四国	島根大学 総務部人事労務課	—	—	—		31人	×	電話で対応	一次選考（8/6～8/9）：個別・10分、討論・30分 二次選考（8/27～8/30）：個別・25分
	岡山大学 総務・企画部 人事課	6 (5)	—	—	非公表	71人	×	電話で対応	一次選考（8/22～8/30）：書類選考 二次選考（9/3～9/5）：個別・15分 三次選考（9/19）：個別・20分
	広島大学 財務・総務室人事部 人事グループ	1 (1)	—	—	非公表	46人	機関 (7/25、7/26)	紹介	エントリーシートによる選考 一次選考（8/3、8/5、8/6）：個別・25分 二次選考（8/22、8/24）：個別・25分 三次選考（9/2）：個別・25分
	山口大学 総務企画部人事課 人事総務係	2 (1)	—	—		約20人	×	電話で対応	一次選考（8/6～8/7）：集団、討論、適性検査 二次選考（9/18 ※19）：個別
	徳島大学 総務部人事課 人事係	19 (15)	—	建築1(0)		75人	機関 (8/5、8/6〈事務〉、8/7〈技術系〉)	紹介、訪問（事務のみ）	**事務**　一次選考（8/20～8/21）：集団・40分 二次選考（9/2～9/3）：個別・15分 **技術系**　8/7：個別 **技術系**専門考査：口頭試問
	鳴門教育大学 総務部総務課	3 (2)	—	—	非公表	13人	×	電話で対応	8/22～8/23：個別・20分、討論・50分
	愛媛大学 総務部人事課 人事・人材育成チーム	8 (4)	1 (1)	電子・情報0、農学0、生物・生命科学1(0) ※20	非公表	約120人	機関 (7/31～8/1)	紹介、訪問、キャンパス案内	一次選考（8/5～8/6）：個別・15分 二次選考（8/22～8/23）：個別・25分 **技術系**専門考査：口頭試問
	高知大学 人事課人事管理係	7 (4)	—	—	岡山大、愛媛大、嵯峨美術大、宿毛工業高等学校	約35人	機関 (7/30)	紹介、訪問、集団	一次選考（8/5～8/7）：個別・15分 二次選考（8/23、8/26）：個別・20分
	呉工業高等専門学校 総務課人事係 ※21	—	—	—		5人	機関 (8/8、8/9)	紹介、訪問	8/27：個別・30分
	徳山工業高等専門学校 総務課総務係	—	—	—		2人	機関 (8/1)	訪問（要事前連絡）	9/2：個別・20分
	宇部工業高等専門学校 総務課人事係	2 (1)	—	—	非公表	9人	機関 (8/5、8/8) オンライン (7/31)	紹介、訪問	9/3：個別・30分、懇談・15分
	阿南工業高等専門学校 総務課人事係	1 (1)	—	—	非公表	75人	合同 (8/5～8/6)	紹介	一次選考（8/20～8/21）：集団・40分 二次選考（8/29～9/3）：個別・15分
	香川高等専門学校 総務課人事労務係	3 (3)	—	—	非公表	約240人	機関 (8/1)	紹介、訪問	一次選考（8/21～8/26）：集団・45分 二次選考（9/2～9/5）：個別・20分
	弓削商船高等専門学校 人事係	2 (1)	—	—	徳島大院、大阪教育大	3人	機関 (8/2) ※22	紹介、訪問	9/9：個別・30分
九州	福岡教育大学 人事企画課	7 (4)	1 (0)	—		約70人	機関 (7/27、7/31)		一次選考（8/5～8/6）：集団・30分 二次選考：個別・20分
	九州大学 人事部人事企画課	8 (5)	—	電気1(0)、電子・情報2(1)、林学1(0)、生物・生命科学1(1)	宇都宮大、広島大、九州大、北九州市立大、西南学院大、福岡大、福岡工業大短期大学部、有明工業高等専門学校、熊本工業高等学校	約200人	×	メールで対応（事務区分のみ） ※23	一次選考（7/31～8/8）：書類選考 二次選考（8/26～8/27）：個別・10～15分 三次選考（9/17～9/18）：個別・15分 **技術系**専門考査：口頭試問

※19：8/29に実施予定だったが、台風のため延期
※20：選考中につき、人数が増える可能性あり
※21：広島商船高等専門学校との共同実施
※22：7/31、8/1に愛媛大学城北キャンパスにて業務説明会を開催
※23：図書、技術区分は採用部署によって独自で実施

地区	採用先担当部署	職種別採用人数			出身大学等	二次試験受験者数	業務説明会等		二次試験（面接考査）
		事務	図書	その他の職種			形式	業務説明以外の内容	
九州	佐賀大学 総務部人事課	27 (22)	—	電気1(0)、生物・生命科学1(0)	非公表	約100人	機関 (7/22、7/23)	紹介	**事務**　一次選考（8/7～8/8）：集団・25分 二次選考（8/26～8/27）：個別・15～20分 **技術系**専門考査：口頭試問
	長崎大学 総務部人事課	22 (13)	—	—		88人	機関 (8/2)	紹介	一次選考（8/7～8/8）：集団・40分 二次選考（8/21～8/22）：個別・15分
	熊本大学 総務部人事課	10 (4)	—	電気1(0)	熊本大院、広島大、熊本大、鹿児島大、熊本県立大、同志社大、崇城大、沖縄国際大	124人	※24		一次選考（8/6～8/8）：集団・30分 二次選考（8/26～8/28）：個別・20分
	大分大学 総務部人事課	23 (9)	1 (0)	物理1(0)		65人	機関 (8/2) ※25	紹介	一次選考（8/9～8/20）：面接および書類選考 二次選考（9/5）：討論・30～40分 三次選考（9/26～9/27）：個別・20分 **技術系**専門考査：実技試験
	宮崎大学 人事課人事係	7 (3)	—	—	非公表	約40人	機関 (7/31)	紹介	一次選考（8/27～8/28）：集団・30分 二次選考（9/17～9/19）：個別・20分 **技術系**専門考査：実技試験、口頭面談 ※26
	鹿児島大学 総務部人事課	5 (4)	—	—	非公表	約80人	機関 (7/31〈事務〉)	紹介	一次選考（8/19～8/20）：集団 二次選考（8/31～9/2）：個別
	鹿屋体育大学 総務課人事係	1 (0)	—	—	非公表	5人	機関 (8/9)	紹介、訪問	9/2～9/10：個別・20分
	琉球大学 人事企画課	3 (2)	1 (1)	機械3(0)	琉球大、都留文科大、沖縄国際大	91人 (事務のみ)	機関 (7/31)	紹介	**事務**　一次選考（7/25～8/1）：書類選考、小論文、適性検査 二次選考（8/26～8/29）：個別・20分、討論・30分、事務適性検査 **図書区分**　一次選考（7/25～8/1）：書類選考、小論文、適性検査 二次選考（9/10）：個別・20分 **技術系区分（総合技術部）** 一次選考（7/25～8/1）：書類選考、小論文、適性検査 二次選考（8/26）：個別・20分 **技術系区分（施設運営部）** 一次選考（7/25～8/1）：書類選考、小論文、適性検査 二次選考（8/8）：個別・20分 **技術系**専門考査：口頭試問
	久留米工業高等専門学校 総務課人事・労務係	2 (2)	—	—	非公表	13人	×	電話とメールで対応	9/26：個別・20分、適性検査
	有明工業高等専門学校 総務課人事労務係	2 (2)	—	—	非公表	12人	機関 (8/9)	訪問、中堅職員による仕事紹介、若手職員との懇談会	一次選考（8/2～8/20）：書類選考、適性検査 ※27 二次選考（8/27～8/28）：個別・30分
	佐世保工業高等専門学校 総務課人事係	3 (1)	—	—	非公表	14人	×	電話で対応、募集要項（HP掲載）の案内等	8/19：個別・25分
	大分工業高等専門学校 総務課人事係	2 (0)	—	—	※28	11人	機関 (8/2)	紹介	8/28～8/29：個別・30分、適性検査
	鹿児島工業高等専門学校 総務課人事係	—	—	—		2人	機関 (8/1)	紹介	8/23：個別・20分
	沖縄工業高等専門学校 総務課人事係	—	—	電子・情報1(0)	沖縄工業高等専門学校卒見込	1人	合同 (4/24、4/25) 機関 (8/1)	紹介	9/2：個別・30分 **技術系**専門考査：プレゼン・30分程度

※24：7/16に独自の業務説明会（オンライン）を実施
※25：技術系も併せて開催。図書は別日にオンラインで実施
※26：技術系専門考査の実技試験、口頭面談の実施日は別途設定
※27：適性検査は書類選考合格者のみ
※28：回答時点では採用予定のため、非公表

●統一試験から採用のなかった国立大学法人等（二次試験を実施したが、採用者がいなかった法人等を含む）

北海道　釧路工業高等専門学校
関東甲信越　東京藝術大学、電気通信大学、一橋大学、上越教育大学、東京工業高等専門学校
東海・北陸　名古屋工業大学、石川工業高等専門学校、岐阜工業高等専門学校
近畿　奈良先端科学技術大学院大学、人間文化研究機構（国際日本文化研究センター、総合地球環境学研究所、国立民族学博物館）、舞鶴工業高等専門学校、明石工業高等専門学校、奈良工業高等専門学校
中国・四国　松江工業高等専門学校、大島商船高等専門学校、新居浜工業高等専門学校、高知工業高等専門学校
九州　九州工業大学

令和６年独自試験情報

令和６年度の独自試験に関する小社のアンケートについて、令和６年度に独自試験を実施した国立大学法人等からの回答内容をまとめた結果が次表である（空欄は回答なし。最終選考前のものも含む）。表の見方は61ページの「一覧表の見方」を参照のこと。「対象者」は、①：新卒者、②：既卒者、③：非常勤職員、である。

（10月４日現在）

採用先 担当部署	対象者	職種別採用人数 事務	職種別採用人数 その他の職種	出身大学等	申込者数（全職種合計）	採用プロセス
北海道教育大学 人事課	①	―	電気1、建築1			書類審査
旭川医科大学 人事課	②、③	4(1)	―	非公表	25人	書類審査、適性検査、教養試験 一次選考　集団、小論文、実技試験 二次選考　個別
函館工業高等専門学校 総務課人事係	①、②、③	申込受付中				一次選考：（10/下）：書類選考 二次選考：（11/10）： 教養試験（高卒程度）、事務適性検査、性格特性検査、小論文 二次選考：（11/下）：個別、実技試験 ※29
苫小牧工業高等専門学校 総務課人事係	①、②	1(0)	―	札幌大	2人	一次選考：（3/中～4/4）：書類選考 二次選考：（4/13）： 教養試験・120分、性格特性検査・20分、小論文・50分 三次選考：（4/26）：個別･30分、実技試験･15分
旭川工業高等専門学校 総務課人事・労務係	①、②、③	1(0)	―		2人	書類審査 一次選考（5/14）：筆記試験 二次選考（5/28）：個別
弘前大学 総務部人事課	②、③	7(3)	―	非公表	110人	書類審査、適性検査 一次選考（8/1～8/2）：個別・30分 二次選考（8/20～8/21）：個別・30分
秋田大学 人事課	③	3(3)	―	非公表	非公表	8/20～8/21：個別
山形大学 総務部人事課	①、②、③	10 ※30	―	非公表	60人	書類審査 一次選考（6/6～6/7）：集団 二次選考（6/13～6/14）：個別
茨城大学 総務部人事労務課	①、②、③	選考中		非公表	募集中	書類審査 一次選考（10/31～11/2〈予定〉）：個別・15分 二次選考（11/19～11/21〈予定〉）： 個別・20分、適性検査
筑波大学 総務部人事課	①、②、③	20(11)	―	筑波大院、大阪大院、東北大、茨城大、筑波大、信州大、京都大、白鴎大、青山学院大、中央大、日本大、法政大、明治大、明治学院大、関西学院大、ニューヨーク州立大	約400人	書類審査 一次選考（6/1～6/5）：集団 二次選考（6/7～6/21）：個別
筑波技術大学 大学戦略課人事係	②、③	1(1)	―	非公表	約20人	書類審査 9/4～9/5：個別・20分
宇都宮大学 企画総務部人事課	①、②、③	7(4)	機械0	非公表	71人 ※31	書類審査 一次選考（8/23～8/26）：集団・30分 二次選考（9/2～9/4）：個別・30分
埼玉大学 総務部人事課	②、③	5(2)	―		約400人	書類審査 一次選考（6/5～6/6）：個別・25分 二次選考（6/13）：個別・30分
千葉大学 総務部人事課 人材戦略係 ※32	② ③	7(6) 未定	電気(未定)、機械1(0)、建築(未定) ―	非公表	約100人 ※33	書類審査 **一般事務（社会人枠）** 5/15～5/24： 個別×複数回、適性検査 ※34 **病院事務** 5/下～6/上：個別×複数回 **技術系** 随時：個別
東京大学 本部人材育成課 職員採用・研修チーム	①、②			東北大、筑波大、群馬大、千葉大、東京大、東京外国語大、東京学芸大、東京芸術大、東京工業大、お茶の水女子大、名古屋大、京都大、大阪大、神戸大、高知大、九州大、鹿児島大、首都大学東京、東京都立大、大阪府立大、獨協大、青山学院大、慶應義塾大、上智大、昭和女子大、専修大、中央大、津田塾大、東京農業大、東洋大、日本大、日本女子大、法政大、明治大、立教大、早稲田大、学習院女子大、桜美林大、国際基督教大、白百合女子大、愛知大、同志社大、龍谷大、SOAS University of London、University of York、西江大 ※過去5年		書類審査 一次選考（6/1～6/2）：討論 二次選考（6/8～6/9）：個別 三次選考（6/13～6/24）：個別

※29：実技試験は普段職員が実施している簡単な事務作業
※30：実際の採用人数ではなく募集人数
※31：法人併願含む書類応募者人数
※32：その他、採用部署人事担当
※33：申込者数は一般事務（社会人枠）5月実施の人数。一般事務（社会人枠）10月実施予定は現在募集中
※34：適性検査は最終面接前に実施

採用先 担当部署	対象者	職種別採用人数		出身大学等	申込者数 (全職種合計)	採用プロセス
		事務	その他の職種			
東京医科歯科大学 総務部人事企画課 人材育成係	①、②、③	19(14)	—	千葉大、神戸大、岩手県立大、千葉経済大、跡見学園女子大、中央大、東海大、東京理科大、東洋大、日本大、武蔵大、明治大、仙台青葉学院短期大、大手前短期大、大原簿記法律専門学校	106人	適性テスト、メンタルテスト 一次選考(5/7):書類選考 二次選考(5/15〈既卒〉)(6/3〈新卒〉):個別・20分 三次選考(5/22~5/29〈既卒〉)(6/12~6/17〈新卒〉):個別・30分
東京科学大学 人事課 ※35	①、②、③	16(10)	電気、機械、建築から2、電子・情報2(1)、生物・生命科学1(1)、その他2(2)		約200人	書類審査、(職種により)総合適性検査 一次選考(6/3~6/11):個別・約30分 二次選考(6/17~7/12):個別・約30分
お茶の水女子大学 人事労務課 人事担当	②	—	電気1(0)、建築1(1)	非公表	約20人	書類審査 一次選考(5/20~5/22):個別・30分 二次選考(5/28):個別・30分
電気通信大学 人事労務課 人事企画係	②、③	2(1)	機械2(0)、建築1(0)	非公表	約240人	書類審査 随時:個別
一橋大学 総務部人事課	①、②、③	13(7)	—	非公表	約180人	一次選考:書類選考 二次選考(6/23):筆記試験(適教養試験、適性検査) 三次選考(7/5~7/6):個別・20分
横浜国立大学 総務企画部人事・労務課	①、②、③	9(6)	—		314人	書類審査 一次選考(5/24~5/29):個別・30分 二次選考(6/10~6/17):個別・30分
新潟大学 総務部人事企画課	①、②、③	23(14)	電気1(0)、建築1(1)	非公表	約250人	書類審査 **事務**　一次選考(7/29~8/6):個別・20分、討論 二次選考(8/21~8/29):個別・30分 **病院事務**　一次選考(7/4):個別・20分、討論 二次選考(7/18):個別・20分 **電気、建築**　一次選考(8/19):個別・20分 二次選考(8/27):個別・30分
長岡技術科学大学 総務課人事労務室 人事係	①、②、③ ※36	2(1)	—	非公表	約25人	書類審査、適性検査 ※37 一次選考(7/30):個別・15分(オンライン) 二次選考(8/5):個別・30分
上越教育大学 人事課	①、②、③	3(2)	電気1(0)		24人	**事務**　一次選考(7/19~7/23):書類選考 二次選考(8/5):個別・30分 **電気**　一次選考(7/8~7/12):書類選考 二次選考(8/1):個別・30分
信州大学 総務部人事課人事総務グループ	①、②、③	若干名 (予定)	若干名 (予定)			一次選考(11/上):書類選考 二次選考(11/23):筆記試験 三次選考(12/中~12/下):個別・30分
放送大学学園 総務部総務課 人事係	①、②、③	2(2)	—	非公表	37人	文部科学省文教団体職員採用試験 一次試験:筆記試験 一次選考(7/8~7/10):個別・20分 二次選考(7/11):個別・20分 三次選考(7/11):個別・20分
国立天文台 事務部総務課 人事係	①、②、③	—	電気、機械、物理のいずれか1(選考中のため未定)			筆記試験 9/26:個別(プレゼンテーションを含む) 筆記試験 一次選考(未定):個別 二次選考(未定):個別
高エネルギー加速器研究機構 総務部人事・職員課 人事第2係	②	2(1)	—	非公表	37人	書類審査 一次選考(5/11):筆記試験、小論文試験 ※38 二次選考(6/7):個別・20分
国立青少年教育振興機構 総務部人事課 人事企画係	①、②、③	14(10)	—	非公表	74人	書類審査、適性検査、レポート作成 一次選考(7/4~7/5):集団・30分、職員との懇談 二次選考(7/18~7/19):個別・15分
物質・材料研究機構 人材部門人事室	①、②、③	5(3)	—	非公表	45人	書類審査 一次選考(6/19~6/21):個別・30分 二次選考(6/27):個別・30分
国立美術館 人事担当係	①、②	1(1)	—		50人	書類審査 一次選考(8/8):個別・20分 二次選考(8/21):個別・30分
富山大学 総務部人事課	①、②、③	11(8)	電気3(0)、機械1、農学、生物・生命科学の中から1(1) ※39	非公表	約90人	書類審査 **事務系**　一次選考(6/7):個別・20分、適性試験・20分 二次選考(6/8、6/9):個別・20分 三次選考(6/24、6/26):個別・35分 **技術系**　6/14ほか数日間:個別・20分

※35:2024年10月東京工業大学と東京医科歯科大学の統合により東京科学大学となる。実績は統合前の東京工業大学の状況
※36:①~③の対象者を特定せず公募
※37:適性検査は書類選考通過者を対象に面接前に実施
※38:筆記試験、小論文試験合格者を対象にSPI試験を実施
※39:「農学」または「生物・生命科学」から1人

採用先 担当部署	対象者	職種別採用人数		出身大学等	申込者数 (全職種 合計)	採用プロセス
		事　務	その他 の職種			
金沢大学 総務部人事労務課 人事総務係	②、③	1(1)	—	非公表	52人	書類審査 一次選考（8/8）： 個別・15分、小論文・30分程度、SPI3 二次選考（8/27）：個別・20分
福井大学 総務部人事労務課	①、②(卒業後3年以内)	8(4)	—	非公表	105人	書類審査 一次選考（4/23～5/7）：適性検査 二次選考（6/5～6/10）：個別 三次選考（6/20～6/24）：個別
東海国立大学機構 総務部人事企画課	①、②、③	11(10)	—	非公表	80人	一次選考（5/23～6/21）：書類選考 二次選考（6/29～7/7）：AI面接 三次選考（8/1～8/2）：個別・20分
静岡大学 総務部人事課 人事係	①、②、③	8(4)	—	非公表	約70人	一次選考（6/26～7/1）：AI面接 二次選考（7/11～7/12）：個別 最終選考（7/23、7/25）：個別
名古屋工業大学 人事課	①、②	6(4)	—	非公表	約120人	書類審査、適性検査 一次選考（5/14）：集団 二次選考（6/4）：個別
豊橋技術科学大学 人事課人事係	①、②	—	電気1、機械1、建築1 ※40		未定	書類審査、適性検査（予定） 一次選考（随時実施予定）：個別 二次選考（随時実施予定）：個別
自然科学研究機構 （基礎生物学研究所・生理学研究所・分子科学研究所・岡崎統合事務センター） 人事労務課人事係	①、②、③	—	電気、機械、化学、物理、電子・情報、農学、生物・生命科学の区分の中から1(1) ※41		1人	書類審査 8/28：個別・30分（オンライン）
豊田工業高等専門学校 総務課人事労務係	①、②、③	1(予定) ※42			18人 ※43	書類審査 一般教養試験（高卒程度）、適性検査、小論文
滋賀大学 人事労務課	①、②	2(2)	—	非公表	約30人	一次選考（7/30）：書類選考 二次選考（8/9）：個別 三次選考（8/28～8/29）：個別
滋賀医科大学 人事課人事係	②、③	5(3)	—	非公表	40人	書類審査、適性検査 ※44 一次選考（7/28）：個別・25分 二次選考（8/9）：個別・25分
京都工芸繊維大学 人事労務課 人事企画係	②、③	5(2)	—	非公表	約60人	書類審査、筆記試験（大卒程度）、事務適性検査、職場適応性検査 一次選考（8/1～8/2）：個別・30分 二次選考（8/21）：個別・40分
大阪大学 総務部人事課 人事計画係	①、②、③					書類審査 一次選考：討論 二次選考：個別 三次選考：個別
大阪教育大学 総務部人事課 人事係	①、②	8(0)	—	非公表	267人	書類審査 一次選考（8/5～8/10）：個別・15分 二次選考（8/22～8/23）：個別・20分
神戸大学 総務部人事課	②、③	8(5)	機械1(1)、建築1(1)	非公表	約50人	書類選考、筆記試験 一次選考（8/17）：集団、討論 二次選考（8/29、8/30、9/3）：個別、適性検査
奈良先端科学技術大学院大学 人事課職員係	①、②、③	6(0)	—			一次選考（9/11～10/28）：書類選考 二次選考（10/29～11/10）：AI面接 三次選考（11/23）：討論 四次選考（11/27）：個別・30分
島根大学 総務部人事労務係	①、②、③	8(5)	—	非公表	57人	書類審査 一次選考（8/6～8/9）： 個別・10分、討論・30分 二次選考（8/27～8/30）：個別・25分
岡山大学 総務・企画部人事課	①、②、③	7(5)	—	非公表	124人	一次選考（4/中～5/上）：書類審査、適性検査 二次選考（6/上）：個別・15分 三次選考（6/下）：個別・20分
広島大学 財務・総務室人事部 人事グループ	①、②	11(9)	—	非公表	188人	書類審査、適性検査 ※45 一次選考（6/2～6/5、8/3～8/5）： 個別・25分 二次選考（6/12～6/15、8/22～8/24）： 個別・25分 三次選考（6/25～6/28、9/2）：個別・25分

※40：電気、機械、建築の中から2人を採用予定。現在実施中
※41：区分を設けて採用試験を行ったわけではないため，統一試験の区分を準用
※42：10月以降に実施する試験での採用予定人数
※43：5月実施の申込者数。10月以降も実施予定
※44：適性検査は書類選考後に実施
※45：適性検査は一次選考の後に、一次選考合格者を対象に実施

採用先 担当部署	対象者	職種別採用人数		出身大学等	申込者数 (全職種 合計)	採用プロセス
		事務	その他 の職種			
山口大学 総務企画部人事課 人事総務係	①、②、③	19(10)	—		約80人	書類審査 一次選考（6/12~6/13）： 集団、討論、適性検査 二次選考（6/25~6/27）：個別
愛媛大学 総務部人事課人事・ 人材育成チーム	② ※46	9(7)	—	非公表	約80人	一次選考（7/26~5/12）：書類選考 ※47 二次選考（6/6~6/8）：プレゼンテーション 三次選考（6/27~6/28）：個別・25分
高知大学 人事課人事管理係	①、②、③	10(7)	—	高知大、高知県立大、北海道工業大、龍谷大、阪南大、関西国際大	約70人	書類審査 一次選考（6/20~6/25）：個別・20分 二次選考（7/11~7/12）：個別・20分
徳山工業高等専門学校 総務課総務係	①、②、③	1(予定)	—			10/下~11に実施予定 一次選考（未定）
阿南工業高等専門学校 総務課人事係	②、③	—	電子・情報1(0)	非公表	1人	書類審査 6/11：個別・20分
新居浜工業高等専門学校 総務課人事係	①、②、③	1(1)	—	非公表	13人	一次選考（5/11）：教養試験、適性検査、小論文 二次選考（5/31）：個別・30分
高知工業高等専門学校 総務課人事・労務係	①、②	2(0)	—		10人	一次選考（5/25）：職務能力試験、小論文 二次選考（6/7）： 個別・30分、パソコン実技操作
福岡教育大学 人事企画課	①、②、③	選考中				書類審査 選考中
九州大学 人事部人事企画課	①、②、③	15(10)	機械2(1)、建築2(1)	九州大院、延世大院、東京学芸大、長崎大、熊本大、鹿児島大、宮崎公立大、九州産業大、西南学院大、福岡大、筑紫女学園大、福岡西陵高等学校、福岡工業高等学校、浮羽工業高等学校	約240人	一次選考（4/8~4/11〈新卒〉） （4/17~4/24〈既卒〉）：書類選考 二次選考（5/10、5/11〈新卒〉） （6/3〈既卒〉）：個別・10~15分 三次選考（5/27~5/28〈新卒〉） （6/17~6/18〈既卒〉）：個別・15分
九州工業大学 総務人事課 人事企画係	①、②、③	12(0)	建築1(0)、化学1(0)、電子・情報1(0)	北海道大、京都工芸繊維大、九州大、九州工業大、下関市立大、上智大、福岡大、西南大など	約500人	書類審査 一次選考（4/上）：個別・30分 二次選考（4/下）：個別・40分、適性検査 ※48
熊本大学 総務部人事課	①、②	8(5)	機械1(0)、建築3(2)	筑波大、鳥取大、熊本大、熊本県立大、大阪芸術大、崇城大、熊本学園大	430人	書類審査 一次選考（5/15~5/17）：集団・30分 二次選考（6/3）：個別・20分
大分大学 総務部人事課	①、②、③	—	生物・生命科学3(3)		10人	書類審査 8/27：個別・15分
宮崎大学 人事課人事係	③ ※49	1(1)	—	非公表	約10人	一次選考（7/7）：筆記試験 二次選考（8/28）：個別・20分
鹿児島大学 総務部人事課	①、②	3(未定、公募中)	建築1(0)、生物・生命科学1(未定、公募中)	非公表	未定	書類審査、適性検査 個別
有明工業高等専門学校 総務課人事労務係	①、②	—	電気、電子・情報のどちらか1			
鹿児島工業高等専門学校 総務課人事係	①、②、③					10/20：個別・30分

※46：新卒者、非常勤職員の応募は可能
※47：一次選考合格者に対し、二次選考実施前にWEB適性検査を実施
※48：最も採用人数の多い選考日程
※49：有期契約職員を含む

●独自試験から採用のなかった国立大学法人等（独自試験を実施したが、採用者がいなかった法人等含む）

北海道　北海道国立大学機構、釧路工業高等専門学校

東北　宮城教育大学、福島大学、八戸工業高等専門学校、鶴岡工業高等専門学校

関東甲信越　東京外国語大学、東京学芸大学、東京農工大学、東京芸術大学、自然科学研究機構事務局、情報・システム研究機構、大学入試センター、国立女性教育会館、国立科学博物館、防災科学技術研究所、大学改革支援・学位授与機構、国立高等専門学校機構本部、茨城工業高等専門学校、小山工業高等専門学校、東京工業高等専門学校、長野工業高等専門学校

東海・北陸　北陸先端科学技術大学院大学、浜松医科大学、愛知教育大学、三重大学、国立遺伝研究所、富山高等専門学校、石川工業高等専門学校、福井工業高等専門学校、岐阜工業高等専門学校、鈴鹿工業高等専門学校

近畿　京都教育大学、奈良国立大学機構、和歌山大学、人間文化研究機構（国際日本文化研究センター、総合地球環境学研究所、国立民族学博物館）、舞鶴工業高等専門学校、明石工業高等専門学校、奈良工業高等専門学校、和歌山工業高等専門学校

中国・四国　徳島大学、鳴門教育大学、松江工業高等専門学校、呉工業高等専門学校、宇部工業高等専門学校、大島商船高等専門学校、香川高等専門学校

九州　佐賀大学、長崎大学、鹿屋体育大、琉球大、久留米工業高等専門学校、佐世保工業高等専門学校、大分工業高等専門学校、鹿児島工業高等専門学校、沖縄工業高等専門学校

●独自試験の実施を予定（計画）している、または実施が未定の国立大学法人等

東北　岩手大学（10月4日時点で実施予定）
秋田工業高等専門学校（10月4日時点で実施未定）

中国・四国　弓削商船高等専門学校（10月4日時点で実施予定）

独自試験
受験者情報
※選考方法等は変更されることがある。

東北大学・事務（3年度）

●エントリーシート提出
《項目》あなたが自らチャレンジした経験を教えてください（800字まで）／あなたが本学を志望した動機と本気で挑戦したいことを教えてください（800字まで）
●適性検査（SPI〈Webテスティング〉）
〈一次選考〉
●集団討論（結論の発表を含めて40分：オンライン、受験者5人）
《テーマ》教室に私物やごみを放置する学生に対してどのような策をとるか
●個別面接（40分：オンライン、面接官2人）
《質問内容》志望動機と自己PRを1分で／学生時代に力を入れたことを3点・各項目についての深掘り（困難とそれへの対応、行動のきっかけなど）／リーダーの役割を担った経験・その中での困難、それを乗り越えるための工夫や思い・意見の対立にどう対応したか／併願状況、勤務開始可能日／志望部署／どんな部署でも抵抗はないか
※「学生時代に力を入れたこと」についてかなり深掘りされるため、入念な自己分析が必要。
〈二次選考〉
●最終面接（30分：オンライン、面接官5人）
《質問内容》志望動機／趣味／組織の中でどのような役割を果たすか／今後身につけたいスキルとその理由・そう思ったきっかけ／失敗経験／今までで一番の失敗・それをどう乗り越えたか／東北大について最近気になったニュースとその理由／研究内容について詳しく／併願状況

筑波大学

〈一次選考〉
●個別面接（20分：面接官3人）
《質問内容》志望動機／ほかの大学の受験状況／複数内定の場合どうするか
※志望動機を最初に聞かれたが、一次面接では深掘りされなかった。
〈最終選考〉
●個別面接（20分：面接官3人）
《質問内容》志望動機／なぜ数ある大学の中で筑波大学なのか（深掘り）／ガクチカ（深掘り）

宇都宮大学

●書類選考（A4用紙2枚）
《項目》あなたはどのような大学職員をめざしたいか
●SPI（65分）
※言語非言語＋性格検査。
〈一次選考〉
●集団面接（受験者4人、面接官5人）
《質問内容》志望動機と長所短所を簡潔に／取り組みたい業務と不安（苦手）な業務／スポーツ経験、団体活動経験／周りの人からどんな人と言われるか／これまでで1番苦労したこと、そこから学んだこと／20年後、30年後のキャリアビジョン／大学で学んでいること／最後に挙手制で逆質問
※回答順は面接官により異なる。挙手制もあればランダムに当てる形式もあった。一次面接を通して、誰も深掘りをされなかった。自分の回答中や、ほかの人の回答を聞く態度を重視していたのかもしれない。
〈最終選考〉
●個別面接（20分：面接官5人）
《質問内容》生年月日、氏名／志望動機、長所短所を簡潔に／宇都宮大学の魅力的な取組みは／自分の大学の通学時間／併願状況（深掘りなし）／英語は話せるか（TOEICの点数をエントリーシートに記載していたため）／大学で学んでいること／書類選考の小論文の内容について／リーダータイプか、フォロワータイプか／周りからの評価と実際の自分とのギャップ／（長所を判断力と答えたため）判断力を駆使したエピソードは／慎重に地道に進めるか、すぐ行動するか／最後に一言もしくは質問
※終始和やかだった。面接官も笑顔で回答を聞いてくれた。入室の際、面接官と入口が離れているため、大きめにノックと「失礼します」を言うべき。

東京大学・事務（3年度）

●エントリーシート提出

《項目》あなたが働くうえで大切にしたいことと、その理由をこれまでの経験を踏まえて具体的に教えてください（300字）／困難に直面したとき、あなたはどのように対応してきましたか。具体的なエピソードを踏まえて教えてください（300字）／資格等について

●適性検査：SPI〈Webテスティング〉）

●面接参考資料提出

《項目》研究テーマ／志望動機／希望業務／自己PR／趣味・特技／得意なスポーツ／サークル・部活動／アルバイト／ボランティア／選考状況

〈一次選考〉

●個別面接（20分：オンライン、面接官2人）

《質問内容》1分程度で自己紹介／希望部署の理由／○○という課題について、解決策の提案／業務の中で困難に直面したらどうするか／国立大学の課題／困難をどのように乗り越えたか／人と付き合う中で心掛けていること／今後高めたいスキル／併願状況

※希望部署や関心のある分野について、問題解決型の提案を求められた。

〈二次選考〉

●個別面接（15分：オンライン、面接官4人）

《質問内容》1分程度で自己紹介／面接参考資料の記入内容について（取組みのきっかけなど深掘り）／東大の魅力／研究についての詳細／希望部署以外に関心のある業務

横浜国立大学

〈一次選考〉

●性格検査（60分）

※Webテスティング。言語検査、非言語検査、性格適性検査

●個別面接1回目（20～30分：試験官3人（メイン1人、ほか2人）

《質問内容》本学でやってみたい業務／入職日の確認／現職への入社を決めた理由、現職での業務内容／転職する理由／時期により残業が多いこともあるが大丈夫か／履歴書に記入した以外の方法でほかに休日はどう過ごすか／学生時代に部活やサークルに所属した経験はあるか／リーダータイプか、サポートタイプか／希望の部署に配属にならないこともあるが、それでも働けるか／出向の機会があるが、興味はあるか／逆質問／最後に言いたいことはあるか

京都大学・事務（4年度）

〈一次選考〉

●論文

A4 1枚で、自分の人生を映画化するに当たってのタイトル、見どころ、あらすじをまとめる。文字、絵、写真も使用可だった。

〈二次選考〉

●集団討論

《テーマ》少子化の中、京都大学が今後取り組むべきこと。

※自分で考える時間（5分）→集団討論（20分）、発表はなし。

●集団面接（受験者8人、面接官3人）

《質問内容》志望動機／集団討論で共感できない意見はあったか。その理由／苦手な人とその理由

※一次選考の合格結果通知時に、集団面接、集団討論の希望日時アンケートに答える。その数日後に二次選考日決定のメールが来た。全体としては1時間程度だが、初めに待ち時間があった。

集団討論を行い、そのまま面接へ入った。深掘りはされない。京都大学の現状だけでなく、大学業界全体の問題なども見ておくと討論しやすい。集団討論のときは、タイムキーパーなどを決めるよう言われなかったが、決めておくと自分たちが楽だとも思う。

大阪大学・事務（3年度）

●プレエントリーシート提出

《項目》趣味・特技／クラブ・サークル／最近関心を持ったこと／大阪大学の職員を志望する理由

●エントリーシート提出

《内容》10年後・20年後など、それぞれの段階で、大阪大学職員として貢献できることや大阪大学職員になって実現したいことなどについて、スペース内に自由に自己PRしてください。

●面接調書提出

《項目》就活の軸／希望部署とその理由／大学

職員として働くうえで大切にしたいこと

〈一次選考〉

●集団面接（25分：オンライン、受験者3人、面接官2人）

《質問内容》自己紹介／コロナ禍で大切にしていること・大切だと思ったこと／自分の意見が受け入れられなかったときの対応／完全オンラインの生活と完全オフラインの生活、どちらがいいか

※エントリーシートや面接調書の内容にはまったく触れず、対応力を見ているという印象。

●グループワーク

《テーマ》10万円の定額給付金を再配布するか否か

※初めに賛否のどちらかを表明し、意見を述べる。その後、指名された人が全体の意見をまとめ、補足したい人は挙手して発言する。

●適性検査（SPI〈テストセンター〉）

※言語、非言語のほかに英語もあった。

〈二次選考〉

●個別面接（20分：面接官4人）

《質問内容》選考状況／なぜ大学職員か／なぜ阪大か／研究内容について／強みの例として挙げた経験について詳細に／資格取得の理由・それをどのように活かせるか／（やってみたいと答えた部署に関して）仕事のイメージ・その部署でやってみたいこと／集団で仕事をするとき気をつけたいこと／周りからどんな人だと言われるか／ストレス解消法／集団でやり遂げた経験／希望しない業務でも大丈夫か

神戸大学

〈一次選考〉

●書類選考

《項目》志望動機／申込み現在の職務内容／あなたが神戸大学に貢献できることを、長所・特技・勤務経験等を踏まえて

●一般教養試験（120分、40問）

《出題科目・テーマ》情報セキュリティ／化学（炭素の同素体の性質）／生物（ヒトの免疫）／地学（日本の四季（気圧配置））／物理（波動）／地理（南アメリカの気候）／世界史（中国史（科挙や郡国制））／数的推理（速さ・距離・時間、仕事算、確率）

岡山大学・事務（3年度）

〈一次選考〉

●エントリーシート提出

《項目》就職活動を行ううえで重要視していることはなんですか。また、それを踏まえて、なぜ岡山大学を志望するのか、就職先として岡山大学に興味を持ったきっかけも含めて教えてください（500～600字）／あなたがこれまでに周囲の人たちと協力して何かに取り組んだエピソードを教えてください。また、あなたはそのことにより何を得ることができましたか（500～600字）／あなた自身を表す単語を3つ以内で書き、それを解説してください（500～600字）

●適性検査（SPI〈Web テスティング〉）

〈二次選考〉

●個別面接（20分：オンライン、面接官3～4人）

《質問内容》志望動機・なぜ旧帝大より岡山大学か、などの深掘り質問／岡山との縁はあるか／チームで頑張った経験／研究について／岡山大学の○○に関する取組みを知っているか・あなたならどんな取組みをするか／何か言い残したことがあれば

九州大学・事務（5年度）

〈一次選考〉

●集団面接（30分：受験者3人、面接官3人）

《質問内容》昨晩の夕食／最近おもしろかったこと／最近腹立たしかったこと／退職理由／大学の魅力／自分より優秀ではない人が高給をもらっていることに対してどう対応するか／趣味／質疑応答

※終始和やかな雰囲気だった。答えたくない質問には答えなくてよいという指示があった。控え室ではグループごとに分けられ、待機するよう指示があった。

PART 3

過去問を解いてみよう！

国立大学法人等職員採用試験（統一試験）の一次試験では、五肢択一式の教養試験が実施されている。公務員併願者にとっては、見慣れた出題形式、出題内容だが、本番の試験でどのような問題が出題されているのかを把握するのと同時に、実際に解いてみて、実力をチェックしよう。また、公務員試験の地方上級（都道府県、政令指定都市）や市役所上級と類似した問題も多く出題されているので、教養試験の対策としては、それらの過去問にも目を通しておくとよいだろう。

注１：教養試験の出題傾向のページに掲載している出題内訳表は、受験者からの情報をもとに作成したものです。したがって、No.や出題内容が実際とは異なっている場合があります。なお、出題内訳表のNo.が太字になっているものは、本誌に過去問を掲載しています。

注２：掲載している過去問は、受験者からの情報をもとに再現したものです。したがって、出題内容や文章表現が実際とは異なっている場合があります。また、<改題>としている問題は、出題された当時のデータを現在の最新のデータに置き換えている問題です。

過去問の活用法

国立大学法人等職員採用試験の教養試験の概要はPART 2で解説しているので、よく読んで特徴をつかんでおいてほしい。ここでは、過去問の活用法を解説しよう。

皆さんも、大学入試では過去問を使って学習したのではないだろうか。国立大学法人等職員採用試験でも、過去問を押さえることは必須である。出題科目が多いので、全科目を満遍なく学習していたのでは到底時間が足りない。「出るところ」をしっかり把握して、そこを重点的に押さえよう。反対に、あまり出ていないテーマはさっと流すというような、メリハリのある学習が大切だ。令和2年度以降の出題内訳表を掲載したので、科目ごとの出題テーマを把握してほしい（科目の分類は編集部による）。

また、過去問に当たりながら、実際の試験の難易度を把握することも必要だ。そのテーマについて、「どの程度掘り下げた学習をすればよいか」ということも、過去問研究で見えてくる。さらに、過去問を解いて「自分はどこが苦手なのか」を把握するのも試験対策の一つ。苦手科目・テーマは、なるべくなら早目に克服したいところだが、苦手なまま本番を迎えてしまうケースもあるだろう。試験本番は時間との勝負なので、パッと見て、「これは無理だ」と思ったら、深追いせずにほかの問題にじっくり時間をかけるほうが得策だ。

なお、国立大学法人等職員採用試験の過去問は数問の出題例を除いて公開されていない。本書に掲載している過去問は、受験者が提供してくれた情報をもとに「復元」したものだ。そして、今のところ、国立大学法人等職員採用試験の過去問を掲載しているのは本書だけ。読者の皆さんは、ここに掲載されている過去問をしっかりマスターすれば、それだけで一歩リードすることが可能なのだ。とにかく1問でも多く過去問に当たって、合格を勝ち取ろう！

右の６年度～２年度の出題内訳表のNo.が太字の問題は、77ページ以降に過去問を掲載しています。

６年度　教養試験出題内訳

択一式（40問必須解答、120分）		
No.	科目	出題内容
1	政治	各国の政治制度（イギリス、アメリカ、ドイツ、韓国、中国）
2	法律	社会権（生存権、教育を受ける権利、勤労の権利等）
3		地方自治（選挙、不信任決議、条例、直接請求権等）
4	経済	日本の企業（株式会社、財務諸表、資金調達、社会的責任等）
5		租税と財政健全化（所得税、消費税率、プライマリーバランス等）
6	社会	気候変動問題（平均気温、温室効果ガス、パリ協定等）
7		子どもを巡る状況（こども家庭庁、児童手当、待機児童数等）
8	地理	人口動態（人口増加率、人口抑制政策、人口問題、移民等）
9		アフリカ（アトラス山脈、サヘル、鉱山資源、サブサハラ等）
10	世界史	16～20世紀のインド（ムガル帝国、東インド会社、独立等）
11		東西冷戦期（朝鮮戦争、キューバ危機、ベトナム戦争等）
12	日本史	江戸時代の幕政改革（新井白石、田沼意次、松平定信等）
13		平成時代の政治と経済（小選挙区制、バブル経済、構造改革等）
14	思想	諸子百家（孔子、孟子、韓非子、墨子、老子）
15	数学	三角比（三角形の辺の比と水路の幅）
16	物理	電流と磁界（モーターの回転する力）
17	化学	マグネシウムの酸化（定比例の法則）
18	生物	脊椎動物（魚類、両生類、ハ虫類、鳥類、ホ乳類等）
19		呼吸や合成（野菜や果実の呼吸や合成、植物ホルモン等）
20	地学	エルニーニョ現象（貿易風、偏西風、海水温度等）
21	文章理解	現代文（要旨把握、既存の規範）
22		現代文（要旨把握、文学作品の翻訳）
23		現代文（内容把握、ギリシャ建築とローマ建築）
24		英文（要旨把握、旅行代理店で異国の香りを漂わせることの効果）
25		英文（内容把握、オオヤマネコ（lynx）について）
26		英文（内容把握、学位論文の執筆）
27		英文（要旨把握、話者がいなくなることで消滅する言語）
28	判断推理	論理（マンションの入居者が飼っているペット）
29		試合の勝敗（5組のサッカーチームのトーナメント戦）
30		対応関係（4人の5か国への渡航経験）
31		操作の手順（マスをスタートからゴールまで進むゲーム）
32		平面構成（正六角形のタイルの配置）
33		移動・回転・軌跡（白と黒で塗られた円の回転）
34		展開図（白と黒の三角形が描かれた正八面体の展開図）
35		立体の切断（正三角柱と円錐を重ねた立体の断面図）
36	数的推理	整数問題（ある分数の分母と分子の和）
37		方程式（3種類の値段の寿司を食べたときの合計金額）
38		比、割合（住宅総数に占める空き家の割合）
39		ニュートン算（動画の再生速度と視聴時間）
40	資料解釈	6か国の自動車保有台数と人口千人当たり保有台数（グラフ）

５年度　教養試験出題内訳

択一式（40問必須解答、120分）		
No.	科目	出題内容
1	政　治	国際連合（総会、安全保障理事会、国際司法裁判所等）
2	法　律	ジェンダーと法（憲法の性差別禁止、男女雇用機会均等法等）
3		国会（内閣総理大臣の指名、不逮捕特権、議院規則・懲罰等）
4	経　済	市場の適切な資源配分の達成
5		物価（コストプッシュインフレ、消費者物価等）
6	社　会	日本の医療（国民医療費、マイナンバーカードと健康保険証等）
7		日本のエネルギー（化石エネルギー、水素とアンモニア等）
8	地　理	貿易の国際機関（WTO、RCEP協定、CPTPP等）
9		河川と海岸の小地形（扇状地、自然堤防、河岸段丘等）
10	世界史	イギリスの産業革命（農業革命、奴隷貿易、工場法等）
11		1930年代の各国の政治（独、伊、ソ、中、米）
12	日本史	明治維新（廃藩置県、徴兵令、地租改正、学制等）
13		第二次世界大戦後の日米関係（財閥解体、安保条約、沖縄返還等）
14	思　想	仏教（平等思想、一切皆苦、諸行無常、大乗仏教、小乗仏教等）
15	数　学	絶対値を含む関数のグラフ
16	物　理	おもりのつり合い
17	化　学	さまざまな気体（窒素、ヘリウム、硫化水素、メタン等）
18	生　物	ヒトの染色体（染色体数、常染色体、性染色体等）
19		生態系（外来生物、熱帯林、赤潮、海洋プラスチック）
20	地　学	太陽系の天体（公転、水星、木星、小惑星等）
21	文章理解	現代文（要旨把握、現在・過去・未来と時間）
22		現代文（要旨把握、私たちが真理とみなしているもの）
23		現代文（要旨把握、私たちの世界の見方）
24		英文（要旨把握、イングランドのサッカー報道）
25		英文（要旨把握、臓器移植）
26		英文（要旨把握、北極地方）
27		英文（内容把握、考古学）
28	判断推理	命題（５本の映画を見たかどうかの質問）
29		順序関係（５人によるマラソンの順位とタイム）
30		対応関係（６人によるプレゼント交換）
31		操作の手順（４人が取った球の色）
32		移動・回転・軌跡（ベルトで回転する歯車の模様）
33		平面構成（正三角形をつなげた紙片で作る図形）
34		立体の切断（立方体が内接する球の切断面）
35		立体構成（４個のサイコロの目）
36	数的推理	確率（サイコロの目の和が10になる確率）
37		覆面算（掛け算が成立するときの和の最大値）
38		速さ・距離・時間（２つの列車の速さと長さ）
39		平均（反復横跳びの測定値の平均とクラスの人数）
40	資料解釈	建設業者の受注件数、請負契約費とその割合（グラフ）

４年度　教養試験出題内訳

択一式（40問必須解答、120分）		
No.	科目	出題内容
1	政　治	衆議院・参議院の選挙制度（重複立候補、合区、特定枠等）
2	法　律	経済的自由権（職業選択の自由、居住、移転の自由、私有財産等）
3		内閣（国務大臣の任命、裁判官の任命、行政権の行使等）
4	経　済	日本銀行と金融政策（発券銀行、量的金融緩和政策等）
5		予算（予算委員会、一般会計予算、補正予算等）
6	社　会	公的年金制度（対象、財源、保険料の納付の猶予等）
7		日本の研究開発（研究開発費、産学連携、博士号新規取得者等）
8	地　理	オーストラリアの産業（農業、鉱業、繊維産業、観光等）
9		日本の気候（気温の南北差、やませ、冬の積雪、台風等）
10	世界史	ラテンアメリカ史（価格革命、モンロー宣言、キューバ革命等）
11		第二次世界大戦（独、仏、英、米、日の状況）
12	日本史	江戸幕府の支配体制（外様大名、参勤交代、直轄地、蝦夷地等）
13		高度経済成長期（GNP、貿易収支、55年体制、食料自給率等）
14	文学・芸術	日本の古典文学（太平記、方丈記、土佐日記、更級日記、源氏物語）
15	数　学	二次関数の最大値（三角形の面積が最大となる座標）
16	物　理	等加速度運動（小球の鉛直方向への投げ上げ）（空欄補充）
17	化　学	酸と塩基（水溶液の酸性と塩基性）（空欄補充）
18	生　物	呼吸（ミトコンドリア、ATP、呼吸基質、グルコース等）
19		ヒトの血液（赤血球、ヘモグロビン、有害物質の分解等）
20	地　学	地震（P波・S波の到達時間・震源からの距離と発生時刻）
21	文章理解	現代文（要旨把握、近代の芸術）
22		現代文（要旨把握、他者の共感と理解）
23		現代文（要旨把握、建てることおよび住むことのエネルギー）
24		英文（要旨把握、18世紀後半におけるイギリス人の中国観）
25		英文（要旨把握、スポーツ選手）
26		英文（要旨把握、ロンブローゾによる犯罪学）
27		英文（要旨把握、倫理学教育の効果に関する実験）
28	判断推理	発言推理（５人の年齢）
29		位置関係（バスの乗客の座席）
30		数量相互の関係（配られなかったカードの数字の和）
31		操作の手順（商店での４種類の物品の交換）
32		平面構成（五角形内の四角形の個数）
33		展開図（立方体の一部を取り除いた図形の展開図）
34	数的推理	三角形（正方形の内部の線分の長さ）
35	判断推理	立体図形（正八面体に内接する立方体）
36	数的推理	数の計算（４枚のカードの数字で作る３ケタの数の和）
37		素因数分解（２つの整数の積）
38		仕事算（２つのポンプによる給水）
39		数量問題（委員長選挙での３人の候補の得票数）
40	資料解釈	世界のGDP総額と３国が占める割合（グラフ）

3年度　教養試験出題内訳

択一式（40問必須解答、120分）		
No.	科目	出題内容
1	政　治	アメリカの政治制度（議会解散権、勝者総取り方式、副大統領等）
2	法　律	表現の自由（検閲、誹謗中傷、報道、ビラの配布、集会）
3	法　律	日本の裁判所（司法権の独立等）
4	経　済	GDP（定義、2010年代の支出内訳、名目GDPの国際比較等）
5	経　済	為替レート（円高・円安、輸出入等）（空欄補充）
6	社　会	日本の社会保障財政（社会保障費、年金等）
7	社　会	日本の食料や農水産業（食料自給率等）
8	地　理	多民族国家（マレーシア、ベルギー、アメリカ、カナダ等）
9	地　理	プレートの運動と境界（アフリカ大地溝帯、北米西岸の断層等）
10	世界史	18世紀後半～19世紀の清代中国の藩部や周辺諸国
11	世界史	冷戦終結後の東欧社会主義圏の解体（ベルリンの壁崩壊、CIS等）
12	日本史	日本の貨幣史（富本銭、宋銭、撰銭、三貨制度、松方財政等）
13	日本史	戦間期の日本（五・一五事件、天皇機関説、国家総動員法、大政翼賛会等）
14	文学・芸術	19世紀の西洋画家（ダヴィド、ゴヤ、ミレー、ゴッホ等）
15	数　学	$6-\sqrt{15}$の整数部分と小数部分（空欄補充）
16	物　理	波の干渉（波長、振動数）（計算）（空欄補充）
17	化　学	メタンとエチレンの化学反応（計算）
18	生　物	窒素の役割（窒素固定等）
19	生　物	生体防御（マクロファージ、抗体、適応免疫等）
20	地　学	フェーン現象（潜熱、山を吹き下りる空気塊の温度変化等）
21	文章理解	現代文（要旨把握、引用について）
22	文章理解	現代文（要旨把握、小説の語り手の役割）
23	文章理解	現代文（要旨把握、経済・金融）
24	文章理解	英文（要旨把握、美術史家と歴史）
25	文章理解	英文（要旨把握、アメリカの所得格差）
26	文章理解	英文（要旨把握、古代の時間調整）
27	文章理解	英文（要旨把握、チンギス・ハンについて）
28	判断推理	命題（昆虫採集で捕まえた昆虫の種類）
29	判断推理	対応関係（4人が注文したピザと配達されたピザの種類）
30	判断推理	数量相互の関係（３人によるじゃんけん）
31	判断推理	対応関係（スイッチと照明）
32	判断推理	立体構成（4つの立方体とちょうつがいでできる立体）
33	判断推理	立体の切断（正三角錐を切断したときの断面）
34	判断推理	軌跡（正方形内部の点Ｐの可動範囲）
35	判断推理	立体構成（4つの球を真上から見たときの接点を示した図）
36	数的推理	条件付き確率（陽性と判定された人が正陽性である確率）
37	数的推理	整数問題（サイコロの目の積と和）
38	数的推理	濃度（500ｇの食塩水の濃度）
39	数的推理	速さ・距離・時間（列車の追い越しにかかる時間）
40	資料解釈	2017～18年の製品の売上推移（グラフ、実数値、構成比、増減率）

2年度　教養試験出題内訳

択一式（40問必須解答、120分）		
No.	科目	出題内容
1	政　治	現代アメリカの政治思想（ロールズ、サンデル、ノージック）
2	法　律	憲法14条１項の法の下の平等
3	法　律	衆議院の解散
4	経　済	デジタル・プラットフォーム（限界費用、補完財等）
5	経　済	日本、アメリカ、中国の貿易
6	社　会	日本の教育政策（小学校の学習指導要領改訂、給付型奨学金等）
7	社　会	日本の雇用情勢（非正規雇用、障害者雇用、特定技能等）
8	地　理	東南アジアの地誌（宗教、GNI、農産物等）
9	地　理	緯度による気候の変化（偏西風、貿易風、気候等）
10	世界史	第一次世界大戦時の各国の動向（アメリカ、日本、イギリス等）
11	世界史	第二次世界大戦後の中東情勢
12	日本史	室町時代の出来事（半済令、外交関係、一揆、応仁の乱等）
13	日本史	1990年代の日本の政権（自民党政権～民主党政権）
14	文学・芸術	西洋近代の音楽家（ベートーヴェン、ショパン、ドビュッシー等）
15	数　学	三角関数
16	物　理	直流回路（３点を流れる電流の大きさの関係）
17	化　学	イオン化傾向
18	生　物	無性生殖と有性生殖
19	生　物	淡水魚の浸透圧
20	地　学	火山（ハワイ諸島、千島列島、エベレスト、富士山、阿蘇山）
21	文章理解	現代文（要旨把握、近代西欧の人類学）
22	文章理解	現代文（要旨把握、行動経済学の特徴）
23	文章理解	現代文（空欄補充、ナショナリズムについて）
24	文章理解	英文（要旨把握、認知におけるグルーピング）
25	文章理解	英文（要旨把握、歴史書と自伝の比較）
26	文章理解	英文（要旨把握、慣習の合理性）
27	文章理解	英文（要旨把握、大学の使用済み教科書の販売）
28	判断推理	命題（眼鏡、マスク、腕時計をしている人とその性別）
29	判断推理	対応関係（５枚のカードの表裏を塗り分け）
30	判断推理	位置関係（動物園のオリの区分け）
31	判断推理	数量推理（ゲームの勝敗）
32	判断推理	投影図（小立方体を貼り合わせて作られた立体を北西から見た図）
33	判断推理	道順（４地点のうち２点を通る最短経路）
34	判断推理	立体の切断（2つの円錐を組み合わせた立体の断面図）
35	数的推理	速さと三平方（アリと水たまり）
36	数的推理	素数（１～９までの自然数Ａ、Ｂ、Ｃの和）
37	数的推理	商と余り（トラックが貨物を輸送する回数の差）
38	数的推理	ニュートン算（貯水槽の注水と排水）
39	数的推理	つるかめ算（予約販売したケーキの個数）
40	資料解釈	ある港の貿易動向（グラフ）

No.1 政治　各国の政治制度　令和6年度

世界各国の政治制度に関する次の記述のうち、妥当なものはどれか。

1　イギリスでは、議会が上院と下院の二院から構成され、下院で多数を占める政党の党首が首相となって内閣を組織する。下院は内閣に対する不信任決議を行うことができ、内閣は不信任決議に対抗して下院を解散することができる。

2　アメリカでは、大統領が議会への法案提出権を持つ一方で、議会が可決した法案には必ず署名してこれを執行する義務を負う。また、裁判所は議会が制定した法律などに対して違憲審査権を有しない。

3　ドイツでは、行政上の権限が大統領と内閣によって分有されている。大統領は国民の直接選挙で選ばれ、首相の任命や議会の解散を決定することができるなど、その実質的権限は首相よりも広範にわたる。

4　韓国では、議院内閣制が採用されており、国会の信任を得た首相が行政各部を統括する。国家元首として大統領が置かれているが、首相を任命するなどの儀礼的な役割のみを果たしている。

5　中国では、立法府や司法府に当たる機関はなく、行政府に当たる国務院にすべての権力が集中している。国家元首である国家主席は、共産党の最高実力者が就いているが、個人への権力集中を防ぐために、再任回数には制限が設けられている。

解説

1．妥当である。イギリス議会は、上院（貴族院）議員が非公選であるのに対し、下院（庶民院）議員は選挙で選ばれる。慣例により、下院で多数派となった政党の党首が国王によって首相に任命され、内閣を組織する。下院は内閣不信任決議権を、内閣は下院に対する解散権を持つ。

2．アメリカでは、大統領は法案提出権を持たない。また、大統領が議会で可決された法案に対する署名を拒否し、その成立を阻むことができ、これは、拒否権と呼ばれる。ただし、上下両院で3分の2以上の多数により再可決されると、成立する。これは、オーバーライドと呼ばれる。また、アメリカの裁判所は、法律などに対する違憲審査権を有する。

3．ドイツでは、大統領と首相が併存するが、実質的には議院内閣制としての特徴が強く、大統領の権限の多くは儀礼的なもので、行政実務のトップを担うのは首相である。首相は連邦議会から選任され、連邦大統領によって任命される。首相以外の大臣は連邦首相の提案により、大統領によって任命される。大統領は、国民による直接選挙ではなく、「連邦集会」において選出される。

4．韓国では、大統領制が採られている。韓国の大統領は、国民が投票する直接選挙で選ばれ、その地位については行政府のトップと位置づけられ、議会への予算案提出や閣僚・公務員を任命する権限を持つ。首相（国務総理）は、大統領を補佐する役割を担う。

5．中国の政治体制の特徴は、権力が全国人民代表大会（全人代）に集中していることである。中国の憲法では、全国人民代表大会が最高権力機関と定められ、立法機関としての役割を担う。この機関を構成する人民代表は各国の議会における議員に当たり、この中から国家元首である国家主席が選ばれる。国家主席の再任回数には制限がない。また、行政機関である国務院、最高裁判所に相当する最高人民法院については、全国人民代表大会の統制・監督の下にある。なお、国務院のトップは国務院総理（首相）である。

正答　1

問題研究

各国の政治制度に関する出題は多い。特に、アメリカの大統領制、イギリスの議院内閣制、大統領と首相がともに強い権限を持つフランス、議院内閣制を基本としながら大統領が儀礼的な役割を担うドイツ、権力集中制を特徴とする中国などを理解しておきたい。

No.2 政治　国際連合　令和5年度

国際連合（国連）に関する次の記述のうち、妥当なものはどれか。

1　総会は、全加盟国によって構成され、国連憲章で定められた範囲内の問題を対象としている。総会は、決議に基づいて勧告を行うが、この勧告に法的拘束力はない。

2　安全保障理事会は、常任理事国と非常任理事国で構成される。軍事的措置をとるかどうかといった実質事項については、常任理事国と非常任理事国を合わせた全理事国の過半数で決定される。

3　国際司法裁判所は、国際紛争を国際法に基づいて解決するための機関である。国際紛争の一方の当事国が国際司法裁判所に提訴した場合、もう一方の当事国は裁判に参加しなければならない。

4　国連の予算は加盟国の分担金で賄われている。分担金の額や比率は加盟各国の経済力をもとに決定されており、支払能力に応じた額となるため、これまで滞納したことのある国は発展途上国の一部に限られている。

5　国連が地球規模の課題に取り組んでいる例として、2015年の国連サミットにおける「持続可能な開発目標（SDGs）」の採択がある。SDGsは地球環境問題に関する目標であり、「気候変動対策」と「生態系の保護」という2つの項目からなる。

解説

1．妥当である。国際連合において、総会は、国際社会のさまざまな問題に関する勧告を行うが、一般に、この勧告に法的拘束力はない。ただし、国連の機構の内部活動に関係する事項、具体的には、予算の承認、分担金、国連機関における選挙、安全保障理事会の勧告に基づく加盟国の承認に関する決議については、拘束力がある。なお、総会は、すべての国際連合加盟国で構成され、1国1票の表決権を持ち、重要事項は3分の2以上、通常は過半数で議決される。

2．国際連合において、安全保障理事会は、常任理事国5か国と非常任理事国10か国で構成され、平和と安全の諸問題に対する決議を行い、この決定には法的拘束力がある。その議決については、9か国以上の賛成が必要である。ただし、制裁や軍事的措置などの実質事項については、常任理事国（アメリカ、イギリス、フランス、ロシア、中国）に拒否権が認められている。

3．国際司法裁判所（ICJ）における裁判は、訴えられた国が裁判の開始に同意することによって管轄権が成立する。つまり、訴える側による単独での提訴の段階では、訴えらえた側に参加の義務はない。

4．国連の加盟分担金は、分担金の額や比率は加盟各国の経済力をもとに決定されているが、これまで滞納した国の中には、アメリカなども含まれる。

5．「持続可能な開発目標（SDGs）」は2015年9月25日に国連総会で採択されたが、この中には、環境問題だけでなく、貧困や飢餓の解決、健康、福祉、教育、ジェンダーの平等などを含む17の国際目標が含まれる。また、169の達成基準と232の指標が定められている。

正答　1

問題研究

国際連合やその機関などについての知識を問う問題は繰り返し出題されている。総会、安全保障理事会、国際司法裁判所、事務局、経済社会理事会、専門機関などの仕組みに加え、近年の動向についての理解と、連邦議会と大統領の関係、さらに大統領選挙や連邦議会選挙の結果などについての知識を身につけておくことが求められる。

No.3 政治　衆議院・参議院の選挙制度　令和4年度

衆議院の選挙制度では小選挙区比例代表並立制が、参議院の選挙制度では選挙区選挙と比例代表選挙を組み合わせた制度が採用されている。これらに関する次の記述のうち妥当なものはどれか。

1　衆議院の比例代表選挙は、全国を11のブロックに分けて行われる。小選挙区の立候補者が比例代表の名簿登録者になる重複立候補が認められている。

2　参議院の選挙区選挙は、原則として都道府県を単位として実施されている。また、どの選挙区においても大選挙区制が採られており、１回の選挙で複数人の議員が選出される。

3　参議院の比例代表選挙では、各政党等の候補者名簿に順位を付さない非拘束名簿式が採られており、名簿に記載された者のうち、個人で得票した数が多い者から順に当選する。そのため、各政党等が、優先して当選させたい候補者を指定することはできない仕組みになっている。

4　日本では、諸外国に比べて女性の議員数が少ないことが指摘されている。その問題に対応するため、衆議院と参議院の比例代表選挙では、候補者名簿に登録する候補者のうち３名以上を女性にすることを各政党に義務付けるクォーター制が導入されている。

5　衆議院の小選挙区選挙、参議院の選挙区選挙のいずれにおいても、選挙区の人口や議員定数の違いから、１票の価値に不平等が生じている。近年では、それらの最大の格差は、衆議院の小選挙区選挙の方が参議院の選挙区選挙よりも大きい。

解説

1．妥当である。衆議院選挙では、重複立候補が認められているため、小選挙区で落選した議員が比例代表において復活当選することができる。ただし、そのためには、法定得票率以上を獲得しなければならない。

2．参議院の選挙区選挙は、原則として都道府県を単位として実施されてきたが、2016年の選挙から「鳥取県と島根県」、「徳島県と高知県」がそれぞれ１つの選挙区となる、いわゆる「合区」が導入された。また、それぞれの選挙区の定数は２～12名であり、３年ごとに半数が改選されるため、１回の選挙あたりの定数は１～６名である。大選挙区は、２名以上が当選する制度であるが、「どの選挙区においても」という記述は誤りである。定数１の「一人区」も存在する。

3．参議院選挙の比例代表選挙において、非拘束名簿式が導入されている点は正しいが、「特定枠」が導入されている。特定枠は、この非拘束名簿と切り離し、各政党等が「優先的に当選人となるべき候補者」に順位をつけた名簿を作成し、その候補者を個人名の得票に関係なく名簿の順に当選を決める仕組みである。

4．国会議員の中に占める女性議員の割合は、増加傾向にあるものの、諸外国と比較すると少ない。それを踏まえ、2018年（平成30年）に「政治分野における男女共同参画の推進に関する法律」が施行されたが、女性候補者の数や割合を義務付けるものではない。

5．各選挙区における有権者の数と当選者の数についての「一票の格差」は、衆議院の小選挙区より、参議院の選挙区のほうが大きい傾向がある。たとえば、2021年の衆議院選挙については2.08倍であるのに対して、2022年の参議院選挙については、3.032倍である。

正答　1

問題研究

国会議員の選挙をはじめとした選挙制度は頻出分野の一つである。特に、衆議院と参議院それぞれの選挙制度の概要、制度の変更、一票の格差を巡る裁判などについての近年の動向などについての論点を押さえながら知識を整理しておく必要がある。

No.4 政治　アメリカの政治制度　令和3年度

アメリカの政治制度に関する次の記述のうち、妥当なものはどれか。

1　厳格な三権分立の下、特に、連邦議会と大統領は互いに抑制と均衡の関係にある。連邦議会が大統領に対する不信任決議を行うことができる一方、大統領は、それに対抗して連邦議会を解散することができる。

2　連邦議会は、上院と下院の2院からなる。下院議員が国民の直接選挙によって選出される一方、上院議員は各州の議会において議員の互選によって選出されるため、上院議員は州議会議員を兼ねる。

3　大統領は、各州の有権者から選ばれた大統領選挙人によって選出される。大統領選挙人を選ぶ一般投票では、最も多くの票を獲得した大統領候補者の側に大統領選挙人全員を割り当てる方式を採用している州がほとんどである。

4　大統領の下で行政を担う公務員については、政治的意図により民間から人材を登用することが禁止されている。主要な役割を担う上級の公務員は、各省において実施される競争試験によって採用され、長年にわたって行政を担ってきた官僚から選出される。

5　大統領は、自らを補佐する副大統領を任命する。副大統領は、大統領の辞任や死亡などの際に大統領の職務を一時的に代行するが、正式な大統領となることはできず、その職務を行うのは、臨時の大統領選挙が終わるまでに限られる。

解説

1．厳格な三権分立の下、議会と大統領が抑制と均衡の関係にある点は正しい。一方、連邦議会は大統領に対する不信任決議権を持たず、大統領は連邦議会の解散権を持たない。ただし、大統領が特定の犯罪に関与した場合には、弾劾の手続きにより罷免される旨が憲法に定められている。なお、実際に弾劾による罷免に至った例はない。

2．連邦議会は、上院（元老院）と下院（代議院）によって成り立つ二院制である。両院の議員とも、国民・有権者による直接選挙によって選出される。なお、下院の議席数が各州の人口に比例するのに対して、上院議員は、各州の人口にかかわらず一律2名ずつである。

3．妥当である。まず、大統領選挙人は、あらかじめ、自らどの大統領候補に投票するかを明らかにしている。大統領選挙人を選ぶ一般投票では、ほとんどの州で、最も多くの票を獲得した大統領候補者の側がその州の大統領選挙人のすべてを獲得する。これは、勝者総取り方式（ウィナー・テイク・オール）と呼ばれる。

4．アメリカの公務員制度については、公開競争試験における資格任用制（メリット・システム）が導入されているものの、主要な役職については、大統領による政治的な任用が多く行われている。かつては、さらに多くの公務員が政治的に任用されており、このような制度は、猟官制（スポイルズ・システム）と呼ばれた。なお、公務員の民間からの登用は多く行われている。

5．辞任、死亡などによって大統領が欠けた場合、副大統領が昇任し、正式な大統領に就任する。よって、「正式な大統領となることはできず」「臨時の大統領選挙」などの記述は誤りである。

正答　3

問題研究

アメリカの大統領制についての知識を問う問題は繰り返し出題されている。厳格な三権分立が採用されていることを中心とした制度全体についての理解と、連邦議会と大統領の関係、さらに大統領選挙や連邦議会選挙の結果などについての知識を身につけておくことが求められる。

No.5 政治　現代アメリカの政治思想　令和2年度

リベラリズム、コミュニタリアニズム、リバタリアニズムの政治哲学に基づく思想の概要の記述ア～ウについて、それぞれの立場からその思想を主張した人物名の組合せとして妥当なものはどれか。

ア　平等な自由の原理を前提にしながら、不平等が生じる際には、機会が均等に与えられた結果であること、さらに、最も不遇な人の利益を最大化することを満たすべきであるとする正義の原理を提唱した。

イ　歴史的、文化的な背景を前提とする共同体の中の自己という認識を重視する視点により、共同体にとっての善である共通善を重視する立場から、自らの主張を展開した。

ウ　平等より個々人の自由を尊重すべきであるとしつつ、国家権力による課税や福祉政策などを通じた個人の権利への介入を否定し、国家の権限は最小限に限定されるべきであると主張した。

	ア	イ	ウ
1	ロールズ	サンデル	ノージック
2	ロールズ	ノージック	サンデル
3	ノージック	ロールズ	サンデル
4	ノージック	サンデル	ロールズ
5	サンデル	ロールズ	ノージック

解説

ア：リベラリズム（自由主義）の立場に立つロールズの思想である。彼は、功利主義に基づく正義論を乗り越えるために、社会契約説を再構成した。彼は、自らの将来のことがわからない「無知のヴェール」の下での「原初状態」を想定し、2つの柱を持つ正義の原理を提唱した。第1原理は、平等な自由の原理であり、第2原理は、公正な機会均等の原理と、不遇な人の利益を最大化する格差の原理である。

イ：コミュニタリアニズム（共同体主義）を代表する政治哲学者であるサンデルの思想である。彼は、ロールズの正義の原理について、属する共同体の存在を軽んじた「負荷なき自我（自己）」を前提にしていると批判した。そのうえで、各自が共同体の一員としての自分を自覚し、共同体にとっての共通善を重視した。

ウ：個々人の自由を重視し、国家権力を最小限にすべきであるとするリバタリアニズム（自由至上主義）を代表するノージックの思想である。彼は、財産権などを重視する立場から福祉国家を批判した。

よって、アは「ロールズ」、イは「サンデル」、ウは「ノージック」であるから、正答は1である。

正答　1

問題研究

政治分野では、社会契約説をはじめとした政治思想がたびたび出題されているが、令和2年度には、現代アメリカの政治思想についての知識が問われた。それぞれの学説について、既存の説をどのように批判したか、主張の中心的な内容は何かなどの視点に基づき、整理し、理解しておくことが求められる。

No.6 政治　日本および周辺諸国の安全保障　令和元年度

我が国および周辺諸国の安全保障に関する次の記述のうち、妥当なものはどれか。

1　平和安全法制により、我が国と密接な関係にある他国に対する武力攻撃が発生し、これにより我が国の存立が脅かされ、国民の生命、自由および幸福追求の権利が根底から覆される明白な危険がある場合には、自衛の措置のための実力行使ができることになった。

2　そのまま放置すれば我が国に対する直接の武力攻撃に至るおそれのある事態等、我が国の平和および安全に重要な影響を与える事態に際し、在日米軍への後方支援を可能とする法律が成立したものの、中国や韓国からの強い反対を受け、2018年までの間、施行には至らなかった。

3　オスプレイは、ヘリコプターのような垂直離着陸機能と固定翼機の長所である速さや長い航続距離という両者の利点を持ち合わせた航空機とされるが、墜落事故が相次ぎ、基地の周辺住民の反発もあったことから、2015年に日本政府はアメリカ政府に対して配備の中止を申し入れた。

4　日本とロシアの間には北方領土問題などの懸案事項があることから、平和条約の締結に向けた交渉は難航していたが、2018年に行われた首脳会談において領土交渉がまとまったことを受けて、平和条約締結の期限について合意が成立した。

5　核兵器の保有を宣言した北朝鮮とアメリカは、史上初の首脳会談を行ったことを皮切りに両国間における協議が開始され、2回目の首脳会談において北朝鮮側が核兵器の完全非核化に合意し、2019年初めには朝鮮半島の非核化が実現した。

解説

1．妥当である。自衛の措置としての「武力の行使」のための「新三要件」として定められたのは、「我が国に対する武力攻撃が発生したこと、または我が国と密接な関係にある他国に対する武力攻撃が発生し、これにより我が国の存立が脅かされ、国民の生命、自由および幸福追求の権利が根底から覆される明白な危険があること」「これを排除し、我が国の存立を全うし、国民を守るために他に適当な手段がないこと」「必要最小限度の実力行使にとどまるべきこと」である。

2．重要影響事態に際して我が国の平和および安全を確保するための措置に関する法律（重要影響事態安全確保法）は、2016年3月に施行された。

3．日本政府がアメリカ政府に対してオスプレイの配備の中止を申し入れた事実はない。なお、日本は、2015年から順次同機の購入を進めている。

4．2018年の日露首脳会談において、1956年の日ソ共同宣言を基礎に平和条約問題の交渉を活性化することで合意したものの、同会談において領土交渉がまとまり、平和条約締結の期限について合意が成立したという事実はない。

5．アメリカのトランプ大統領と北朝鮮最高指導者の金正恩は、2018年6月12日にシンガポールで史上初の首脳会談を行った。その後、2019年2月に2回目の米朝首脳会談がベトナムのハノイで開催された。さらに同年6月には、板門店においても両首脳は会談した。朝鮮半島の非核化が主要なテーマの一つとなったが、両者の隔たりは大きく、非核化の実現には至らなかった。

正答　1

問題研究

平和安全法制についての知識は、引き続き問われるものと考えられる。国際情勢の動きと併せて、安全保障を巡る情勢や、近年の国際会議や首脳会談において主要なテーマとなった事項を整理しておく必要がある。

No.7 法律　社会権　令和6年度

日本国憲法で保障される各種の社会権に関する次の記述ア～オのうち、妥当なものの組合せはどれか。

ア　憲法は、健康で文化的な最低限度の生活を営む権利として生存権を保障している。この権利は、法律によって具体化されることで初めて具体的権利となる権利とされており、生活保護法などが制定されている。

イ　憲法は、教育を受ける権利を保障しており、義務教育を無償としている。ここでいう「無償」とは、授業料だけでなく、教科書代や副教材代、給食費を徴収しないこともさしている。

ウ　憲法は勤労の権利を保障しており、また、憲法は勤労条件に関する基準を法律で定めることとしており、労働基準法などが制定されている。

エ　憲法は、労働基本権の一つとして団結権を保障しており、労働者は労働組合を結成することができる。ただし、公務員については、職種に関係なく、団結権が認められていない。

オ　憲法は、労働基本権の一つとして争議権を保障している。公務員を除く労働者は、ストライキなどの争議行為をした場合も、正当な争議行為である場合は刑罰を科されることはなく、また民事上の責任を免除される。

1　ア、イ、オ
2　ア、ウ、エ
3　ア、ウ、オ
4　イ、ウ、エ
5　イ、エ、オ

解説

ア：妥当である（憲法25条１項）。生存権は、法律によって具体化されることで初めて具体的権利となる権利とされており（抽象的権利説）、生活保護法などが制定されている。

イ：前半は正しい（憲法26条１項・２項後段）。しかし、義務教育の「無償」とは、授業料不徴収の意味である（最大判昭39・２・26）から、後半が誤り。

ウ：妥当である（憲法27条１項前段・２項）。労働基準法などが制定されている。

エ：前半は正しい（憲法28条）。しかし、警察職員、自衛隊員などを除き、公務員にも団結権が認められているので、後半が誤り。

オ：妥当である（憲法28条）。正当な争議行為の場合は刑罰を科されることはなく（労働組合法１条２項）、また民事上の責任も免除される（同法８条）。

よって、妥当なものはア、ウ、オであるから、正答は3である。

正答　3

問題研究

本問は、憲法25条～28条が規定する社会権に関して、憲法および労働組合法の条文内容と、一部のみであるが、通説的見解や最高裁判例の内容を問う問題である。いずれも過去に繰り返し出題されているものであり、容易に正答を導くことができる。本問のように、基本的な知識で正答できる問題が多いので、憲法などの条文・判例の基本知識の重要性を再認識してほしい。

No.8 法律　地方自治　令和6年度

日本の地方自治制度に関する次の記述ア～オのうち、妥当なものの組合せはどれか。

ア　地方公共団体の首長（都道府県知事・市町村長）と議会（地方議会）の議員は、いずれも住民による直接選挙で選ばれる。被選挙権年齢は、都道府県知事が40歳以上、市町村長と議会の議員は30歳以上とされている。

イ　議会は、首長に対して不信任決議権を持つ一方、首長は、不信任決議案が可決された場合は、議会に対して解散権を行使することができる。また、議会が議決した条例や予算について異議があるときは、再議に付することができる。

ウ　条例は、その地方公共団体の事務について法令の範囲内で制定することができるとされている。よって、地域の実情に応じたものだとしても、法令よりも厳しい基準を設けたり、法令では規制対象外の事項について規制したりすることはできない。

エ　住民の直接請求権が認められており、住民は条例の制定・改廃の請求だけでなく、首長や議員などの解職、議会の解散の請求、地方公共団体の事務の監査請求も行うことができる。

オ　地方公共団体が行う事務は、自治事務と法定受託事務に分けられる。このうちの自治事務の例には、戸籍事務や旅券（パスポート）の交付などがある。

1　ア、ウ
2　ア、エ
3　イ、エ
4　イ、オ
5　ウ、オ

解説

ア：前半は正しい（憲法93条２項）。しかし、被選挙権年齢は、都道府県知事が30歳以上（公職選挙法10条１項４号）、市町村長と議会の議員は25歳以上（同条項６号・３号・５号）とされているので、後半が誤り。

イ：妥当である（前半につき地方自治法178条１項、後半につき同法176条１項）。

ウ：前半は正しい（地方自治法14条１項）。しかし、地域の実情に応じて、法令よりも厳しい基準を設けたり（上乗せ条例）、法令では規制対象外の事項について規制したり（横出し条例）することもできる（最大判昭50・９・10）ので、後半が誤り。

エ：妥当である（地方自治法74条、81条、80条、76条、75条）。

オ：前半は正しい（地方自治法２条８項・９項）。しかし、戸籍事務や旅券（パスポート）の交付は、法定受託事務の具体例であるから、後半が誤り。

よって、妥当なものはイとエであるから、正答は**3**である。

正答　3

問題研究

本問は、地方自治に関して、憲法および地方自治法、公職選挙法の条文内容と、ウの後半で最高裁判例（徳島市公安条例事件）を問う問題である。重要な条文と有名な判例の知識で正答できる。ただし、アは中・高の社会科の教科書レベルのものであるが、イ、エ、オについては憲法ではほとんど学習しない、行政法の「地方自治法」の知識まで要求されている。過去に出題は少ないが、今後も注意が必要である。

No.9 法律　ジェンダーと法　令和5年度（改題）

ジェンダーと法に関する次の記述のうち、妥当なものはどれか。

1　憲法は性別による差別を禁止するとともに、婚姻および家族に関する事項については、法律が個人の尊厳と両性の本質的平等に立脚して制定されなければならないと定めている。

2　民法は夫婦が同一の氏を称することを求めているが、最高裁判所は近年、女性が氏を変更することが多い点で実質的に不平等であり違憲であるという判決を出したため、国は選択的夫婦別姓制度を導入する準備を進めている。

3　刑法は18歳以上の女性に同意しない意志を形成し、表明しもしくは全うすることが困難な状態で性交等をした者を不同意性交等罪で罰することを定めており、男性を不同意性交等罪の保護の対象としていない。また、18歳未満の女性に対する性交等は同意があっても不同意性交等罪が適用される。

4　日本では同性婚は認められていないが、性的マイノリティの権利保護のため、パートナーシップ制度を創設する法律が定められている。この制度では、同性カップルについても法律婚の夫婦と同じ地位が認められている。

5　男女雇用機会均等法は、労働者の採用や昇進について、性別を理由とする差別を禁止しているが、国は現在、この法律に、妊娠や出産を理由とした女性労働者への不利益な取扱いを禁止する規定を加えることを検討している。

解説

1．妥当である（憲法14条１項、24条２項）。

2．民法は夫婦が同一の氏を称することを定めている（民法750条）。しかし、最高裁判所は民法750条につき違憲判決を出しておらず、合憲としている（最大決令３・６・23）ので、誤り。

3．刑法は「16歳」以上の「者」に暴行または脅迫を用いて性交等をした者を不同意性交等罪で罰することを定めており、男性も不同意性交等罪の保護の対象としている。「16歳」歳未満の者に対する性交等は同意があっても不同意性交等罪が適用される（刑法177条）。

4．日本では同性婚は認められておらず、パートナーシップ制度を創設する法律は定められていない。なお、各地方公共団体が条例で同制度を創設している例は多数ある。

5．男女雇用機会均等法は、労働者の採用や昇進について、性別を理由とする差別を禁止している（雇用の分野における男女の均等な機会及び待遇の確保等に関する法律５条、６条１号）。さらに、妊娠や出産を理由とした女性労働者への不利益な取扱いを禁止する規定もある（同９条）。

正答　1

問題研究

本問は、時事的話題であるジェンダーと法に関して、憲法その他の法律の基本的な知識を問う問題である。性差別禁止、両性の本質的平等という憲法条文の知識で容易に正答を導くことができる。その他、最高裁判所の合憲判決、刑法と労働法の条文内容など、いずれも基本的な知識である。肢４などは、社会常識レベルといっても過言ではない。憲法の条文・判例の基本知識の重要性が再確認できる問題である。

No.10 法律　国会　令和5年度

国会に関する次の記述のうち、妥当なものはどれか。

1　国会による内閣総理大臣の指名は、衆参両院の全議員で組織される両院協議会での議決によって行われる。

2　国会議員は、不逮捕特権を有しており、院外の現行犯の場合を除くと、任期中は国会の会期中であるか閉会中であるかにかかわらず逮捕されない。

3　国会の会議には常会、臨時会、特別会があるが、このうち臨時会の召集は内閣が決定するもので、議員が召集を要求することは憲法上認められていない。

4　衆議院と参議院はそれぞれ、議院の会議その他の手続や内部の規律に関する規則を定めることができ、また、院内の秩序を乱した議員を懲罰することができる。

5　国会は憲法改正を発議する権限を持つが、憲法改正案の原案に対して衆議院と参議院のそれぞれで総議員の過半数の賛成が得られれば、憲法改正が発議される。

解説

1．国会による内閣総理大臣の指名は、衆参両院それぞれで行われる（憲法67条1項前段）。ただし、衆議院と参議院とが異なった指名の議決をした場合に、法律の定めるところにより、両議院の協議会を開いても意見が一致しないときは、衆議院の議決を国会の議決とする（同条2項）。なお、両院協議会は、各議院において選挙された、おのおの10人の委員で組織される（国会法89条）ので、衆参両院の全議員で組織されるとする点も誤り。

2．国会議員は、不逮捕特権を有しており、①院外における現行犯罪の場合と、②所属する議院の許諾がある場合を除くと、任期中は国会の会期中に限り逮捕されない（憲法50条、国会法33条）。

3．国会の会議には常会、臨時会、特別会がある（憲法52条、53条、54条1項、国会法1条3項カッコ書参照）。しかし、臨時会の召集は内閣が自ら決定する場合と、いずれかの議院の総議員の4分の1以上の要求により決定しなければならない場合がある（憲法53条）。議員が召集を要求することも、憲法上認められている。

4．妥当である。両議院は、おのおのその会議その他の手続および内部の規律に関する規則を定め、また、院内の秩序を乱した議員を懲罰することができる（憲法58条2項本文）。ただし、議員を除名するには、出席議員の3分の2以上の多数による議決を必要とする（同条項ただし書）。

5．国会は憲法改正を発議する権限を持つが、憲法改正案の原案に対して衆議院と参議院のそれぞれで総議員の過半数ではなく「3分の2以上」の賛成が得られれば、憲法改正が発議される（憲法96条1項前段）。

正答　4

問題研究

本問は、国会に関して、各議院の規則制定権、議員懲罰権などの権能を中心に、憲法条文の基本的な知識を問う問題である。いずれも過去の公務員試験で繰り返し問われている条文の知識が素材となっているので、比較的容易に、**4**を正答と導くことができる。対策としては、憲法の分野が最頻出である以上、できれば専門試験の憲法の過去問題集を1冊用意し、過去問の演習をしておくことをおすすめしたい。

No.11 法律　経済的自由権　令和4年度

憲法で保障されている経済的自由権に関する次の記述のうち、妥当なもののみをすべて挙げているのはどれか。

ア　職業選択の自由に対しては、公共の福祉によるさまざまな規制が課されており、規制の種類として、一定の職業を行うには行政庁の許可を要する許可制、ある職業に就くことができる者を一定の有資格者に限る資格制などがある。

イ　居住、移転の自由は、近代社会までは、知的な接触の機会を得るための自由として精神的自由と考えられてきたが、現代では、資本主義経済の基礎的条件として経済的自由の性格もあわせて有していると考えられている。

ウ　地方公共団体は、法律の範囲内で条例を制定することができるだけであるから、財産権の内容を、条例で定めることはできない。

エ　私有財産を公共のために収用または制限することができるが、その場合には正当な補償をしなければならない。

1　ア、イ　　2　ア、ウ　　3　ア、エ
4　イ、ウ　　5　イ、エ

解説

ア：妥当である。何人も、公共の福祉に反しない限り、居住、移転および職業選択の自由を有する(憲法22条1項)。規制の種類として、許可制（風俗営業、飲食業等）や資格制（医師弁護士等）などがある。

イ：近代と現代の説明が逆である。居住、移転の自由は、近代社会までは、資本主義経済の基礎的条件として経済的自由と考えられてきたが、現代では、知的な接触の機会を得るための自由として精神的自由の性格もあわせて有していると考えられている。

ウ：前半は正しいが、後半が誤り。地方公共団体は、その財産を管理し、事務を処理し、および行政を執行する権能を有し、法律の範囲内で条例を制定することができる（憲法94条）。財産権の内容は、公共の福祉に適合するように、法律でこれを定める（29条2項)。29条2項の「法律」には条例も含むと解されている（奈良県ため池条例事件：最大判昭38・6・26参照)。したがって、財産権の内容を、条例で定めることもできる。

エ：妥当である。私有財産は、正当な補償の下に、これを公共のために用いることができる（憲法29条3項)。

よって、妥当なものはアとエであるから、正答は3である。

正答　3

問題研究

憲法22条および29条に規定する経済的自由権に関する基本的な知識を問う問題である。いずれも基礎的な内容であり、条文および通説・判例の理解と暗記によって容易に正誤判断が可能である。イ以外であれば、いわゆる社会常識でも正答を導くことができる。憲法は頻出なので、テキストで、通説・判例の結論など、基本的な内容を正確に押さえておこう。

No.12 法律　内閣　令和4年度

日本国憲法上の内閣に関する次の記述のうち、妥当なものはどれか。

1　内閣総理大臣は、国務大臣の過半数を国会議員の中から選ばなければならないとされているので、国会議員以外の者から国務大臣を選ぶこともできる。

2　内閣は、最高裁判所の長官以外の裁判官や下級裁判所の裁判官を任命する権限を持ち、また、罷免の訴追を受けた裁判官を裁判するために弾劾裁判所を設置する権限も持つ。

3　内閣は、憲法および法律の規定を実施するために、政令を制定する権限を持ち、また、緊急時であれば、法律の委任なしに、法律と同等の効力を有する緊急命令を制定することができる。

4　内閣総理大臣は、行政権の行使について、国会に対して単独で責任を負い、その他の国務大臣は、その所掌事務について、内閣総理大臣に対して連帯責任を負う。

5　内閣は、法律の定める基準に従い官吏に関する事務を掌理するが、ここでいう官吏には、地方公務員も含まれる。

解説

1．妥当である。内閣総理大臣は、国務大臣を任命する。ただし、その過半数は、国会議員の中から選ばれなければならない（憲法68条1項）。この過半数の要件を満たしていれば、国会議員以外の者から国務大臣を選ぶことも許される。

2．前半は正しい。最高裁判所は、その長たる裁判官および法律の定める員数のその他の裁判官でこれを構成し、その長たる裁判官以外の裁判官は、内閣でこれを任命する（憲法79条1項）。また、下級裁判所の裁判官は、最高裁判所の指名した者の名簿によって、内閣でこれを任命する（80条1項前段）。なお、天皇は、内閣の指名に基づいて、最高裁判所の長たる裁判官を任命する（6条2項）から、最高裁判所の長官の任命は、天皇の国事行為である。しかし、後半が誤り。国会は、罷免の訴追を受けた裁判官を裁判するため、両議院の議員で組織する弾劾裁判所を設ける（64条1項）。したがって、罷免の訴追を受けた裁判官を裁判するために弾劾裁判所を設置するのは、内閣ではなく国会の権限である。

3．前半は正しい。内閣は、憲法および法律の規定を実施するために、政令を制定することができる（憲法73条6号本文）。しかし、緊急時であっても、法律の委任なしに、法律と同等の効力を有する緊急命令（明治憲法8条、9条参照）を制定することは許されないので、後半は誤り。

4．内閣は、行政権の行使について、国会に対し連帯して責任を負う（憲法66条3項）。本肢のように、内閣総理大臣が、行政権の行使について国会に対して単独責任を負うなどとは規定されていない。

5．前半は正しい。内閣は、法律の定める基準に従い、官吏に関する事務を掌理する（憲法73条4号）。しかし、ここでいう「官吏」は、国の行政権の活動に従事する公務員をさすので、地方公務員は含まれない。よって後半は誤り。

正答　1

問題研究

本問は、内閣に関して、裁判官の任命権、政令の制定権などの権限を中心に、憲法条文の基本的な知識を問う問題である。いずれも過去の公務員試験で繰り返し問われている条文の知識が素材となっているので、比較的容易に、1を正答と導くことができるレベルである。

No.13 法律　表現の自由　令和3年度

表現の自由に関する次の記述のうち、妥当なものはどれか。

1　検閲は禁止されているが、例外的に、名誉毀損やプライバシーを侵害する内容が含まれている出版物については、都道府県警察が事前に差し止めることができる。

2　インターネット上の表現に対しても表現の自由は保障されるが、名誉毀損や誹謗中傷などがあった場合、その被害者は、プロバイダに対して発信者の情報開示を請求することができる。

3　表現の自由が保障されているため、報道機関の報道内容を規制する法律は存在せず、たとえば、少年犯罪の被疑者の実名を非公開としているのは報道機関の自主規制によるものにすぎない。

4　ビラの配布は誰もが容易に利用できる表現手段であるから、政治的主張を行うビラのポスティングのためにマンション敷地内に入った者に対して、住居侵入罪が適用されることはない。

5　公園などの公共の場所での集会の自由は、憲法で保障されているので、集会の主催者に対して、事前の届出を求めることは憲法に違反する。

解説

1．判例は、検閲がその性質上表現の自由に対する最も厳しい制約となるものであることにかんがみ、公共の福祉を理由とする例外をも認めない絶対的な禁止を宣言した趣旨と解すべきであるとしたうえで、憲法21条２項にいう「検閲」とは、行政権が主体となって、思想内容等の表現物を対象とし、その全部または一部の発表の禁止を目的として、対象とされる一定の表現物につき網羅的一般的に、発表前にその内容を審査したうえ、不適当と認めるものの発表を禁止するものをさすとする（最大判昭59・12・12）。したがって、出版物について、都道府県警察が事前に差し止めることは許されない。

2．妥当である。「特定電気通信役務提供者の損害賠償責任の制限及び発信者情報の開示に関する法律」（プロバイダ責任制限法）４条１項参照。

3．報道機関の報道内容を規制する法律はあり、たとえば少年犯罪の被疑者の実名を非公開としているのは、報道機関の自主規制によるものではなく少年法61条の推知報道の禁止規定による。

4．判例は、「被告人が立ち入った場所は、マンションの住人らが私的生活を営む場所である住宅の共用部分であり、その所有者によって構成される管理組合がそのような場所として管理していたもので、一般に人が自由に出入りすることのできる場所ではない。たとえ表現の自由の行使のためとはいっても、そこに管理組合の意思に反して立ち入ることは、管理組合の管理権を侵害するのみならず、そこで私的生活を営む者の私生活の平穏を侵害するものといわざるをえない。したがって、本件立入り行為をもって住居侵入罪に問うことは、憲法21条１項に違反するものではない」とする（最判平21・11・30）。

5．公園などの公共の場所での集会に際して、事前に届出を求めることは合憲と解されている。

正答　2

問題研究

表現の自由に関する基本的な論点を問う問題である。いずれも基本的な内容であり、判例・通説の理解・暗記によって容易に正誤判断が可能である。２・３は、いわゆる社会常識でも正答を導くことができるであろう。各人のテキストで、判例・通説の結論など、基本的な内容を正確に押さえておこう。

No.14 法律　日本の裁判所　令和3年度

日本の裁判所に関する次の記述のうち、妥当なものはどれか。

1　司法権の独立には、司法権が立法権と行政権から独立していることと、裁判をするに際して、裁判官が独立して職権を行使することの２つの意味がある。

2　最高裁判所は、大法廷または小法廷で審理および裁判をするが、裁判書には、各裁判官の意見を表示する必要はない。

3　裁判所が、裁判官の全員一致で、公の秩序または善良の風俗を害するおそれがあると決した場合には、判決を公開しないで行うことができる。

4　裁判所は、具体的な争訟事件が提起されなくても、将来を予想して、憲法およびその他の法律命令等の解釈に対し存在する疑義論争に関して、抽象的な判断を下す権限を行うことができる。

5　裁判員制度による裁判員は、裁判の事実の認定のみに関与し、法令の適用や刑の量定には関与しない。

解説

1．妥当である。すべて裁判官は、その良心に従い独立してその職権を行い、この憲法および法律にのみ拘束される（憲法76条３項）。したがって、裁判官の職権の独立も司法権の独立の一内容となっている。

2．最高裁判所は、大法廷または小法廷で審理および裁判をするので（裁判所法９条１項）、前半は正しい。しかし、裁判書には、各裁判官の意見を表示しなければならないので（同11条）、後半が誤り。

3．裁判の対審および判決は、公開法廷でこれを行う（憲法82条１項）。裁判所が、裁判官の全員一致で、公の秩序または善良の風俗を害するおそれがあると決した場合には、「対審」は、公開しないでこれを行うことができる（同条２項本文）。したがって、対審は公開しないで行うことができるが、判決は必ず公開しなければならない。

4．判例は、裁判所は、具体的な争訟事件が提起されないのに将来を予想して憲法およびその他の法律命令等の解釈に対し存在する疑義論争に関し、抽象的な判断を下す権限を行いうるものではないとする（最大判昭27・10・８）。

5．裁判員の参加する刑事裁判に関する法律（裁判員法）６条１項は、裁判員の関与する判断は、①事実の認定、②法令の適用、③刑の量定について、構成裁判官および裁判員の合議によるとする。

正答　1

問題研究

本問は、日本の裁判所に関して、司法権の独立の意味から、憲法条文や憲法判例の知識、さらに裁判所法や裁判員法の条文内容まで、広く問う問題である。ただし、いずれも過去の公務員試験で繰り返し問われている基本的な知識が素材となっているので、比較的容易に正答を導くことができるレベルになっている。対策としては、専門試験の過去問演習をしておくことが最も効果的である。

No.15 法律　憲法14条1項の法の下の平等　令和2年度

憲法14条１項は「すべて国民は、法の下に平等であって、人種、信条、性別、社会的身分又は門地により、政治的、経済的又は社会的関係において、差別されない」と規定している。この法の下の平等に関するア～オの記述のうち、妥当なもののみをすべて挙げているのはどれか。ただし、争いのあるものは判例・通説の見解による。

ア 「法の下に平等」とは、法の内容も平等原則に従って定立されなければならないとする法内容の平等も意味する。

イ 取扱いに差異が設けられている事項と事実的・実質的な差異との関係が、合理的である限り、その区別は平等原則に違反しない。

ウ 「人種、信条、性別、社会的身分又は門地」という憲法14条１項後段の規定は、差別が禁止される事項を限定的に列挙したものである。

エ 積極的差別解消措置は、平等原則に違反する。

オ 尊属殺重罰や非嫡出子の法定相続分に関する規定は違憲である。

1 ア、イ、エ
2 ア、イ、オ
3 ア、ウ、オ
4 イ、ウ、エ
5 ウ、エ、オ

解説

ア：妥当である。通説の法内容平等説（立法者拘束説）である。
イ：妥当である。通説は合理的な区別を認める。
ウ：憲法14条１項後段の規定は、禁止される事項を限定的ではなく、例示的に列挙したものとする例示列挙説が通説である。
エ：積極的差別解消措置とは、歴史的に差別を受けてきた者に対して特別枠を設けて優先的な処遇を与えるものであるが、それが逆差別とならない限りは、合理的区別として容認されている。たとえば、女性に対する大学入学や雇用などについての特別な措置がその例である。
オ：妥当である。最高裁判所は違憲と判示している（尊属殺人重罰につき、最大判昭48・４・４。非嫡出子の法定相続分につき、最大決平25・９・４）。

よって、妥当なものはア、イ、オであるから、正答は2である。

正答　2

問題研究

本問は、憲法14条１項に規定されている「法の下の平等」に関して、基本的な論点と、重要な判例を問う問題である。ア～ウまでは、通常の基本書に必ず書かれている基本的な論点であり、通説的な理解・暗記によって容易に正誤判断が可能である。エは、従来あまり問われていないレベルの論点ではあるが、選択肢の絞り込みにより、正答を導くことができる。オのみ、判例の結論、すなわち違憲判決（決定）を問うものであるが、どちらも極めて有名な判例である。憲法では、このような論点問題の出題が多いのが大きな特徴であるので、基本書で、通説・判例の結論など、基本的な内容を正確に押さえておこう。

PART 3 過去問を解いてみよう！

No.16 法律　衆議院の解散　令和2年度

衆議院の解散に関する次の記述のうち、妥当なものはどれか。ただし、争いのあるものは通説の見解による。

1　憲法には、内閣のみが衆議院の解散権を有すると明文で規定されている。
2　衆議院の解散は、衆議院で不信任の決議案を可決し、または信任の決議案を否決したときという内閣不信任決議のほかは、予算案や法律案が国会で否決されたときにのみ行われるという慣行が定着している。
3　内閣が解散権を行使する場合以外に、衆議院は、解散決議によって自主的・自律的に解散することができる。
4　国会法には、参議院議員の通常選挙の前の一定期間内は、内閣は、衆議院を解散することはできないと規定されている。
5　衆議院が解散されたときは、参議院は同時に閉会となるが、内閣は、国に緊急の必要があるときは参議院の緊急集会を求めることができる。

解説

1．憲法には、内閣が衆議院の解散権を有するとする明文の規定は存在しない。7条3号が、天皇の国事行為の1つとして衆議院の解散を、69条が、内閣不信任決議の場合の解散を規定しているにすぎない。
2．衆議院の解散が、衆議院における内閣不信任決議のほかは、予算案や法律案が国会で否決されたときにのみ行われるという慣行はない。
3．衆議院が解散決議によって自主的に解散することができるとする自律解散については、多数者の意思によって、少数者の議員の地位が剥奪されることになり、解散制度が元来議会と内閣との間の抑制・均衡の確保にあることから、明文の規定がない限り、認められないとする否定説が通説である。
4．国会法に、参議院議員の通常選挙の前の一定期間内は、内閣は、衆議院を解散することはできないとする規定はない。
5．妥当である。「衆議院が解散されたときは、参議院は、同時に閉会となる。但し、内閣は、国に緊急の必要があるときは、参議院の緊急集会を求めることができる」（憲法54条2項）。なお、緊急集会において採られた措置は、臨時のものであって、次の国会開会の後10日以内に衆議院の同意がない場合には、その効力を失う（同条3項）。

正答　5

問題研究

本問は、衆議院の解散に関して、憲法や国会法の条文内容、および衆議院解散権の実質的所在の論点などを広く問う問題である。**1**、**2**、**4**は明らかに条文規定や事実に反する内容であり、正答となる**5**が、憲法の基本的な条文内容をストレートに問うものであるので、正答を導くことは容易である。これに対し、**3**のような論点の問題は要注意である。この衆議院自律解散の可否のほか、解散が行われる場合（69条非限定説）、内閣説の根拠（7条説、制度説等）などが争われている。なお、統治機構では、ほかに、憲法81条の違憲審査権の法的性格（付随的審査制説、抽象的審査制説）などの論点が問われやすく、特に注意が必要である。

No.17 法律　自由権　令和元年度

日本国憲法上の自由権に関する次の記述のうち、妥当なものはどれか。

1　信教の自由として個人の自由な信仰が保障されているが、信教の自由を確保するための制度的保障の定めはないため、特定の宗教団体が国から特権を受けることや、国が宗教的活動を行うことが認められている。

2　学問の自由の内容として、学問研究の自由や研究発表の自由が保障されている。これらを制度的に保障するために大学の自治も保障されており、大学は教員の人事や施設の管理などについて自主的に決定することができる。

3　居住・移転の自由が保障されており、また、外国移住の自由も保障されているが、外国に移住した日本国民がその国の国籍を取得し、日本国籍を離脱することは許されない。

4　職業選択の自由は、国民の生命・健康に対する危険を防止するために制約を受けることはあるが、福祉国家の理念に基づき、社会的・経済的弱者を保護するために制約を受けることはない。

5　財産権は、土地利用規制など、公共の福祉のために制約を受けるが、国が道路建設などのために土地収用を行うことはできない。

解説

1．憲法は、「いかなる宗教団体も、国から特権を受け、又は政治上の権力を行使してはならない」（憲法20条1項後段）、「国及びその機関は、宗教教育その他いかなる宗教的活動もしてはならない」（同条3項）と規定し、制度的保障として政教分離の原則を採用している。

2．妥当である（憲法23条）。

3．居住・移転の自由と外国移住の自由が保障されている（憲法22条1項・2項）ので、前半は正しいが、国籍離脱の自由も保障されている（同条2項）ので、後半が誤り。

4．職業選択の自由は、国民の生命・健康に対する危険を防止するために制約を受けること（憲法13条の「公共の福祉」）も、福祉国家の理念に基づき、社会的経済的弱者を保護するために制約を受けること（22条1項の「公共の福祉」）もある（最大判昭47・11・22、同昭50・4・30など参照）。

5．財産権は、土地利用規制など、公共の福祉のために制約を受けるだけでなく、国が道路建設などのために土地収用を行うこともできる（憲法29条3項）。

正答　2

問題研究

本問は、憲法の自由権の中の精神的自由権と経済的自由権について総合的に問う問題である。1は20条の信教の自由（政教分離の原則）の条文、2は23条の学問の自由の通説、3は22条の居住・移転の自由、外国移住の自由、国籍離脱の自由の条文、4は22条の職業選択の自由の通説・判例、5は29条の財産権の保障の通説を、それぞれ問うものである。いずれも、通常のテキストに必ず記述のある基本的な内容であるので、比較的容易に正答に達したものと思われる。本問では問われていないが、自由権ではほかに、21条の表現の自由や、31条以下の人身の自由にも注意が必要である。憲法の条文は教養・専門試験ともに頻出であるので、一度は目を通しておこう。

No.18 法律　国会　令和元年度

国会に関する次の記述のうち、妥当なものはどれか。

1　国会がその活動を行う期間を会期といい、会期中に議決に至らなかった議案は、原則として、次の会期に引き継がれずに廃案となる。

2　国務大臣は、議院から、議案に関する答弁または説明のために出席を求められた場合でも、執務などを理由に、これを拒否することができる。

3　女性議員の割合を高めるために、近年、新しい法律が制定され、各政党は、国会議員の選挙の候補者の３割以上を女性にするように定められた。

4　衆議院の優越が認められており、内閣総理大臣の指名と予算案の議決については、衆議院のみがその議決を行う。

5　国会には司法権に対する民主的コントロールが認められており、内閣が行う最高裁判所長官の指名および長官以外のその他の最高裁判所裁判官の任命には、国会の同意が必要となる。

解説

1．妥当である。会期不継続の原則である（国会法68条）。

2．国務大臣は、答弁または説明のため出席を求められたときは、議院に出席しなければならない（憲法63条）。議院への出席は義務であり、これを拒否することはできない。

3．女性議員の割合を高めるために、近年、新しい法律（政治分野における男女共同参画の推進に関する法律）が制定され、国会議員の選挙などで、男女の候補者の数ができる限り「均等」になることをめざすと定められた。

4．衆議院の優越は認められているが、内閣総理大臣の指名と予算案の議決については、衆議院のみでなく、参議院も議決することができる。ただし、その議決の価値については衆議院が優越する（憲法67条２項、60条２項）。なお、衆議院の優越には次の２つの類型がある。すなわち、①衆議院のみが議決権を有する場合、②参議院も議決できるが、衆議院の議決のほうを優先する場合、である。①は、予算先議権（同60条１項）と内閣不信任決議権（同69条）の２つである。②には、法律案の議決（同59条２項～４項）、予算の議決、条約の承認（同61条）、内閣総理大臣の指名などがある。

5．内閣が行う最高裁判所長官の指名およびその他の最高裁判所裁判官の任命に、国会の同意は必要とされない（憲法６条２項、79条１項）。なお、最高裁判所長官の任命は、天皇が国事行為として行う（同６条２項）。

正答　1

問題研究

本問は、国会に関して、憲法や国会法に規定されている条文内容の正確な知識を問う問題である。憲法の条文知識で2・4・5は誤り、国会法の条文知識で1が妥当である、と判断することができる。正答肢ゆえに、憲法ではなく、あえて国会法の条文内容にしたものと思われる。ただし、3は、時事問題に関する基本的な知識がないと厳密に正誤判断ができない。このような出題は毎年のように見られるが、政治に関するニュース報道を普段から関心を持って見聞きしていれば、容易に身につけることができる知識である。時事問題や面接の対策も兼ねて、毎日欠かさずに、（紙媒体でも電子媒体でもよいので）新聞でチェックしておこう！

No.19 経済　日本の株式会社　令和6年度

日本の株式会社に関する次の記述のうち、妥当なものはどれか。

1　株式の売買を行う場所として証券取引所があり、株式を証券取引所で売買できるようにすることを株式の上場という。株式会社は、上場を希望すれば株主数、株式の時価総額などにかかわらず上場することができる。

2　株式会社においては、会社の所有と経営は分離されており、会社の所有者である株主は、会社の経営方針の決定や取締役の選任・解任に関与できない。

3　株式会社が作成する財務諸表のうち、貸借対照表は特定の会計期間中の経営成績（フロー）を表すものであり、損益計算書はある時点における企業の資産・負債など（ストック）を表すものである。

4　企業の資金調達には、株式発行、社債発行や銀行借入れに加え、近年ではクラウドファンディングも行われているが、これらのうち調達した資金に返済義務があるのは株式発行と銀行借入れである。

5　株式会社のような企業にはさまざまな社会的役割が期待されており、機関投資家が企業に投資する際にも、法令遵守、環境保護、人権擁護、労働環境の改善といった社会的責任を積極的に果たしているかを基準とする動きが広がっている。

解説

1．各証券取引所には上場基準が設けられており、これを満たさなければ上場できない。たとえば、東京証券取引所（プライム市場）であれば、株主数800人以上、時価総額250億円以上、さらに流通株式数、純資産額、利益の額、事業継続年数などに基準が設けられている。

2．前半は正しいが、会社法の定めによれば、会社の所有者である株主は、原則として株主総会において1株（もしくは1単元）につき1個の議決権を有するので、これを行使することで会社の経営方針に関する意思決定や取締役の選任について関与できる。

3．貸借対照表と損益計算書の説明が逆である。

4．銀行からの借入れに返済義務があるのは当然であるが、社債も会社が負う債務であり返済義務があるのに対して、株式やクラウドファンディングは投資家が事業に出資するものであるので返済の義務はない。ただし、銀行からの借入れは家計の資金を銀行を経由して企業が調達する間接金融であるのに対して、社債は家計など投資家が直接に資金を提供する直接金融である点において、株式やクラウドファンディングと同様の資金調達方法であえるといえる。

5．妥当である。社会的責任投資（SRI）に関する説明である。なお、類義語に、環境（Environment）、社会（Society）、ガバナンス（Governance）に配慮した投資をさすESG投資がある。

正答　5

問題研究

本問はこれまでの傾向に照らしてやや異例の出題である。これまでは、原則として経済ではミクロおよびマクロ経済理論または財政・金融分野からの出題に限定されていたが、本問は経営学に近い内容の出題である。ただし、これまでの出題においても時事的要素を含むことが多いために、ニュースやその解説または時事対策テキストなどで準備することが不可欠であったが、本問も同様の学習を入念に行うことで対処可能である。

No.20 経済　租税と財政健全化　令和6年度

租税と財政健全化に関する次の記述中の空欄ア～エに当てはまる語句の組合せとして、妥当なものはどれか。

税は財・サービスの生産から生み出される付加価値に課税するものと、資産に課税するものとに大別することができる。前者の代表例は［ア］、消費税で、後者の代表例は［イ］である。

近年、日本では、財政健全化が課題となっている中で消費税率が引き上げられてきた。消費税は景気変動に伴う税収の変動が［ア］と比べて［ウ］という特徴がある。

財政の持続可能性を判断する指標の一つにプライマリー・バランスの均衡がある。プライマリー・バランスが均衡していれば債務残高の増加は利払い費分だけとなるため、名目GDP成長率が金利よりも［エ］ければ、債務残高対GDP比は低下することになる。

	ア	イ	ウ	エ
1	所得税・法人税	相続税・贈与税	小さい	低
2	所得税・法人税	相続税・贈与税	小さい	高
3	所得税・法人税	相続税・贈与税	大きい	低
4	相続税・贈与税	所得税・法人税	小さい	低
5	相続税・贈与税	所得税・法人税	大きい	高

解説

ア：所得税は個人所得に、法人税は法人所得（利潤）におのおの課される税であるが、個人所得も法人所得も財・サービスの生産から生み出される付加価値から得られるものである。したがって、所得税と法人税は付加価値に課税しているといえる。

イ：相続税は故人により残された資産である遺産を相続する際に課される税であり、贈与税は資産が生前に贈与される際に課される税であるから、双方とも資産課税である。

ウ：一般に、消費は所得と比べて景気変動の影響を受けにくいとされる。これは、消費には必需品などの所得の大小にかかわらず需要されるものが含まれるためである。したがって、消費税収も、所得税収や法人税収と比べて変動が小さいといえる。

エ：プライマリー・バランス（基礎的財政収支）とは、公債金によらない歳入（主に税収など）と公債費を除く歳出との収支である。ある年度においてこれが均衡していれば、公債金歳入と公債費も等しくなるため、当該年度の予算が債務残高を増加させることはなく、債務残高の増加はこれまでの債務から発生する利払いのみとなる。したがって、利払いを発生させる金利以上に名目GDPの増加率が高ければ（エ）、債務残高の増加以上に名目GDPが増加するため、債務残高対GDP比は低下することになり、財政が持続可能となる。このプライマリー・バランスが均衡している状態において名目GDP成長率が金利を上回っていれば財政は持続可能となることは、ドーマーの法則と呼ばれる。

以上より、正答は2である。

正答　2

問題研究

本問は、コロナ禍により歳出増大を余儀なくされたところに加えて、防衛費増額の財源が議論されている近年の状況を踏まえたものといえる。財政は出題可能性の高い分野であるので、財政学の基本事項の確認に加え、日頃から財政事情にも注意を払っていれば正答できる問題である。

No.21 経済　市場の適切な資源配分の達成　令和5年度

次のア～オの記述のうち、市場の適切な資源配分の達成に貢献すると考えられるものの組合せはどれか。

ア　少数の企業が生産を行っていた市場に、多数の企業が参入して生産を行うようになった。

イ　同業の複数の企業が相互に連絡を取り合い、共同で取り決めた価格や生産量で製品を供給するようになった。

ウ　企業が、過去の販売実績などのビッグデータやAI（人工知能）を利用して需要を予測し、価格を変動させることで売れ残りが減少した。

エ　企業の生産活動によって、企業とその製品の消費者以外の第三者に、市場取引を通さずに便益や不便益がもたらされた。

オ　商品の品質について買い手と売り手の持つ情報格差が縮小し、商品の品質に見合わない高い価格が設定されにくくなった。

1　ア、イ、オ
2　ア、ウ、エ
3　ア、ウ、オ
4　イ、ウ、エ
5　イ、エ、オ

解説

ア：妥当である。市場が、少数の企業による寡占状態から多数の企業による完全競争に移行すれば、市場メカニズムによる効率的な資源配分が達成されやすくなる。なお、市場メカニズムが達成する資源配分が効率的な状況はパレート最適と呼ばれる。

イ：記述のような状況は一般にカルテルと呼ばれるが、カルテルは生産量の制限や価格の引上げを取り決めることで、市場メカニズムが機能する場合に達成される効率性な資源配分を阻害する。

ウ：妥当である。ビッグデータやAIの利用による市場の需要予測の精度が上昇して不確実性が低下すれば、結果として、売れ残りが減少して資源配分の効率性は高まる。

エ：企業の生産活動が第三者に不便益をもたらす場合、効率的な資源配分が損なわれる。これは負の外部効果（外部不経済）と呼ばれ、公害被害などが典型的な例である。また、第三者に便益をもたらすケースは（正の）外部効果（外部経済）と呼ばれ、この場合も効率的な資源配分が損なわれる。第三者に便益を与えるには費用がかかるが、この便益が市場取引を通さないものであれば、費用を市場で生産物を販売することで回収することができないからである

オ：妥当である。情報格差が縮小すれば、不良品を買うかもしれないという不確実性が低下する。結果として、適切な価格設定の下で効率的な資源配分が達成されやすくなる。

正答　3

問題研究

過去、市場メカニズムについてはグラフ問題の出題が多く、文章題は珍しい。本問の内容を経済理論に即して判断しようとすると、「効率的な資源配分」の定義や、市場が効率的な資源配分を実現しないケース（これは「市場の失敗」と呼ばれ、エの正または負の「外部効果」や、ウやオのような取引に必要な情報が当事者に共有されないとの「情報の不完全性」などがある）に関する理解が必要となる。しかし、ある程度の経済の基本的知識があれば解ける問題でもあり、類題に当たっておくことで直感的に解けるようになる問題でもある。

No.22 経済　物価　令和5年度

物価に関する次の記述中の空欄ア～エに当てはまる語句の組合せとして、妥当なものはどれか。

物価とは、財やサービスの価格の平均的水準のことであり、物価が持続的に上昇する現象はインフレーション（インフレ）と呼ばれる。

インフレには、需要面に起因するディマンドプルインフレと、供給面に起因するコストプッシュインフレがある。コストプッシュインフレが発生する要因には、たとえば、人件費の上昇が労働生産性の上昇を（　ア　）ことがある。また、いわゆるスタグフレーションが発生するのは、（　イ　）インフレのときである。

日本では、日本銀行が2013年以降、消費者物価の前年比上昇率を２％とすることを目標と定めて、消費者物価を（　ウ　）ための金融政策を行ってきた。2021年と2022年の消費者物価指数（総合）の前年比上昇率について日本、アメリカ、EUを比べると、日本はアメリカ、EUよりも（　エ　）水準であった。

	ア	イ	ウ	エ
1	上回る	ディマンドプル	引き上げる	低い
2	上回る	ディマンドプル	引き下げる	低い
3	上回る	コストプッシュ	引き上げる	低い
4	下回る	コストプッシュ	引き下げる	高い
5	下回る	ディマンドプル	引き上げる	高い

解説

ア：「上回る」が入る。人件費用の上昇は企業にとって費用の増加要因であるが、労働生産性の上昇は費用の低下要因である（たとえば労働者一人当たりの生産量は労働の平均生産性と呼ばれるが、これが上昇すると、生産物一単位当たりの費用は低下する）。したがって、前者が後者を上回ると、企業の生産物の一単位あたりの費用が上昇し、コストプッシュインフレの要因となる。

イ：「コストプッシュ」が入る。スタグフレーションは、典型的には第一次石油ショック時に、景気の停滞（Stagnation）とインフレ（Inflation）の共存を表すために用いられた。したがって、原油価格の上昇が発端であるから、ここで生じるインフレはコストプッシュインフレである。

ウ：「引き上げる」が入る。いわゆるバブル経済崩壊後の1992年から2022年までの消費者物価上昇率を見ると、消費税率を５％から８％に引き上げた2014年を除いて、－２％から２％の範囲に収まっており、日本銀行は消費者物価上昇率が安定的に２％を上回るようにすることを政策目標としている。

エ：「低い」が入る。各国・地域の物価上昇率を比較すると、日本は2021年が－0.2％、2022年が2.5％（総務省「消費者物価指数」）、米国は2021年が4.7％、2022年が8.0％、EUは2021年が2.6％、2022年が8.4％（以上、IMF World Economic Outlook April 2024）であり、日本は相対的に低い。なお、2023年では日本が3.2％、米国が4.1％、EUが5.4％である。

日本のCPI出所：https://www.stat.go.jp/data/cpi/sokuhou/tsuki/pdf/zenkoku.pdf

正答　3

問題研究

インフレに関する用語は、比較的基本的なものである。また、日本銀行の採用しているインフレ・ターゲット（日本銀行の用語では「物価安定の目標」）に関しても10年近く実施しており、目新しい政策ではない。経済理論および経済事情の基本事項を着実に習得することによって正答できると思われる出題であり、逆に言えば、差がつきにくい出題であるともいえる。

No.23 経済　日本銀行と金融政策　令和4年度

日本銀行と金融政策に関する次の記述のうち、妥当なものはどれか。

1　日本銀行は、「発券銀行」として日本銀行券を発行する。日本銀行券は金との交換が保証される兌換紙幣であり、日本銀行の保有する金の量を超えて発行されることはない。

2　日本銀行は、「銀行の銀行」として民間金融機関から預金を預かるほか、近年は中央銀行デジタル通貨を発行しており、これに伴い民間金融機関だけでなく家計や民間非金融法人に対しても資金の貸出しを開始した。

3　日本銀行は、「政府の銀行」として、政府が新規に発行する国債（新発債）を直接引き受けるなどして政府に対する信用供与を行う。また、為替レートの安定のため為替介入は政府の委託を受けずに行う。

4　日本銀行には政策委員会が置かれ、ここで日本銀行の総裁、副総裁、内閣総理大臣、財務大臣が政策委員として金融政策を決定する。総裁と副総裁の任命は内閣の専権事項であり、任命に際して国会の同意は必要とされない。

5　近年の日本銀行の金融緩和政策の手法として量的金融緩和政策がある、これは、民間金融機関との間で国債の売買などを行い、日本銀行にある民間金融機関の当座預金を増減させて、金融市場における資金の量を調節する操作である。

解説

1．一般に、中央銀行は、「発券銀行」、「銀行の銀行」および「政府の銀行」の機能を兼ね備える。しかし、日本銀行券は金との交換が保証される兌換紙幣ではないので（もしそうであれば、日本は金本位制を採用していることになる）、発行額は日本銀行の保有する金の量に制約を受けない。

2．2023年８月現在、日本銀行がデジタル通貨を発行した事実はない。また、仮にデジタル通貨を発行する場合においても、これに伴って家計や民間非金融法人に対して資金の貸出しを行うことになるわけでもない。なお、日本銀行が「銀行の銀行」として民間金融機関から預金を預かるのは、預金準備制度の下で、民間金融機関は預金の一定割合（預金準備率）を日本銀行に開設した当座預金口座に預けることとされているためである。

3．日本銀行が「政府の銀行」であるのは、政府が保有する資金を日本銀行において管理しているからである。また、日本銀行は、政府が国債発行に関する事務手続を行うが、直接に引き受けることは原則として禁止されている（財政法第５条）。さらに、為替レートの安定のために外国為替市場に介入を行う場合、政府が外国為替資金特別会計の資金を用いて行うが、実際の介入は政府の委託を受けた日本銀行が行う。

4．日本銀行の政策委員は、日本銀行の総裁（１人）、副総裁（２人）、審議委員（６人）からなり、内閣総理大臣、財務大臣といった政府の代表は含まれない。ただし、政府からは２名が政策委員会に出席することができるが、議決権は持たない。また、総裁および副総裁を含む政策委員は国会の同意を得て、内閣が任命する。

5．妥当である。

正答　5

問題研究

日本銀行に関する出題は比較的多いが、実際の金融政策についての時事的な出題が中心であり、日本銀行自体の機能や組織形態に関する出題は少ない。内容は基本事項であることが多く、『速攻の時事』や新聞記事等の注釈や解説記事にきちんと目を通しておけば必要な知識を身につけられ、時事問題に対する理解も深められる。

No.24 経済　予算　令和4年度

我が国の予算に関する次の記述のうち、妥当なものはどれか。

1　予算を編成する権限を持つのは国会である。実際に予算編成の任に当たるのは衆議院および参議院それぞれの予算委員会であり、内閣は予算案の修正権のみを有する。また、予算の国会における審議・議決は、参議院より先に衆議院で行われる。

2　予算は、一般の歳入歳出を経理する一般会計予算、特定の事業を行うためなどの特別会計および政府関係機関予算からなる。このうち、国会の議決を経る必要があるのは一般会計予算だけである。

3　当初予算の執行の過程で経済情勢の変化、天災地変等によってその予算に修正が必要となった場合に、すでに成立している予算を変更する予算を補正予算という。補正予算は1会計年度に2回以上組まれることもある。

4　近年、一般会計（当初予算）の規模は50兆円程度で推移している。歳入の内訳を見ると、税収では法人税収が最も多く、消費税収がそれに続く。また、歳出では国債費が最も多く、社会保障関係費がそれに続く。

5　財政健全化目標に用いられる指標に基礎的財政収支（プライマリー・バランス）がある。国の一般会計予算のプライマリー・バランスは、2010年代は黒字を維持していたが、2020年代に入り一転して赤字となった。

解説

1．我が国においては、予算は内閣が作成して国会に提出することとされており、実際に予算案を編成するのは財務省である。また、予算の修正権を有するのは国会である。

2．我が国の予算（一般会計予算、特別会計および政府関係機関予算）は一体のものとして国会の審議・議決を受ける。つまり、特別会計および政府関係機関予算も国会の議決が必要である。

3．妥当である。なお、財政法上、補正予算の回数に関する規定は存在しない。

4．令和元年度以降、一般会計（当初予算）の規模は100兆円を超えている。また、令和2年度以降、税収は、消費税、所得税、法人税の順に多く、歳出では、社会保障関係費が最も多く、国債費がそれに続く。

5．国の一般会計予算のプライマリー・バランスは、2010年代、2020年代を通じて一貫して赤字であり、現在、政府は2025年度のプライマリー・バランスの黒字化を目標としている。なお、プライマリー・バランスは公債金収入を除く歳入と国債費を除く歳出の差と定義されるが、これは国債費と公債金収入の差と読み替えることができる。これが黒字であれば国債の償還額が新規発行額を上回るために、当該年度末の国債発行残高を減少させることになる。

正答　3

問題研究

財政に関しては出題頻度が高いので、国の会計の種類や成立過程、また一般会計予算の内訳などは必ず確認しておきたい。制度的な知識については『新スーパー過去問ゼミ』のような問題集の反復によって定着を図り、予算の内容などの時事的な知識については『速攻の時事』のような対策本で身につけるとよい。

No.25 経済	GDP	令和 3年度 (改題)

GDP（国内総生産）に関する次の記述のうち、妥当なものはどれか。

1　日本のGDPには、日本の企業などが海外で生産した財・サービスの付加価値は含まれないが、海外の企業などが日本で生産した財・サービスの付加価値は含まれる。

2　名目GDPには株価や地価の変動も含まれるため、日本の名目GDPは、いわゆるバブル経済に当たる1980年代末には600兆円に達したが、2010年代はその半分程度で推移した。

3　支出面から見たGDPは、民間最終消費支出、政府最終消費支出、国内総固定資本形成、純輸出からなり、2010年代の日本においては政府最終消費支出が最も多く、国内総固定資本形成、民間最終消費支出と続いた。

4　ある年の名目GDP成長率が２％であったとき、物価水準が前年より２％上昇しているなら、その年の実質GDP成長率は４％となる。

5　名目GDPを人口で除した一人当たり名目GDPを国際比較すると、2010年代の日本は、アメリカ、ドイツに次いで３位で推移した。

解説

1．妥当である。GDPとは、一国内で生産された財・サービスの付加価値の合計である。なお、日本のGNI（国民総所得）には、日本の企業が海外で生産した財・サービスの付加価値は含まれるが、海外の企業が日本で生産した財・サービスの付加価値は含まれない。

2．名目GDPは、１年間の経済活動によって生産された財・サービスの付加価値の総額であり、その年に生産されたものではない株式や土地の価格変動は含まれない。言い換えれば、GDPはフロー変数であり、ストック変数は含まない。また、日本の名目GDPは、いわゆるバブル経済に当たる1980年代末には400兆円に達したが、2010年代ではほぼ500兆円台で推移した。

3．前半はおおむね正しい（厳密には、さらに在庫変動を含む）が、日本においては、2010年代に限らず、ほぼ一貫して民間最終消費支出が最も多く、国内総固定資本形成、政府最終消費支出、純輸出と続く。

4．名目GDP成長率、物価変化率（インフレ率）および実質GDP成長率の間には、実質GDP成長率＝名目GDP成長率－物価変化率の関係がある。したがって、ある年の名目GDP成長率が２％、物価変化率が２％であれば、実質GDP成長率は０％となる。

5．2010年代の一人当たり名目GDPを国際比較すると、ルクセンブルクが１位であり、スイス、ノルウェー、カタールが２位と３位を争う状況であった。この間、日本は10位台から20位台へ、逆にドイツは20位台から10位台へ、アメリカは10位台から１ケタ台へと推移した。

正答　1

問題研究

GDPに関する基本事項を、時事的要素も交えながら問う出題である。GDPとGNIの違い、三面等価（生産面、分配面および支出面）の原則、フロー変数とストック変数の概念、名目値と実質値の違いなどを理解している必要がある。本問では触れられていないが、類題においては、粗概念と純概念や（狭義の）国民所得との関係も問われやすい。

なお、本問における時事は、公務員試験では典型的な、試験前年の白書に基づいた最新の数値を問うものではなく、10年程度の中期的なスパンにおける概略を問うものであるから、比較的易しい。ただし、一国全体のGDPと一人当たりGDPはかなり異なる。一国全体のGDPでは上位の米国（１位）、中国（２位）、日本（４位）は、一人当たりではおのおの７位、75位、34位となる（2023年、IMFのデータによる）。また、日本については、バブル崩壊直後の1993年には２位であった。こういった点も知っておきたい。

No.26 経済　デジタル・プラットフォーム　令和2年度

デジタル・プラットフォームを提供する事業者のビジネスモデルに関する次の記述中の空欄ア～オに当てはまる語の組合せとして、妥当なものはどれか。

デジタル・プラットフォーム事業者のうち、オンライン上で検索システムを提供する事業者は、利用者として検索者と広告主を想定しているが、検索者からは料金を徴収しない。これは検索システムの利用者が増加しても、（　ア　）がほぼゼロとみなしうるからである。そして、検索システムの利用者を増加させて広告主に広告を出すインセンティブを与えるほうが、広告料を安くして広告主を増加させるよりも収益の水準は（　イ　）なる。

一方で、検索システムを提供する事業者は、より高機能な検索システムを有料サービスとして提供することもできる。これは、事業者にとって、無料の一般的な検索システムと（　ウ　）な関係を持つ。有料の検索システムが（　エ　）のサービスを提供することで消費者からも対価を得られれば、収益はより（　オ　）なるからである。

	ア	イ	ウ	エ	オ
1	限界費用	小さく	補完的	プラス	小さく
2	固定費用	大きく	補完的	マイナス	小さく
3	限界費用	大きく	補完的	プラス	大きく
4	固定費用	小さく	代替的	マイナス	大きく
5	限界費用	大きく	代替的	プラス	大きく

解説

デジタル・プラットフォームとは、第三者に提供されるオンラインのサービスの「場」のことであり、オンライン・ショッピング・モール、検索サービスやソーシャル・ネットワーキング・サービス（SNS）などが挙げられる。このようなサービスは、間接ネットワーク効果（後述）、低い限界費用、規模の経済等の特徴を持つとされる。

検索システムを無料で提供するビジネスモデルが成立するのは、検索システムを構築するための初期費用（経済理論でいう固定費用）さえかけてしまえば、あとは利用者が増加しても追加的な費用はほぼ発生しないからである。この追加的な費用を、経済理論では「限界費用」と呼ぶ（ア）。また、これにより事業者は広告料を安くせずに済むのであるから、イには「大きく」が当てはまる。

間接ネットワーク効果とは、あるサービスにおける利用者の増加が、関連する他のサービスの効用も高める効果であり、たとえば、オークションサイトの参加者が増加するほど、サイトの運営者が提供する決済サービスも利用者の増加によってより利便性が高まるようなケースである。検索システムにおいても、オプションの機能を有料で提供することにより、高機能な検索システムを利用したいユーザーのニーズに応えることができる。これは、事業者にとって、通常の無料の検索システムを補完するものである（ウには「補完的」が当てはまる）。また、利用者にとって対価を支払う価値のある高度な検索システムを併せて提供することは、事業者にとって、広告主からの収入に追加的な収入をもたらすことになるので、エとオには、それぞれ「プラス」と「大きく」が当てはまる。

よって、アは「限界費用」、イは「大きく」、ウは「補完的」、エは「プラス」、オは「大きく」であるから、正答は3である。

正答　3

問題研究

新傾向の問題である。時事問題でも社会問題でもあるが、限界費用など経済理論の知識が必要である。

No.27 経済　日本、アメリカ、中国の貿易　令和2年度(改題)

日本、アメリカ、中国の貿易に関する次の記述のうち、妥当なものはどれか。

1　我が国の貿易収支（国際収支統計）は2010年以降黒字を計上していたが、2023年には約6.5兆円の赤字であった。一方、サービス収支の赤字は旅行収支の改善などから縮小傾向にあり、2023年には約0.8兆円の黒字を計上した。

2　経済連携協定（EPA/FTA）の推進は、我が国の通商政策の柱の一つであり、2024年6月現在、米国および中国を含む12の経済連携協定を署名・発効済みである。

3　我が国の2023年末の対外資産残高は約1,488兆円となり、現行の国際収支マニュアル第6版に準拠した2014年末以降では最大となった。また、2023年末時点での対外直接投資残高は約307.7兆円であり、世界全体の対外直接投資残高の13.8%を占めている。

4　日米間および日中間の貿易構造を2019年のデータで見ると、日本から米国への輸出では中間財が多いのに対して、日本の米国からの輸入では最終財が多い。一方、日本から中国への輸出では最終財が多いのに対して、日本の中国からの輸入では中間財が多い。

5　米国と中国の貿易収支とサービス収支を2022年以降で比較すると、米国は貿易収支が黒字、サービス収支が赤字であるのに対して、中国は貿易収支が赤字、サービス収支が黒字である。

解説

1．我が国の2010年以降の貿易収支を見ると、2011年以降の5年間、東日本大震災の影響や円高基調などから赤字となり、その後は黒字であったが、2022年以降は円安などから大幅な赤字となった。また、サービス収支については、そのうちの旅行収支が2015年に黒字化して以降、知的財産権使用料等とともにサービス収支の赤字改善に寄与してきたが、2023年のサービス収支は約2.9兆円の赤字であり、黒字化に至ってはいない。

2．2024年6月現在、署名・発効済みの経済連携協定は21を数える。ただし、この21の協定の中には、米国を含むTPP（米国の離脱により未発効）と米国を含まないTPP11（CPTPP）の双方を数えている。なお、米国とは2国間の、中国とはRCEPの枠組みでの経済連携協定が発効している。

3．妥当である。我が国の対外直接投資残高は、米国、英国、オランダ、中国、シンガポールと続く。

4．日本から米国への輸出では最終財が多いが、日本の米国からの輸入では中間財が多い。一方、日本から中国への輸出では中間財が多いが、日本の中国からの輸入では最終財が多い。

5．米国は貿易収支の赤字が拡大傾向、サービス収支の黒字が拡大傾向（2019年以降は減少傾向）にある。中国は貿易収支の黒字で一貫している（2019年以降は増加傾向）一方、サービス収支は赤字で一貫している（2019年以降、改善傾向）。

正答　3

問題研究

本問は個々の選択肢の細部にかなり詳細な知識を要求しており、白書または発行元の官庁のウェブサイト（経済産業省、外務省、内閣府など）を熟読していなければ、判断できない部分も多い。しかし、全体としては、日頃からニュースにきちんと目を通していれば、大まかな判断ができる。1はインバウンドの動向に、2はTPPの動向に注意を払っていれば判別できたであろう。4と5は、「世界の工場」としての中国の位置づけを知っていれば、判断できる（現在では「世界の市場」と位置づけられることが多い）。

No.28 経済	金融市場	令和元年度

金融市場に関する次の記述のうち、妥当なものはどれか。

1　金融市場において取り引きされる資金については、その期間構造によって、短期金融と長期金融に分類されるが、そのいずれにおいても資金の需要が増加すると金利が上昇し、資金の需要が減少すると金利は低下する。

2　金融機関と国を除く経済主体が保有する現金通貨と預金通貨の総額をマネーストックといい、現金通貨と準備金の総額をマネタリーベースというが、中央銀行が直接に操作可能であるのはマネーストックである。

3　金融資産を取り扱う市場には短期金融市場と長期金融市場があるが、株式市場や債券市場が短期金融市場の代表的な例であり、市中銀行間の資金の融通を行うコール市場が長期金融市場の代表的な例である。

4　中央銀行がインフレ目標を設定し、その手段として量的金融緩和政策を採用する場合、長期国債などの保有資産は売却されて減少することになる。

5　企業の金融市場からの資金調達には直接金融と間接金融が存在するが、株式発行による資金調達は直接金融に当たる。また、企業が保有する資本は自己資本と他人資本に区分できるが、株主が出資した資本金は他人資本である。

解説

1．妥当である。金利とは資金の取引に際しての対価であり、一種の価格とみなすことができる。したがって、短期・長期問わず、資金の需要が増加すると金利は上昇し、資金の需要が減少すると金利は低下するという市場メカニズムが働く。

2．前半は正しいが、中央銀行が直接に操作可能であるのはマネーストックではなくマネタリーベースである。中央銀行は、市場における債券の売買、準備率や政策金利の変更によってマネタリーベースは直接に操作できるが、市中金融機関による信用創造を通じて生み出される預金通貨を含むマネーストックは直接には操作できないからである。

3．一般には、金融資産の市場において、満期が1年以上となる取引を行う市場が長期金融市場であり、通常、株式市場や債券市場をさす。一方、満期が1年未満の取引を行う市場が短期金融市場であり、金融機関のみが参加者となるインターバンク市場と参加者が金融機関に限定されないオープン市場からなる。インターバンク市場の代表例（そして、短期金融市場の代表例でもある）がコール市場である。

4．たとえば、日本銀行はインフレ目標として「消費者物価の前年比上昇率2％をできるだけ早期に実現する」としているが、その手段として、2013年4月に量的・質的金融緩和政策を採用した。この場合、長期国債などの資産を購入して、その対価として貨幣を供給することになるから、一般に中央銀行が量的金融緩和政策を実施すれば、保有する金融資産は増加することになる（なお、2024年3月に、長期国債以外の資産の買入れは終了することになった）。

5．直接金融とは企業が家計（投資家）から直接に資金を調達することであり、間接金融とは企業が金融機関から資金を調達することで家計の資金を間接的に調達することである。したがって、株式発行による資金調達は直接金融に当たることは正しい。しかし、株式会社とは株主が出資した資本金で事業を興すものであるから、資本金は自己資本である。

正答　1

問題研究

金融市場の基礎知識を問う選択肢の多い出題である。金融に関するニュースについては、それ自体だけでなく関連する解説記事などにも幅広く目を通しておくことが有用である。

No.29 経済 財政 令和元年度

財政に関する次の記述のうち、妥当なものはどれか。

1　財政の機能の一つに資源配分機能があり、公共財・サービスの供給はその一例である。公共財・サービスの供給を市場に委ねると、多くの企業が参入して供給量が過剰になる。

2　財政の機能の一つである景気調整機能のうち、自動安定化装置については、景気が悪化すると自動的に総需要が抑制されることになり、裁量的財政政策については、国債を発行することで総需要を抑制することになる。

3　財政の機能の一つに所得再分配機能があり、累進課税はその一例である。所得の上昇に応じて課税額が高くなることを累進性があるといい、消費税には累進性があるが、軽減税率の導入によってそれを低下させることができる。

4　国や地方公共団体の基礎的財政収支（プライマリー・バランス）は「歳入－国債発行額」から「歳出－国債費」を差し引いたものであり、この値がプラスの場合に基礎的財政収支が黒字であるという。

5　租税は、納税義務者と租税負担者が一致するかどうかによって、直接税と間接税に区分される。近年の我が国において、租税収入に占める間接税の割合は5割を超えており、ドイツやフランスよりも高い。

解説

1．前半は正しい。しかし、公共財・サービスの供給を市場に委ねると供給量が過少になる。これは、公共財・サービスが、消費の非競合性と対価を支払わない者の排除不可能性という性質を持つため、市場で民間企業が対価を徴収して供給しようとしても、フリーライド行為が横行して採算が取れず、参入しようとする企業が存在しなくなることが想定されるからである。

2．財政の景気調整機能は自動安定化装置（ビルトイン・スタビライザー）と裁量的財政政策（フィスカル・ポリシー）に大別できるが、いずれにせよ景気が悪化した場合には総需要を刺激することで増加させ、景気が過熱した場合には総需要を抑制しようとするものである。

3．1文目は正しいが、所得の上昇に応じて税率（税額ではなく）が高くなることを累進性があるという。一般に消費税は、所得が上昇すれば増加した所得を貯蓄にも回すようになるため、所得に占める消費税額の割合は低下することになり、累進性ではなく逆進性が生じる。軽減税率の導入はこの逆進性を緩和しようとするものである。

4．妥当である。「歳入－国債発行額」は主に税収をさし、「歳出－国債費」は主に当該年度の政策経費をさす（国債の元利償還費は、過去の政策経費の清算であるとみなせる）。したがって、「歳入－国債発行額」から「歳出－国債費」を差し引いた値がプラスであれば、当該年度において政策の実施に必要な経費を上回る税収が得られたことになり、基礎的財政収支は黒字である。

5．前半は正しいが、主要国の直間比率（直接税：間接税）を、2021年度の国税＋地方税で見ると、米国がおよそ78：22、日本がおよそ66：34、英国がおよそ59：41、独仏がおよそ55：45程度であり、我が国の間接税の割合はドイツやフランスよりも低い（データは財務省による）。

正答　4

問題研究

財政に関する出題は、理論分析、制度、時事のいずれのテーマについても出題頻度が高い。また、時事は、予算制度・租税制度を踏まえて出題されることも多い。まずは、出題対象年度の歳入・歳出予算の重要指標を覚えつつも、加えて用語・指標の意味も理解しておく必要がある。

No.30 経済　需要の価格弾力性　平成30年度

ある財の需要量を横軸、価格を縦軸に取った平面における、右下がりのグラフを需要曲線という。これに関する次の記述中の空欄に当てはまる語句の組合せとして、妥当なものはどれか。

この財が正常財の場合、所得が増加すると需要曲線は［ア］方向に移動する。また、この財の代替財の価格が低下する場合、需要曲線は［イ］方向に移動する。

この財の価格が上昇する場合、支出額（価格×需要量）は増加する場合と減少する場合がありうるが、需要の価格弾力性が大きいときには、支出額が［ウ］する。必需品と贅沢品では、一般に［エ］のほうが需要の価格弾力性は小さい。

	ア	イ	ウ	エ
1	右	左	増加	必需品
2	左	左	増加	必需品
3	右	右	減少	贅沢品
4	左	右	減少	贅沢品
5	右	左	減少	必需品

解説

ア：右。正常財（または上級財）とは、所得変化と需要量の変化が同方向に動く財である（所得変化と需要量の変化が逆方向に動く財は劣等財または下級財と呼ばれる）。したがって、正常財は、所得が増加すると、価格が一定であっても需要量が増加する。これは需要曲線を右方向にシフトさせる。

イ：左。2財が代替財の関係にあるとは、片方の財の価格が低下し、その財の需要量が増加する場合に、もう一方の財は、価格が一定であっても、需要量が減少するような場合のことである。たとえば、コーヒーと紅茶がそれに当たる（コーヒーとミルクのように、片方の財の価格が低下し、その財の需要量が増加する場合に、もう一方の財は、価格が一定であっても、需要量が増加するような2財の関係を補完財という）。代替財の価格が低下する場合、自己価格が一定であっても需要量が減少するのであるから、需要曲線は左方向にシフトする。

ウ：減少。需要の価格弾力性とは、価格変化時の需要量の反応の大きさを見る指標（正確には、需要変化率／価格変化率と定義される）である。需要の価格弾力性が十分に大きい場合（需要曲線の傾きが緩やかな場合に当たる）、価格が上昇すると需要量が大きく減少するので、価格×需要量で表される支出額は需要量減少の効果が大きく表れて減少する。

エ：必需品。需要の価格弾力性が十分に小さい場合（需要曲線の傾きが急な場合に当たる）、価格が上昇しても需要量はあまり減少しないので、価格×需要量で表される支出額は価格上昇の効果が大きく表れて増加する。また、需要の価格弾力性が小さいということは、価格が上昇しても需要量はあまり減少しないということであるから、通常、これは価格が高くなっても需要量を減らすことのできない必需品であることが多い。

よって、正答は5である。

正答　5

問題研究

需要曲線（や供給曲線）の問題は、特定の財を具体的にイメージしつつ、自分でグラフを描いてみるとよい。ここで、需要曲線は、需要量を横軸、価格を縦軸に取った平面上で、価格を見て需要量を決めるとの順序に配慮すると納得しやすい。

No.31 社会　気候変動問題　令和6年度

気候変動問題に関する次の記述のうち、妥当なものはどれか。

1　気候変動に関する政府間パネル（IPCC）の報告書では、人間の活動に伴って排出される温室効果ガスの量が増加し続けた場合、世界の平均気温は2030年頃から上昇し、地球温暖化が始まると予測されている。

2　世界の温室効果ガスの排出量は2010年代に入ってから減少傾向にあり、2020年におけるエネルギー起源の二酸化炭素排出量を国別に見ると、最も多いのがアメリカ、次いで中国となっている。

3　温室効果ガス排出削減のための国際枠組みであるパリ協定では、産業革命前からの世界の平均気温上昇を２℃よりも十分低く保つとともに、1.5℃に抑える努力を追求することなどを、世界共通の長期目標としている。

4　2021年度における日本のエネルギー起源の二酸化炭素排出量を、産業部門（工場等）、運輸部門、業務その他部品（商業・サービス・事業所等）、家庭部門などに分けると、家庭部門からの排出量が最も多い。

5　日本は、温室効果ガスの排出量を実質ゼロとするカーボンニュートラルを2100年には達成することを目標としており、エネルギー起源の二酸化炭素排出量の削減のために、石炭火力発電を2030年までに全廃する方針を掲げている。

解説

1．2021年から2023年にかけて公表された政府間パネル（IPCC）第６次評価報告書によれば、2019年の地球の平均表面気温は、1850～1900年の平均に比べて約1.1℃高くなっており、過去100万年間で最も高い水準に達するなど、地球温暖化は、現在進んでいる問題である。

2．政府間パネル（IPCC）第６次評価報告書によれば、2010年代の大気中の二酸化炭素濃度は少なくとも200万年間で最も高く、また、メタン濃度は少なくとも80万年間で最も高いことなどから、温室効果ガスの排出量は増加傾向にある。2020年におけるエネルギー起源の二酸化炭素排出量を国別に見ると、最も多いのが中国、次いでアメリカ、インド、ロシア、日本と続く。

3．妥当である。パリ協定では、温室効果ガス排出削減（緩和）の長期目標として、気温上昇を２℃より十分下方に抑えるとともに、1.5℃に抑える努力を継続し、そのために今世紀後半に人為的な温室効果ガス排出量を実質ゼロ（排出量の吸収量を均衡）とすることなどが盛り込まれた。なお、その後第26回国連気候変動枠組条約締約国会議（COP26）では、1.5℃目標が事実上の共通目標となった。

4．環境省が公表した2021年度の温室効果ガス排出量（確報値）によれば、日本のエネルギー起源CO_2排出量を部門別に見ると、電気および熱の生産者側の排出として生産者側の部門に計上した排出量である電気・熱配分前排出量では、エネルギー転換部門が最も多く、40.4%を占めている。また、電力および熱の消費量に応じて、消費者側の各部門に配分した排出量である電気・熱配分後排出量では、産業部門からの排出が35.1%と最も多く、次いで業務その他部門、運輸部門、家庭部門が続く。

5．2020年10月、日本政府は「2050年までに、温室効果ガスの排出を全体としてゼロにする、すなわち2050年カーボンニュートラル、脱炭素社会の実現をめざす」ことを宣言した。また、2021年４月には、2030年度において、温室効果ガス46%削減（2013年度比）をめざすこと、さらに50%の高みに向けて挑戦を続けることを表明した。また、2024年４月、G7気候・エネルギー・環境相会合は、2035年までに排出削減対策を講じていない石炭火力発電所を廃止することで合意した。

正答　3

問題研究

環境問題については、国際会議の動向と合意内容、データについての理解が求められる。

PART 3 過去問を解いてみよう！

No.32 社会　子どもを巡る状況　令和6年度

日本の子どもを巡る状況に関する次の記述ア～エについて、正誤の組合せとして妥当なものはどれか。

ア　子どもに関する政策は、内閣府や厚生労働省などが分担して長年行ってきたが、2023年4月からは内閣府の外局として設置された「こども家庭庁」が、一元的に企画・立案・総合調整を行うこととなった。

イ　児童手当は、小学校修了前の児童を養育し、かつ、所得制限額未満の者に対象を限定して支給される。養育する児童の年齢や児童数にかかわらず、児童1人当たりの支給額は同額である。

ウ　小学校就学前の児童が利用する保育所等の待機児童数は、過去5年間、増加し続けている一方、小学校に就学している共働き家庭等の児童が利用する放課後児童クラブの待機児童数は、過去5年間、減少し続けている。

エ　選挙権年齢や成年年齢が20歳から18歳に引き下げられたことを背景に、2022年4月から施行された改正少年法では、18、19歳の者は、罪名にかかわらず少年法の適用対象外となり、20歳以上の者と同様に取り扱われることとなった。

	ア	イ	ウ	エ
1	正	正	誤	正
2	正	誤	正	誤
3	正	誤	誤	誤
4	誤	正	誤	誤
5	誤	誤	正	正

解説

ア：妥当である。2023年4月1日に発足したこども家庭庁は、所管する子どもを巡る行政分野のうち、従来は内閣府や厚生労働省が担っていた事務の一元化などを目的に設立された内閣府の外局である。

イ：児童手当の所得制限は、2024年10月から撤廃された。支給対象は、高校卒業まで（18歳の誕生日後の最初の3月31日まで）の児童を養育している者である。その金額は、3歳未満については一律1万5千円、3歳以上小学校修了前までは1万円（第3子以降は3万円）、中学生については1万円（第3子以降は3万円）、高校生については1万円（第3子以降は3万円）である。

ウ：2024年4月時点の待機児童数は2,567人で、近年は減少が続いている。一方で、放課後児童クラブにおける待機児童は増加した。たとえば、2023年に放課後児童クラブを利用できなかった待機児童数は、全体で16,276人であり、前年比で1,096人増となっている。

エ：成年年齢が20歳から18歳に引き下げられたことに伴い、少年事件の取り扱いが大きく変わったものの、18歳と19歳の者が少年法の適用対象外となったわけではない。具体的には、18歳と19歳は「特定少年」と位置づけられ、家庭裁判所から検察に送り返す「逆送」という手続きの対象事件が拡大され、一定以上の重さの罪を犯した場合は原則として大人と同じ裁判を受けることになる。

以上より、正答は3である。

正答　3

問題研究

新設された省庁とその役割、制度や法律の改正については、特に正確な知識が求められる。また、福祉政策との関連についても、その背景と合わせて理解しておきたい。

No.33 社会　日本の医療　令和5年度（改題）

日本の医療に関する次の記述のうち、妥当なものの組合せはどれか。

ア　国民医療費は増加傾向にあるが、新型コロナウイルス感染症が拡大した2020年度は、医療機関への受診控えや、マスク着用や手洗いの徹底などの感染対策による他の感染症の減少などにより減少した。

イ　公的医療保険の被保険者（患者）は、保険診療において医療費の一部を負担することで診療サービスを受けることができる。医療費の一部負担（自己負担）割合は、たとえば、20歳から64歳までの者は３割、65歳以上の者は１割である。

ウ　医療技術の進歩などに伴い、健康寿命は延伸傾向にあり、死亡総数に占める老衰の割合が上昇している。2023年（令和５年）の死因別死亡数は、老衰が最も多く、次いで悪性新生物（がん）、心疾患の順である。

エ　政府は後発医薬品（ジェネリック医薬品）の使用を促進しており、後発医薬品の使用割合（数量シェア）は2023年には約５割にまで上昇した。

オ　マイナンバーカードを健康保険証として利用できる仕組みがある。この仕組みでは、マイナポータルで自分の薬剤情報や医療費情報を確認でき、医療機関や薬局は、患者の同意があれば薬剤情報等を閲覧できる。

1　ア、イ
2　ア、オ
3　イ、エ
4　ウ、エ
5　ウ、オ

PART 3 過去問を解いてみよう！

解説

ア：妥当である。国民医療費は、長期的に増加傾向にある一方、2020年度（令和２年度）は、42兆9,665億円であり、前年度の44兆3,895億円に比べ１兆4,230億円、3.2%の減少となっている。

イ：公的医療保険における窓口の負担割合は、75歳以上の者は１割（一定以上の所得者は２割、現役並み所得者は３割）、70歳から74歳までの者は２割（現役並み所得者は３割）、70歳未満の者は３割、６歳（義務教育就学前）未満の者は２割である。なお、地方公共団体ごとの支援・助成も行われている。

ウ：健康寿命が延伸傾向にある点は正しいが、死因順位の第１位は悪性新生物（24.3%）、第２位は心疾患（高血圧性を除く）（14.7%）、第３位は老衰（12.1%）である。

エ：後発医薬品の使用割合（数量シェア・全国平均）は「約５割」を上回る水準で推移している。2023年（令和５）年９月において、後発医薬品の使用割合（全国平均）は、81.86%であった。

オ：妥当である。2021年（令和３年）10月より、マイナンバーカードを健康保険証として利用できる仕組みが導入された。その後、マイナンバーカードと健康保険証は、2024年12月２日に一体化された。

よって、妥当なものはアとオであるから、正答は**2**である。

正答　2

問題研究

社会保障や医療に関する問題も注目すべき点の一つである。特に、医療、年金、公的扶助などさまざまな制度の概要や近年の動向などを確実に押さえておくことが求められる。

No.34 社会　日本のエネルギー　令和5年度（改題）

日本のエネルギーに関する次の記述のうち、妥当なものはどれか。

1　日本は一次エネルギー供給の80％以上を化石エネルギーに依存していたが、近年は再生可能エネルギーの活用が進んでいることから、2022年度の一次エネルギー供給に占める化石エネルギーの割合は50％未満である。

2　原子力発電所については地震やテロへの対策に多額の費用がかかるため、政府は、停止している原子炉の再稼働は行わないこと、運転しているものも耐用年数が過ぎた時点で順次廃炉にしていくことを方針として固めている。

3　運輸部門のエネルギー消費の大半を占めているのは自動車であり、電気自動車（EV）の普及がカーボンニュートラルを達成する重要な手段とされている、2023年の日本の乗用車販売台数に占めるEVの割合は30％を超えた。

4　日本はロシアでの資源開発事業の権益を官民で取得し、石油と天然ガスを輸入してきたが、2022年にはウクライナ侵攻への制裁措置としてロシア産の石油と天然ガスの輸入を禁止し、ロシアでの資源開発事業の権益を放棄した。

5　水素とアンモニアは、燃焼しても二酸化炭素を含む温室効果ガスを排出しないことから、地球温暖化対策に有効な燃料として注目されており、火力発電での利用に向けた取組みなどが進められている。

解説

1．日本では、一次エネルギー供給の80％以上を化石エネルギーに依存しており、2022年度は83.4％であった。

2．政府は、原子力発電所について、安全性が確認され次第再稼働やその準備を行うことを決定した。また、原子力発電所が建設された当時、運転期間に関する法令上の定めはなかったが、福島第一原子力発電所事故の後に改正された法律により、運転できる期間は運転開始から40年と規定された。ただし、原子力規制委員会の認可を受ければ、運転期間について、20年を超えない期間で、１回に限り延長できることになった。

3．日本のEV普及率については、伸びてはいるものの、2023年（１～12月）のEV（普通乗用車のみ。軽自動車は除く）の新車販売台数は、約４万3,991台であり、その割合は1.66％であった。

4．ロシアのウクライナ侵攻に関連して、G7（アメリカ、イギリス、フランス、日本、ドイツ、イタリア、カナダ）の方針に合わせ、ロシア産の石油と天然ガスの輸入を禁止したことについての記述は正しいが、日本政府の方針により、ロシアでの資源開発事業の権益については維持されている。その背景には、権益を放棄した場合に中国などにそれが引き継がれる可能性があるとされている。

5．妥当である。水素は水を電気分解することにより、アンモニアは水素と窒素から生成される。いずれも、燃焼時に炭素が関与せず、地球温暖化防止に貢献する新たな燃料として期待されており、そのさらなる活用に向けた取組みが進められている。

正答　5

問題研究

資源・エネルギーの動向については、近年の推移を含めた整理と理解が求められる。特に、近年の国際情勢を踏まえた推移についても把握すべきである。

No.35 社会　公的年金制度　令和4年度

日本の公的年金制度に関する次の記述のうち、妥当なもののみをすべて挙げているのはどれか。

ア　会社員、公務員、自営業者、無職の人などを含め、原則として、日本に住む20歳以上60歳未満のすべての人が公的年金制度に加入し、保険料の支払いを求められる対象となっている。

イ　国民年金（基礎年金）の財源は、現在、すべて年金保険料によって賄われているが、給付水準を維持するため、政府は財源の一部を税で賄うことを検討している。

ウ　年金の財政方式には賦課方式と積立方式がある。国民年金（基礎年金）は賦課方式ではなく積立方式であり、受け取る年金の財源はこれまで自分が積み立ててきた保険料となっている。

エ　老齢厚生年金の支給額は保険料を納めた期間が長いほど多いが、老齢基礎年金の支給額は保険料を納めた期間の長短にかかわらず一定である。

オ　大学や専修学校等に在学中で所得が一定以下の人については、申請すれば在学中の国民年金（基礎年金）の保険料の納付が猶予される制度が設けられている。

1　ア、ウ　　2　ア、オ　　3　イ、エ
4　イ、オ　　5　ウ、エ

解説

ア：妥当である。「国民皆年金」制度の下、原則として、日本に住む20歳以上60歳未満すべての人が公的年金の一つである国民年金（基礎年金）に加入し、保険料を支払う。老齢年金の受給については、国民年金（基礎年金）については65歳からであり、厚生年金については段階的に60歳から65歳に引き上げられている。ただし、受給開始年齢については、申請により、一定の範囲で繰上げや繰下げができ、その場合、年金額は基準とされる金額より変動する。なお、公的年金については、いわゆる「1階部分」としての国民年金（基礎年金）、「2階部分」としての厚生年金を中心としている。

イ：国民年金（基礎年金）の財源は、年金保険料と税である。近年では、急速に進む高齢化の影響を受け、支給について、税による負担が増加する傾向にある。

ウ：賦課方式とは、現役世代の負担を財源として年金を支給する方式であり、積立方式とは、本人が積み立てた保険料を財源として支給する方式である。日本の年金は、賦課方式を基本として運営されている。

エ：老齢厚生年金、老齢基礎年金ともに、支給額には収めた期間や保険料額が反映される。

オ：妥当である。学生については、一定の要件の下、申請により在学中の保険料の納付が猶予される「学生納付特例制度」が設けられている。なお、ここで考慮される所得は、本人の所得であり、家族の所得ではない。

よって、妥当なものはアとオであるから、正答は2である。

正答　2

問題研究

日本の社会保障制度についてもよく問われるが、特に年金制度についてはよく出題される。覚えるべきポイントは、具体的な制度とその推移、賦課方式と積立方式の違い、基礎年金と厚生年金、企業年金、確定拠出年金、国民年金基金、マクロスライド方式などに関する知識である。

No.36 社会　日本の研究開発　令和4年度

日本における科学技術に関する研究の動向に関する次の記述のうち、妥当なものはどれか。

1　大学、公的機関、企業などにおける研究開発費の総額を欧米諸国や中国などほかの主要国と比べると、日本は主要国中最低水準であるが、研究開発費の対前年伸び率は10％前後で推移しており、米国や中国と並ぶ高い水準となっている。

2　大学等において産学連携を図るさまざまな取組みが進められているが、大学での研究成果は広く社会で活用される必要があるとの考えから、大学が特許権等を取得した発明について、その権利を使用させることによって収入を得ることは禁止されている。

3　女性研究者の登録や活躍支援が進められてきたことから、大学や企業などに所属する研究者に占める女性の割合は年々上昇しており、約40％となっている。

4　博士号の新規取得者数の推移を年度ごとに見ると、日本では減少傾向にあり、またこの数を人口100万人当たりで見ると、米国や英国などに比べて少ない。

5　研究力を測る主要な指標として、注目度が高く、引用された回数が多い論文の数が挙げられるが、自然科学分野について引用された回数が上位10％に入る論文数の国別順位を見ると、日本はアメリカ、中国に次ぐ世界第3位となっている。

解説

1．日本の研究開発費は、アメリカ、中国に次ぐ規模であるが、その伸びについては、ほぼ横ばいが続いている。諸外国と比較すると、総額としては大きいものの、伸び率については小さいのが特徴である。

2．大学が、研究や発明の成果について特許権等を取得し、それを使用させることによって収入を得ることは禁じられていない。

3．日本における女性研究者の割合は増加しつつあるが、諸外国と比べると低く、2023年では18.3％である。その割合は、OECD（経済協力開発機構）に加盟する国々・地域等の中で最も小さいが、一方、その数で見ると、英国、ドイツに次いで多い。

4．妥当である。日本において、博士号の新規取得者は、2006年をピークに減少傾向にある。また、主要国の博士号取得者数を人口100万人当たりで見ると、日本は2021年度で126人であり、他国と比べてと少ない数値である。2024年時点において、他国の最新年の値を見ると、最も多い国はイギリス（342人）、次いでドイツ（330人）であり、最も少ない国は中国（58人）である。

5．ほかの論文に引用された回数が各分野で上位10％に入る論文の数（トップ10％論文数）について、2020～2022年の平均で比較すると、日本は3,719本で、順位については、13位であった。

データ出所：科学技術・学術政策研究所（NISTEP）『科学技術指標2024』

正答　4

問題研究

文部科学分野の出題について比較的よく出題されるのは、政府による科学技術に関するさまざまな政策や、研究開発に関する国際比較である。前者については、基本的な用語の意味を、後者については主要な指標とその推移について理解しておく必要がある。なお、OECD諸国や新興国をはじめとする諸外国との比較において、科学技術の水準を示す指標の一部において低迷する傾向が見られることについて問題視されている。

No.37 社会　日本の教育政策　令和2年度

日本の教育政策に関する次の記述のうち、妥当なものの組合せはどれか。

ア　令和元年10月から始まった幼稚園・保育所等の利用料の無償化により、０～２歳児のクラスについては原則としてすべての世帯に負担が無償化される一方、３～５歳児については、住民税非課税世帯が対象とされた。

イ　2016年に改訂が決まり、2020年より実施されている新しい学習指導要領により、小学校では、外国語教育が拡充されるとともに、プログラミング教育が始まった。

ウ　2020年より、大学生に対して、定められた要件を満たせば、貸与型奨学金とは異なり返済を要しない給付型奨学金の制度が拡充されることになった。

エ　2018年に成立した法律により、東京都23区内の大学キャンパスの収容人数の増加が認められることになった。

1　ア、イ
2　ア、ウ
3　ア、エ
4　イ、ウ
5　イ、エ

解説

ア：「人づくり革命」を進める政府の方針に基づき、令和元年10月１日より、幼児教育の無償化がスタートした。これによれば、３～５歳児クラスの幼稚園・保育所等の利用料が無償になり、また、０～２歳児のクラスについては、住民税非課税世帯のみが対象とされた。なお、費用が高額な幼稚園などについては、支援額に上限が設けられている。

イ：妥当である。2016年に改訂が決まった学習指導要領は、2018年から移行の準備が進められ、2020年より、順次、小学校、中学校、高等学校で実施されている。小学校では、「外国語活動」を３年生から始め、５年生から教科としての英語が始まった。また、情報活用能力が「学習の基盤となる能力・資質」として位置づけられ、小学校からプログラミング教育が始まった。

ウ：妥当である。大学生および専門学校生に対する給付型奨学金は、2018年度から導入されていたが、2020年度より大幅に拡充された。具体的には、学生本人と父母など生活維持者の所得割が非課税、あるいは、市町村民税の課税標準額が一定基準以下であることなどが要件となる。

エ：2018年、東京23区内の大学の定員増を原則10年間認めないことなどを盛り込んだ法律案が成立した。この法律は、「地域における大学の振興および若者の雇用機会の創出による若者の修学および就業の促進に関する法律案」であり、第13条において、大学などの設置者は、一部例外を除き、特定地域内で学生の収容定員を増加させてはならないと規定している。これは、地方において若者の修学や就業を促進することを目的としている。

よって、妥当なものはイとウであるから、正答は４である。

正答　4

問題研究

2017年12月、政府は、少子高齢化対策などを盛り込んだ「新しい経済政策パッケージ」を決定し、社会保障を「全世代型」に転換することなどを示したが、幼児教育の無償化や、低所得世帯に対する高等教育の無償化はその一環である。政府の経済政策に基づく具体的な政策は、今後も出題が予想される分野である。

No.38 社会

日本の雇用情勢

令和 2年度

日本の雇用情勢に関する記述のうち、妥当なものはどれか。

1　非正規雇用の内訳を雇用形態別に見ると、比率が高いほうから順に、契約社員、派遣社員、パート・アルバイトとなっており、同様に年齢別に見ると、35～44歳が15～24歳より多い。

2　高年齢者雇用安定法により、従業員の雇用を70歳まで維持することが義務づけられてきたが、この規定は、努力義務から罰則付きの義務に改正された。

3　日本における男性の一般労働者の賃金を100とすると、女性の一般労働者の賃金は約90であり、アメリカやイギリスなどの欧米各国よりも高水準となっている。

4　障害者雇用促進法に基づき、公共機関や民間企業についての法定雇用率が定められているが、民間企業については、大企業ほど低い率が設定されている。

5　少子化による人手不足などを背景に、改正出入国管理及び難民認定法が改正され、単純労働分野での外国人の受入れを認めるとともに、一定の専門性・技能を持つ外国人のための在留資格が新設された。

解説

1．非正規の比率については、高いほうから順に、パート・アルバイト、契約社員、労働者派遣事業所の派遣社員、嘱託の順になっている。なお、各年齢層別に比較すると35～44歳が15～24歳より多い状態が続いている。

2．70歳までの雇用を維持することを罰則などによって義務づけたという事実はない。高年齢者雇用安定法により、希望者全員が65歳まで働ける制度の導入を企業に義務づける高年齢者雇用確保措置が講じられている。企業には、定年の引上げ、継続雇用制度の導入、定年の廃止のいずれかを導入することが義務づけられている。

3．日本における男性の一般労働者の賃金を100とすると、女性の一般労働者の賃金は70余りである。この水準は、欧米各国と比較すると極めて低い水準となっている。ちなみに、2021年は75.2、2022年は75.7、2023年は74.8であった。

4．障害者雇用促進法に定められた法定雇用率が大企業ほど低いという事実はない。2024年4月に引き上げられた基準によれば、民間企業は2.5%、国や地方自治体は2.8%、都道府県等の教育委員会は2.7%である。なお、民間企業の実雇用率は上昇傾向にあるが、法定雇用率には届いていない。

5．妥当である。2019年4月に施行された出入国管理及び難民認定法等により、単純労働分野での外国人材の受入れを進めることになった。また、同法によれば、一定の専門性や技能を持つ外国人のための在留資格が新設され、特に、「特定技能2号」が認められた際には、長期間の滞在や家族の帯同も認められることになった。

データ出所：『各年版　労働力調査年報』『各年版　賃金構造基本統計調査』など

正答　5

問題研究

日本の雇用情勢は、たびたび出題されている。失業率や労働力人口の推移に加えて、法制度の動向にも着目し、整理しておく必要がある。特に、外国人労働者の受入れについては、単純労働への就労を認めることに加えて、「特定技能」と位置づけられることにより、在留の際に優遇される点に着目しておきたい。

No.39 社会　ヨーロッパ情勢　令和元年度

EU（欧州連合）および欧州各国に関する次の記述のうち、妥当なものはどれか。

1　イギリスでは、2016年に行われた国民投票においてEU（欧州連合）からの離脱に賛成する票が過半数を占めたものの、その後各方面との離脱交渉が難航したことなどを受けて離脱の方針を撤回し、2018年に残留することが決定された。

2　2014年にイギリスにおいてスコットランドの独立の是非を問う住民投票が行われ、独立派が勝利したのに続いて、2017年にはスペインのカタルーニャ州で行われた住民投票でも独立派が勝利した。

3　中東やアフリカなどから難民や移民がヨーロッパ諸国に多く流入していることを背景に、ドイツやイタリアでは、その流入を阻止することを掲げた政党が第1党の座を獲得した。

4　日本とEU（欧州連合）は、EPA（経済連携協定）の締結に向けた準備や交渉を進めてきたが、2018年に協定文書に署名し、翌2019年には発効に至った。

5　EU（欧州連合）は、ヒト・モノ・サービスの移動の自由化の流れを受け、2016年以降、個人情報保護についてのルールを大幅に緩和した。

解説

1．国民投票においてEUからの離脱を求める票が過半数を占めた点、その後の交渉が難航した点は正しい。しかし、翌々年に離脱の方針を撤回し、残留することになったという事実はない。国民投票において離脱派が多数を占めたことの責任を取って当時のキャメロン首相が辞任した後、メイ首相の下で離脱の交渉が進められたが、難航を余儀なくされた。2019年に就任したジョンソン首相の下、2020年1月31日にイギリスはEUから離脱した。

2．2014年に行われたスコットランドの住民投票において、イギリスからの独立を求める票は半数に至らなかった。一方、スペインのカタルーニャ州で行われた住民投票においては独立を求める票が多数を占め、これを受けて、同州政府のプッチダモン首相は独立に向けて動いたが、中央政府側は同州政府の幹部を更迭し、州政府からの自治権剥奪の動きを見せるなど、緊迫した状況が続いた。

3．ドイツにおいて、難民受入れに反対する「ドイツのための選択肢」という勢力が躍進し、議席を獲得したものの、第1党になったわけではない。また、イタリアにおいて反移民を掲げる「同盟」は、第1党にこそならなかったものの、第1党の「五つ星運動」とともに連立政権に参加した。ただし、「五つ星運動」は、2019年9月に連立相手を「民主党」に変更した。

4．妥当である。日本は2018年にEUとのEPAに署名し、2019年に発効した。

5．EU一般データ保護規則により、個人情報保護のためのルールは強化された。同規則は2016年に制定され、2018年に実施された。

正答　4

問題研究

EU（欧州連合）や欧州各国では、注目される動きが相次いだので、注意を要する。特に、イギリスのEU離脱問題については、ブレグジットなどの用語を理解しておく必要がある。最新の動向もチェックしよう。

No.40 社会　第４次産業革命　令和元年度

AIやIoTなどの新たな技術の登場により、第４次産業革命と呼ばれる様相を呈しているが、これらの技術に関する次のア～エの記述のうち、妥当なものの組合せはどれか。

ア　AIやIoTの発達は、人間の労働の機会を奪うものではなく、それを維持しながら技術革新を進めるものとして広く理解されている。

イ　SNSなどのオンラインプラットフォームは、利用者が増え、使用する頻度が高まるにつれて、その能力が高まり、利益が増加する仕組みとなっている。

ウ　オンラインプラットフォームに基づくシェアリングエコノミーは、民泊やシェアリングカーに代表される多様なサービスを生み、発展の原動力となったが、それらは、従来のサービスの水準を変動させることなく活用されている点が特徴的である。

エ　仮想通貨を使った新しい金融サービスの分野では、ブロックチェーンの導入が進められており、フィンテックと呼ばれる技術がそれを推進する基礎となっている。

1　ア、イ
2　ア、ウ
3　ア、エ
4　イ、エ
5　ウ、エ

解説

ア：AI（人工知能）やIoT（モノのインターネット）の発達は、その一部が人間の労働力を代替するものとして理解されており、将来は不要となったり、従事する者が極端に減少したりする業種の予想などがなされている。

イ：妥当である。SNSの利用者が増え、各自が使用する頻度が高まれば、利用者の情報の蓄積、多くの人々への情報の提供の機会なども増え、システム自体の可能性や能力、利益が増大すると考えられる。

ウ：さまざまな物やサービス、スペースや場所などを人々と共有したり、交換したりして利用する仕組みがシェアリングエコノミーであり、オンラインプラットフォームの登場や発展がその動きを促進してきた。その結果、これまでにはなかったサービスを生み出し、また、コストを下げ、利便性を向上させるなどの効果をもたらしてきた。

エ：妥当である。ブロックチェーンとは、取引きに関するデータを分散させながら共同で管理する技術である。また、フィンテックとは、ファイナンス・金融とテクノロジー・技術を合わせた造語であり、インターネットに関連する革新的な金融商品やサービスなどの意味で用いられる。

よって、妥当なものはイとエであるから、正答は４である。

正答　4

問題研究

本問に取り上げられたような科学技術、とりわけ、コンピュータやインターネットに関する内容を理解するためには、近年注目されたサービスの内容と結びつけて覚えておく必要がある。特に、新しい用語については、具体的な事例や事象と結びつけながら、正確に押さえておくことが求められる。なお、科学技術の分野については、医療、宇宙開発、環境などの出題も予想される。また、ノーベル賞の動向についても確認しておこう。

No.41 社会　人口問題　平成30年度（改題）

人口問題に関する次の記述中の下線部のうち、妥当なものの組合せはどれか。

世界の人口は、現在も増加を続けているが、その伸び率は、地域によって異なっている。世界をアジア、オセアニア、アフリカ、ヨーロッパ、北アメリカ、南アメリカの６ブロックに分けて比較すると、ア人口の増加率が１番高いのはアフリカである。急激な人口増加はさまざまな問題を引き起こすため、それを抑制することを目的として、中国では、イ一人っ子政策が維持されている。

一方、一部の国や地域では、少子化が進んでいる。これに関連して日本は2022年に合計特殊出生率が1.26となり、ウ韓国よりは高いがアメリカよりは低かった。一方、日本の高齢化率は約３割であり、エ北ヨーロッパ諸国やフランスに次いで高い。

少子化を食い止めるには、子育て支援の仕組みづくりや施策の推進が欠かせないが、オ保育所の定員は変化しておらず、対応が急がれている。

1　ア、ウ
2　ア、エ
3　イ、ウ
4　ウ、エ
5　ウ、オ

解説

ア：妥当である。2019年から2020年にかけて人口増加率が最も高かったのは、アフリカであり、その伸び率は2.49%である。以降、オセアニア1.3%、ラテンアメリカ0.9%、アジア0.86%、北アメリカ0.62%、ヨーロッパ0.06%と続く。

イ：中国における一人っ子政策は、1979年から2015年頃にかけて実施された人口抑制策である。１人の子どもを持つ親を経済的に優遇する一方、２人目以降の子どもがいる親については、負担を増やし、仕事上も冷遇するものであった。2002年頃から、段階的に緩和され、2016年には正式に廃止された。2021年からは３人まで容認されるなど、段階的緩和が続いている。

ウ：妥当である。2022年の合計特殊出生率は、日本が1.26、韓国が0.78、アメリカが1.67である。合計特殊出生率とは、１人の女性が産む子どもの数の推計値であり、長期的に人口を維持するためには、2.1程度を維持することが必要だとされている。ちなみに、2023年の日本における合計特殊出生率は1.20である。

エ：日本の高齢化率は、世界で最も高く、おおむね２割程度の水準となっている北欧諸国やフランスを上回っている。

オ：国や地方の取組みもあり、保育所等の定員は増加傾向で推移していたが、2024年にこども家庭庁により発表されたデータによれば、その定員は304万人であり、前年より６千人ほど減少した。待機児童問題は解消されておらず、早急な対応が求められる。

よって、妥当なものはアとウであるから、正答は１である。

正答　1

問題研究

人口問題や少子・高齢化問題は、日本の現状、世界の国や地域との比較、それらに関連する政策などが総合的に問われる。これに対処するためには、白書に示されたデータの特徴や動向を把握するとともに、国際機関や各国の政府などがどのような対策を進めたかをきちんと理解しておく必要がある。

No.42 社会　日本の労働事情　平成30年度

日本の労働問題や働き方改革に関する次の記述のうち、妥当なものはどれか。

1　正規労働者と非正規労働者との間に存在する格差是正への取組みが進められているが、その対象は、基本給や各種手当などの賃金に関する問題に限定されており、福利厚生にかかわる部分については例外とされている。

2　賃上げや労働生産性の向上などに積極的に取り組んだ企業に対して公的な補助が行われるとともに、最低賃金も引き上げられた。

3　長時間労働を是正するため、残業については月80時間、年間960時間までという上限規制が設けられ、さらに、勤務間インターバル制度の導入が義務化された。

4　女性の就業率は、2000年以降上昇傾向にあるが、年齢階級別に見ると、25歳から34歳の層においてはほとんど変化しておらず、政府は、この層の就業率の上昇を図る方針を示している。

5　外国人労働者の受入れについては、単純労働の分野では解禁されなかった一方で、高度人材ポイント制度が導入されたことにより、高度プロフェッショナル人材に限定し、要件が緩和された。

解説

1．正規労働者と非正規労働者の間における格差是正への取組みの対象は、賃金のみならず、福利厚生にも及んでいる。たとえば、公的医療保険や厚生年金の加入についても、その要件が緩和され、非正規労働者が加入できる範囲が広がっている。

2．妥当である。生産性の向上や、賃金の上昇については、業務改善助成金や人材確保等支援助成金などの助成制度がある。また、最低賃金についても、引上げへの取組みが続いている。ちなみに、最低賃金は、審議会の答申に基づき、都道府県ごとに決定される。

3．長時間労働を是正するために、残業時間については、月100時間未満、年間720時間、複数月平均80時間という基準が設定された（2023年現在）。また、勤務間インターバルとは、1日の勤務終了後、翌日の出社までの間に、一定時間以上の休息時間（インターバル）を確保する仕組みであり、日本では、企業の努力義務とされている。

4．女性の就業率は、各年齢において上昇しており、「25歳から34歳の層においてはほとんど変化しておらず」という記述は誤りである。なお、女性全体の就業率が上昇していること、晩婚化や晩産化が進んでいることなどの要因により、就業率が低下する「M字カーブ」は、その底が浅く、年齢が高いほうにシフトしている。

5．外国人労働者の受入れについては、高度人材ポイント制度が導入されている点は正しい。ただし、この制度は、「高度学術研究活動」「高度専門・技術活動」「高度経営・管理活動」などについて、「学歴」「職歴」「年収」などの項目ごとにポイントを設け、合計が一定点数を超えた場合に入国管理上の優遇措置を与えるというものである。それに対し、高度プロフェッショナル制度は、専門知識や技能を有する一定水準以上の年収を得る労働者について、労働時間規制の対象から除外する仕組みであり、外国人労働者の受入れとの間に直接的な関係はない。なお、2018年に成立した改正入国管理法により、一定の要件の下、単純労働について外国人の就労が認められた。

正答　2

問題研究

働き方改革に関する内容や労働問題は、近年注目されたこともあり、出題が予想される。労働に関する基本的なデータと併せて、労働政策についても理解しておくことが求められる。

No.43 地理

人口動態

令和6年度

人口動態に関する次の記述ア～オのうち、下線部分が妥当なものの組合せはどれか。

ア　一国の人口動態は、多産多死の段階から多産少死の段階を経て、少産少死の段階へと変化する。この変化の過程では死亡率が出生率よりも低い時期が続くため、人口増加率が高くなりやすい。

イ　人口増加に対して人口抑制政策がとられた国もある。たとえば中国では、20世紀後半に一人っ子政策がとられたが、この政策が廃止された後、人口は増加しており、中国に次いで人口の多いインドとの差を広げつつある。

ウ　人口増加率が低い国の中には、人口が減少している国もある。たとえば、日本の人口は2000年代から減少に転じ、現在では１億1,000万人台となっている。

エ　人口問題を考えるに当たって尊重しなければならない概念として、リプロダクティブ・ヘルス／ライツがある。この考え方は、すべての個人、特に女性が、出産について自らの意思で決定するというものである。

オ　アメリカ合衆国など、移民を受け入れることで人口を増やしてきた移民国家も存在する。2011年から2020年にアメリカ合衆国に移住してきた人を出身地別に見ると、ヨーロッパ出身者が最も多く、全移民の５割を占めている。

1　ア、ウ
2　ア、エ
3　イ、エ
4　イ、オ
5　ウ、オ

解説

ア：妥当である。特に発展途上国では、出生率が高いまま、衛生状態の改善や医療の進歩によって死亡率が低下し、人口が爆発的に増加した。

イ：中国の人口は2022年に減少に転じた。また、2024年現在、インドが中国を抜いて第１位である。

ウ：日本では、2010年頃から人口がやや減少しはじめ、2024年現在では、１億2,396万人である。

エ：妥当である。リプロダクティブ・ヘルス／ライツは、「性と生殖に関する健康と権利」と訳され、1994（平成６）年にエジプト・カイロで開催された国際人口開発会議において提唱された概念である。

オ：2011年から2020年にアメリカ合衆国に移住してきた人を出身地別に見ると、メキシコ（14.4％）、中国（7.4％）、インド（6.1％）の順で、ヨーロッパ出身者は少ない。

よって、妥当なものはアとエであるから、正答は**2**である。

正答　2

問題研究

人口動態に関する基本的な事項、特に主要国や地域別の人口動態やおおまかな数値などを把握しておきたい。また、リプロダクティブ・ヘルス／ライツなど、話題となっている用語や、人口ピラミッド、高齢化問題などについても理解しておきたい。

PART 3 過去問を解いてみよう！

No.44 地理　アフリカ　令和6年度

アフリカに関する次の記述ア～オのうち、妥当なものの組合せはどれか。

ア　大陸北西部のアトラス山脈は新期造山帯に属しているが、それ以外は安定陸塊が大部分を占めている。

イ　熱帯に属する地域が広く見られる。たとえば、大陸北部のアルジェリアや南部の南アフリカ共和国は、国土の大半がサバナ気候または熱帯雨林気候である。

ウ　サハラ砂漠南縁に沿って東西に延びるサヘルと呼ばれる地域では、砂漠化が進んでいる。その要因としては、過耕作や過放牧など人為的なものも挙げられる。

エ　鉱山資源に恵まれている。たとえば南アフリカ共和国など、原油と天然ガスが輸出総額の多くを占める国がある一方、アルジェリアやナイジェリアなど、世界有数のダイヤモンド産出国もある。

オ　サブサハラ諸国は、1990年代頃までは成長市場として注目され、欧米諸国や中国から多くの投資を受けていたが、たび重なる紛争などの影響で、21世紀に入って以降、特に中国からの投資が激減している。

1　ア、ウ
2　ア、オ
3　イ、エ
4　イ、オ
5　ウ、エ

解説

ア：妥当である。アフリカ北西部のアトラス山脈は新期造山帯、南部のドラケンスバーグ山脈は古期造山帯に属しているが、ほかのほとんどは安定陸塊である。

イ：気候帯は、乾燥気候（砂漠気候・ステップ気候）が国土の約半分を占める。大陸北部のアルジェリアや南部の南アフリカ共和国には、地中海性気候が分布する。

ウ：妥当である。記述中にある人為的・社会的要因以外に、降水量の減少、気温上昇による蒸発量の増加などがある。

エ：鉱産資源に恵まれているが、原油と天然ガスが輸出総額の多くを占める国は、アルジェリアやナイジェリアである。世界有数のダイヤモンド産出国は、ボツワナ、コンゴ民主共和国、南アフリカ共和国、アンゴラなどである。

オ：サブサハラ諸国とは、サハラ砂漠以南の国々をさし、南アフリカ共和国など一部の国を除き、世界で最も貧しい地域とされている。これまで、欧米諸国や中国、日本などから多くの援助を受けてきたが、弱い統治、たび重なる紛争、モノカルチャーなどがネックとなり、経済成長が遅れている。なお、中国からの援助活動は激減していない。

よって、妥当なものはアとウであるから、正答は1である。

正答　1

問題研究

アフリカの大地形と気候区は頻出事項である。ほかにも、アフリカ大地溝帯が頻出している。地誌的には、全体的観点からまとめ、主要国や話題の国を、白地図などを利用してまとめていくとよい。大きな変化があった地域は、新聞等で確認したい。

No.45 地理　貿易の国際機関　令和5年度

貿易に関する次の記述中の下線部ア～エのうち、妥当なものの組合せはどれか。

保護貿易とブロック経済化が二度の世界大戦につながったという反省に基づき、第二次世界大戦後には自由貿易が促進され、1995年には、貿易の自由化を進め、国家間の経済上の紛争を処理するWTO（世界貿易機関）が発足した。WTOによる紛争処理の対象は、ア<u>モノばかりでなくサービスや知的財産権にも及ぶ</u>が、WTOにおいて多国間の貿易ルール作りを世界規模で行うことは困難になっている。その原因の一つとしてイ<u>世界の主要貿易国のうち中国など新興国の多くがWTOに加盟していない</u>ことが挙げられる。

WTOの下では、加盟国が他のあらゆる加盟国を貿易のうえで差別なく扱うことが原則とされているが、特定の国や地域との間でEPA（経済連携協定）やFTA（自由貿易協定）を結ぶことは認められている。日本が加盟している主なEPA/FTAのうち、RCEP（地域的な包括的経済連携）協定には、ウ<u>中国、オーストラリア、ASEAN各国</u>などが参加している。また、TPP（環太平洋パートナーシップ）協定については、離脱を表明したアメリカを除く11か国間で、協定の早期発行をめざしてCPTPP（環太平洋パートナーシップに関する包括的および先進的な協定）が結ばれた。トランプ政権のときにTPP協定から離脱したアメリカはエ<u>2021年にバイデン政権が成立すると、直ちにCPTPPに参加した</u>。

1　ア、イ
2　ア、ウ
3　ア、エ
4　イ、ウ
5　イ、エ

解説

ア：妥当である。前身であるGATT（関税および貿易に関する一般協定）は、モノのみが対象であったが、WTOは、金融やサービス、知的財産権なども対象となった。

イ：加盟国は166か国で、中国や新興国の多くが加盟している。2024年に東ティモール、コモロが加盟した。また、21か国が加盟作業中である。

ウ：妥当である。日本、中国、韓国、ASEAN10か国とオーストラリア、ニュージーランドを加えた15か国が参加している。2024年、チリが加盟申請した。

エ：2021年にバイデン政権が成立した後も、CPTPP（環太平洋パートナーシップに関する包括的および先進的な協定）に加盟していない。

以上より、妥当なものはアとウであるから、正答は2である。

正答　2

問題研究

貿易の国際機関に関する出題は、これまであまり出題されたことはなかったが、近年の世界情勢の激しい流動化に伴い、貿易の国際機関の変化が見られるため、今後この分野が出題される可能性が高い。WTO（世界貿易機関）の変遷、EPA（経済連携協定）、FTA（自由貿易協定）、TPP（環太平洋パートナーシップ）など、地域間貿易協定などの状況をしっかり把握しておきたい。

No.46 地理　河川と海岸の小地形　令和5年度

河川に沿って見られる地形に関する次の記述のうち、妥当なものはどれか。

1　扇状地は、河川が山地から平地に出るところで見られる。扇状地の中央部である扇央は、保水力のある湿った土壌であるため、日本では、伝統的に水田として利用されてきた一方で、畑や果樹園として利用されることはまれである。

2　自然堤防は、もともと河川の近くにあった台地や丘陵のうち、地盤の硬い土地だけが侵食されずに残ったものである。土地の大半が岩石からなる急峻な地形であり、農地や宅地として利用されることはほとんどない。

3　河岸段丘は、河川の運んだ土砂が堆積した氾濫原が隆起するなどして形成される。しばしば階段状に重なって発達し、一般に、高いところにある段丘ほど古い時代に形成されている。

4　三角州は、河口付近に砂や泥が堆積して形成される。低湿で水はけが悪く、洪水や高潮などの災害にも見舞われやすいため、農地や宅地として利用されることはほとんどない。

5　エスチュアリーは、大河の河口付近の低地に海水が入り込んで形成されるラッパ状の入り江である。水深が浅いため、かつては船舶の出入りは困難であった。

解説

1．扇央は、砂礫が厚く堆積してできたため、河川が伏流しやすく水が得にくいため、畑や果樹園、林地として利用されてきた。水田として利用されてきたのは、湧水が得やすい扇端である。

2．自然堤防は、河川の両側に上流から運搬されてきた土砂が、洪水の際に堆積してできた微高地である。水はけがよいので、畑や集落として利用されている。

3．妥当である。河岸段丘では、ほぼ平坦な段丘面は集落や水田・畑などに利用され、それをくぎる段丘崖には森林が広がる。

4．三角州の形成、水はけ、災害に関する記述は妥当である。しかし、多くの三角州は、開発が進み、農地や宅地として利用されている。

5．エスチュアリー（三角江）形成の記述は妥当であるが、湾内は水深が深く、波が穏やかなので、 古くから港湾として利用されているところが多い。

正答　3

問題研究

地形分野は、気候と共に最頻出している。また、地形分野は、大地形（プレートテクトニクス、地体構造）よりも小地形（平野、海岸、氷河、カルストなど）の出題が多い。小地形では、地形の成因と特徴、土地利用、人間生活との関連、代表的地域などをまとめておくことをすすめたい。最近では、地震、火山活動など災害との関係を問う問題も見られる。

No.47 地理　オーストラリアの産業　令和4年度

オーストラリアの産業に関する次の記述のうち、妥当なものはどれか。

1　南部の沿岸地域では、牛や羊の放牧が、内陸部では、小麦など穀物栽培と牧羊を組み合わせた混合農業が、それぞれ盛んである。

2　小麦の生産量は世界有数である。かつては輸出量も世界有数であったが、近年の人口急増により、現在では小麦の純輸入国になっている。

3　鉄鉱石と石炭の輸出国として世界有数であり、日本や中国、韓国などアジアの国が主要な輸出先である状態が続いている。

4　牧羊が盛んであるため、古くから繊維産業が発達しており、毛織物は生産量も輸出量も世界有数である。

5　英国の植民地であった経緯から伝統的に英国との結びつきが強く、オーストラリアを訪れる観光客の約50％以上が英国から来ている。

解説

1．南部の沿岸地域では、小麦や大麦などの穀物栽培と羊の飼育とを組み合わせた混合農業が見られる。内陸部では、肉牛や羊の粗放的な放牧が行われている。特にグレートアーテジアン（大鑽井）盆地では、豊富な被圧地下水を掘り抜き井戸で汲み上げることによって牧畜が発達してきた。

2．小麦の生産量は世界5位なので、世界有数とはいえない。輸出量は世界1位である。また、北半球の収穫期と異なるため、端境期に輸出できるという有利な面もある。近年も人口は急増していない。また、小麦の純輸入国ではない（2022年）。

3．妥当である。鉄鉱石は世界一の輸出国、石炭はインドネシアに次ぐ第2位の輸出国である。鉄鉱石の輸出先は中国、日本、韓国（2021年）。石炭の輸出先は、日本、中国、韓国などである（2020年）。

4．牧羊は盛んであるが、放牧される羊の多くは羊毛を採取するためのもので、そのほとんどを輸出している。したがって、繊維産業の発達はなく、毛織物の生産量や輸出量は極めて少ない。

5．英国との結びつきに関する記述は妥当であるが、2018年にオーストラリアを訪れた観光客は、中国、ニュージーランド、アメリカ合衆国、次いで英国であったが、コロナ収束後、日本、インド、東南アジア諸国からの増加が予想されている。

正答　3

問題研究

オーストラリアの産業を、農業、牧畜、鉱産資源、繊維品、観光など多角的に出題している。細かな点まで理解していなくても、おおよその事項が理解できていれば解答できる基本的な内容である。特に重要な事項は、牛と羊の放牧地域、集約的牧羊地域、小麦およびさとうきびの栽培地域などである。鉄鉱石や石炭などの産出地も頻出しているので、地図で確認しておきたい。コロナ禍収束後の観光客の動向に注目しておこう。

No.48 地理　日本の気候　令和4年度

日本の気候に関する記述のうち、妥当なものはどれか。

1　日本列島では、夏には南北での気温の差が大きいが、冬には夏と比較して南北での気温の差が小さくなる。

2　北海道や東北地方で見られるやませは、冬に吹く冷たい季節風であり、この風が強い年には冬の冷え込みが厳しくなり、果樹や耕地に被害が生じる。

3　冬の積雪が日本海側で多く、太平洋側で少ないのは、日本海側に低気圧が停滞して雪をもたらすのに対し、太平洋側には高気圧が停滞して晴天が続くからである。

4　初夏の頃には日本付近に梅雨前線が発生し、北海道を除く日本列島では雨や曇りの日が続く。梅雨前線に伴う降水量は、東日本の方が西日本よりも多い。

5　台風は、日本列島が小笠原気団におおわれている時期には台湾や中国南部に上陸することが多いが、秋が近づき小笠原気団の勢力が衰えると日本列島付近に北上しやすくなる。

解説

1．日本列島では、冬は気温の南北差が大きく、北海道と九州・沖縄では20℃以上の差が見られることもある。一方、夏は南北差が小さくなる。

2．夏に小笠原気団の勢力が弱く、オホーツク海気団が長く北日本をおおうと、北海道から東北地方の太平洋側で、やませとよばれる冷たく湿った北東の風が吹き続け、曇りの日が続く。その結果、低温と日照不足になり、冷害が発生し、米などの農作物に被害が出る。

3．冬の積雪が日本海側で多いのは、乾燥した大陸からの北西季節風が、日本海上空で暖流の対馬海流からの水蒸気を受け、日本海側に多量の雪を降らせるからである。北西季節風は山を越えると再び乾燥し、太平洋側は晴天になる。

4．初夏にはオホーツク海気団と小笠原気団との間にできた梅雨前線がゆっくり北上し、北海道を除いた地域が梅雨になる。梅雨前線に伴う降水量は、西日本の方が東日本よりも多い。

5．妥当である。

正答　5

問題研究

日本の気候に関する問題は、近年の異常気象の関係からか頻出傾向にある。まず、日本付近の気団（シベリア「寒冷・乾燥」、揚子江気団「温暖・乾燥」、赤道気団「高温・多湿」、オホーツク海気団「冷涼・湿潤」、小笠原気団「高温・湿潤」）を確認したうえで、日本の気候区分は、気温と降水量が季節により変化し、８つの気候区分に区分されていることを把握したい。なお、気象用語をはじめ、洪水や土砂災害、線状降水帯、局地的大雨、集中豪雨なども具体的に理解しておきたい。

No.49 地理　多民族国家　令和3年度

多民族国家に関する次の記述のうち、妥当なものはどれか。

1　マレーシアは、国民の多数を占めるマレー系民族のほかに、中国系民族などが居住する。政府は雇用や教育の面で中国系住民を優遇するブミプトラ政策をとり、中国系住民とマレー系住民との経済格差の解消を図ってきた。

2　ベルギーは、北部のオランダ系フラマン人と南部のフランス系ワロン人の２つの民族から構成されている。ゲルマン民族とラテン民族というヨーロッパの２大民族の融合した国である。公用語はオランダ語（フラマン語）・フランス語（ワロン語）およびドイツ語を使用する多言語国家でもある。

3　アメリカ合衆国の民族は、WASP（白人・アングロサクソン・プロテスタント系の人々）が最も多く、次いでヒスパニック（スペイン語を話すラテン系アメリカ人）、アフリカ系、アジア系の順に多い。地域的には、北部でアフリカ系、南東部で白人およびヒスパニックの割合が多い。

4　スリランカは、イギリスから独立後1971年まで国名をセイロンとしていた。国民の多数を占める仏教徒のタミル人と北部に住むヒンドゥー教徒のシンハラ人との間で、公用語などを巡り長い間内戦状態が続いていたが、近年一応の終結をみた。

5　カナダは、1971年に世界で初めて多文化主義政策を導入し、イギリス系の住民とドイツ系の住民が共存してきた。英語とドイツ語がともに公用語である。しかし、ドイツ系住民が約87％を占めるケベック州では、分離・独立を求める運動がたびたび起きている。

解説

1．マレーシアは、国民の多数をマレー系民族が占め、ほかに中国系民族などが居住するとの記述は正しいが、経済的に優位なのは中国系民族である。政府はマレー人を優遇するブミプトラ政策をとり、経済格差の解消を図ってきた。

2．妥当である。

3．アメリカ合衆国の民族構成は妥当であるが、北部はWASPが、南東部はアフリカ系、南西部ではヒスパニック系の割合が多い。

4．スリランカは、独立後1971年まで国名を「セイロン」としていたとの記述は妥当である。しかし、スリランカで国民の多数を占めているのは、仏教徒のシンハリ人である。北部に住むヒンドゥー教徒のタミル人との間で内戦状態が続いていたが、近年一応の終結をみた。

5．カナダは、イギリス系とフランス系住民が共存し、多文化主義政策がとられてきた。英語とフランス語がともに公用語となっているのは、２つの社会の均衡を維持するためである。しかし、フランス系住民が多いケベック州では、分離・独立を求める運動がたびたび起きている。

正答　2

問題研究

多民族国家に関する問題である。世界の国家には単一国家はほとんど存在せず、複数の民族から構成される多民族国家が圧倒的に多い。このため、世界各地で民族問題が発生している。本問は、その典型的な国々の状況について出題している。ポイントを把握していれば簡単に解ける内容なので、民族問題の主因、対立の背景などをまとめておくと同時に、地図上で確認しておくことが大切である。本問以外では、バスク人の独立要求、ルワンダ内戦、キプロス問題、クルド民族紛争、アフガニスタン紛争、カシミール問題、シリア内戦、中東戦争、ロシアによるウクライナ侵攻などを簡単にまとめておきたい。

No.50 地理　プレートの運動と境界　令和3年度

プレートの運動と境界に関する次の記述のうち、妥当なものはどれか。

1　アイスランド島は、北アメリカプレートとユーラシアプレートが「広がる境界」にあり、大西洋中央海嶺の上に位置している。なお、現在、火山活動はまったく見られない。

2　日本列島やその周辺では、４つのプレートがゆっくりと水平方向に滑り動いており、その境界では、大陸プレートが海洋プレートの下に沈み込んでいる。

3　アフリカ大地溝帯は、アフリカ大陸東部から南部にかけて約7,000kmにも及ぶ谷である。２つのプレートが押し合い、一方のプレートが他方のプレートの下に沈み込むことで形成された。

4　ヒマラヤ山脈とインド半島の間にあるヒンドスタン平原やインダス平原は、２つのプレートが広がる場所にある。将来、インド半島はユーラシア大陸から分離すると考えられている。

5　北アメリカ西部海岸では、２つの隣接したプレートが水平にすれ違う方向に力が働いてずれ動き、大規模な断層を形成しており、ときどき大きな地震が起きている。

解説

1．アイスランド島とプレートに関する記述は妥当であるが、火山活動は極めて活発である。なお、アイスランド島には、「ギャオ」と呼ばれる裂け目が多く見られる。

2．日本列島やその周辺では、海洋プレートである太平洋プレートとフィリピン海プレートが西進し、大陸プレートである北アメリカプレートとユーラシアプレートの下に沈み込んでいる。

3．アフリカ大地溝帯の位置や距離に関する記述は妥当であるが、アフリカ大地溝帯は、プレートが広がる境界で形成され、アフリカ大陸が裂け、両側に開きつつある。

4．ヒンドスタン平原やインダス平原は、インド・オーストラリアプレートが北上し、ユーラシアプレートと衝突した「狭まる境界」に位置している。将来、インド半島がユーラシア大陸から分離することは考えられない。

5．妥当である。サンアンドレアス断層が代表例である。

正答　5

問題研究

プレートテクトニクスに関する問題である。地球の表層は、厚さ100kmほどの硬いプレートでおおわれ、その数は十数枚に分かれ、ゆっくりと水平方向に滑り動いている。

プレートの境界は、各プレートの動きによって、

Ａ：狭まる境界…①大陸プレートどうしが衝突している境界は、ヒマラヤ山脈のような褶曲山脈ができる。②日本近海のように海洋プレートが大陸プレートの下に斜めに沈み込む境界では、海溝がつくられ、海溝に沿った大陸側には、弧状列島（島弧）や火山列が形成される。ここでは地震が多発する。

Ｂ：広がる境界…隣り合うプレートが互いに遠ざかり、広がる境界が大洋底にある場合は、海嶺（海底山脈）が形成される。アイスランドは、大西洋中央海嶺が海上に現れたものである。境界が陸上にある場合は、アフリカ大地溝帯のような地溝（巨大な裂け目ができ、その裂け目が落ち込んだ部分）ができる。

Ｃ：ずれる境界…２つのプレートが水平にすれ違うことにより、その境界に横ずれ断層（トランスフォーム断層）ができる。アメリカ合衆国太平洋岸のサンアンドレアス断層が代表例である。

地震が多発している昨今だけに、プレートに関する問題は、今後多く出題されそうである。ポイントを確実に理解しておきたい。

No.51 地理

東南アジアの地誌

令和2年度

東南アジア諸国（11か国）に関する記述のうち、妥当なものはどれか。

1　フィリピンでは、国民の約90％がイスラム教を信仰している。また、インドネシアでは、国民の約50％がキリスト教を信仰している。

2　東南アジアの国々は、プランテーション農業が盛んである。なかでもバナナの生産量が最大の国はフィリピン、油やし（パーム油）の生産量が最大の国はマレーシアである。

3　東南アジアの国々で、1人当たりのGDP（国内総生産）が多い国は、シンガポール、ブルネイの順である。また、少ない国は、ミャンマー、カンボジアである。

4　ASEAN（東南アジア諸国連合）に加盟していないのは、ベトナムと2002年に独立した東ティモールの2か国である。

5　石油の産出量が多い国は、ミャンマー、ラオスの順で、いずれもOPEC（石油輸出国機構）に加盟している。

解説

1．フィリピンの国民は、圧倒的にキリスト教を信仰している（国民の約83％がカトリック、約10％が他のキリスト教を信仰）。ただし、南部のミンダナオ島では約20％がイスラム教を信仰している。また、インドネシアでは、国民の約90％がイスラム教を信仰している。

2．プランテーション農業が盛んな国が多い。バナナの最大生産国はインドネシア（世界3位）で、次いでフィリピン（世界6位）である（2021年）。油やし（パーム油）の最大生産国はインドネシア、次いでマレーシアである（世界第1位、2位）（2020年）。

3．妥当である。シンガポール（66,822ドル）、ブルネイ（31,449ドル）、カンボジア（1,608ドル）ミャンマー（1,089ドル）である（2021年）。

4．ASEAN（東南アジア諸国連合）加盟国は、東ティモール以外の10か国（インドネシア、マレーシア、フィリピン、シンガポール、タイ〈以上原加盟国〉、ブルネイ、ベトナム、ラオス、ミャンマー、カンボジア）である。

5．石油生産国は、インドネシア、マレーシア、タイ、ベトナム、ブルネイで、いずれもOPEC（石油輸出国機構）には加盟していない。

データ出所：『新詳地理B(帝国書院)』『世界国勢図会　2023/24』『データブックオブ・ザ・ワールド2024』

正答　3

問題研究

東南アジア諸国に関する基本的な問題。頻出度が極めて高い分野である。特に各国の位置、首都、旧宗主国、宗教は、最初に把握しておくことが大切である。農業、鉱工業、貿易（我が国との輸出入など）は最新の統計で理解しておくとよい。また、高校の教科書や地図（白地図）を利用し、要点をまとめておくとより理解が深まる。

No.52 地理　緯度による気候の変化　令和2年度

大気の循環と気候変化に関する記述中の空欄ア～オに該当する用語の組合せとして、妥当なものはどれか。

熱帯収束帯で上昇した気流は、地球の自転の影響により緯度20～30度付近で下降気流になり、亜熱帯高圧帯（中緯度高圧帯）ができる。ここから高緯度に向かって［ア］が、低緯度に向かって［イ］が吹く。熱帯収束帯の陸地では［ウ］が広がり、亜熱帯高圧帯の陸地では、［エ］が形成される。なお、この両者間の陸地では雨季と乾季が明瞭な［オ］が分布する。

	ア	イ	ウ	エ	オ
1	偏西風	貿易風	熱帯雨林	砂漠	サバナ
2	偏西風	貿易風	砂漠	熱帯雨林	ステップ
3	貿易風	偏西風	砂漠	熱帯雨林	サバナ
4	貿易風	偏西風	熱帯雨林	砂漠	ステップ
5	貿易風	偏西風	熱帯雨林	砂漠	サバナ

解説

ア：風は気圧の高いところから低いところに向かって吹く。地球の表面付近では、高圧帯から低圧帯へ大規模な風の流れ（大気大循環）がつくられる。高緯度に向かって西寄りに吹く「偏西風」である。

イ：低緯度に向かって東寄りに吹く「貿易風」である。なお、偏西風や貿易風、極偏東風は一年中決まった方向に吹くので恒常風という。

ウ：熱帯収束帯（赤道低圧帯）の陸地では、年中高温多雨なので、「熱帯雨林（多種類の常緑広葉樹からなる密林）」が広がる。これは熱帯雨林気候（Af）である。

エ：亜熱帯高圧帯は、年間総蒸発量が年間総降水量より多いので、「砂漠」である。これは砂漠気候区（BW）である。

オ：熱帯雨林気候区と砂漠気候区の間に分布し、雨季と乾季が明瞭な気候区は、「サバナ気候区（Aw）」である。

よって、アは「偏西風」、イは「貿易風」、ウは「熱帯雨林」、エは「砂漠」、オは「サバナ」であるから、正答は1である。

出所：『新詳地理B（帝国書院）』『新詳高等地図（帝国書院）』

正答　1

問題研究

気候区の入門的ともいえる易しい問題である。しかし、本問の「大気大循環と風」は、頻出度が最も高い「ケッペンの気候区」を理解するうえで重要なポイントでもある。この際、少し広げてモンスーン、熱帯低気圧、地方風などを整理し、ケッペンの気候区（ハイサーグラフ）や、植生、土壌まで、教科書の太字部分を中心にマスターしておくと完璧である。

No.53 地理 エネルギー政策 令和元年度

エネルギー資源に関する次の記述のうち、妥当なものはどれか。

1　日本は、石油の多くを中東から輸入してきたが、安定供給を図るため、石油輸入先の分散化を図った結果、東南アジアからの輸入が増加し、現在、中東依存度は約50%程度になった。

2　中国やインドでは、景気回復など好調な経済情勢を背景に、国内の石炭需要の増加が続いているが、産出量が多いため、日本への輸出も増大している。

3　天然ガスは、ロシアや中東で世界の約80%を産出しているが、近年、シェールガス生産を本格化したアメリカ合衆国から日本への輸入が開始された。

4　原子力発電では、3・11福島第一原子力発電所の事故を受け、アメリカ合衆国、フランスのみならず、中国、インドなどでも原子力発電所の新規計画を凍結した。

5　再生可能エネルギーによる発電は、固定価格買取制度の導入により、太陽光を中心に増加し、日本国内では、水力発電を含めた再生可能エネルギーの利用率は約18%を占めている。

解説

1．日本の石油政策の骨格は、1970年代に発生した2度の石油危機を教訓にしている。石油代替エネルギーの導入による石油依存度の低減、原油輸入先の分散化などである。石油依存度の低減は、石炭、天然ガス、原子力の利用拡大などで、ある程度の成果が見られた。しかし、原油輸入先分散化では、中国やインドネシアの輸出余力が低下し、現在（2022年）は、中東から約95%を輸入している。

2．中国やインドは、石炭の生産量が多く、中国は世界第1位（51.8%）、インドは第2位（10.3%）を占めている（2022年）。しかし、国内需要が多く、輸入しているので、日本には輸出していない。なお、日本はオーストラリア、インドネシアなどから輸入している。

3．天然ガスは、アメリカ合衆国（24.2%）、ロシア（15.3%）、イラン（6.4%）、中国（5.2%）、カナダ（4.6%）などで産出している（2022年）。

4．原子力発電では、3・11福島第一原子力発電所の事故を受け、ドイツ、台湾、スイスなどが原子力発電所の新規計画を凍結した。しかし、アメリカ合衆国、フランス、中国、インドなどは停止していない。日本も2023年9月現在、原子炉12基が運転中である。

5．妥当である。なお、再生可能エネルギーとは、太陽光、風力、地熱、バイオマス、水力などである。

データ出所：『日本国勢図会　2024/25年版』『世界国勢図会　2023/24年版』

正答　5

問題研究

エネルギー資源に関する問いである。化石燃料に乏しい日本を取り巻く国内外の現状を把握しているかが問われている。次の点を理解していれば容易に解答できる。1．原油では、中東からの輸入割合。2．石炭では、中国やインドの国内需要状況と日本の主要輸入先。3．天然ガスは主要産出国と輸入先。4．原子力発電は、常識問題。5．再生可能エネルギーの割合は、やや難問であった。最新の統計、新聞の見出し程度を把握しておくことが大切である。

No.54 地理　海岸地形　令和元年度

地形に関する次の記述のうち、妥当なものはどれか。

1　エスチュアリ（三角江）とは、河口付近の河川が沈水してできたラッパ状の入り江で、湾奥は河川からの土砂が堆積するので、港湾に不向きである。なお、日本の各地に見られるが、ヨーロッパではほとんど見られない。

2　河岸段丘とは、河川の中・下流域に流路に沿って発達する階段状の地形である。平たんな部分（段丘面）と急傾斜な崖（段丘崖）とが交互に現れる。一般的には、高い段丘面は畑、低い段丘面は田、段丘崖は森林に利用されている。片品川、信濃川などに見られる。

3　三角州（デルタ）とは、河口付近に河川によって運搬・堆積され、形成された低平な地形である。河川の土砂供給量や沿岸流、潮流、海底地形による影響を受け、いろいろな形状ができる。しかし、水はけが悪く水害も多いため、田や集落にあまり利用されてこなかった。

4　フィヨルドとは、氷河の侵食によってできた氷食谷に海水が侵入してできたV字型の深い入り江である。両岸には平たんな低地が広がる。ノルウェー、ニュージーランド南島、チリ南部など高緯度地方に見られる。

5　リアス海岸とは、山地や丘陵が沈水し、谷の下流部に海水が侵入してできた鋸歯状の海岸である。湾入部に津波が押し寄せると、海水が湾奥に向かって集中するため、津波の高さが高くなり、大きな被害をもたらす。三陸海岸や九十九里浜が代表例である。

解説

1．エスチュアリ（三角江）とは、河川の河口部が沈水して生じたラッパ状の入り江である。湾奥は平野であるため、都市が発達し、港湾として栄えることが多い。テムズ川（イギリス）、セントローレンス川（カナダ）、ラプラタ川（アルゼンチン）の河口が代表例。日本では見られない。

2．妥当である。低い段丘面や湧水のある段丘崖のふもとは田、高い段丘面は畑に利用されていることが多い。なお、現在の河川より高いところにある段丘ほど、古い時代に形成されている。

3．三角州とは、河川が海や湖に流入するところに形成された低平地である。その形状がギリシャ文字のΔ（デルタ）に似ていることからこの名がついた。三角州の形状は河川の土砂供給量や沿岸流、潮流、海底地形による影響を受け、いろいろな形状（鳥趾状＝ミシシッピ川、円弧状＝ナイル川、カスプ状＝テヴェレ川などが代表例）ができる。三角州は低湿のため水はけは悪いが、開発が進み、農地や人口密集地になっている。

4．フィヨルドとは、氷河の侵食によってできた氷食谷（U字谷）に海水が侵入してできた奥深い入り江で、峡湾とも呼ばれている。湾奥には平地があるが、両岸は急崖で、平地は少ない。代表例は正しい。

5．リアス海岸の記述は正しいが、代表例のうち、九十九里浜は海岸平野（海岸沿いの浅い海底面が、隆起または海面低下によって地表に現れた平野）なので該当しない。

正答　2

問題研究

基本的な地形に関する問題である。それぞれの地形の成因、特徴はもとより、代表例を地図帳で確認しておけば、スムーズに解答できるはずである。もちろん、それぞれの地形と人間生活との関連（土地利用など）も把握しておきたい。地形は頻出度が高いので、重点的に学習してほしい。

No.55 世界史

16～20世紀のインド

令和6年度

16世紀から20世紀のインドに関する記述ア～エのうち、妥当なものの組合せはどれか。

ア　16世紀に興ったムガル帝国はイスラーム王朝であるが、第３代皇帝アクバルは、自らヒンドゥー教徒の女性と結婚して、非イスラーム教徒に課せられていた人頭税（ジズヤ）を廃止するなど両教徒の融合を図った。第５代皇帝のシャー・ジャハーンは妃のムムターズ・マハルの墓廟であるタージ・マハルを建造してインド・イスラーム文化の最盛期を築いた。

イ　17～18世紀、東インド会社のインド進出が本格化すると、インドからは綿布がヨーロッパへ大量に輸出されるようになった。19世紀にヨーロッパで産業革命が起こると、綿布の需要はますます高まり、インドの綿工業は急速に成長した。

ウ　19世紀、イギリスはムガル帝国を滅ぼしてインド全土を直轄領とした。インド大反乱は、この直轄化への反対運動から発展したもので、イギリスは反乱を鎮圧したものの直轄化を撤回し、東インド会社を通じた間接統治を導入した。

エ　第二次世界大戦後、イギリスとの独立交渉が開始されたが、パキスタンの分離・独立を主張する全インド・ムスリム連盟のジンナーと、統一インドを主張するガンジーやネールらの国民会議派が対立し、1947年のインド独立法が制定されると、ヒンドゥー教徒の多いインド連邦とムスリム中心のパキスタン共和国に分かれて独立した。

1　ア、イ　　**2**　ア、ウ　　**3**　ア、エ　　**4**　イ、ウ　　**5**　ウ、エ

解説

ア：妥当である。ムガル帝国（1526～1858年）は、ティムールの子孫のバーブルによって基礎が築かれ、第３代皇帝のアクバル（在位1556～1605年）が都をアグラに移して最盛期を迎えた。文化的にも、第５代皇帝のシャー・ジャハーン（在位1628～58年）の時代を頂点にインド・イスラーム文化が栄えた。タージ・マハルは妃のムムターズ・マハルの墓廟で、ヒンドゥー様式を取り入れたイスラーム建築の代表作である。

イ：17～18世紀に、ヨーロッパの商業勢力がインドに進出し、インドからヨーロッパに綿布が大量に輸出されたのは妥当である。しかし、19世紀に産業革命が起こると、インドは綿花や藍などの原材料をイギリスに輸出し、イギリスからは工業製品を輸入する地位へと転落し、インドの綿工業は急速に衰退した。

ウ：インド大反乱（1857～59年）の直接のきっかけは、インド人傭兵（シパーヒー）が使う新式銃の弾薬包に、ヒンドゥーにとって神聖な牛の脂と、ムスリムが忌み嫌う豚の脂が塗られていたことだったが、イギリスの植民地政策によって没落した藩王国や地主などの旧支配層や、農民、都市民衆などの不満を背景に全インドを巻き込む反英闘争になった。イギリスは1858年、当時は名目だけの存在になっていたムガル皇帝をビルマに追放してムガル帝国を滅ぼし、またイギリス東インド会社を解散して、インド政庁による直接統治に乗り出した。

エ：妥当である。

よって、正答は**3**である。

正答　**3**

問題研究

インド史を理解するには、①ムガル帝国と②イギリス東インド会社を知ることが重要である。①では３代アクバルと６代アウラングゼーブの統治方法の違い、②では最初の特許貿易会社から、インドの主要部分を支配する勢力へと発展していく経過を知ることが重要である。

No.56 世界史	東西冷戦期	令和 6年度

東西冷戦期の出来事に関する次の記述のうち、妥当なものはどれか。

1　朝鮮民主主義人民共和国（北朝鮮）と大韓民国（韓国）とに分断されていた朝鮮半島で、1950年に北朝鮮軍が半島の統一をめざして韓国に侵攻し、朝鮮戦争が始まった。アメリカ軍を中心とする国連軍は韓国を支援し、中国は人民義勇軍を派遣して、北朝鮮を支援して戦った。

2　1962年のキューバ危機は、親米的なカストロ政権が樹立されたことに対して、ソ連が軍事介入しようとして、米ソの緊張が高まったものである。

3　ジュネーブ協定以来、北緯17度線で南北に分断されたベトナムで、1965年に、アメリカが北ベトナムに対する本格的な空爆（北爆）を開始し、50万を超える地上兵力を投入した結果、北ベトナムの政権は倒れ、南ベトナムによる南北統一が実現した。

4　1978年、アフガニスタンで政府とイスラーム勢力との間で内戦が始まり、翌年には、アメリカが政府を支援するために侵攻し、ソ連の軍事的支援を受けるイスラーム勢力を掃討した。

5　1989年、マルタ島でブッシュとゴルバチョフによる首脳会談が行われた。この会談では、冷戦の終結をともに宣言することが予定されていたが、交渉は決裂し、東西冷戦はソ連の崩壊まで続いた。

解説

1．妥当である。国連の安全保障理事会は、ソ連が欠席する中で北朝鮮の行動を侵略行為と断定して、アメリカを中心とする国連軍が組織された。

2．1959年にカストロによって親米的なバチスタ政権が倒された（キューバ革命）のに対して、アメリカは、その後もキューバへの圧力を強めたため、キューバは61年に社会主義宣言を発表してソ連寄りの姿勢を示した。ソ連はミサイル基地の建設を密かに進めたが、ケネディ政権は海上封鎖によるミサイル搬入を阻止し、ミサイル攻撃に対する報復を宣言したため、アメリカのキューバ内政への不干渉と引き換えにソ連のミサイル基地撤去が合意され、米ソの核戦争は回避された。

3．南ベトナムではゴ・ディン・ジェム政権が独裁化する中で、1960年に、南ベトナムの解放をめざした反政府組織の南ベトナム民族解放戦線が結成され、ベトナム民主共和国（北ベトナム）と連携してゲリラ戦を展開した。ジョンソン大統領は、解放戦線への北からの補給路を断つため、1965年の２月から北爆を開始し、延べ50万人に上るアメリカ軍を投入したが、内外世論の批判を受け、1968年に北爆は停止され、1973年にベトナム（パリ）和平協定が成立した。ソ連・中国の援助を受けた北ベトナムと民族解放戦線は膨大な犠牲を出しながらも持ちこたえ、1975年４月に北ベトナム正規軍と解放戦線はサイゴンを占領し、南のベトナム共和国は崩壊し、76年に南北を統一してベトナム社会主義共和国を樹立した。

4．アフガニスタンでは、1978年に共産主義政党であるアフガニスタン人民民主党による政権が成立したが、ほぼ全土がイスラーム勢力の支配下に落ちたため、政府はソ連に軍事介入を要請した。ソ連軍は1979年に軍事介入したが、アメリカの軍事支援を受けたイスラーム勢力を掃討することはできず、1989年に撤退した。

5．冷戦の終結に結びつく米ソ首脳会談は1985年にレーガンとゴルバチョフの間で始められていて、87年の首脳会談では中距離核戦力（INF）全廃条約に調印し、それを受けて、ソ連軍は89年にアフガニスタンから撤退した。同年12月、レーガンの後任のブッシュとゴルバチョフは地中海のマルタ島で首脳会談（マルタ会談）を開催し、冷戦の終結が宣言された。

正答　1

問題研究

「冷戦」は、キューバ危機のように戦争に突入することを直前で回避した事件も含め、多くは代理戦争として戦われた。米ソと当事国との非常に複雑な事情を把握することが大事である。

No.57 世界史　イギリスの産業革命　令和5年度

イギリスで始まった産業革命に関する次の記述のうち、妥当なものはどれか。

1　18世紀のイギリスでは農業の生産性が上がらず、寒冷な気候もあって、農業から得られる収益が激減した。そのため困窮した農民が都市に流入して、工業化を支える労働者となった。

2　18世紀後半のイギリスで急速に工業化が進んだ一因として、イギリスがフランスなどとの植民地を巡る戦争に敗れ、資本がもっぱら国内に集中的に投下されたことが挙げられる。

3　イギリスの産業革命は、18世紀の後半に蒸気機関車が実用化され、全国的な交通網が整備されたことで始まった。その後、19世紀に入ると、蒸気機関を動力源とする力織機が発明されるなど綿織物業での技術革新が始まった。

4　イギリス以外の地域で、産業革命が最も早く始まったのはロシアであった。ロシアは他のヨーロッパ諸国よりも工業化に必要な鉄や石炭が豊富であったことがその理由である。

5　工業化が進むと、都市では劣悪な環境での長時間労働など社会問題が深刻化した。イギリスでは、19世紀に工場法が制定され、年少者の労働時間の制限など、労働環境の改善が図られた。

解説

1．18世紀のイギリスでは、新しい農法（ノーフォーク農法）が導入されて農業生産が増大し、議会立法によるエンクロージャ（第2次囲い込み）により、共有地や沼地、荒れ地などを含む大規模農場経営が急速に進展した（農業革命）。その結果、土地を失った農民は、農業労働者や都市の工場労働者となって、産業革命に必要な労働力が準備された。

2．イギリスで産業革命が進んだ一因として、イギリスが、フランスなどとの植民地を巡る戦争に勝って、広大な海外市場を獲得したことがある。その結果、奴隷貿易を軸とする大西洋三角貿易は、莫大な利益をイギリスにもたらし、産業革命に必要な資本蓄積が促された。特に、イギリスが、七年戦争（1756～63年、アメリカではフレンチ・インディアン戦争。1754～63年）に勝って、カナダとミシシッピ川以東のルイジアナをフランスから、フロリダをスペインから獲得したことは大きかった。

3．イギリスの産業革命は、1733年に織布工のジョン・ケイが、織布速度を倍にする織布機（飛び杼（ひ））を発明したことをきっかけに綿工業で始まった。その後、木炭から石炭への工業用燃料の転換が起こり、鉄や石炭を運搬する交通手段が革新され、1825年にスティーヴンソンの試作した蒸気機関車が実用化、19世紀半ばまでにほぼ全国的な交通網が完成した。力織機は1785年にカートライトが発明した、蒸気機関を動力源とする織布機で、織布速度は飛び杼の4倍を上回った。

4．1825年にイギリスが機械の輸出を解禁すると、急速に産業革命の波は西ヨーロッパ諸国に広がったが、いち早く産業革命を達成したのはベルギーやフランスである。ロシアは19世紀後半になって、豊富な鉱物資源とフランスなどからの外資導入で、鉄道業・石炭業・石油業などが急速に発展したが、基本的には人口の77.12％が農民（1897年）という農業国であった。

5．妥当である。1802年、児童保護の目的で制定されたのが最初で、1833年の一般工場法で、18歳未満の夜間労働の禁止が定められ、工場監督官が設置されて実効性のある規定となった。

正答　5

問題研究

世界に先駆けてイギリスで産業革命が起こった要因は、農業革命・環大西洋三角貿易・技術革新・エネルギー革命・交通革命など、多岐に渡る。これらがほぼ同時期に相次いで起こったことに注意したい。

No.58 世界史	1930年代の各国の政治	令和 5年度

1930年代の各国の政治に関する次の記述のうち、妥当なものはどれか。

1　ドイツ：ヒトラーの率いるナチ党は、国民からほとんど支持されていなかったが、軍事クーデタを起こして政権を掌握し、全権委任法を成立させて一党独裁体制を確立した。

2　イタリア：共産党と保守派の争いによる政治的混乱が続き、ドイツの軍事侵攻を受け、全土を占領された。占領下ではナチ党の指導の下でファシスト党が結成され、ムッソリーニを首班とする親独政権が樹立された。

3　ソ連：共産党の一党支配の下で実権を握ったスターリンは、重工業化を進めるとともに農業の集団化と機械化を強制した。その結果、農村の混乱を招いて農業生産は停滞し、飢餓によって多くの犠牲者が出た。

4　中国：共産党は国民政府と内戦状態にあったが、ソ連の支援を受けて内戦に勝利した。共産党政権は、国内を政治的・軍事的に統一して、中国東北地方などで始まっていた日本との戦争に全力を注いだ。

5　アメリカ：ローズヴェルトが大統領に就任すると、従来の孤立主義的傾向を転換して、スペイン内戦などに軍事介入を行った。第二次世界大戦が始まると直ちにドイツに宣戦を布告した。

解説

1．ナチ党は設立当初、ほとんど国民の支持を得られず、1923年には政権獲得をねらってミュンヘンで武装蜂起したが失敗した（ミュンヘン一揆）。その後、世界恐慌をきっかけに支持者が増え、1932年の総選挙で第一党になり、翌33年にヒトラーが首相に任命されると、全権委任法を成立させて一党独裁体制を確立した。

2．イタリアにおいて第一次世界大戦後、政治的混乱が続いていたのは妥当であるが、ドイツの軍事侵攻を受けたことはない。ファシスト党は1919年にムッソリーニが創設した政党であり、1922年に政権獲得のために「ローマ進軍」をおこすと、国王は内乱を恐れてムッソリーニを首相（在任1922～43年）に任命した。1926年に一党独裁体制を確立した。

3．妥当である。第1次五カ年計画（1928～32年）である。

4．中国で共産党が1930年代に国民党との内戦に勝利して国内を統一したことはない。盧溝橋事件（1937年7月）をきっかけに第2次国共合作が成立し、両党は対等な立場をとって、共産党軍（紅軍）は国民党軍（国民革命軍）指揮下の八路軍・新四軍に改組され、日本との全面的な戦争に突入した（日中戦争）。

5．フランクリン・ローズヴェルトが大統領に就任（在任1933～45年）しても、従来の孤立主義的傾向を維持し、スペイン内戦（1936～39年）には中立を守った。第二次世界大戦が勃発（1939年）しても、武器貸与法を成立させたが、参戦はしていない。アメリカが参戦するのは、日本が真珠湾を奇襲して英・米に宣戦し、三国同盟に従って独・伊がアメリカに宣戦してからである。

正答　3

問題研究

世界恐慌（1929年10月24日）から第二次世界大戦の勃発（1939年9月1日）まではわずか10年間である。この間には、ヴェルサイユ・ワシントン体制の打破と国際連盟の機能停止をねらう枢軸勢力が台頭した。この時期の主要各国の動向は頻出事項である。

No.59 世界史

ラテンアメリカの歴史

令和4年度

ラテンアメリカの歴史に関する次の記述のうち、妥当なものはどれか。

1　ヨーロッパ人の進出以前のラテンアメリカには農耕や都市文明は見られず、先住民の生活は狩猟と採集を中心とする社会であった。

2　ラテンアメリカの銀山から大量の銀がヨーロッパに供給されされると、ヨーロッパの物価は上昇し、固定した地代収入で生活する領主層は打撃を受けた。

3　ヨーロッパ人の進出後、ラテンアメリカの先住民の人口は増加したので、彼らを奴隷としてヨーロッパに輸出し、対価としてヨーロッパの工業製品を輸入するという貿易が始まった。

4　19世紀前半にラテンアメリカで独立運動が各地で起こると、イギリスはこれを支援するため武力介入を行い、アメリカ合衆国大統領のモンローも、これを支持することを表明した。

5　冷戦の時代、ラテンアメリカ諸国ではソ連寄りの民族主義を掲げる政権が成立したが、キューバではカストロが親米政権を作り、ソ連の影響を排除して政権を維持した。

解説

1．前2000年紀から、現在のメキシコと中央アメリカや南アメリカのアンデス地帯ではトウモロコシなどの栽培による農耕文化が発展しており、鉄器は持っていなかったが、高度な都市文明が成立していた。メキシコ湾岸には前1200年頃にはオルメカ文明が、ユカタン半島には前1000年頃から16世紀にかけてマヤ文明が繁栄した。メキシコ高原ではアステカ人がテノチティトランを首都として王国をつくり、アンデス高原では15世紀半ばにはクスコを中心としたインカ帝国が成立していた。

2．妥当である。いわゆる価格革命である。

3．ラテンアメリカの先住民の人口は、鉱山やプランテーションなどでの過酷な労働や、ヨーロッパからもたらされた伝染病などのため激減した。16世紀からは、激減した労働力を補うために西アフリカからの黒人奴隷が使われるようになり、ポルトガルなどは奴隷貿易そのものでも利益を上げた。

4．ラテンアメリカの独立運動に対して、イギリスは武力介入をしなかった。イギリスはラテンアメリカを自国の経済的利益を優先する地域とするため、四国同盟（五国同盟）とは一線を画して、自由主義外交を唱えて、オーストリアの外相（のちに宰相）メッテルニヒの干渉を牽制した。アメリカも第5代大統領のモンローがモンロー宣言で、ヨーロッパとアメリカの相互不干渉を主張して、メッテルニヒの干渉を失敗させた。

5．アメリカの影響下に置かれていたラテンアメリカで、第二次世界大戦後には反米的な民族主義に根ざした政権が、アルゼンチン、グアテマラなどで成立したが、いずれもアメリカの圧力で失敗した。しかしキューバでは、カストロが親米的なバティスタ政権を倒し、1961年に社会主義宣言を行いラテンアメリカで初めて社会主義国になった。ソ連がキューバにミサイル基地を建設し、ソ連製兵器の搬入を行っていることを察知したケネディ政権が、これを阻止しようとして始まったのが「キューバ危機」である。危機は、合衆国のキューバ内政への不干渉と引き換えに、ソ連がミサイル基地の撤去に合意して緊張は緩和された。

正答　2

問題研究

ラテンアメリカ史の一つの焦点は18世紀末から20世紀初頭である。その結果、中米やカリブ海地域でのアメリカの覇権が確立されたことに注意したい。

No.60 世界史　第二次世界大戦　令和4年度

第二次世界大戦に関する次の記述のうち、妥当なものはどれか。

1　ドイツは開戦後フランスに侵攻したが、フランス軍に撃退され、占領するに至らなかった。一方でロンドンを含む英国の都市部の空爆に成功し、英国を降伏させた。

2　ドイツは戦争を継続するため、ドイツ国民から物資を徴発して、強制労働につかせたため、政府への国民の不満は強く、軍の反乱やストライキが頻発した。

3　ドイツは独ソ不可侵条約を無視してソ連に侵攻した。これを機にイギリスはソ連と同盟を結び、アメリカも武器貸与法をソ連に適用した。

4　日本の真珠湾奇襲攻撃を契機にアメリカは日本に宣戦し、いわゆる太平洋戦争に突入したが、その後も、ヨーロッパ戦線では連合国への物資援助を行うにとどまり、出兵はしなかった。

5　日本はヨーロッパ勢力を駆逐して東南アジアを開放すると、現地では好意的に迎えられた。しかし、中国大陸では激しい抵抗を受け、日本の支配は東北部のみに止まった。

解説

1．第二次世界大戦の開戦（1939年9月1日）後、ドイツはフランス軍に撃退されたことはなかった。ドイツは1940年5月にフランスに侵攻し、6月にはパリを占領した。フランスではペタン政府が成立し、ドイツに降伏した。イギリスはチャーチルが首相（1940～45年）となって激しい空襲に耐え、ドイツ軍の上陸を阻止した。

2．ドイツは戦争を継続するため、ヨーロッパの占領地から工業資源や食料を徴発し、数百万人の外国人をドイツに連行して強制労働につかせた。特にユダヤ人などをアウシュビッツなどの強制収容所へ収容し、数百万人をガス室に送り殺害した。ドイツ国内での反政府運動やストライキはほとんど見られなかった。

3．妥当である。英ソ相互援助協定は1941年7月、武器貸与法のソ連への適用は1941年9月28日である。

4．日本は、海軍がハワイ真珠湾のアメリカの海軍基地を奇襲し、陸軍はマレー半島に上陸してシンガポールをめざし、いわゆる太平洋戦争が始まった。ついでドイツ・イタリアも三国同盟により英米に宣戦した。これにより、これまで「民主主義の兵器廠」の役目を果たしつつ、中立を守ってきたアメリカも交戦国としてヨーロッパの戦争にも出兵し、ヨーロッパ・アジアの戦争は一つの世界戦争となった。

5．日本は、太平洋戦争の開戦後の半年間で東南アジアの主要部分を占領した。当初、日本はアジアをヨーロッパ列強の支配から解放する「大東亜共栄圏」の建設を戦争目的に掲げたが、現地の歴史や文化を無視した「皇民化政策」や、住民からの物資や食料の収奪などが頻発し、日本の統治は各地で抵抗運動に直面して不安定であった。中国でも、戦線は伸びきり、広大な農村地帯を支配することはできず、東北地方の「満州国」を維持するのが精一杯であった。

正答　3

問題研究

第二次世界大戦は、ヨーロッパでドイツ・イタリアが始めた戦争とアジアでの日本と中国との戦争が、独ソ戦（1941年6月22日）と太平洋戦争（1941年12月8日）の開始で、名実ともに「連合国対枢軸国」との戦いに一本化した。その中で各国がどのような対応を取ったかを知ることは重要である。そして、連合国の勝利に決定的役割を果たしたのはアメリカとソ連であり、大戦後はこの2国を中心として再建がなされたことも理解しておきたい。

No.61 世界史 冷戦終結後の東欧社会主義圏の解体 令和3年度

1980年代から90年代初めにかけての東欧に関する次の記述のうち、妥当なものはどれか。

1　ソ連では、1985年に書記長になったゴルバチョフは、行き詰まった社会主義体制を立て直すためペレストロイカを推進したが、対外的にはアフガニスタンへの軍事侵攻を行った。

2　1981年にアメリカ大統領に就任したレーガンは、「強いアメリカ」の復活を訴え、ソ連を「悪の帝国」と非難して大規模な軍備拡張を推進して「冷戦」といわれる軍事的緊張をもたらした。

3　1988年、ソ連が東欧諸国への内政干渉を否定すると、ルーマニアでは1989年に複数政党制による総選挙が行われ、圧勝した自主管理労組「連帯」を中心とする非共産党政権が成立した。

4　東ドイツでは1989年11月にベルリンの壁が開放され、翌年3月の自由選挙で早期統一を求める連合党派が勝利すると、西ドイツは米・英・仏の反対を押し切って東ドイツを編入した。

5　東欧での民主化の影響を受けて、ソ連邦内の諸民族の独立が始まると、ソ連共産党は解散し、エリツィンを大統領とするロシア連邦を中心に独立国家共同体（CIS）が結成され、ソ連邦は解体した。

解説

1．ゴルバチョフは1989年にアフガニスタンからソ連軍を撤退させた。ゴルバチョフはソ連共産党最後の書記長（在任1985～91年）で、ソ連邦唯一の大統領（在任1900～01年）。言論・報道の自由化、検閲廃止などの情報公開（グラスノスチ）を柱に、大統領制の導入、市場経済への移行、複数政党制などの国内改革（ペレストロイカ）を推進した。外交も「新思考外交」と呼ばれる協調外交を打ち出し、アフガニスタンから撤兵した（1989年）。91年、保守派のクーデタで大統領辞任に追い込まれ、影響力を失った。なお、ソ連のアフガニスタン侵攻は1979年である。

2．このときの米ソ間の対立は「第二次冷戦」といわれた。しかし、その後レーガンは、ゴルバチョフのペレストロイカの進展や「新思考外交」などの推進を見て、次第にソ連との対話を重視し始め、1985年にレーガンとゴルバチョフの間で米ソ首脳会談が開催され、軍縮に合意した。なお、「冷戦」は、第二次世界大戦末期から始まり、1989年のゴルバチョフとブッシュ（父）のマルタ会談に至る、自由主義陣営と社会主義陣営の対立をいう。

3．ルーマニアではなくポーランドについての記述である。1988年の「新ベオグラード宣言」にいち早く対応したのは、すでに80年からワレサを指導者とする自主管理労組「連帯」の運動があったポーランドである。東欧諸国では、ルーマニアを除いて共産党一党体制の崩壊はほぼ平和的に進んだが、ルーマニアではチャウシェスクの独裁体制が続き、1989年12月に主導権を握った救国戦線は、チャウシェスク夫妻を処刑した。

4．西ドイツによる東ドイツの編入は米・英・仏・ソの同意を得て行われた。ドイツの統一は、国際的には統一ドイツの北大西洋条約機構（NATO）への帰属問題であり、特にソ連の同意が重視された。その結果、コメコン（1949～91年）、ワルシャワ条約機構（1955～91年）は解消され、東欧社会主義圏は消滅した。

5．妥当である。

正答　5

問題研究

1989年は東欧社会主義圏が解体した年で、「1989年東欧革命」とも呼ばれ、頻出分野である。その経過は各国ごとに多様で、その後各国が歩んだ道も平たんではなかった。しっかり整理しておこう。

No.62 世界史 第一次世界大戦時の各国の動向 令和2年度

第一次世界大戦における各国の動向に関する次の記述のうち、妥当なものはどれか。

1　アメリカは大戦末期に連合国側に立って参戦し、ウィルソン大統領の14カ条に基づく国際連盟の設立に尽力し、常任理事国として大戦後の国際協調を推進した。

2　日本は日英同盟を理由に連合国側に立って参戦すると、山東省のドイツ権益を接収し、大戦末期には、対ソ干渉戦争に参加してシベリアに出兵した。

3　イギリスは大戦中に秘密外交を展開し、ユダヤ人にはサイクス・ピコ協定で大戦後のパレスティナにおけるユダヤ人国家の建設を認めた。

4　イタリアは、「未回収のイタリア」と呼ばれたオーストリアとの領土問題の解決を条件に、ドイツ、オーストリアの同盟国側に立って参戦した。

5　ロシアは、大戦中、戦争に反対する気運が高まり、1917年3月に革命により帝政は崩壊して臨時政府が成立すると、直ちにドイツとブレスト・リトフスク条約を結んで戦線を離脱した。

解説

1．ヴェルサイユ条約の第1編（前文および26条）でウィルソンの提唱した国際連盟の設立が決まり、アメリカも常任理事国になることが予定されていたが、上院の反対でヴェルサイユ条約の批准が否決され、アメリカは国際連盟には参加しなかった。

2．妥当である。

3．イギリスがユダヤ人に、大戦後のパレスティナにおけるユダヤ人国家の建設を認めたのはバルフォア宣言（1917年）である。サイクス・ピコ協定（1916年）は、イギリス、フランス、ロシアが大戦後のオスマン帝国領の分割と、パレスティナを国際管理地域とすることを取り決めた協定である。なお、バルフォア宣言は、大戦後のアラブ人の国家建設を認めたフセイン・マクマホン協定（1915年）とも矛盾する内容であった。

4．イタリアは、大戦前はドイツ、オーストリアと三国同盟を結んでいたが、オーストリアとの間で「未回収のイタリア」と呼ばれた領土問題で対立していた。そのため、戦争が始まるとイタリアは中立を宣言し、1915年にロンドン秘密条約を英、仏、露と結んで、同年5月に三国同盟から離脱して、連合国（協商国）側についてオーストリアに宣戦した。

5．二月革命（三月革命）で成立した臨時政府は英、仏との関係を重視して戦争を継続した。ブレスト・リトフスク条約を結んでドイツ、オーストリアと単独講和し、戦線を離脱したのは、十月革命（十一月革命）で成立したソヴィエト政権である。ソヴィエト政権は、1917年11月に「平和に関する布告」を出して、「無併合・無賠償・民族自決」に基づく即時講和を呼びかけ、帝政時代の秘密条約を公開、破棄したが、連合国に黙殺されたので、12月からドイツ・オーストリア側との交渉に入り、翌1918年3月にブレスト・リトフスク条約を締結して戦線を離脱した。

正答　2

問題研究

第一次世界大戦は資本主義列強間の対立から勃発した戦争であるが、その中には、イギリス、フランス、ドイツの上位工業国だけでなく、ロシア、オーストリア、イタリアといったヨーロッパでも工業化に遅れた国々、バルカン半島の諸民族、さらにインド、中国、日本といったアジアの国々も絡んで、非常に複雑な利害関係を背景にした戦争であった。したがって、上位の工業国だけでなく、中位、下位の国々の大戦へのかかわり方を知っておくことは重要である。

No.63 世界史　第二次世界大戦後の中東情勢　令和2年度

第二次世界大戦後の中東情勢に関する次の出来事Ａ～Ｅを年代順に並べたものとして、妥当なものはどれか。

Ａ　国際連合によるパレスティナ分割案が提示されたが、アラブ連盟は反対してイスラエルと戦争になった。

Ｂ　パフレヴィー朝のイランで革命が起き、宗教指導者ホメイニを中心とするイラン・イスラーム共和国が成立した。

Ｃ　第４次中東戦争が起きると、アラブ石油輸出国機構が石油戦略をとった結果、急激な物価高と不況が世界的規模で広がった。

Ｄ　イラクのサダム・フセイン大統領はクウェートに進攻したが、アメリカ軍を中心とする多国籍軍の攻撃を受けて撤退した。

Ｅ　イスラーム急進派による同時多発テロに対する報復として、アメリカはアフガニスタンを攻撃し、ターリバーン政権を倒した。

1　Ａ－Ｃ－Ｂ－Ｄ－Ｅ
2　Ａ－Ｃ－Ｄ－Ｅ－Ｂ
3　Ａ－Ｄ－Ｃ－Ｂ－Ｅ
4　Ａ－Ｅ－Ｂ－Ｃ－Ｄ
5　Ｂ－Ａ－Ｄ－Ｅ－Ｃ

解説

Ａ：1948年に勃発したパレスティナ戦争（第１次中東戦争）である。国際連合によるパレスティナ分割案が提示されると、ユダヤ人はこの分割案を受け入れ、イギリスの委任統治が終了すると、直ちにイスラエルの建国を宣言した（1948年）。これに対して、1945年にエジプトの提唱で結成されたアラブ連盟が反対して始まったのがパレスティナ戦争（第１次中東戦争）である。

Ｂ：いわゆるイラン革命は1979年である。国王パフレヴィー２世による近代化政策に反発する宗教勢力の下に結集した民衆の反体制運動により、パフレヴィー２世は亡命し、フランスから帰国したホメイニを最高指導者としてイラン・イスラーム共和国が成立し、イスラーム主義を国家原理に掲げ、欧米諸国との対立も辞さない姿勢を示した。

Ｃ：第４次中東戦争は1973年である。このとき、アラブ石油輸出国機構（OAPEC）は、イスラエルの友好国に対して原油輸出の停止や制限措置をとった。同時に石油輸出国機構（OPEC）は、原油価格の大幅引上げを行ったため、石油危機（第１次）が起こった。

Ｄ：イラクによるクウェート侵攻は1990年である。これに対して、国際連合の決議により、アメリカ軍を中心とする多国籍軍が結成されイラク軍を撤退させた（湾岸戦争）。

Ｅ：同時多発テロ事件は2001年９月11日である。これに対して、アメリカはアフガニスタンのターリバーン政権の保護下にあるアル=カーイダが事件の実行者であるとして、同年10月、アフガニスタンを攻撃しターリバーン政権を倒した（対テロ戦争）。

よって、Ａ－Ｃ－Ｂ－Ｄ－Ｅの順となるので、正答は１である。

正答　1

問題研究

中東情勢は頻出分野である。この問題では、ＢとＣ、ＤとＥの前後関係を間違えないことである。いつ、どのような事件だったのか、しっかり押さえておきたい。

No.64 世界史　18世紀の大西洋三角貿易　令和元年度

18世紀、ヨーロッパ・アフリカ・南北アメリカ大陸間で行われた、「銃・綿織物」「砂糖・綿花・タバコ」「奴隷」の貿易、いわゆる大西洋三角貿易を図示したものとして、妥当なものはどれか。

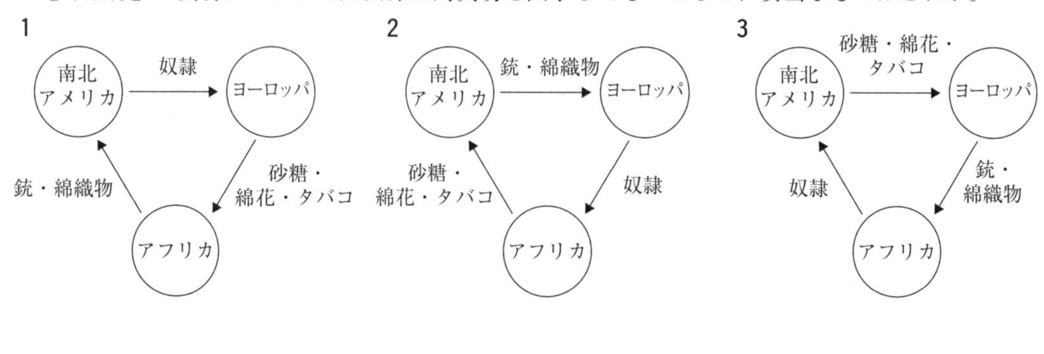

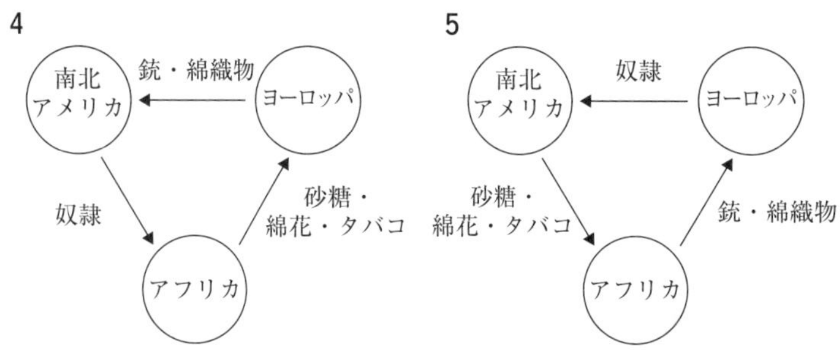

解説

［ヨーロッパ］18世紀の大西洋三角貿易の主導権を握ったのは、イギリスをはじめとするヨーロッパ諸国である。イギリスのリヴァプールやフランスのナントからは、ヨーロッパの工業製品（銃・綿織物・雑貨）がアフリカ西海岸へ輸出された。この三角貿易はヨーロッパの主要国にばく大な利益をもたらし、産業革命の前提条件である資本蓄積を促したといわれる。

［アフリカ］西アフリカのベニン王国やダホメ王国などの黒人国家では、ヨーロッパの奴隷商人と結んで他部族の黒人を襲って奴隷を確保して（奴隷狩り）、ヨーロッパの奴隷商人に売り渡した。アフリカからアメリカ大陸・カリブ海に向かう航路は、三角貿易の第二辺をなしたところから「中間航路」と呼ばれたが、これは人類史上最も過酷な航海であった。

［南北アメリカ大陸］18世紀のイギリスでコーヒーや茶が流行し、砂糖の需要が高まると、南北アメリカ大陸やカリブ海でサトウキビの生産が広がった。最初は先住民を使って生産していたが、17世紀中頃からアフリカの黒人奴隷が大量に輸入され、彼らを労働力とするプランテーション経営で、サトウキビ・綿花・タバコなどの生産が行われ、製品はヨーロッパへ輸出された。

よって、正答は3である。

正答　3

問題研究

奴隷貿易がアフリカ大陸から南北アメリカ大陸への強制的な労働力移動であることがわかれば、本問は容易である。三角貿易は、二国間の貿易では一方が輸入超過に陥って収支がアンバランスになっている場合、第三国を介在してバランスを取ろうとする貿易で、19世紀初めにイギリスが、清国との茶貿易（イギリスの輸入超過＝銀の流出）を、インドで栽培したアヘンを清国へ密輸してバランスを取ったアヘン貿易が代表的な例である。

No.65 世界史　1970年代以降のアメリカ　令和元年度

1970年代以降のアメリカに関する次の記述のうち、妥当なものはどれか。

1　ニクソン大統領は、ベトナム戦争による大量のドル流出を受けて、ドルと金との兌換を停止する一方、自ら中国を訪問して米中関係の正常化を図った。

2　レーガン大統領は、強いアメリカの復活を標榜して大統領選に勝利すると、「大きな政府」をめざす新自由主義的改革を提唱した。

3　イラクが隣国のクウェートを侵攻すると、アメリカは多国籍軍を編制して湾岸戦争を起こし、イラクのフセイン政権を倒した。

4　同時多発テロで、ニューヨークとワシントンが攻撃を受けると、ブッシュ大統領は、事件の首謀者を保護するイランを攻撃してターリバーン政権を倒した。

5　オバマ大統領は、アメリカの国内産業を保護するために、中国に対して貿易制裁措置を表明する一方、地球温暖化対策の国際的な枠組みであるパリ協定からの離脱を表明した。

解説

1．妥当である。ニクソン大統領（在任1969～74年）がドルと金との兌換停止を発表したのは1971年である（ドル＝ショック）。翌72年に北京を訪問して毛沢東との間で関係正常化に合意し、1973年にはパリ和平協定に調印してアメリカ軍の南ベトナムからの撤退を実現した。なお、米中の国交が正常化するのは1979年１月である。

2．レーガン大統領（在任1981～89年）が標榜したのは、「小さな政府」である。それまでの政府が、不況克服のための公共投資によって財政赤字を増大させた（「大きな政府」）のに対して、減税と規制緩和によって民間経済を活性化することによって景気回復をめざそうとする新自由主義経済政策（レーガノミックス）がとられた。当時、イギリスのサッチャー首相や日本の中曽根康弘首相も同様の政策をとった。

3．湾岸戦争（1991年）では、1990年にイラクのフセイン政権が隣国のクウェートに侵攻・占領したのに対して、アメリカが29か国からなる多国籍軍を編制して、短期間でイラク軍を制圧してクウェートを解放したが、フセイン政権を倒してはいない。フセイン政権が倒れるのは2003年のイラク戦争である。

4．2001年９月11日に起こった同時多発テロの首謀者とされたアル＝カーイダを率いるビン・ラーディンは、イランではなくアフガニスタンのターリバーン政権の庇護下にあった。アメリカはターリバーン政権に身柄の引き渡しを要求したが拒否されたため、ブッシュ大統領は同盟国の支援を受けてアフガニスタンに報復攻撃を行い、ターリバーン政権を倒した（対テロ戦争）。

5．トランプ大統領の政策についての記述である。いわゆる「米中貿易戦争」であるが、2018年７月にトランプ政権（在任2017～21年）が追加関税措置を実施すると、それに対して中国も報復関税を発動した。トランプ大統領がパリ協定からの離脱を表明したのは2017年６月である。パリ協定は2015年12月にパリで開かれた「国連気候変動枠組条約締約国会議（通称COP）」で合意されたもので、米国を含む195か国が合意した。オバマ前大統領（在任2009～17年）は2025年までに地球温暖化ガスの排出量を2005年比で26～28％減らすと表明していた。

正答　1

問題研究

世界史は、いまや同時代の出来事までが出題範囲である。政治･経済など関連科目にも目配りしておくことが大事だ。アメリカ史の場合、主要大統領の事績をまとめておくと便利である。

No.66 世界史　18世紀後半から19世紀末のアメリカ　平成30年度

18世紀後半から19世紀末までのアメリカに関する次の記述のうち、妥当なものはどれか。

1　イギリスの13植民地は、本国による課税強化をきっかけに独立戦争を起こした。当初はヨーロッパ諸国がイギリスを支持したため苦戦したが、次第に優勢となり独立を達成した。

2　独立したアメリカ合衆国は、その後もフランス・スペイン・ロシアなどから領土の買収を繰り返した結果、18世紀末には太平洋岸にまで領土を拡大した。

3　初めての西部出身の大統領であるジャクソンは、資本家の力を抑えて社会の民主化を進める一方で、強制移住法を制定して、先住民を保留地に追いやった。

4　南北戦争は、奴隷制の存続と保護貿易を求める北部諸州と、奴隷制の廃止と自由貿易を求める南部諸州の対立で始まった。

5　南北戦争後、信仰の自由を求めて西欧諸国から渡ってきた移民の労働力により、アメリカはイギリス・ドイツに次ぐ世界第三位の工業国として成長した。

解説

1．独立戦争に対して、フランスやスペインは植民地側について参戦し、ロシアのエカチェリーナ２世は中立国の航行を保証する武装中立同盟を結成してイギリスを国際的に孤立させた。

2．アメリカが大西洋から太平洋にまたがる大陸国家を形成したのは1848年であり、テキサス併合に反発したメキシコをアメリカ=メキシコ戦争（1846～48年）で破って、メキシコからカリフォルニアを割譲した結果で、19世紀半ばである。このように、合衆国の領土拡大は買収だけではなく、戦勝による割譲によっても行われた。なお、フランスからはルイジアナを買収（1803年）、スペインからはフロリダを買収（1819年）し、ロシアからは1867年にアラスカを買収した。

3．妥当である。ジャクソン（在任1829～37年）は、選挙権の財産制限を撤廃して、すべての白人男性による普通選挙を実現したが（ジャクソニアン・デモクラシー）、その一方で、強制移住法（1830年）を制定するなど、在任中は先住民の保留地への強制移住を積極的に行った。

4．南北戦争当時、南部は黒人奴隷によるプランテーションが普及し、イギリスなどへの綿花輸出が拡大していた。したがって、南部は、イギリスとの自由貿易・奴隷制の維持を求め、政治的には州の自治を主張していた。一方、北部では産業革命が本格的に進展したばかりであり、市場確保のための保護貿易と奴隷制反対、政治的には連邦政府の強化を主張していた。

5．19世紀末にアメリカは、イギリス・ドイツを抜いて世界一の工業国に成長した。この重工業化の発展を支えたのは、19世紀前半まではドイツやアイルランド系の移民であり、南北戦争後の1880年代からは南欧や東欧、アジアからの移民が多数になる。その多くは、アイルランド大飢饉やイタリア統一戦争、クリミア戦争などによる混乱から逃れてきた移民や経済的理由から渡航してきた移民であり、信仰の自由を求めて渡ってきたのは17世紀、植民地時代の移民である。

正答　3

問題研究

アメリカ史で重要なのは、第一に、植民地時代から独立戦争期にかけてのヨーロッパ諸国との国際関係である。第二に、独立後から南北戦争までの国内の発展と大陸との関係、特にモンロー、ジャクソンの事績に注意したい。第三に、南北戦争後20年足らずでアメリカは世界一の工業国＝帝国主義国になっていることを、マッキンリー、セオドア・ローズヴェルト、タフトの事績を通じて確認しておこう。

No.67 日本史　江戸時代の幕政改革　令和6年度

江戸時代の幕政改革に関する次の記述のうち、妥当なものはどれか。

1　新井白石は、金の含有率を減らした品質の悪い小判を発行し、幕府の収入を増やした。しかし、長崎貿易において貿易額の制限を撤廃した結果、金銀の流出を招いた。

2　徳川吉宗は享保の改革において、倹約令を出して支出を抑えた。さらに、上米の制を定めて大名から石高の一定割合の米を上納させようとしたが、大名に反対されて断念せざるをえず、幕府財政の立て直しに失敗した。

3　田沼意次は、物価騰貴の原因であるとして商人や職人の株仲間を解散させ、自由な取引を促した。また、綱紀粛正を掲げ、賄賂や縁故による人事を排除した。

4　松平定信は寛政の改革において、農民の出稼ぎを制限し、江戸で定職を持たない者を故郷に帰して農村の復興を図った。また、秩序の乱れを正すため、風俗の取締りを強化した。

5　水野忠邦は天保の改革において、農民の出稼ぎを奨励し、都市の労働力不足を補った。また、上知令を出して江戸や大坂周辺の地を幕府の直轄地にし、幕府財政を安定させた。

解説

1．新井白石は、6代将軍徳川家宣（在職1709～12年）、7代将軍家継（在職1713～16年）の侍講として幕政に参与し、側用人の間部詮房とともに幕府政治の刷新を図った（正徳の政治）。金の含有量を減らして質の悪い小判を発行して財政の増収を図ったのは、5代将軍綱吉（在位1646～1709年）の下で勘定吟味役（後に勘定奉行）であった荻原重秀である。白石は元禄小判を改め、以前の慶長小判と同率の正徳小判を発行して物価騰貴を押さえようとした。また、長崎貿易では江戸初期以来、多くの金銀が流出したので、これを防ぐため、1715年、海舶互市新例を出して貿易額を制限した。

2．享保の改革は、紀伊藩主から8代将軍となった徳川吉宗（在職1716～45年）による幕政改革である。吉宗は倹約令を出して支出を抑える一方、大名から石高1万石につき100石を上納させる上米を実施した。上米は9年間（1722～30年）実施され、この間、参勤交代による在府期間は半減されたので、大名の反対によって断念されることはなかった。

3．10代将軍徳川家治（在職1760～86年）の時代に実権を握ったのは、側用人から老中になった田沼意次である。田沼は再び行き詰まった幕府財政を再建するため、年貢の増徴だけによるのではなく、民間の経済活動を活発化し、都市や農村の商人や職人などを株仲間として公認して、彼らから運上・冥加などの営業税の増収をめざしたのである。その結果、幕府役人の間で賄賂や縁故による人事が横行するなど、批判が高まった。

4．妥当である。寛政の改革（1787～93年）は、11代将軍徳川家斉（在職1787～1841年）の補佐役として老中に就任した白河藩主松平定信（1758～1829年）による改革である。定信は8代将軍吉宗の孫である。

5．天保の改革（1841～43年）は徳川家斉の死後、12代将軍徳川家慶（在職1837～53年）の下で行われた老中水野忠邦による改革である。まず、農民の出稼ぎを奨励するのではなく、これを禁止し、江戸に流入した貧民の帰郷を強制する人返しの法を実施し、天保の飢饉で荒廃した農村の再建を図ろうとした。また、忠邦は1843年に上知令を出して、江戸・大坂周辺を直轄地にして、財政の安定や対外防備を強化しようとしたが、譜代大名や旗本の反対にあって実施できず、失脚した。

正答　4

問題研究

江戸時代の幕政改革は公務員試験では必出分野である。享保・寛政・天保の三大改革だけでなく、その間にあっても幕政の方針は頻繁に変わっている。注意したい。

No.68 日本史	# 平成時代の政治と経済	令和 6年度

平成時代の日本の政治と経済に関する次の記述のうち、妥当なものはどれか。

1　1990年代に入ると、政治改革の必要性が唱えられるようになり、自民党政権が衆議院の選挙制度に小選挙区比例代表並立制を導入した。これにより自民党は議席を増やし、21世紀に入って民主党政権が成立するまで、政権を維持し続けた。

2　1990年代前半、バブル経済が崩壊し、株価や地価が暴落したことで金融機関が巨額の不良債権を抱えた。90年代後半には、金融機関の破綻や企業の倒産、リストラが相次ぎ、また、アジア通貨危機の影響を受けて不況が深刻化した。

3　2000年代初頭に成立した小泉政権では、バブル崩壊以降の不況から脱却するため構造改革が行われた。この改革では、地方経済の活性化や社会福祉の充実が目標に掲げられ、公共事業関係費や地方交付税の大幅な増額が行われた。

4　東日本大震災後には、自民党政権の復興政策が批判を受け、民主党を中心とする政権が誕生した。民主党政権は、景気回復のために消費税率を一時的に引き下げ、また、脱官僚依存を目的として道路公団や郵政公社の民営化を行った。

5　第二次安倍政権は、安全保障政策の転換を図って、従来の憲法解釈を変更し、集団的自衛権の行使を容認した。この変更を受けて安全保障関連法案が国会に提出され、野党第一党を含む大多数の賛成を得て成立した。

解説

1．衆議院の小選挙区比例代表並立制を導入したのは自民党政権ではなく、細川護熙(もりひろ)を首相とする非自民8党派の連立内閣である（1994年1月）。自由民主党は1993年6月に分裂し、7月の総選挙で過半数割れを起こし、自民党の長期単独政権は交代した（55年体制の崩壊）。しかし、1996年10月に新選挙制度の下で行われた最初の総選挙で、自民党は議席を回復したものの単独過半数には届かなかった。以後、1998年に成立した小渕(おぶち)恵三内閣の初期（1998年7月～1999年1月）を除いて、現在に至るまで、自民党政権はいずれも連立内閣である。

2．妥当である。バブル経済の崩壊は1990年10月の東証株価の下落から始まる。なおアジア通貨危機は、1997年にタイの通貨バーツの急落をきっかけに起こった東南アジアや韓国の通貨危機で、1998年には日本にも波及した。

3．2001年に成立した小泉純一郎内閣は、巨額の財政赤字の改革のため「聖域なき構造改革」を打ち出し、国が地方に支出する補助金を廃止・削減して、その代わりに国税を地方に移譲したうえで、地方交付税を見直すという「三位一体改革」を実施したが、結果的に地方交付税が大幅に削減された。

4．東日本大震災は2011年3月11日に勃発したが、そのときの政府は菅直人を首班とする民主党政権であり、地震後に政権ができたのではない。その後、2012年の総選挙で自民党が政権を獲得して第二次安倍晋三内閣が発足したが、消費税を一時的に引き下げたことはなく、2014年4月1日に消費税率を5％から8％に引き上げた。また、道路公団や郵政公社の民営化を行ったのは小泉純一郎内閣である（2005年）。

5．第二次安倍内閣が、これまでの憲法第9条の解釈を変更して、集団的自衛権の行使を容認したことは事実であるが、「安全保障関連法」として国会を通過したときの内閣は第三次であり、野党第一党を含む大多数の賛成を得て成立したわけではない。

正答　2

問題研究

最近の公務員試験で平成まで出題されることは珍しくないが、今回のような密度で出題されるのは初めてであろう。政治・経済など他科目と併せた学習が必要である。

No.69 日本史

明治維新

令和 5年度

明治維新に関する次の記述のうち、妥当なものはどれか。

1　新政府は成立後直ちに五榜の掲示を掲げて、旧幕府の対民衆政策を刷新した。掲げられた掲示の中には、儒教的道徳を否定し、キリスト教の全面的解禁をうたうものもあった。

2　新政府は藩を廃して府県を設置し、中央政府が任命した官吏が地方行政に当たることとした。しかし、府県の設置に抵抗する藩も多く、すべての藩が廃止されるまでには約10年を要した。

3　新政府は国民皆兵を掲げて徴兵令を公布したが、相次ぐ反乱や一揆を速やかに鎮圧するために、実際には、士族のうち実戦経験のある者に限って徴兵が行われた。

4　新政府は地券を交付して土地の所有者を確定したうえで、課税の基準をこれまでの収穫高から地価に変更して、土地所有者に金納させることとして、税収の安定化を図った。

5　新政府は文部省を設置して学制を公布し、これに基づき小学校を設置した。学制では男子については小学校を義務教育としたが、女子の小学校への就学は認めていなかった。

解説

1．新政府が成立後すぐに公布したのは「五榜の掲示」ではなく「五箇条の誓文」である（1868年3月14日）。五榜の掲示は、誓文公布の翌日に、太政官が全国の民衆に向けて出した5枚の高札で、儒教的道徳を遵守し、キリスト教を邪宗門として禁止するなど、旧幕府の民衆に対する方針を継承したものである。なお、五箇条の誓文は、公議世論の尊重や開国和親など新政府の基本方針を示したものである。

2．廃藩置県の記述である。新政府は1871年7月、一挙に、旧藩を廃して府県を置き、旧大名である知藩事を罷免して東京に居住させ、中央政府から新たに府知事・県令を派遣して地方行政に当たらせた。新政府は、廃藩に対する抵抗を想定して、薩摩・長州・土佐の3藩から御親兵を募って軍事力を固めたが、廃藩に対するさしたる抵抗はなく、比較的平穏に実施された。

3．新政府は、1872年12月の「徴兵告諭」に基づき、翌年1月に徴兵令を出して、士族・平民の別なく、満20歳に達した男性を兵役に服させるという国民皆兵を原則とする兵制を打ち立てた。徴兵令には、戸主や嗣子、養子、官吏、学生などに対する免役規定が存在した（代人料270円を払えば免役されるという規定もあった）。しかし士族のうち実戦経験のある者だけを徴兵の対象にしたことはない。

4．妥当である。

5．1871年に文部省が設置され、翌年フランスの学校制度に倣った学制を公布した。学制では、小学校教育の普及に力を入れ、幼少の子弟は男女の別なく小学に従事させるのは親の責任（義務）とした。ただ義務教育が制度的に確立するのは、1886年に小学校令が公布された時で、これにより、尋常・高等小学校各4年のうち、尋常小学校4年間が義務教育とされた。

正答　4

問題研究

五榜の掲示・廃藩置県・徴兵令・地租改正・学制、すべて新政府が打ち出した政策で、頻出分野である。五箇条の誓文／五榜の掲示、版籍奉還／廃藩置県など、基本的な内容を正確に押さえておけば迷うことはないが、徴兵制度や教育制度のように、法的に制度が確立するまでのプロセスが複雑な分野もあるので注意したい。

No.70 日本史　第二次世界大戦後の日米関係　令和5年度

第二次世界大戦後の日米関係に関する次の記述のうち、妥当なものはどれか。

1　アメリカは占領当初、日本統治に利用するために財閥を温存したが、冷戦が本格化すると、日本を自由主義陣営にとどめるために財閥を解体して経済民主化を推進した。

2　日本の講和に対して、日本国内ではソ連を除いた単独講和の要求が強かったが、アメリカが全面講和を強く求めたため、日本はサンフランシスコ平和条約で、ソ連を含むほとんどの交戦国と講和した。

3　1951年に締結された日米安全保障条約（安保条約）で、独立後もアメリカ軍が日本に駐留することになった。その後、1957年に成立した岸信介内閣は、1960年に日米相互協力及び安全保障条約（新安保条約）に調印して、アメリカの日本防衛義務が明文化された。

4　アメリカの施政権下に置かれた沖縄では、祖国復帰運動が高まると、1971年に沖縄返還協定が調印され、アメリカ軍基地の全面返還が認められ、協定発効後にほとんど返還された。

5　日本は1991年の湾岸戦争、2001年のアフガニスタン侵攻、2003年のイラク戦争に際して自衛隊の派遣要請を受けたが、いずれの要請についても派遣を見送った。

解説

1．アメリカの当初の占領計画の一つは「経済の非軍事化」で、財閥解体は経済民主化の中心課題であり、1945年11月に三井・三菱などの15財閥の解体が命じられた。しかし冷戦が本格化すると、占領政策は「非軍事化」から「経済復興」へと転換し、企業分割は大幅に解除された。

2．単独講和はソ連などを除外するのもやむなしとする主張。全面講和はソ連・中国を含む全交戦国と講和すべしという主張。第３次吉田茂内閣は単独講和を選び、サンフランシスコ平和条約は、日本と48か国との間で調印された。ソ連は講和会議には出席したが調印せず、主要交戦国である中華人民共和国と中華民国は会議に招かれなかった。これらの国々については、その後、個々に平和条約が結ばれたが、ソ連（ロシア）とは今日に至るまで平和条約は結ばれていない。

3．妥当である。

4．戦後、沖縄はアメリカ軍による直接軍政下に置かれ、日本の独立回復後も、アメリカによる占領が継続され、アメリカの施政権下に置かれた。ベトナム戦争が本格化すると、祖国復帰運動が高まり、1971年６月17日、佐藤内閣は沖縄返還協定に調印し、翌年の５月15日にアメリカは施政権を日本に返還、沖縄の日本復帰は実現した。しかし、返還協定ではアメリカ軍専用施設のほとんどは返還されなかった。

5．日本は、いずれもアメリカから派遣要請を受けた。湾岸戦争では派遣しなかったが、代わりに多額の資金援助を行った。アフガニスタン侵攻で日本は「テロ対策特別措置法」を制定して、海上自衛隊の補給艦と護衛艦をインド洋に派遣した。イラク戦争で日本は「イラク復興支援特別措置法」を制定して、イラク南部のサマーワを基地に、給水・医療や学校・道路補修作業などを行った。

正答　3

問題研究

戦後史は平成までは出題範囲であるが、これまで自衛隊の海外派兵については出題されることはなかった。アメリカからの派遣要請を断った湾岸戦争の経験を踏まえて、1992（平成4）年にPKO協力法が成立して、国連の平和維持活動（PKO）として自衛隊の海外派遣が可能になったことを理解しておきたい。

No.71 日本史　江戸幕府の支配体制　令和4年度

江戸幕府の支配体制に関する次の記述のうち、妥当なものはどれか。

1　大名は、将軍との親疎によって親藩・譜代・外様に分けられ、有力な外様大名は遠隔地に配置され、幕政に参加できなかったが、中小の外様大名は幕政に参加することが認められていた。

2　大名は、国元と江戸を往復する参勤交代が義務づけられ、参勤交代に伴う費用は幕府が負担したため、後に幕府財政を圧迫する一因となった。

3　幕府の直轄地は都市や鉱山に限られ、全国の耕地は大名に預けて、大名から上納される年貢米を都市で換金して財政収入とした。

4　幕府は、海外貿易を長崎に限定したが、大名の参入を奨励し、領内で産出される特産品をオランダや中国に輸出して大きな利益を得ていた。

5　蝦夷地では、幕府からアイヌとの交易権独占権を与えられた松前氏による不当な扱いに対して、アイヌ民族はしばしば蜂起したが制圧され、全面的に松前氏に服従させられた。

解説

1．将軍と主従関係を結んだ1万石以上の武士を大名といい、将軍との親疎関係によって親藩・譜代・外様に分けられたのは妥当であるが、外様大名は関ヶ原の合戦の前後に徳川氏に服属した大名であり、原則として幕府の要職につくことはできなかった。外様には、前田（金沢）・島津（鹿児島）・伊達（仙台）・毛利（萩）など有力な大藩が多く、配置に当たって遠隔地に配置したことは妥当である。

2．参勤交代が義務づけられたのは1635（寛永12）年の武家諸法度（寛永令）であり、大名の妻子を江戸に置くことが定められ、大名は江戸と国元を１年おきに往復することが義務づけられた。ただし、関東の大名は半年交代、水戸徳川家は江戸定府であった。参勤交代は大名が将軍に対して忠節を示すもので、経費は大名が負担した。大名にとって、江戸の藩邸の維持や、多くの家臣を連れての参勤は、多額の経費がかかる重い役務であった。

3．幕府の直轄地は都市や鉱山だけではなく、基本は400万石（17世紀末）にも及ぶ直轄地（幕領）である。幕領では関東、飛騨、美濃などには郡代が置かれ、そのほかには代官が置かれて年貢徴収と訴訟を行った。幕府は、直轄地以外の領地を服属した大名や公家、寺社に領地として与え、土地領有者としての地位を明示し、大名は与えられた所領の石高に応じて軍役を負担した。したがって、幕府が大名から年貢米を上納させて収入とすることはない。

4．鎖国により、日本に来る貿易船はオランダと中国だけとなり、貿易港は長崎１港となったが、大名などの参入は認めていない。長崎は幕府の直轄地であり、長崎奉行が長崎の行政を統括し、外国貿易の管理や長崎の警備、西国大名の監察などを担当した。実際の貿易方法には、相対貿易（自由貿易）の期間を除いて幕府と密着する特定商人が会所を通じて貿易を独占し、幕府に運上を支払った。

5．妥当である。1669年のシャクシャインの戦いが松前藩に対する最後の抵抗となった。

正答　5

問題研究

幕藩体制は頻出分野である。全国の土地・人民を一人の権力者（将軍）が直接支配するようになったのは江戸時代が初めてであり、非常に精緻な支配体制が組み立てられた。その細部まで知る必要はないが、基本的な骨組みはしっかり理解する必要がある。

No.72 日本史　高度経済成長期　令和4年度

高度経済成長期（1950年代半ば～1970年代初め）の日本に関する次の記述のうち、妥当なものはどれか。

1　日本の国民総生産（GNP）は、この時期に資本主義諸国の中でアメリカに次いで世界第２位になり、年平均経済成長率は10％を上回った。

2　輸出産業はふるわず、この時期を通じて貿易収支は赤字であったが、国内での自動車やテレビなどの耐久消費財の需要が伸び、内需中心の経済発展が実現した。

3　自民党を中心とした連立政権が、この時期を通じて政権を担当したが、野党や革新勢力も与党に迫る議席を持ち、政局は不安定であった。

4　人々の教育熱も高まり、高校・短大・大学への進学率は上昇し、特に大学・短大への進学率は急激に高まり、この時期５割に達し、ほぼ現在と同水準になった。

5　食生活の洋風化が進み、米の消費が減少し、農業所得は横ばいであった。一方で農業生産力は上昇し、この時期を通じて食料自給率は上昇した。

解説

1．妥当である。1955～73年の年平均経済成長率である。

2．高度経済成期には、貿易収支は大幅な黒字が続いた。日本の驚異的な経済成長を支えた国際環境は、第一に、アメリカを中心とした通貨体制（ブレトン＝ウッズ体制）に組み込まれ、１ドル＝360円という固定相場制の下で、実質的な円安が続いたこと、第二に、中東の安価な原油輸入に助けられたからである。輸出を牽引したのは、鉄鋼、船舶、自動車などの重化学工業である。その結果、個人所得の増大と都市化の進展による大衆消費社会が形成され、内需が拡大されたのである。

3．1955（昭和30）年に、左右両派に分裂していた日本社会党が統一したのに対して、保守陣営で自由民主党が結成され（保守合同）、いわゆる55年体制が成立した。これは保守勢力が議席の３分の２弱を、革新勢力が憲法改正阻止に必要な３分の１を維持する、保守一党優位の政治体制であり、高度成長はこの安定した政治体制に支えられて実現したといえる。革新勢力が与党自由民主党に迫る議席を持ったことは、1993年に自民党が分裂し、７月の総選挙で過半数割れを引き起こし、非自民８党派の細川護熙（もりひろ）内閣が成立するまでなかった。

4．高度経済成長が高校・大学への進学率を上昇させたことは事実であるが、1970年の高校進学率は82.1％だが、大学・短大進学率は24.2％で、５割には達していない。ちなみに、令和３年度の18歳人口に占める大学・短大進学率は58.9％（大学学部入学者＝54.9％＋短期大学進学者4.0％）である。（文部科学省「学校基本調査」）

5．食生活の洋風化が進んだ結果、米の消費が減少したことは妥当であるが、農業所得は増加した。それは、食糧管理制度と農協の政治的圧力により、米価が政策的に引き上げられてきたからである。しかしこの間、食糧自給率は長期的に低下し、カロリーベースで1965（昭和40）年度に73％だったのが2013（令和３）年度38％に減少した（農林水産省ホームページ）。

正答　1

問題研究

頻出分野である。この時期は、政治・経済・文化などと一体化してとらえることが重要である。公務員試験では、高度成長期以後、バブル崩壊まで出題されているので注意したい。

No.73 日本史　日本の貨幣史　令和3年度

日本の貨幣史に関する次の記述のうち、妥当なものの組合せはどれか。

ア　7世紀末の和同開珎の鋳造に続けて、政府は唐に倣った銅貨の鋳造を行ったが、なかなか流通が進まなかったので、蓄銭叙位令を出して流通を奨励した。

イ　鎌倉時代にも宋との私的な貿易は行われ、大量の宋銭が輸入されて貨幣経済が浸透し、貨幣取引きや貸付を行う借上などが現れ、金銭の輸送を手形で代用する為替も使われたりした。

ウ　足利義満は明と冊封関係を結び、勘合貿易と呼ばれる朝貢貿易が行われたが、この貿易により大量の明銭がもたらされた結果、撰銭令が出されて古い宋銭の使用が禁止された。

エ　江戸の初めには中国銭である永楽銭や粗悪な銭貨が使用されていたが、銭座で寛永通宝が大量に鋳造された結果、17世紀半ば頃までには金・銀・銭の三貨制度が確立された。

オ　大蔵卿に松方正義が就任して、増税と緊縮財政によって正貨の蓄積を進め、中央銀行として日本銀行を設立して、1885年から金兌換の銀行券を発行して金本位制を確立した。

1　ア、イ　　2　ア、エ　　3　ア、オ　　4　イ、エ　　5　エ、オ

解説

ア：7世紀末に鋳造された貨幣は富本銭である。和同開珎は708年に武蔵国から銅が献上されたのをきっかけに鋳造された。以後、958年の乾元大宝まで12種の銅貨が鋳造された。流通が進まなかったのは事実であるが、「蓄銭叙位令」（711年）は、従6位以下の者で蓄銭10貫以上は1階級、20貫以上は2階級進めるという内容であった。

イ：妥当である。10世紀に宋が中国を統一すると、東アジア諸地域では、銅銭や陶磁器などの交易が盛んになった。平氏政権は日宋貿易がもたらす経済的利益を重要な基盤とした政権であり、鎌倉時代も日宋間の私的貿易は盛んに行われ、大量の宋銭がもたらされた。

ウ：室町時代には、朝貢貿易（いわゆる勘合貿易）によって大量の明銭が流入したが、宋銭も依然として良質の通貨（精銭）として流通した。撰銭令は、取引きにおいて精銭だけを受け取る行為を禁止するもので、鐚銭（びたせん）などの悪銭と精銭の混入比率を決めたりして、流通を円滑化するために室町幕府や戦国大名などがしばしば出した法令である。

エ：妥当である。江戸時代当初、幕府は、永楽銭1貫文＝金1両として流通させていたが、1636年に江戸と近江坂本に銭座を設けたのを手始めに、その後各地に民間請負の銭座を設けて寛永通宝を大量に鋳造させた結果、17世紀半ばには永楽銭をはじめとする古銭の流通がなくなった。

オ：1885（明治18）年に発行されたのは、金兌換券ではなく銀兌換券で、金本位制ではなく銀本位制が確立された。1881年に大蔵卿に就任した松方正義は、徹底したデフレ政策（松方財政）で、歳入余剰で不換紙幣を処分して正貨（このときは銀貨）を蓄積し、銀貨と紙幣価値の差がほぼなくなった1885（明治18）年に、日本銀行が銀兌換券を発行して、銀本位制を確立した。日本が金本位制を採用したのは1897（明治30）年の貨幣法で、日清戦争による賠償金の一部を準備金として実施された。

よって、妥当なものはイとエであるから、正答は4である。

正答　4

問題研究

いわゆるテーマ別通史は、日本史全体をひととおり学習しているかどうかを測るには格好の出題形式である。ただ、出題されるテーマは、土地制度史（荘園制を含む）、貨幣史、教育史、仏教史、公武関係などに固定化しているので、あらかじめ準備することが可能である。

No.74 日本史　戦間期の日本　令和3年度

1930年代から太平洋戦争までの日本の政治に関する次の記述のうち、妥当なものはどれか。

1　満州で、関東軍が盧溝橋事件をきっかけに満州事変を起こすと、翌年国内では、海軍青年将校が犬養毅首相を射殺する五・一五事件が起き、大正末以来続いた政党内閣は崩壊した。

2　これまで明治憲法体制を支えてきた美濃部達吉の天皇機関説に対して、これを反国体的として排撃する運動が激しくなると、斎藤実内閣は国体明徴声明を出して天皇機関説を否認した。

3　日中戦争が始まると、政府は、戦争を遂行するために必要な資材や労働力を、議会の承認なしに動員できる国家総動員法を成立させた。

4　1926年2月26日の二・二六事件は、直接行動で天皇親政の実現をめざそうとする統制派と、革新官僚や財閥を排除して総力戦体制樹立をめざそうとする皇道派の対立から引き起こされた。

5　新体制運動の結果、1940年、総理大臣の近衛文麿を総裁とする、ナチ党やファシスト党に倣った一党独裁政党の大政翼賛会が成立した。

解説

1．盧溝橋事件ではなく柳条湖事件である。満州事変は、1931年9月18日、関東軍参謀の石原莞爾らを中心として計画された謀略事件である。これに呼応して国内では三月事件、十月事件、血盟団事件、五・一五事件などのクーデタ事件が頻発し、その結果、1924（大正13）年の加藤高明内閣から8年間続いた政党内閣が崩壊したことは正しい。なお、盧溝橋事件は日中戦争のきっかけとなった北京郊外盧溝橋での日中両軍の偶発的な衝突事件である（1937年7月7日）。

2．国体明徴声明を出したのは斎藤実内閣ではなく岡田啓介内閣である。天皇機関説は、統治権の主体は国家にあり、天皇は国家の最高機関として、憲法に従って統治権を行使するという国家法人説である。これに対して統治権は神聖不可侵の天皇にあり、それは無制限であるとして、陸軍、立憲政友会の一部や右翼、在郷軍人会などが排撃運動を展開したのである。

3．妥当である。「議会の承認なし」とは、天皇の命令（「勅令」）によって、「政府」は国民を徴用し、物資の統制、新聞その他出版物の制限、禁止などができるようになったことをさす。

4．統制派と皇道派の説明が逆である。皇道派は、北一輝の思想的影響を受けていた隊付きの青年将校を中心とするグループで、統制派は陸軍省や参謀本部の中堅幕僚層を中心としたグループである。クーデタに失敗した皇道派は排除され、統制派が陸軍内の主導権を握り、陸軍の発言力は一層強化された。

5．新体制運動は、近衛文麿が中心となって、ナチ党やファシスト党に倣った一党独裁の指導政党を樹立しようとする革新運動で、これに応じて、立憲政友会・立憲民政党・社会大衆党などの既成政党は解党して参加を表明し、1940年10月、大政翼賛会が成立した。しかし、これは当初めざした政党組織ではなく、総理大臣を総裁、道府県知事を支部長として、部落会・町内会・隣組を末端組織とする上意下達機関であった。

正答　3

問題研究

戦前昭和の20年間は非常に複雑な時代である。基本的には、昭和初年の内閣から終戦時の内閣まで、それぞれの内閣のときにどのような事件が起こったかをまとめること。それを政治だけでなく、経済、外交などに広げていって自分用の年表を作っていくのが、最も効率的な勉強法である。

No.75 日本史

室町時代の出来事

令和 2年度

室町時代の出来事に関する次の記述のうち、妥当なものはどれか。

1　足利尊氏は、大覚寺統の光明（こうみょう）天皇を立てると、建武式目を制定して当面の政治方針を明らかにして室町幕府を開いた。

2　南北朝の動乱が起こると、幕府は半済令を出して、地頭に一国内の荘園・公領の年貢の半分を兵粮米として徴収することを認めた。

3　中国を統一した明は、日本に倭寇の鎮圧を求めたが、南北朝の動乱で実現せず、結局、室町時代を通じて中国との外交関係は成立しなかった。

4　近畿地方では、惣または惣村と呼ばれる自治的な村が生まれ、一揆を結んで荘園領主に年貢減免などを求める強訴や逃散を行った。

5　応仁の乱は、管領家や将軍家の家督争いに、幕府の実権を握ろうとする大内義弘と山名氏清が介入して起こった。

解説

1．光明天皇は持明院統の天皇である。鎌倉末期、皇位は持明院統と大覚寺統の両統から交互に即位する方式（両統迭立（てつりつ））がとられていた。足利尊氏は鎌倉幕府の有力御家人であるが、幕府を滅ぼし、大覚寺統の後醍醐天皇による「建武の新政」を打ち立てた中心人物である。しかし、1335年に新政権に反旗を翻し、翌36年、京都を制圧して後醍醐天皇を廃し、持明院統の光明天皇を立て、建武式目17か条を制定して幕府を開いた。これに対して、後醍醐天皇は同年12月に吉野に逃れ、皇位の正当性を主張して対立した。

2．半済令は地頭ではなく守護に認めたものである。1352年に発布された最初の半済令は、近江・美濃・尾張３か国に、期間も１年に限って認めたものだったが、次第に全国的に拡大し、1368年には土地自体を分割することを認めた（応安の半済令）。これを口実に守護は一国内の荘園・公領を侵略し、年貢・土地を地頭に分け与えて、彼らを配下に組織していったのである。

3．明の朱元璋（洪武帝）は明を建国した翌年、大宰府の懐良（かねよし）親王の下に使節を派遣して倭寇の鎮圧を求めたが拒否された。その後、足利義満がほぼ全国を統一し、1394年には将軍職を息子の義持に譲って、翌年出家すると、1401年、明の呼びかけに応じて使節を派遣し、明との国交を開いた。義満は「日本国王」として冊封され、1404年、いわゆる勘合貿易を始めた。勘合貿易はその後一時中断したり、貿易の実権も幕府から大内・細川氏に移ったりしたが、16世紀半ばの大内氏の滅亡まで続いた。

4．妥当である。惣村は、寄合と呼ばれる村民の会議で、村民が守るべき惣掟を定め、村民自身が警察権を行使して村の秩序を守り、年貢なども村が請け負う地下請なども行う自治的村落である。

5．応仁の乱（1467～77年）で、幕府の実権を巡って対立したのは細川勝元と山名持豊である。大内義弘は応永の乱（1399年）によって、山名氏清は明徳の乱（1391年）によって、いずれも３代将軍足利義満の徴発によって滅ぼされた有力守護である。

正答　4

問題研究

室町時代は鎌倉時代に比べると非常にとらえにくい。幕府の所在地を京都にし、守護に半済という大幅な権限を与え、外国との関係も非常に積極的であった。経済や農業などで、２つの時代を対比させる問題が出題されることも多い。

No.76 日本史　戦後改革　令和元年度

占領下の日本に関する次の記述のうち、妥当なものはどれか。

1　極東国際軍事裁判では、戦争指導者として起訴されたＡ級戦犯に対しては全員有罪の判決が下されたが、戦時国際法に違反したＢ・Ｃ級戦犯については、裁判自体が開かれなかった。

2　陸・海軍軍人の多くは、GHQの指令に基づき公職を追放されたが、政・財界の指導者は戦後の復興に必要であるとされて追放を免れた。

3　政党政治が復活し、日本自由党、日本進歩党などが結成されたが、共産主義を標榜する日本共産党はGHQによって非合法政党として活動が禁止された。

4　衆議院議員選挙法が改正され、女性参政権が初めて認められた結果、戦後最初の総選挙で初めて女性議員が誕生した。

5　マッカーサーにより憲法改正を指示された日本政府は、改正試案をGHQに提出し、GHQは原則としてこれを認めた。そこで、日本政府は一部を修正したうえで政府原案として、日本国憲法を制定した。

解説

1．Ａ級戦犯は、侵略戦争を指導して「平和に対する罪」に問われた者で、28人が起訴され、病死など３人を除く全員が、死刑を含む有罪判決を下された。Ｂ・Ｃ級戦犯は、捕虜虐待など戦時国際法を犯した者で、彼らに対する裁判は、オランダ・イギリスなど関係各国が設置した裁判所で行われ、5,700人あまりが起訴され、984人が死刑、475人が終身刑の判決を受けた。

2．いわゆる公職追放である。1946年１月にGHQの指令に基づき公職追放令が出され、職業軍人や超国家主義団体の指導者などが追放されたが、1947年１月からは政・財界の指導者などにも適用範囲が広がった。しかしその後、占領政策の転換とともに、1950年10月から追放解除が始まり、1952年の講和条約発効により全員の追放が解除された。

3．戦後いち早く合法政党として活動を始めたのは、1945年10月にGHQの指令で出獄した徳田球一らを中心とした日本共産党である。次いで同年11月に旧無産政党を統合した日本社会党が結成され、旧立憲政友会系の日本自由党、旧立憲民政党系の日本進歩党などが相次いで結成された。

4．妥当である。衆議院議員選挙法の改正は1945年12月で、それに基づく戦後最初の総選挙は1946年４月に行われ、79人の女性が立候補し、39人が当選した。この選挙結果に基づいて召集された第90臨時帝国議会で憲法改正が審議された。

5．マッカーサーは、1945年10月、首相となった幣原(しではら)喜重郎に憲法改正を含むいわゆる五大改革指令を口答で指示した。政府は、憲法問題調査委員会を設置して改正試案を作成したが、天皇の統治権を認めるなど保守的な内容だったため、GHQは自ら英文の改正草案（マッカーサー草案）を作成して、1946年２月、日本政府に提示した。政府は、これをやや修正して和訳したものを政府原案として発表したのである。なお、憲法改正は大日本帝国憲法の改正という手続きを取って、衆議院・貴族院で審議・修正されて、1946年11月３日に公布された。

正答　4

問題研究

1945年の降伏文書調印から1952年の講和条約発効までの約７年間、日本は事実上アメリカによる単独占領下に置かれた。この占領期は頻出分野である。また、同じ占領期といっても、1948年以前と以後とでは占領政策も変わっているので、事実関係の正確な知識が必要である。他科目、特に政治、法律、経済、社会と関連づけて、知識を深めてほしい。

No.77 日本史　幕末から明治初期の出来事　平成30年度

幕末から明治初期に関する次の記述のうち、妥当なものはどれか。

1　江戸時代後期になると、薩摩や長州のように藩政改革に成功して次第に幕府から自立するようになった藩や、会津のように尊王運動の中心となって幕府に反発する藩も生まれた。

2　王政復古の大号令を発して天皇を中心とする新政府の樹立を宣言した倒幕派に対して、鳥羽・伏見の戦いに敗れた徳川慶喜は江戸に逃れ、恭順の意を示して江戸城を無血開城した。

3　明治政府は、廃藩置県によってすべての藩を廃止して府県としたが、藩側からの抵抗を避けるため、旧藩主である知藩事は、府知事・県令としてそのまま旧藩の行政に当たらせた。

4　明治政府は、近代的な軍隊の創設をめざして徴兵令を公布し、廃藩置県で解散させられた藩兵を対象として徴兵し、各地に設けた鎮台に配置した。

5　明治政府は、幕府から引き継いだ不平等条約の改正をめざす一方、朝鮮とは日本が外国と結んだ最初の対等条約である日朝修好条規を締結し、これにより朝鮮は開国した。

解説

1．幕末の尊王運動の中心となったのは親藩の会津藩ではなく御三家の水戸藩で、藤田東湖や会沢安（あいざわやすし）らが登用されて水戸学が確立し、尊王攘夷論の中心となった。なお会津藩は、幕末には9代藩主松平容保（かたもり）が京都守護職として幕政を支え、戊辰戦争では奥羽越列藩同盟の中心として新政府軍と戦った。外様の大藩であった薩摩や長州などが藩政改革に成功し、西国の雄藩として幕末の政局に大きな力を発揮したのは妥当である。

2．妥当である。

3．廃藩置県（1871年）では、すべての藩が廃止され府・県となり、それまで知藩事として藩政に当たっていた旧藩主は罷免されて東京に集められ、代わって中央政府が派遣する府知事・県令が行政に当たることになった。旧藩主が明治政府から知藩事に任命されて、そのまま旧藩の行政に当たったのは版籍奉還（1869年）である。

4．1873年1月に公布された徴兵令は国民皆兵が原則であるから、旧藩兵だけでなく平民も徴兵の対象で、満20歳に達した男子を徴兵検査により選抜して3年間の兵役に服させた。鎮台は、1871年、廃藩で解散させられた藩兵を常備兵に、全国4か所（東京・大阪・熊本・仙台）に設置されたが、徴兵令の公布により、名古屋・広島を加えて全国6か所になり、常備兵も次第に徴兵にとって代わった。

5．鎖国政策をとる朝鮮に対して、江華島事件（1875年）を機に結んだ日朝修好条規（1876年）は、日本の領事裁判権や関税免除を認めさせるなどの不平等条約であった。明治政府は、幕府が結んだ不平等条約を引き継いだが、1871年の岩倉使節団の派遣以来、1911年に小村寿太郎外相が関税自主権を完全に回復するまで、明治政府にとって条約改正は最大の外交課題であった。なお、日本が外国と結んだ最初の対等条約は日清修好条規（1871年）である。

正答　2

問題研究

幕末から明治初期の政治は頻出分野であり、ポイントは、選択肢の中での明白な誤りを見逃さないことである。会津藩と水戸藩の違い、版籍奉還と廃藩置県の違い、徴兵令は国民皆兵が原則、日朝修好条規は不平等条約。いずれにしても、細かいことにとらわれずに、基本的な事実をきちんと押さえておくことが大事である。

No.78 日本史　江戸時代の経済と社会　平成29年度

江戸時代の経済と社会に関する次の記述のうち、妥当なものはどれか。

1　幕府や大名の財政の基本は年貢米であったから、彼らは大規模な治水・かんがい工事や商人資本を利用した新田開発によって年貢米の増収を積極的に図った。

2　問屋や仲買が、仲間や組合と呼ばれる業種ごとの同業者の団体を結成して商品流通を独占したため、物価上昇を懸念した幕府は仲間の結成を江戸時代を通じて禁止した。

3　幕府は金・銀・銭の三貨を全国的に流通させて商品流通の発展を支え、なかでも金貨の金含有量を次第に増加させて物価騰貴を抑えようとした。

4　江戸・大坂・京都は三都と呼ばれ、なかでも江戸は人口100万人を超える大都市として成長したが、旧里帰農令や人返しの法などを施行した結果、人口は急速に減少していった。

5　江戸を起点とする五街道をはじめとする全国的な街道網が整備され、なかでも五街道には関所が置かれなかったので、善光寺や伊勢神宮などへの寺社参詣や巡礼などが広く流行した。

解説

1．妥当である。

2．幕府は、当初、仲間・組合と呼ばれる同業者団体を認めなかったが、18世紀になると、運上(うんじょう)・冥加(みょうが)と呼ばれる営業税を納める代わりに仲間による営業独占を認めるようになった。特に田沼意次が財政再建のため、都市や農村の商人や職人仲間を株仲間として積極的に公認したことは有名である。

3．金の含有量は1600年に鋳造された慶長小判が最も多い（84％）。貨幣鋳造権を握る幕府は、金の含有量を減らして差益（出目(でめ)）を得ることで、幕府財政の不足を補うことをしばしば行った。５代将軍徳川綱吉が、勘定吟味役荻原重秀の建議で、慶長小判を改鋳して金の含有率57％の元禄小判を発行したのがその最初である（1658年）。新井白石はそれを慶長小判と同質同量の正徳小判に戻したが、18世紀以後、次第に金の含有量は減少していった。

4．江戸で初めての人口調査が行われたのは1721（享保６）年で、そのときの町方人口は約50万人であった。これに武家・寺社方の人口およそ50万を加えて、江戸の人口は約100万人と考えられている。以後、人口調査は６年おきに実施されたが、町方人口はほぼ50万人前後を維持していて、幕府の都市政策の結果、人口が急減したとはいえない。むしろ18世紀末から幕末にかけて江戸の人口は増加する傾向にあった。

5．五街道には、東海道の箱根・新居(あらい)、中山道の碓氷(うすい)・木曽福島、甲州道中の小仏(こぼとけ)、日光・奥州道中の栗橋などに、それぞれ関所が設置されていた。しかし、江戸時代後半になると、庶民の間でも寺社参詣や四国八十八か所などの巡礼が盛んになったことは事実である。

正答　1

問題研究

江戸時代は頻出分野であり、細かい知識を問われることが多い。そこで、江戸時代を、①17世紀前半の幕藩体制の確立期、②17世紀後半の元禄時代から18世紀前半の成長期（最近では、享保の改革は幕藩体制の動揺に対する対応ではないとされる）、③18世紀後半から19世紀前半―宝暦・天明期を起点とする幕藩体制の解体の始まりとそれへの対応期（寛政の改革と天保の改革）、④開国と幕末の動乱、と時期を区分して考えると知識を整理しやすい。

No.79 思想　諸子百家　令和6年度

春秋戦国時代の中国には、諸子百家と呼ばれる多くの思想家が現れた。その代表的な思想家に関する次の記述のうち、妥当なものはどれか。

1　儒家の祖である孔子は、人を愛する心である「仁」と、形式的な規範である「礼」とを兼ね備えたあり方を人間の理想とした。

2　儒家の孟子は性悪説を唱え、人間は本来利己的な性格を持っており、これを統治するには法に基づく信賞必罰を徹底する必要があると説いた。

3　法家の思想を大成した韓非子は、法律を重視し、法の下では人間はみな平等であると説いて、君主による専制的な政治体制を批判した。

4　墨家の祖である墨子は、君主への忠誠心である「兼愛」の重要性を説き、また、君主の徳を広めるため他国を征服することを肯定した。

5　道家の祖といわれる老子は、あるがままの自然な生き方を否定し、世界に人為的に働きかけて道徳を実現しようとすることを理想の生き方とした。

解説

1．妥当である。

2．孔子の思想を継承発展させた儒家の孟子は、人間の本性は善であるとする性善説を唱え、仁義に基づいて民衆の幸福を図る王道政治の実現を説いた。性悪説を唱えた儒者は荀子、法に基づく信賞必罰を説いたのは法家の思想である。

3．法家思想の大成者、韓非子が、法律を重視したことは正しい。しかし法家は、法による信賞必罰によって君臣の身分秩序を統制し、君主への権力集中を図ることを説いた。

4．墨子が墨家の祖であり、「兼愛」を主張したことは正しい。しかし、「兼愛」とは自他を区別しない広い平等な愛のことであり、墨子は、儒家の説く近親重視の愛を別愛として批判した。また、墨子は非攻説を唱え、侵略のための戦争を否定した。

5．老子が道家の祖といわれることは正しいが、彼は、儒家の説く仁義などの道徳を作為的なものとして否定し、何事にも作為をなさず、ありのままの自然の道に従う無為自然の生き方を理想とした。

正答　1

問題研究

ほかの公務員試験では、思想ジャンルといえば本問のような有名思想家についての正誤問題とほぼ決まっており、有名思想家についての知識を整理しておけば1問正答することができる。しかし国立大学法人等職員採用試験では、そもそも思想の出る確率が5割であるうえに、思想が出たとしても、有名思想家についての正誤問題は過去5回のうち2回のみである。よって思想家対策にかける時間はほかに回し、有名思想家については歴史学習の中でついでに押さえる程度で乗り切りたい。

本問は正しい選択肢も誤りの選択肢もわかりやすい問題である。1～5の選択肢は、1．孔子は仁と礼とを最高の徳とした、2．孟子が性善説、荀子が性悪説、3．秦の始皇帝は法家を採用して中央集権国家をつくった、4．墨子は非攻説、5．老子は無為自然を説いた、という知識があれば容易に正解にたどりつける。さらにいえば、選択肢1の知識があるだけでもよいのである。歴史学習の中に登場する思想家たちについて、この程度の基礎知識は身につけておくことで思想分野もカバーし、省エネ学習をめざしたい。

No.80 思想　仏教　令和5年度

仏教に関する次の記述のうち、下線部の内容が妥当なものの組合せはどれか。

紀元前5世紀ごろのインドで、ガウタマ=シッダールタ（ブッダ）が仏教を開いた。彼は、ア司祭階級のバラモンを最高位とする階層身分制度を批判し、イ「一切皆苦（人生のすべては苦しみにほかならない）」、「諸行無常（この世でつくり上げられたものはやがてすべて滅する）」などの当時のインド文化の世界観からの脱却を説き、35歳で永遠の真理に目覚めて悟りを開いた。その後各地で教えを広め、多くの弟子や信者を集めた。

紀元前1世紀頃、仏教の改革運動によって大乗仏教が形成された。ウ大乗仏教とは自己一人の救いではなくすべての衆生の救済をめざす立場を自称したもので、厳しい修行で自己の悟りに至ることを目的とする従来の仏教を小乗仏教と呼んだ。エ大乗仏教はインドから南方のスリランカ・ミャンマー・タイなどに伝わり、小乗仏教はインドから北方の中国・朝鮮・日本などに伝わった。

1　ア、イ　　2　ア、ウ　　3　ア、エ　　4　イ、ウ　　5　イ、エ

解説

ア：妥当である。

イ：「一切皆苦」と「諸行無常」は四法印（ブッダの悟った普遍的心理を表す4つの命題）のうちの2つである。

ウ：妥当である。

エ：大乗仏教と小乗仏教の伝わるルートが逆である。大乗仏教は中国・朝鮮・日本などに伝わり、小乗仏教はスリランカ・ミャンマー・タイなどに伝わった。

よって、妥当なものはアとウであるから、正答は2である。

正答　2

問題研究

「思想」が出題される確率は5割程度しかなく、出題傾向や頻出領域を探ることは難しい。しかし、その少ない中でも過去4回のうち2回が本問の「仏教」、そして28年度の「一神教」についてなので、世界の宗教は頻出のテーマだと考えられる。

本問は、仏教といっても日本に伝来した後に日本で展開した日本仏教についてではなく、インドで発祥し、やがて世界宗教にまで発展した仏教についての基礎知識を問うている。本問を正答するのに必要な仏教についての基礎知識は次のとおりである。

▶仏教誕生以前のインド社会

バラモン（司祭階級）を最上位とする階層身分社会（カースト制度）を持つ社会。

▶ブッダの思想

カースト制度や祭祀中心主義を否定し、平等思想や命あるものへの慈悲を重んじる精神が特色。四法印（仏教を特徴づける4つの教え）⇒「一切皆苦（人生は苦しみから離れられない）」、「諸行無常（すべてのものは必ず滅する）」、「諸法無我（あらゆるものは実際には自我や我がものではない）」、「涅槃寂静（無常や無我の真理を繰り返し確認し、煩悩から離れることで心の平安を得られる）」

▶大乗仏教の成立と仏教の伝播

ブッダの死後、仏教は多くの分派に分かれた。その中から、厳しい戒律や修行などを重視し個人の悟りの完成をめざす伝統的仏教である上座部仏教（小乗仏教）に対し、すべての衆生の救済をめざす大乗仏教が生まれてきた。小乗仏教はおもにスリランカから東南アジア諸国に伝わり、大乗仏教は中央アジアから中国・朝鮮・日本などに伝わった。

No.81 思想　明治・大正時代の思想家　令和元年度

明治・大正時代の思想家とその思想に関する次の記述のうち、妥当なものはどれか。

1　ルソーの影響を受け、彼の『社会契約論』を『民約訳解』として翻訳紹介し、急進的民権論を唱えた。――内村鑑三

2　社会主義に共鳴し社会民主党結成に参加した。日本の軍国主義を批判し、日露戦争には非戦論を唱えて平民社を起こし、「平民新聞」を創刊して平民主義・社会主義・平和主義を唱えた。――幸徳秋水

3　イエスと日本の「２つのJ」の信念に立ち、無教会主義による日本的キリスト教の伝道に努めた。教員時代に教育勅語への敬礼を拒否して辞職し（不敬事件）、日露戦争に対しては非戦論を主張した。――中江兆民

4　主権在民の民主主義とは一線を画し、天皇主権そのものは否定せず、その主権の運用（政治）の目標は人民の福利にあり、政策決定は人民の意向によるとする民本主義を唱え、政党内閣制と普通選挙の実現を説いて、大正デモクラシーの理論的指導者として活躍した。――福沢諭吉

5　西洋近代の自由主義・合理主義思想に基づき、独立自尊の精神や実学を奨励し、天賦人権論に基づく平等主義を説いて、封建的思想の打破に努めた。――吉野作造

解説

1．明治時代の啓蒙思想家・政治家の中江兆民（1847～1901年）についての記述である。『民約訳解』に示された主権在民等の思想は自由民権運動に新たな理論的基礎を与え、兆民は「東洋のルソー」と称され、自由民権運動の理論的指導者として活躍した。主著は『三酔人経綸問答』など。

2．妥当である。中江兆民の弟子だった幸徳秋水（1871～1911年）は、自由民権思想から社会主義思想へと自らの思想を深め、日本最初の社会主義政党である社会民主党の結成に参加した。「万朝報」の記者として非戦論を唱えたが、「万朝報」が主戦論に転向すると同社を退き、堺利彦らと平民社を設立し、「平民新聞」を発刊して社会主義・平和主義を唱えた。その後無政府主義を唱えるようになり、1911年の大逆事件で明治天皇暗殺計画の首謀者に仕立てられ処刑された。

3．明治・大正時代のキリスト教思想家、内村鑑三（1861～1930年）についての記述である。札幌農学校で学び、クラーク博士のキリスト教教育の感化が残る環境の中で、新渡戸稲造らとともに入信した。２つのJ（JesusとJapan）に生涯をささげる決意をし、不敬事件、非戦論、無教会主義の伝道などその信念のもとで一貫して行動した。

4．大正・昭和時代の政治学者、吉野作造（1878～1933年）についての記述である。東大教授だった吉野は、『中央公論』に「憲政の本義を説いて其有終の美を済すの途を論ず」を発表し、民本主義を主張した。大正デモクラシーは大正期に高揚した民主主義的風潮、政党内閣制は議会で多数を占めた政党により内閣が組織される制度、普通選挙は納税額などによる資格制限のない選挙である。

5．明治時代前期の啓蒙思想家、福沢諭吉（1834～1901年）についての記述である。福沢の思想の核心は独立自尊（人間の尊厳を自覚し、自主独立の生活を営もうとする精神）である。また実学とは、実用的な西洋の学問という意味である。主著は『学問のすゝめ』『文明論の概略』など。

正答　2

問題研究

日本の近代思想は西洋の近現代思想と並ぶ超頻出の領域であるが、日本史で学習済みの思想家も多く、抽象的表現の多い西洋思想に比べてわかりやすい。出題パターンは、有名思想家についての記述の中から正肢を選ぶなど単純なものがほとんどである。

No.82 文学・芸術　日本の古典文学　令和4年度

古代から中世にかけての日本の文学作品に関する次の記述のうち、作品名と記述の組合せが妥当なものはどれか。

1 『太平記』：作者不詳の軍記物語であり、平家の興亡を題材とした重厚な文章を、盲目の琵琶法師が平曲として語り継ぎ、民間に広く普及した。
2 『方丈記』：鴨長明による随筆であり、「行く川の流れは絶えずして、しかももとの水にあらず。」という書き出しで知られる。この世の無常とはかなさが説かれている。
3 『土佐日記』：紀貫之による日記文学であり、著者が土佐守の任を終え、帰京するまでの旅日記を、格調高い漢文調で綴っている。
4 『更級日記』：歌人の女性による紀行文であり、著者が実子と継子の所領争論解決のために鎌倉に下向した折の様子が書かれている。
5 『源氏物語』：紫式部による歴史物語であり、源頼朝以降の源氏の武士たちの活躍が描かれている。

解説

1．鎌倉時代前期の軍記物語である『平家物語』についての記述。『太平記』は室町時代初期の南北朝文化の軍記物語であり、南朝側に同情的な立場で描かれ、のち太平記読みと呼ばれる講釈師によって庶民の間に広まった。
2．妥当である。『方丈記』は、吉田兼好による『徒然草』と並ぶ鎌倉文化を代表する随筆である。
3．『土佐日記』が紀貫之による日記文学であることは正しく、平安時代の国風文化を代表する日記文学の一つである。しかし、『土佐日記』は最初のかな文字による日記である。当時、かなは女性の使用する文字で、男性は漢字を使用すべきものと考えられていたが、紀貫之は自らを女性になぞらえ、かな文字で『土佐日記』を書き、かな文字やその後の女流文学の発展に大きな影響を与えた。
4．鎌倉時代の紀行文で、阿仏尼が著した『十六夜日記』についての記述である。『更級日記』は平安時代の菅原孝標の女による日記文学であり、幼少期を父の任地の東国で過ごした少女の、宮仕え・結婚・夫との死別などの一生の回想録である。
5．『源氏物語』の著者が紫式部であることは正しい。しかし、『源氏物語』は光源氏の恋愛や栄華、その子薫大将の悲劇を中心に、平安時代の貴族社会が描かれた物語で、日本の物語文学の最高峰といわれている。

正答　2

問題研究

日本の古典文学発達のおよその流れを理解しているかが問われる問題である。元来、日本は独自の文字を持たず、奈良時代の『万葉集』等は、中国の漢字の音・訓を借用した万葉仮名で書かれていた。平安時代初期に発明されたかな文字が文学世界に革命的変化を起こすが、最初は女性が使う文字であり、平安初期の貴族に必要な教養は漢文学であった。平安中期、当時一級の教養人であった紀貫之がかな文字で『土佐日記』を著し、次第に上流貴族にもかな文字が広まった。かな文字の普及は人々の感情や思想の表現を自由にし、漢文学に代わって和歌・物語・随筆などの国文学が隆盛し、女流文学も独自の発達を遂げた。源平の争乱を経た鎌倉時代には、無常観が底流する軍記物語や随筆が誕生した。無常観の軍記物語の傑作『平家物語』は琵琶法師による語りものとして広まり、語りの文芸の源流となった。『平家物語』に次ぐ軍記物語の傑作と言われる室町時代の『太平記』も物語僧によって人々に親しまれた。また、東海道などの整備によって、『十六夜日記』に代表される紀行文という文学の新ジャンルも登場した。

No.83 文学・芸術　19世紀の西洋画家　令和3年度

19世紀の西洋画家に関する次の記述のうち、記述と画家名との組合せが妥当なものはどれか。

1　スペインの首席宮廷画家でロマン主義の先駆者。反独裁の立場から、民族的抵抗へのナポレオン軍の残虐な報復を描いた「1808年5月3日」がよく知られる。
——モネ

2　フランス新古典主義絵画の代表者。古代ギリシア・ローマの美術様式を模範とした作品を作る一方、ナポレオンの首席画家として活躍した。代表作は「ナポレオンの戴冠式」などである。
——ダヴィド

3　フランスのロマン主義の画家。光り輝く色彩表現で、「キオス島の虐殺」や「民衆を導く自由の女神」を描いた。
——セザンヌ

4　フランスの自然主義の画家で、パリ郊外の小村バルビゾンに滞在して風景画や農民画を写実的に描くバルビゾン派に含まれる。代表作に「晩鐘」「落ち穂拾い」がある。
——ルノワール

5　オランダ生まれのポスト印象派の画家。フランスに移り住んでから、大胆な色彩の絵を描いた。代表作は「ひまわり」などである。
——クールベ

解説

1．本肢はゴヤに関する記述である。モネはフランス印象派を代表する画家であり、彼の作品「印象・日の出」が印象派の語源となった。光の効果を重視し、晩年の連作「睡蓮」も有名である。

2．妥当である。

3．本肢はドラクロワに関する記述である。セザンヌはポスト印象派（フランス後期印象派）の画家で、印象派の新しい色彩表現を体得し、その後幾何学的な画面構成を用いた独自の作風を作り出した。代表作に「サント・ヴィクトワール山」がある。

4．本肢はミレーに関する記述である。なお、ミレーは写実派に分類されることもある。ルノワールはフランス印象派の画家である。人物画を得意とし、多くの裸婦を華麗に描いた。代表作に「桟敷席」がある。

5．本肢はゴッホに関する記述である。クールベはフランス写実主義の代表的画家である。「自分の目で見たことのない天使の姿は描けない」として、古典主義やロマン主義の大時代的な表現を批判し、民衆や社会生活をありのままに描いた。代表作に「石割り」がある。

正答　2

問題研究

西洋美術については19世紀～20世紀前半がよく出されており、本問はまさにその頻出領域からの出題である。19世紀の西洋美術は、フランスを中心に、（新）古典主義→ロマン主義→写実主義→自然主義→印象派→ポスト印象派（後期印象派）と展開する。それぞれの様式の代表的な画家とその代表作を整理しておくとよい。加えて、19世紀のヨーロッパは、ナポレオンの登場に始まり、ウィーン反動体制、七月革命と進む中で、近代国民国家が形成され、発展を遂げる時代である。そのような中で、それぞれの画家たちが、どの国で活躍し、その時代状況にどのように向き合ったのか、宮廷画家として宮廷を描いたのか、虐殺や革命を描いたのか、農村の風景を描いたのかということも大事なポイントとなる。

文学・芸術は毎年出される科目ではないので、準備に時間をかけることは避けたい。歴史の学習等と関連づけてチェックするのが有効である。

No.84 文学・芸術　西洋近代の音楽家　令和2年度

西洋近代の音楽家に関する次の記述のうち、妥当なものはどれか。

1　ドイツ出身のブラームスは、ウィーンで活躍し、古典派音楽を大成すると同時に、ロマン主義音楽の先駆者ともなった。交響曲「運命」「田園」、ピアノソナタ「月光」などを残した。

2　オーストリア出身のベートーヴェンは、幼時より演奏家として著名で、ザルツブルグ大司教の宮廷音楽家を務め、後にウィーンで活躍して古典派音楽を確立した。協奏曲、歌劇、交響曲など600曲以上を作曲し、交響曲「ジュピター」、オペラ「フィガロの結婚」などを残した。

3　チェコの民族運動に積極的にかかわった作曲家ショパンは、チェコ国民楽派の創始者とされる。代表作に連作交響詩「わが祖国」などがある。

4　ポーランド出身のロマン派作曲家スメタナは、1830年の民族蜂起直前にパリに移った。祖国の民族的音楽をとり入れて叙情的なピアノ曲を多く作曲し、「ピアノの詩人」と呼ばれた。

5　フランスの作曲家ドビュッシーは、ルノワールやモネらフランス印象派の画家たちとの交流の中で印象派絵画の影響を受け、旋律よりも音の効果を重視して印象派音楽を創始・確立した。代表曲に管弦楽曲「牧神の午後への前奏曲」、前奏曲「亜麻色の髪の乙女」などがある。

解説

1．ベートーヴェン（1770～1827年）についての記述である。ブラームス（1833～97年）は、ベートーヴェンより半世紀後の時代に活躍したドイツ出身のロマン主義音楽家である。しかし、ロマン主義の華やかな時代に、古典派の長所をとり入れて重厚で叙情的な独自の風をつくり、新古典派ともいわれる。

2．モーツァルト（1756～1791年）についての記述である。ベートーヴェンはドイツ出身である。

3．チェコの作曲家スメタナ（1824～84年）についての記述である。ロマン主義の作曲家ショパンはポーランド出身で、代表曲は「子犬のワルツ」など。

4．ショパンについての記述である。スメタナは1848年のプラハ蜂起に参加するなどチェコ民族運動に積極的にかかわった。

5．妥当である。印象派音楽を代表するドビュッシー（1862～1918年）は、全音音階や教会旋法の和声などの音の効果で、情感を綿密に表現した。

正答　5

問題研究

18世紀末～19世紀初め、オーストリアのウィーンを中心にハイドン、モーツァルト、ベートーヴェンらが活躍し、貴族のものだったバロック音楽に代わり、均整さや調和を追求した器楽曲を特徴とする古典派音楽が完成された。交響曲、協奏曲、ピアノソナタなどが生まれ、市民文化の新しい様式として広まった。19世紀前半～半ばには、市民革命による社会変動の影響を受け、感情・意志・個性を強く表現したロマン主義音楽が全盛となり、ポーランドのショパン、オーストリアのシューベルト、ドイツのシューマン、ワグナー、メンデルスゾーン、ブラームス、イタリアのヴェルディなど多数の音楽家が輩出した。また、19世紀半ば頃からは、ロシアを中心に、民族主義の影響を受けて、民族的な旋律、音楽手法を積極的に取り入れた国民楽派が起こり、ロシアのムソルグスキー、チャイコフスキー、チェコのスメタナらが活躍した。世紀末には、印象派絵画などの影響を受けて印象派音楽を創始したフランスのドビュッシーが現れ、音の効果で情感を綿密に表現し、現代音楽への道を開いた。19世紀のヨーロッパの音楽は、芸術の頻出領域の一つといえる。有名作曲家と音楽様式（古典派、ロマン主義等々）、出身国、代表作品を結べるようにしておくのが、得点への近道である。

No.85 数学	三角形	令和 6年度

　図のように、幅が一定の水路がある。点Aから対岸の点Pを見たとき、水路に沿った方向と直線APのなす角が45°であった。点Aから水路に沿って10m歩いた点Bから点Pを見ると、水路に沿った方向と直線BPのなす角が60°であった。このとき、水路の幅はおよそいくらか。ただし、$\sqrt{3}$は約1.73である。

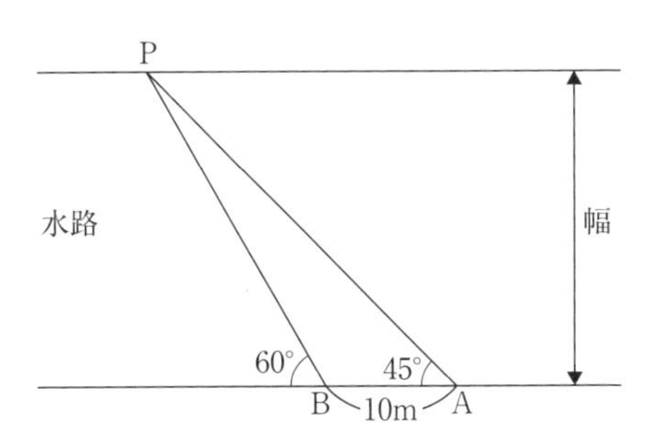

1　20.5m
2　21.5m
3　22.1m
4　23.7m
5　24.7m

解説

　求める水路の幅（線分PQ）をxmとする。

QA＝PQ＝xより

BQ＝$x-10$

BQ：PQ＝1：$\sqrt{3}$＝$x-10$：x

$$x=\sqrt{3}(x-10)$$

$$x=\sqrt{3}x-10\sqrt{3}$$

$$\sqrt{3}x-x=10\sqrt{3}$$

$$x(\sqrt{3}-1)=10\sqrt{3}$$

$$x=\frac{10\sqrt{3}}{\sqrt{3}-1}=\frac{10\times1.73}{1.73-1}=\frac{17.3}{0.73}$$

$$\fallingdotseq 23.7〔\mathrm{m}〕$$

　よって、正答は**4**である。

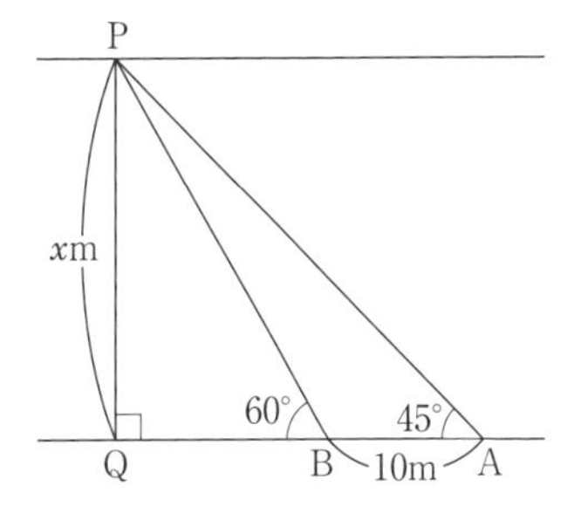

正答　4

問題研究

基本的な三角形の比

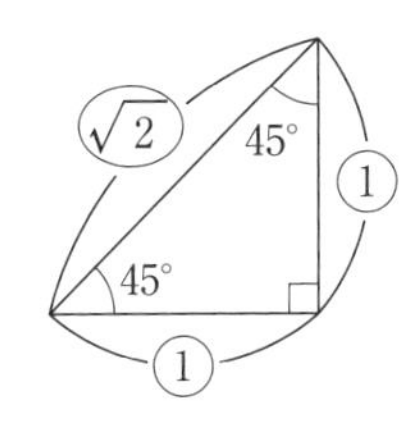

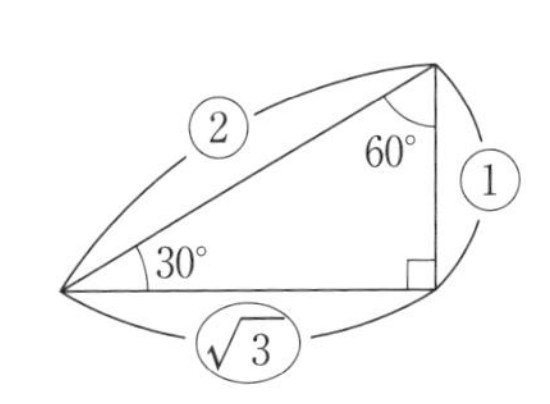

PART 3 過去問を解いてみよう！

No.86 数学　絶対値を含む関数のグラフ　令和5年度

絶対値を含む関数に関する次の記述の空欄ア、イに当てはまる語句の組合せとして妥当なものはどれか。ただし、$|a|$はaの絶対値を表す。たとえば、$|-3|=3$である。

xy平面上において、$y=|x-1|+|x+1|$のグラフと、$y=4$のグラフで囲まれた図形は［ア］であり、その面積は［イ］である。

	ア	イ
1	三角形	4
2	三角形	6
3	三角形	8
4	台形	4
5	台形	6

解説

$x-1$、$x+1$はそれぞれxが1、-1で正負が変わるので、$x<-1$、$-1\leqq x\leqq 1$、$1<x$で場合分けをする。

(i) $x<-1$のとき、

$x-1$、$x+1$はともに負なので、$y=-(x-1)-(x+1)=-x+1-x-1=-2x$

(ii) $-1\leqq x\leqq 1$のとき、

$x-1$は0以下、$x+1$は0以上なので、$y=-(x-1)+(x+1)=-x+1+x+1=2$

(iii) $1<x$のとき、

$x-1$、$x+1$はともに正なので、$y=(x-1)+(x+1)=x-1+x+1=2x$

グラフを描くと右図のようになる。

よって、グラフで囲まれた図形は台形であり、

面積は$(2+4)\times 2\times\frac{1}{2}=6$である。

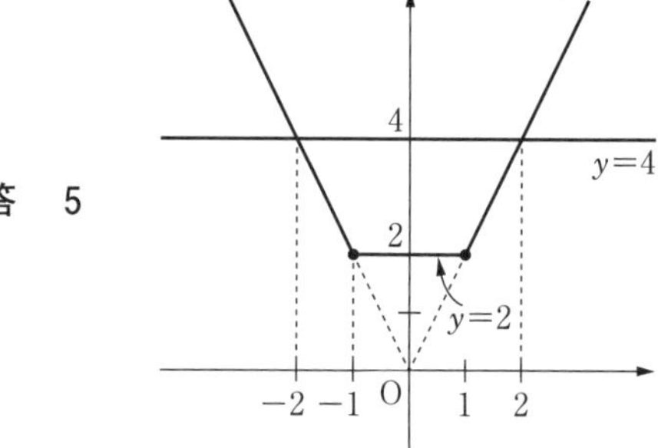

正答　5

問題研究

絶対値

実数xの絶対値$|x|=\begin{cases}x & (x\geqq 0)\\ -x & (x<0)\end{cases}$である。

$|x+4|=3$の解を求める。$x+4$はxが-4のときに0となるので、-4で場合分けをすればよい。

$|x+4|=\begin{cases}x+4 & (x\geqq -4)\\ -x-4 & (x<-4)\end{cases}$となる。

$x+4=3$を解くと$x=-1$（$x\geqq -4$に合う）。$-x-4=3$を解くと$x=-7$（$x<-4$に合う）。

よって、求める解は、$x=-1$、-7となる。

No.87 数学　二次関数の最大値　令和4年度

図のように、$y=-\frac{1}{2}x+4$ 上に点P $(a、b)$をとり、OP＝PA となるように x 軸上に点Aをとる。$a>0$、$b>0$ において、△POA の面積が最大となる点Pの x 座標 a の値として正しいものはどれか。

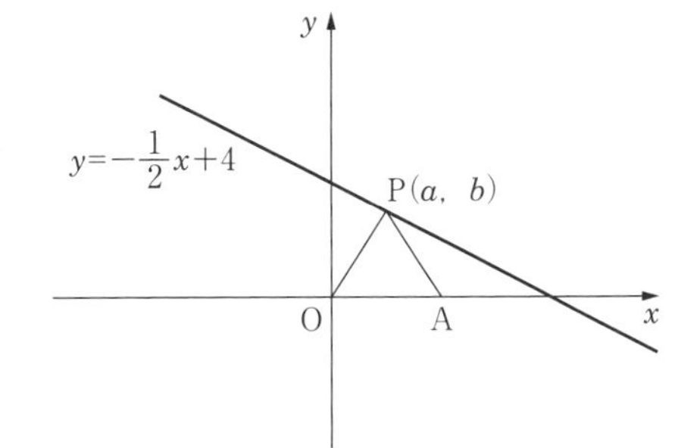

1　1
2　2
3　3
4　4
5　5

解説

$y=-\frac{1}{2}x+4$ 上に点P $(a、b)$があるので、$b=-\frac{1}{2}a+4$……①

が成り立つ。

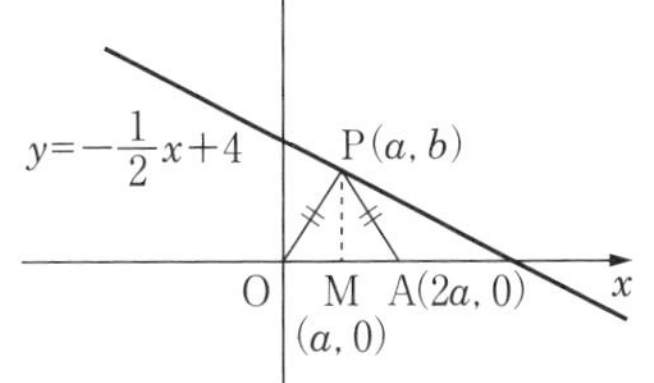

点Pから x 軸に垂線を下ろし、x 軸との交点をMとする。△POA は二等辺三角形であるから、Mは線分 OA の中点であり、Mの座標は$(a、0)$、Aの座標は$(2a、0)$である。

△POA の底辺が OA、高さが PM なので、その面積を S とすると、

$S=2a\times b\times\frac{1}{2}=ab$……②

②に①を代入すると、

$S=-\frac{1}{2}a^2+4a=-\frac{1}{2}(a^2-8a+16)+8=-\frac{1}{2}(a-4)^2+8$

よって、S は $a=4$ のとき最大値8をとる。

したがって、正答は4である。

正答　4

問題研究

二次関数の最大・最小

$y=a(x-b)^2+c$ について

$a>0$ のとき

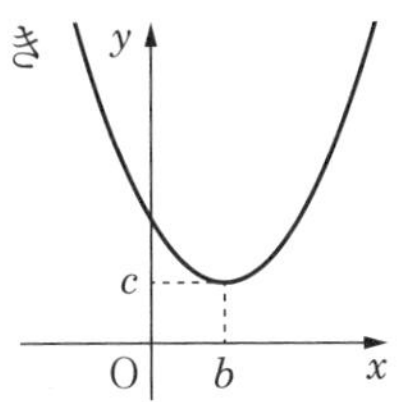

グラフは下向き凸になり、頂点は$(b、c)$

$x=b$ のときに最小値 c をとる。

$a<0$ のとき

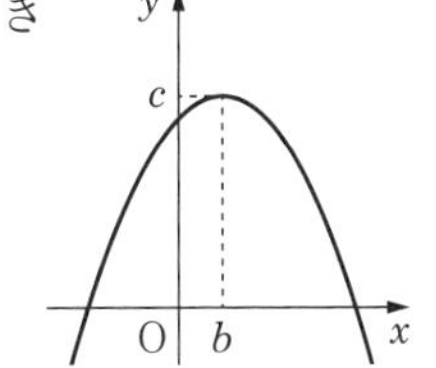

グラフは上向き凸になり、頂点は$(b、c)$

$x=b$ のとき最大値 c をとる。

なお、x に範囲（閉区間）がある場合、頂点がその範囲に入っていなければ、範囲の端で最大値・最小値をとる。

No.88 数学 $6-\sqrt{15}$の整数部分と小数部分 令和3年度

$6-\sqrt{15}$の整数部分をa、小数部分をbとするとき、$a+\dfrac{1}{b}$の値を次のように求める。空欄ア、イに当てはまる数値の組合せのうち、妥当なものはどれか。

$3<\sqrt{15}<4$であることから、$a=$［ア］である。よって、$b=6-\sqrt{15}-$［ア］であり、$a+\dfrac{1}{b}=$［イ］となる。

	ア	イ
1	2	$4+\sqrt{15}$
2	2	$6-\sqrt{15}$
3	2	$6+\sqrt{15}$
4	3	$6-\sqrt{15}$
5	3	$6+\sqrt{15}$

解説

たとえば、1.7386の整数部分は1、小数部分は0.7386である。

$\sqrt{9}<\sqrt{15}<\sqrt{16}$であるから、$3<\sqrt{15}<4$より、$6-\sqrt{15}=6-3.\cdots\cdots=2.\cdots\cdots$となるので、$a=2$である。

$6-\sqrt{15}$の整数部分をa、小数部分をbとすると、$6-\sqrt{15}=a+b$から、$b=6-\sqrt{15}-a$であり、

$$b=6-\sqrt{15}-a=6-\sqrt{15}-2=4-\sqrt{15}$$

となる。したがって、

$$a+\frac{1}{b}=2+\frac{1}{4-\sqrt{15}}=2+\frac{4+\sqrt{15}}{(4-\sqrt{15})(4+\sqrt{15})}=2+\frac{4+\sqrt{15}}{4^2-(\sqrt{15})^2}=2+\frac{4+\sqrt{15}}{16-15}=2+4+\sqrt{15}=6+\sqrt{15}$$

よって、正答は**3**である。

正答 3

問題研究

分母が整数であると、割り算が楽になり、通分もしやすくなるので、分母に無理数がある場合、分母の有理化をすることが必要になる。分母の有理化の例を挙げておく。

$$\frac{2}{\sqrt{3}}=\frac{2\times\sqrt{3}}{\sqrt{3}\times\sqrt{3}}=\frac{2\sqrt{3}}{3}$$

$$\frac{3}{\sqrt{20}}=\frac{3}{2\sqrt{5}}=\frac{3\times\sqrt{5}}{2\sqrt{5}\times\sqrt{5}}=\frac{3\sqrt{5}}{10}$$

$$\frac{2+\sqrt{5}}{\sqrt{7}}=\frac{(2+\sqrt{5})\times\sqrt{7}}{\sqrt{7}\times\sqrt{7}}=\frac{2\sqrt{7}+\sqrt{35}}{7}$$

$$\frac{6}{3-\sqrt{2}}=\frac{6(3+\sqrt{2})}{(3-\sqrt{2})(3+\sqrt{2})}=\frac{18+6\sqrt{2}}{3^2-(\sqrt{2})^2}=\frac{18+6\sqrt{2}}{9-2}=\frac{18+6\sqrt{2}}{7}$$

$$\frac{1}{\sqrt{2}+\sqrt{5}-\sqrt{7}}=\frac{\sqrt{2}+\sqrt{5}+\sqrt{7}}{\{(\sqrt{2}+\sqrt{5})-\sqrt{7}\}\{(\sqrt{2}+\sqrt{5})+\sqrt{7}\}}=\frac{\sqrt{2}+\sqrt{5}+\sqrt{7}}{(\sqrt{2}+\sqrt{5})^2-(\sqrt{7})^2}$$

$$=\frac{\sqrt{2}+\sqrt{5}+\sqrt{7}}{2+2\sqrt{10}+5-7}=\frac{\sqrt{2}+\sqrt{5}+\sqrt{7}}{2\sqrt{10}}=\frac{(\sqrt{2}+\sqrt{5}+\sqrt{7})\times\sqrt{10}}{2\sqrt{10}\times\sqrt{10}}=\frac{2\sqrt{5}+5\sqrt{2}+\sqrt{70}}{20}$$

No.89 数学

三角関数

令和2年度

次の記述中の空欄ア～ウに当てはまる数値の組合せのうち、妥当なものはどれか。

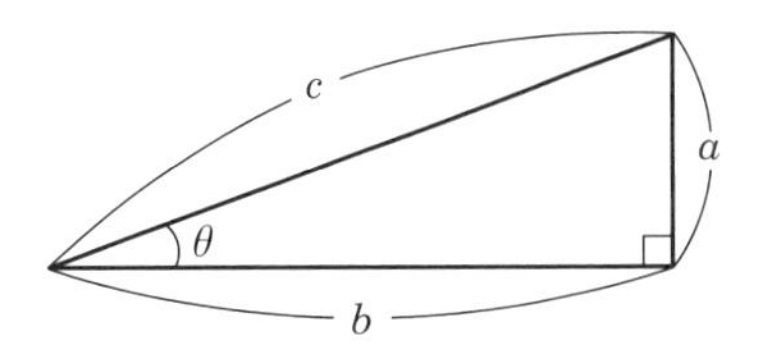

右図において、$\sin\theta=\frac{a}{c}$、$\cos\theta=\frac{b}{c}$、$\sin^2\theta+\cos^2\theta=1$ となる。

$y=\cos^2\theta+\sin\theta$（$0°<\theta<90°$）について検討する。$\sin\theta=t$ と置くと、$\sin^2\theta+\cos^2\theta=1$ により、y は t の二次関数となる。

このとき、t の変域は［ア］となり、y の最大値は［イ］であり、そのときの θ は［ウ］である。

	ア	イ	ウ
1	$0<t<1$	1	60°
2	$0<t<1$	$\frac{5}{4}$	30°
3	$0<t<1$	$\frac{5}{4}$	60°
4	$-1<t<1$	1	60°
5	$-1<t<1$	$\frac{5}{4}$	30°

解説

$y=\cos^2\theta+\sin\theta$ に $\cos^2\theta=1-\sin^2\theta$ を代入すると、

$y=1-\sin^2\theta+\sin\theta$ となり、$\sin\theta=t$ より、$y=-t^2+t+1$ となる。

このとき、$0°<\theta<90°$ より、$0<\sin\theta<1$ であるので、$0<t<1$ である（ア）。

$y=-t^2+t+1=-\left(t-\frac{1}{2}\right)^2+\frac{5}{4}$ から、y は $t=\frac{1}{2}$ のときに最大値 $\frac{5}{4}$ をとる（イ）。

$t=\frac{1}{2}$ のとき、つまり $\sin\theta=\frac{1}{2}$ となるのは、$0°<\theta<90°$ において、$\theta=30°$ のときである（ウ）。

よって、正答は2である。

正答　2

問題研究

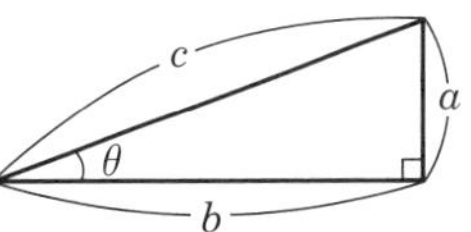

直角三角形の3辺の長さについて、$a^2+b^2=c^2$ が成り立つ。これを三平方の定理という。本問で用いた $\sin^2\theta+\cos^2\theta=1$ は、三平方の定理から次のように導かれる。

$\sin\theta=\frac{a}{c}$、$\cos\theta=\frac{b}{c}$ より、$\sin^2\theta+\cos^2\theta=\left(\frac{a}{c}\right)^2+\left(\frac{b}{c}\right)^2=\frac{a^2+b^2}{c^2}=\frac{c^2}{c^2}=1$

このほかにも、よく使う三角関数の公式をまとめておく。

$\tan\theta=\frac{\sin\theta}{\cos\theta}$、$1+\tan^2\theta=\frac{1}{\cos^2\theta}$

$\sin(90°-\theta)=\cos\theta$、$\sin(90°+\theta)=\cos\theta$、$\sin(\theta+180°)=-\sin\theta$

$\cos(90°-\theta)=\sin\theta$、$\cos(90°+\theta)=-\sin\theta$、$\cos(\theta+180°)=-\cos\theta$

正弦定理と余弦定理を図の直角三角形に適用すると、

正弦定理：$\frac{a}{\sin\theta}=2R$（Rは外接円の半径）、余弦定理：$\cos\theta=\frac{b^2+c^2-a^2}{2bc}$

PART 3 過去問を解いてみよう！

No.90 数学　指数と対数　令和元年度

指数と対数に関する次の記述中の空欄ア～ウに当てはまる語句の組合せとして、妥当なものはどれか。

指数関数$y=2^x$において、$y=8$のとき$x=3$と一つに定まる。同様に、$M=a^s$（$a>0$、$a\neq1$、$M>0$）において、Mが一つに定まるとsは一つに定まる。このときsは、aを底とするMの対数といい、$\log_a M$と表される。たとえば、$\log_4 8$は［ア］となる。

さらに、M、N（$M>0$、$N>0$）について、$M=a^s$、$N=a^t$が成り立つとする。このとき、$s=\log_a M$、$t=\log_a N$となる。$MN=a^{s+t}$であるので、$\log_a MN$は［イ］と表すことができる。また、$\log_a M^k$は［ウ］と表すことができる。

	ア	イ	ウ
1	$\frac{3}{2}$	$\log_a M\times\log_a N$	$k\log_a M$
2	$\frac{3}{2}$	$\log_a M+\log_a N$	$M\log_a k$
3	$\frac{3}{2}$	$\log_a M+\log_a N$	$k\log_a M$
4	2	$\log_a M\times\log_a N$	$k\log_a M$
5	2	$\log_a M\times\log_a N$	$M\log_a k$

解説

アについて、$\log_4 8$の値が、つまり「4を何乗すると8になるか」が問われている。

4の$\frac{1}{2}$乗$=\sqrt{4}=2$、さらに2を3乗すると8である。よって、4の$\frac{3}{2}$乗が8になる。

まず、$\log_a a^p$について検討しておく。$\log_a a^p$は「aを何乗するとa^pになるか」の値を示しているが、aをp乗するとa^pになるのだから、$\log_a a^p=p$…①である。

ウから検討する。$s=\log_a M$について、対数の定義より$M=a^s$だから、

この両辺をk乗すると、　$M^k=(a^s)^k=a^{ks}$となる。

aを底とする両辺の対数をとると、　$\log_a M^k=\log_a a^{ks}$

①より、$\log_a a^{ks}=ks$なので、　$\log_a M^k=ks$

$s=\log_a M$を右辺に代入して、　$\log_a M^k=k\log_a M$…②

イについて、　$\log_a MN=\log_a a^s a^t=\log_a a^{s+t}$

②より、$\log_a a^{s+t}=s+t$なので、　$\log_a MN=s+t=\log_a M+\log_a N$…③

よって、正答は3である。

正答　3

問題研究

対数についての公式をまとめておく。

$\log_a a^p=p$（①）　これより、$\log_a 1=\log_a a^0=0$　$\log_a a=\log_a a^1=1$

$\log_a M^k=k\log_a M$（②）　$\log_a MN=\log_a M+\log_a N$（③）　$\log_a\frac{M}{N}=\log_a M-\log_a N$

$\log_N M=\frac{\log_a M}{\log_a N}$（底の変換公式）

No.91 物理	# 電流と磁界	令和 6年度

モーターは、磁界中を流れる電流が磁界から受ける力を利用して、回転する力を発生させている。これに関する次の記述中の空欄ア～ウに当てはまる語句の組合せとして、妥当なものはどれか。

図Ⅰのように、水平に置かれた磁石のＮ極とＳ極の間に、磁界の向きと垂直な回転軸を持つ長方形のコイルabcdを置き、直流電流をａ→ｂ→ｃ→ｄの向きに流す。磁界中を流れる電流が磁界から受ける力の方向は、図Ⅲのようにフレミングの左手の法則で表されることから、辺 abには［ア］向きの力が、辺cdには［イ］向きの力がはたらくことがわかる。この力によってコイルが回転する。

次に、図Ⅱのように、コイル abcd がなす面が磁界の向きと垂直になるようにおき、直流電流をａ→ｂ→ｃ→ｄの向きに流す。辺abと辺cdにはたらく力の向きを考えると、コイルは［ウ］ことがわかる。

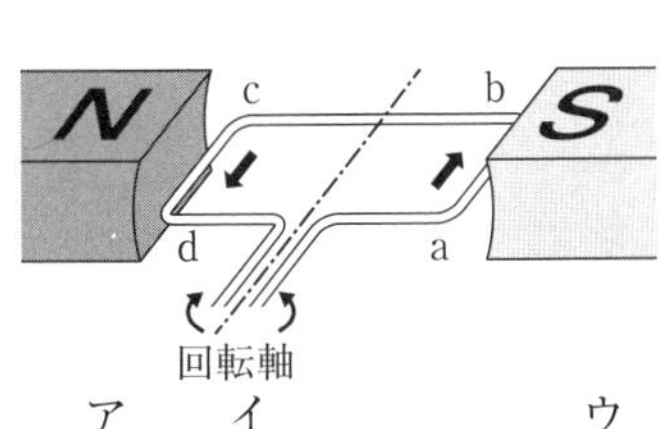

図Ⅱ

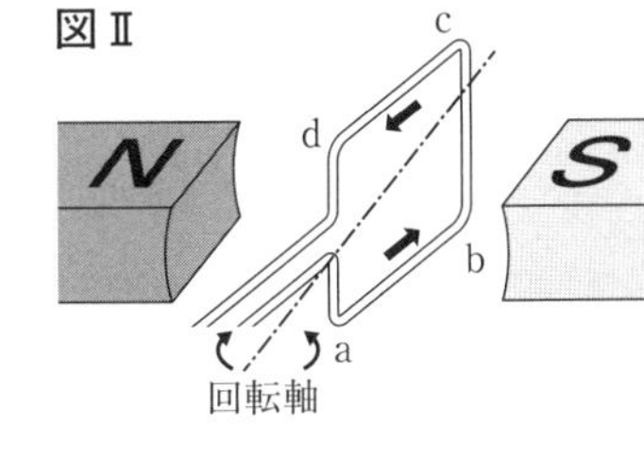

図Ⅲ

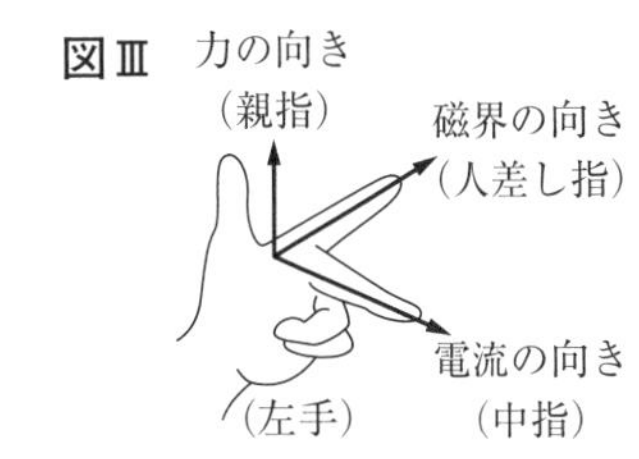

	ア	イ	ウ
1	上	下	時計回りに回転する
2	上	下	回転しない
3	下	上	時計回りに回転する
4	下	上	反時計回りに回転する
5	下	上	回転しない

解説

図Ⅰにおいて、右側部分（辺ab）の電流の向きはａ→ｂ、磁界の向きは左から右なので、左手の中指をａ→ｂの向きに、人差し指を左から右に向ける。そうすると、おのずと親指は下を向くので、この部分にはたらく力の向きは下向き（ア＝下）であることがわかる。同様に、左側部分（辺cd）には上向きの力がかかっていることがわかる（イ＝上）。つまり、このコイルは時計回りに回転する。

次に、図Ⅱでは、下側部分（辺ab）の電流の向きはａ→ｂ、磁界の向きは左から右なので、左手の中指をａ→ｂの向きに、人差し指を左から右に向ける。そうすると、おのずと親指は下を向くので、この部分にはたらく力の向きは下向きであることがわかる。同様に、上側部分（辺cd）には上向きの力がかかる。つまり、コイルには上下に引き合う力がはたらき、コイルは回転しない（ウ＝回転しない）。よって正答は5である。

正答　5

問題研究

直流モーター

実際のモーターは図のように整流子とブラシのはたらき（これらは接着されておらず、接触と非接触を繰り返す）により、半回転ごとに電流の流れる向きが反対になり、一定の向きに回転を続けられるようになっている。

図

整流子

ブラシ

No.92 物理	おもりのつり合い	令和5年度

図1のように、おもりを棒の一端につるし、その端から10cm離れた位置で、棒を天井から細いひもでつるした。さらに、棒のもう一方の端に、鉛直下向きに力F_1を加えるとつり合った。また、図2のように、棒の一端を天井から細いひもでつるし、その端から10cm離れた位置に、同じおもりをつるした。さらに、棒のもう一方の端に、鉛直上向きに力F_2を加えるとつり合った。F_1とF_2の力の大きさの比として、正しいものはどれか。ただし、棒とひもの重さは無視できるものとする。

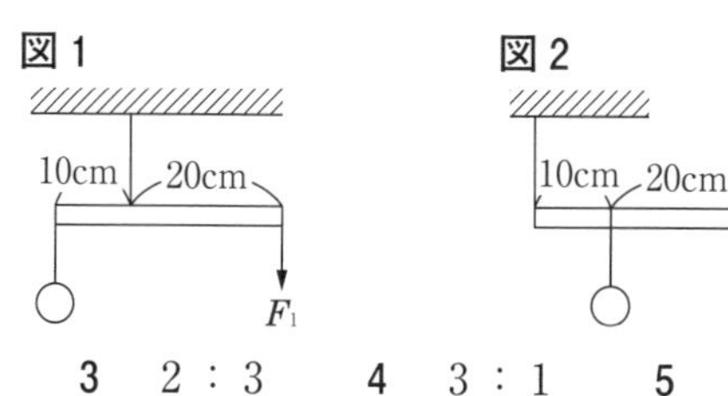

1　1：1　　**2**　1：3　　**3**　2：3　　**4**　3：1　　**5**　3：2

解説

おもりにかかる重力をWとする。

図1について、点Bを中心とする、力のモーメントのつり合いより、

$W \times 10 = F_1 \times 20$

$F_1 = \frac{1}{2}W$

図2について、天井が引くひもの張力をTとすると、上下方向の力のつり合いより、

$T + F_2 = W$

$T = W - F_2$……①

図2について、点Eを中心とする、力のモーメントのつり合いより、

$T \times 10 = F_2 \times 20$から、①を代入して、

$(W - F_2) \times 10 = F_2 \times 20$

$F_2 = \frac{1}{3}W$

よって、$F_1 : F_2 = \frac{1}{2}W : \frac{1}{3}W = 3 : 2$

正答　5

問題研究

力のモーメント

回転軸まわりに剛体を回転させる能力のことを力のモーメントという。剛体全体にかかる力のモーメントが合わせて0になるとき、剛体は回転しない。つまり、剛体が回転していないとき、任意の点を回転の中心にして、力のモーメントの式を立てることができる。

力の大きさがF、力の作用線と回転の中心Oまでの距離がlのとき、力のモーメントは$Fl\sin\theta$となる。

剛体が回転していない状況では、任意の点の左回りの力のモーメントと、右回りの力のモーメントはつり合っている。

つまり、この図の状況では、$F_1 l_1 \sin\theta = F_2 l_2$となる。

No.93 物理	等加速度運動	令和4年度

小球を鉛直方向に投げ上げたときの運動を考える。次の記述中の空欄［ア］～［ウ］に当てはまる語句の組合せとして妥当なものはどれか。ただし、空気抵抗は無視できるものとする。

小球を初速度vで鉛直上向きに投げ上げる。単位時間当たりの速度の変化を加速度といい、投げ上げられた小球にはたらく加速度は重力加速度gとなる。投げ上げた瞬間から時間がt経過したときの小球の速度は鉛直方向上向きを正とすると、［ア］と表され、投げ上げられた位置に戻ってきた時点の速度は［イ］と表される。また、これらから、小球が投げ上げられてから、投げ上げられた位置に戻ってくるまでの時間は［ウ］と表される。

	ア	イ	ウ
1	$v-gt$	$-v$	$\frac{v}{g}$
2	$v-gt$	$-v$	$\frac{2v}{g}$
3	$v-gt$	v	$\frac{v}{g}$
4	$vt-\frac{1}{2}gt^2$	$-v$	$\frac{2v}{g}$
5	$vt-\frac{1}{2}gt^2$	v	$\frac{v}{g}$

解説

重力は鉛直下向きにはたらくので、鉛直方向上向きを正とする本問では加速度が$-g$となる。

投げ上げた瞬間から時間がt経過したときの小球の速度をv'とすると$v'=v-gt$(ア)となる。

投げ上げられた位置から上向きの変位をxとすると、$v'^2-v^2=2(-g)x$である。元の位置に戻ってくるということは、$x=0$であるので、$v'^2-v^2=0$より、$(v'+v)(v'-v)=0$だから、$v'=\pm v$である。

このうち、元の位置に戻ってきたときは下向きに落ちているので、$v'=-v$（イ）。

これをアの式に代入すると、$-v=v-gt$。

これを解くと、$t=\frac{2v}{g}$(ウ)となる。

よって、正答は2である。

正答　2

問題研究

等加速度運動（初速度v_0、加速度a）について、以下の3式を理解しておこう。

①時間tと速度vの関係　$v=v_0+at$

②時間tと変位xの関係　$x=v_0t+\frac{1}{2}at^2$

③速度vと変位xと加速度aの関係　$v^2-v_0^2=2ax$

No.94 物理

波の干渉

令和3年度

音は波によって伝わる。また、2つの波は重なり合うと、それぞれの波の変位が合わさる。右下のような装置を用いて、音波を2つに分け、再び重ね合わせる。初めは、左右の管の長さは同じであり、装置の右側を引き出すと右側の距離が長くなる。ゆっくりと右側の部分を引いていくと、マイクに拾われる音が徐々に小さくなり、0.1m引いたときに音が消え、その後は徐々に大きくなった。0.1m引いたときには右側の管は初めより0.2m長くなっている。この音波の波長と振動数の組合せとして、妥当なものはどれか。ただし、音の速さを340m/sとする。

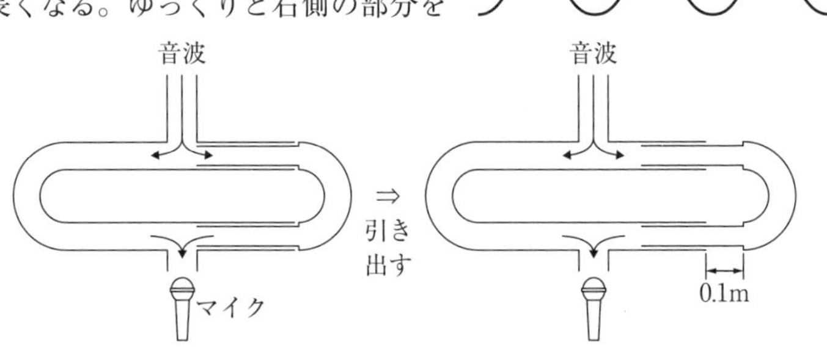

	波長	振動数		波長	振動数		波長	振動数
1	0.2m	340Hz	**2**	0.2m	680Hz	**3**	0.2m	1,700Hz
4	0.4m	850Hz	**5**	0.4m	1,700Hz			

解説

初めは、左側ルートと右側のルートの長さが同じであり、マイクの部分で、音波の位相が同じになるので（山と山が出会う）、音波は強め合い、大きな音がする。

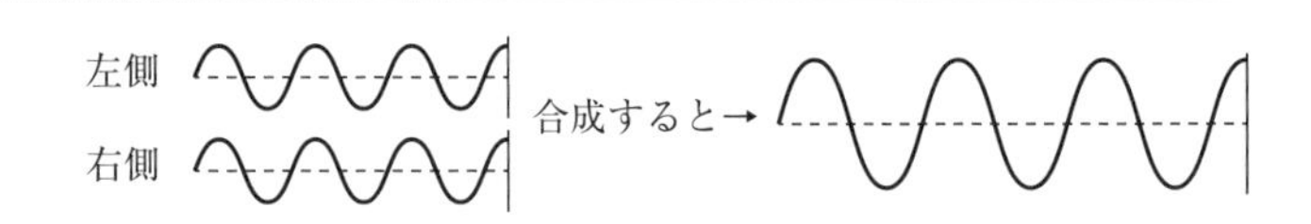

しかし、右側部分を0.2m長くすると、長くしたぶんだけ波は遅れる。半波長遅らせると、音波の位相が逆になるので音は消える。つまり、この音波の半波長は0.2mであることがわかる。

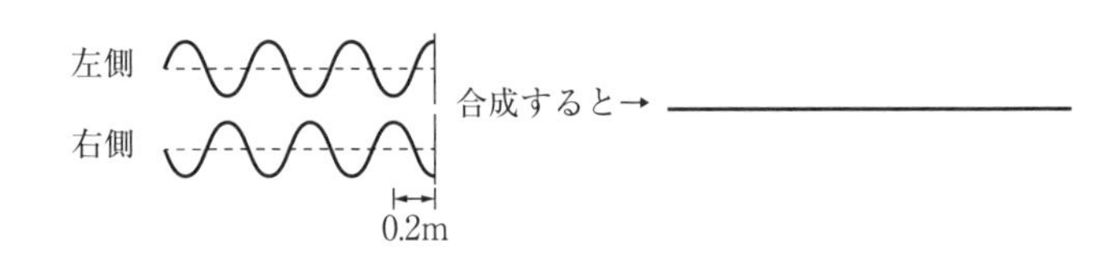

音の速さをV、波長をλ、振動数をfとする。半波長$\frac{\lambda}{2}=0.2$〔m〕より、$\lambda=0.4$〔m〕、振動数については、$f=\frac{V}{\lambda}=\frac{340}{0.4}=850$〔Hz〕である。よって、正答は**4**である。

正答　4

問題研究

本問は波の干渉の問題である。波の干渉とは、2つの波が重なり合って、振動を強め合ったり、弱め合ったりする現象のことである。波の基本式は重要なので、必ず理解しておきたい。

波の速さV〔m/s〕、波長λ〔m〕、振動数f〔Hz〕、周期T〔s〕のとき、$V=f\lambda=\frac{\lambda}{T}$、$f=\frac{1}{T}$

No.95 物理

直流回路

令和2年度

図のように、抵抗値が等しい5つの抵抗を用いた回路がある。点A～Cを流れる電流の大きさをI_A、I_B、I_Cとすると、それらの関係を正しく表したものはどれか。

1 $I_A=I_B=I_C$
2 $I_B>I_A>I_C$
3 $I_B=I_C>I_A$
4 $I_C>I_A>I_B$
5 $I_C>I_B>I_A$

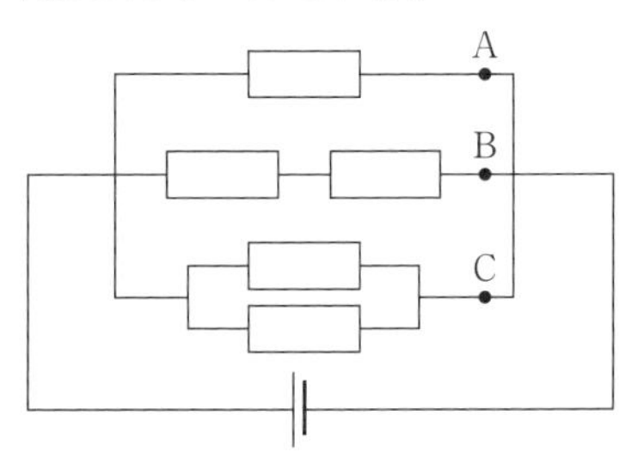

解説

この回路は、A側、B側、C側の3つに分かれた並列回路である。1つの抵抗の大きさをRとすると、A側の部分の抵抗はR、B側の部分の抵抗は直列につながっているので$2R$、C側の部分の抵抗は並列につながっているので$\frac{R}{2}$となる。

並列部分にかかる電圧は等しいので、電源電圧をVと置くと、A側、B側、C側のそれぞれの抵抗にVの電圧がかかる。

これらを、オームの法則$I=\frac{V}{R}$に代入すると、$I_A=\frac{V}{R}$、$I_B=\frac{V}{2R}$、$I_C=\frac{2V}{R}$となり、$I_C>I_A>I_B$である。

よって、正答は4である。

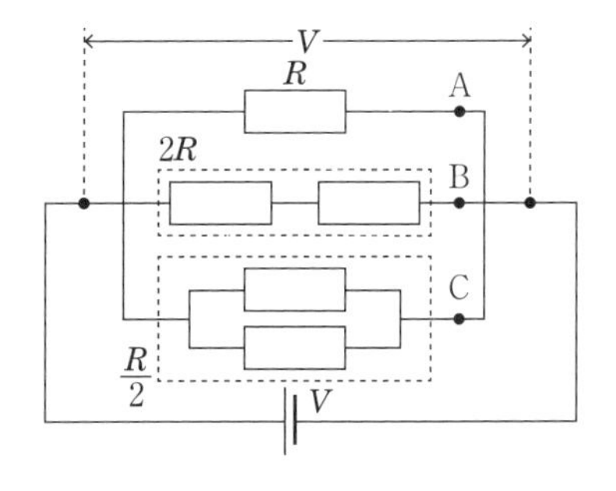

正答　4

問題研究

オームの法則

R〔Ω〕の抵抗にI〔A〕の電流が流れるとき、抵抗による電圧降下をV〔V〕とすると、$V=RI$となる。

合成抵抗

①直列接続 $R=R_1+R_2+R_3+\cdots\cdots$

本問ではB側の部分の合成抵抗R_Bは、$R_B=R+R=2R$となる。

②並列接続$\frac{1}{R}=\frac{1}{R_1}+\frac{1}{R_2}+\frac{1}{R_3}+\cdots\cdots$

本問ではC側の部分の合成抵抗R_Cは、$\frac{1}{R_C}=\frac{1}{R}+\frac{1}{R}$より、$R_C=\frac{R}{2}$となる。

PART 3 過去問を解いてみよう！

No.96 物理　摩擦がある斜面上の物体の運動　令和元年度

図のように、30度の傾斜を持つ面の粗い台がある。その台の上に、40kgの物体を置き、滑車を通して、おもりをひもでつなぐ。このとき物体は静止している。これは物体が動き出すのを妨げるように静止摩擦力がはたらいているからである。静止摩擦力は物体が動き出す直前に最大となる。静止摩擦係数を0.5とすると、おもりを何kgにしたとき、物体は斜面を登り始めるか。次のうち妥当なものを選べ。

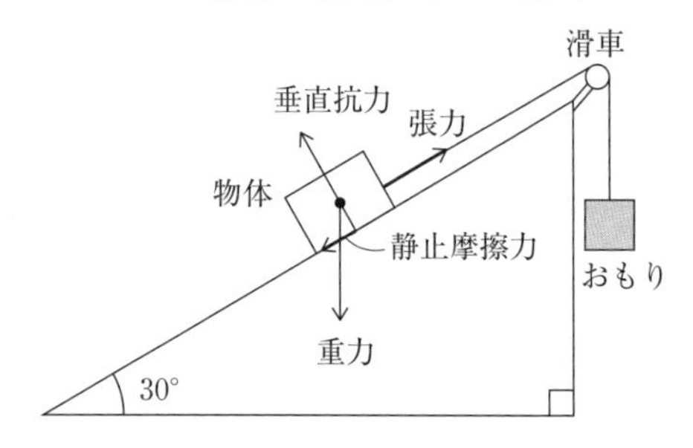

1　10kg
2　17kg
3　20kg
4　37kg
5　80kg

解説

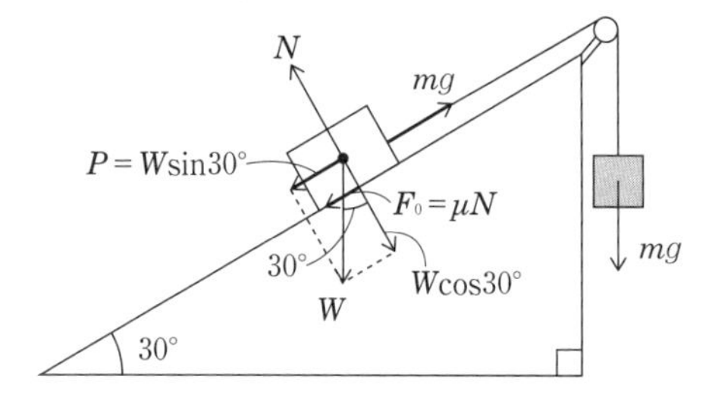

重力加速度をg〔m/s²〕とする。物体にはたらく重力は$W=40g$であり、斜面に垂直にはたらく重力の分力は$W\cos30°=40g\times\cos30°=20\sqrt{3}g$であり、面の垂直抗力$N$とつり合っている。このとき最大静止摩擦力の大きさは、$F_0=\mu N=0.5\times20\sqrt{3}g=10\sqrt{3}g$となる。

斜面に平行な方向にはたらく重力の分力は、

$P=W\sin30°=40g\times\sin30°=20g$

おもりの質量をmとすると、おもりにはたらく重力は$Q=mg$である。

物体が斜面を登り始めるときは、$Q=F_0+P$が成り立つので,

$mg=10\sqrt{3}g+20g$

$m=10\sqrt{3}+20$

$m\fallingdotseq10\times1.7+20$

$m\fallingdotseq37$〔kg〕

よって、正答は4である。

正答　4

問題研究

静止摩擦力

静止時に物体にはたらく摩擦力を静止摩擦力という。静止時は外力の合力と静止摩擦力がつり合っている。外力を大きくしていくと、やがて物体が動き始めるが、その直前の静止摩擦力を最大静止摩擦力という。

最大静止摩擦力は$F_0=\mu N$で表される（垂直抗力：N、静止摩擦係数：μ）。

動摩擦力

物体が動き出してからの摩擦力を動摩擦力という。物体が動き出すと摩擦力が小さくなるので、最大静止摩擦力より動摩擦力のほうが小さい。

動摩擦力は$F'=\mu' N$で表される（垂直抗力：N、動摩擦係数：μ'）。

No.97 化学 | マグネシウムの酸化 | 令和6年度

マグネシウムの酸化

マグネシウムの酸化に関する次の記述中の空欄ア、イに当てはまる数値の組合せとして、妥当なものはどれか。

質量が12gのマグネシウムを燃焼皿に載せて、空気中で十分に加熱すると、マグネシウムが酸化され、20gの酸化マグネシウムが生成された。この加熱の途中で、燃焼皿の中の質量が、マグネシウムと酸化マグネシウム合わせて16gとなったとき、マグネシウムと反応した酸素の質量は［ア］gであり、燃焼皿の中には［イ］gの酸化マグネシウムが生成されていた。

	ア	イ
1	2	5
2	2	8
3	4	4
4	4	8
5	4	10

解説

マグネシウムの酸化は次の化学反応式で表される。$2Mg + O_2 \rightarrow 2MgO$

質量が12gのマグネシウムを完全に酸化すると、20gの酸化マグネシウムが生成されるので、このときマグネシウムと反応した酸素は20−12＝8〔g〕である。つまり、Mgが完全に酸化したとき、マグネシウムと酸素と酸化マグネシウムの質量比は、3：2：5となる。

③	②	⑤
$2Mg$ ＋	O_2 →	$2MgO$
12	8	20

マグネシウムと酸化マグネシウムが合わせて16gとなったときには、初めにあったマグネシウムの質量は12gだから、反応した酸素の質量は16−12＝4〔g〕（ア＝4）である。次に、この酸素4gを上記の3：2：5に当てはめると、反応したマグネシウムは6g、生成した酸化マグネシウムは10gとわかる（イ＝10）。

③	②	⑤
$2Mg$ ＋	O_2 →	$2MgO$
6	4	10

ちなみに、燃焼皿中に残ったマグネシウムは、12−6＝6〔g〕であり、これと生成した酸化マグネシウム10gの混ざった6＋10＝16〔g〕が燃焼皿中にある16gである。

正答　5

問題研究

定比例の法則　物質が反応して化合物ができる際、その成分元素が一定の質量比で反応することを示す法則である。この法則は、プルーストによって示された。代表的なものをあげておく。

マグネシウムと酸素と（生成する）酸化マグネシウム	3：2：5
水素と酸素と（生成する）水	1：8：9
炭素と酸素と（生成する）二酸化炭素	3：8：11

これらは化学反応式と原子量から導けるので、各自で試してみよう。マグネシウムと酸素と（生成する）酸化マグネシウムの3＋2＝5のように生成する物質を示す比は、原料の比を足せば導くことができる。本問のように不完全燃焼の場合も、燃焼した部分についてはこの比を用いることができるが、基準となる値（本問では酸素の4g）を慎重に見つける必要がある。

No.98 化学　さまざまな気体　令和5年度

さまざまな気体に関する次の記述のうち、妥当なものの組合せはどれか。

ア　窒素は単体で空気中に多く含まれ、常温でほかの元素と反応しやすい。酸素と反応して得られる窒素酸化物は、大気汚染の原因となる。

イ　ヘリウムは希ガスの一種であり、ほかの元素と反応しにくい。ガス気球などに使われており、大気中に約５％含まれている。

ウ　オゾンは酸素の同素体であり、成層圏のオゾン濃度が増加すると、地表に達する紫外線の量が増加する。

エ　硫化水素は腐卵臭のある有毒な気体であり、火山ガスに含まれる。中性・塩基性条件下でFe^{3+}に通じると、黒色の沈殿が生じる。

オ　メタンは常温で無色・無臭の気体である。天然ガスの主成分であり、都市ガスに用いられる。地球温暖化に影響を及ぼす温室効果ガスである。

1　ア、ウ　　2　ア、エ　　3　イ、ウ　　4　イ、オ　　5　エ、オ

解説

ア：窒素分子は窒素原子間で非常に強い結合を有し、その解離に大きな活性化エネルギーが必要となるため、窒素は極めて反応性に乏しい。

イ：ヘリウムは、地球上では非常に希少性の高い気体で、大気中にはわずか0.0005％しか存在しない。

ウ：成層圏のオゾン濃度が増加すると、太陽からの有害な紫外線が吸収されやすくなる。地上の生態系はオゾン層によって保護されている。

エ：妥当である。

オ：妥当である。メタンは、二酸化炭素に次いで影響のある温室効果ガスである。

よって、妥当なものはエ、オであるから、正答は5である。

正答　5

問題研究

この他の主な気体の性質を挙げておく。

○水素　亜鉛（亜鉛でなくともイオン化傾向がHより大きい金属であればよい）と希硫酸（塩酸）により発生する気体。水に溶けにくく、水上置換で集める。気体のうち最も密度が小さい。高温で還元剤になる。

○塩素　酸化マンガン（Ⅳ）と濃塩酸が入った水溶液を加熱すると発生する。黄緑色で刺激臭のある気体。水によく溶けるので下方置換で集める。酸化剤であり、色素の結合を塩素が酸化して破壊することで、漂白剤としてはたらく。

○一酸化炭素　無色、無臭の気体。水に溶けにくい。木炭やガスなどの不完全燃焼で発生。血液中のヘモグロビンと結合し、機能を失わせる。点火すると、燃えて二酸化炭素になる。

○フッ化水素　反応性が大きく、人体に有害な気体。フッ素は電気陰性度が大きく、分子が強い極性を持つ（水素結合）。このため、水素イオン H^+ が電離しづらく弱酸である。ガラスを腐食する性質があるため、ガラスのエッチングやくもりガラスの製造に用いられる。

○一酸化窒素　常温で無色、無臭の気体。酸素に触れると二酸化窒素になる。二酸化窒素が紫外線を浴び、酸素原子と一酸化窒素に分解され、この酸素原子がオゾンを発生させ、光化学スモッグを引き起こす。窒素酸化物は酸性雨の原因にもなる。

No.99 化学　酸と塩基　令和4年度

水溶液の酸性・塩基性に関する次の記述中の空欄［ア］～［エ］に当てはまる語句の組合せとして妥当なものはどれか。

水溶液中の水素イオン濃度を$[H^+]$、水酸化物イオン濃度を$[OH^-]$とすると、水溶液が中性であれば両者は等しく、酸性であれば［ア］のほうが大きく、塩基性であれば［イ］のほうが大きい。

水溶液の酸性や塩基性の強さは、pH（水素イオン濃度指数）で表され、$[H^+]=1.0\times10^{-x}$mol/Lのとき、pH$=x$である。25℃において中性の水溶液のpHは7である。pH=3の水溶液を水で10倍に薄めると、$[H^+]$は［ウ］になり、pH=［エ］となる。

	ア	イ	ウ	エ
1	$[H^+]$	$[OH^-]$	10倍	30
2	$[H^+]$	$[OH^-]$	$\frac{1}{10}$倍	2
3	$[H^+]$	$[OH^-]$	$\frac{1}{10}$倍	4
4	$[OH^-]$	$[H^+]$	10倍	2
5	$[OH^-]$	$[H^+]$	$\frac{1}{10}$倍	4

解説

酸性の性質は水素イオンH^+のはたらきによるものであり、塩基性（アルカリ性）の性質は水酸化物イオンOH^-のはたらきによるものであるので、酸性であれば$[H^+]$（ア）のほうが大きく、塩基性であれば$[OH^-]$（イ）のほうが大きい。

25℃において、pH=3の水溶液の水素イオン濃度は$[H^+]=1.0\times10^{-3}$mol/Lであるが、これを水で10倍に薄めると、$[H^+]$は$\frac{1}{10}$倍（ウ）の1.0×10^{-4}mol/Lになり、pH=4（エ）となる。

以上より、正答は**3**である。

正答　3

問題研究

○pHとは、水素イオン濃度指数のことであり、$[H^+]=1.0\times10^{-x}$mol/Lのとき、pH$=x$となる。
○25℃で中性の水溶液のpHは7である。
○pHが1増えると水素イオン濃度は10分の1になる（pHが増えると酸性が弱くなることに注意）。たとえば、pHが1の胃液と、pHが7の水ではpHの差が6であり、胃液は水に比べて10^6倍水素イオンの濃度が大きい（酸性が強い）。
○pHが5の水溶液を純水で10倍に希釈するとpHは6になり、さらに10倍に希釈すると、pHは7になるが、それをpHが7（中性）の純水で希釈してもpHは7のままである。
○25℃で、水素イオン濃度と水酸化物イオン濃度の積（水のイオン積）は、
$[H^+][OH^-]=1.0\times10^{-14}$(mol/L)になる。

No.100 化学 メタンとエチレンの化学反応 令和3年度

メタンとエチレンを燃焼させるときの化学反応式は以下である。

メタン：$CH_4+2O_2 \rightarrow CO_2+2H_2O$

エチレン：$C_2H_4+3O_2 \rightarrow 2CO_2+2H_2O$

あるメタンとエチレンの混合気体を完全燃焼させると、二酸化炭素が6 mol、水が7 mol発生した。このとき、混合気体に含まれていたメタンとエチレンの物質量の比として、妥当なものはどれか。

	メタン	エチレン
1	1	2
2	1	3
3	2	1
4	2	5
5	3	5

解説

与えられた化学反応式より、メタン1 molが完全燃焼すると、二酸化炭素が1 mol、水が2 mol発生する。また、エチレン1 molが完全燃焼すると、二酸化炭素が2 mol、水が2 mol発生する。

もとの混合気体にメタンがx mol、エチレンがy mol含まれていたとすると、完全燃焼すると二酸化炭素が$x+2y$〔mol〕、水が$2x+2y$〔mol〕発生する。したがって、

$$\begin{cases} x+2y=6 \\ 2x+2y=7 \end{cases}$$

の連立方程式を解くと、

$$\begin{cases} x=1 \\ y=2.5 \end{cases}$$

以上より、メタンとエチレンの物質量の比は、1：2.5＝2：5となる。

よって、正答は**4**である。

正答　4

問題研究

本問では物質量（モル）が与えられていたが、質量、体積、分子数など他の表し方をされた場合は物質量に直す作業が必要となることが多い。

CO_2は1 molのとき、質量44g（C＝12、O＝16）、体積22.4L（0℃、1.013×10^5Pa〈標準状態〉）、分子数6.02×10^{23}個であるので、発生した質量が132gとされれば$\frac{132}{44}=3$〔mol〕とし、発生した体積が標準状態で11.2Lとされれば$\frac{11.2}{22.4}=0.5$〔mol〕として計算していく。

ちなみに、H_2O（気体）は1 molのとき、体積や分子数はCO_2と同じだが、質量は18g（H＝1、O＝16）である。

No.101 化学　イオン化傾向　令和2年度

a～dの4つの異なる金属があり、これらの金属について、Ⅰ～Ⅲのことがわかっている。これらの4つの金属をイオン化傾向の大きい順に並べたときに、2番目にくるものと4番目にくるものの組合せはどれか。

Ⅰ　a～dの金属片に熱水をかけると、aのみが気体を発生した。

Ⅱ　cの硝酸塩水溶液にbの金属片を入れると、cの金属樹が発生し、溶液が無色から有色に変化した。

Ⅲ　dの硝酸塩水溶液にbの金属片を入れても、変化はなかった。

	2番目	4番目
1	b	c
2	b	d
3	d	a
4	d	b
5	d	c

解説

イオン化傾向とは、金属が水溶液中で、陽イオンになりやすい順に並べたものである。

Ⅰ：aのみが熱水に反応しているので、aが最もイオン化傾向が大きいとわかる。たとえば、マグネシウムは熱水と反応して水素を発生しながら水酸化物となる。$Mg + 2H_2O \rightarrow Mg(OH)_2 + H_2$

Ⅱ：イオン化傾向が小さい金属イオンを含む水溶液に、イオン化傾向がより大きい金属を入れると、イオン傾向が大きい金属は、小さい金属に対して電子を渡して溶解し、イオン化傾向の小さい金属は析出する。cのイオンを含む溶液に、bを入れてcが析出しているのだから、bのほうがcよりもイオン化傾向が大きい。たとえば、硝酸銀水溶液に銅線を入れると、銀樹ができる。銅は陽イオンとなって溶けだすので、溶液は青色になる。

Ⅲ：Ⅱとは逆に、dのイオンを含む溶液に、bを入れても反応をしないのだから、bのほうがdよりもイオン化傾向が小さい。

以上より、イオン化傾向は大きい順にa、d、b、cとなるので、正答は**5**である。

正答　5

問題研究

イオン化傾向　金属が水溶液中で、陽イオンになる性質の強さが大きい順に並べたもの。

K＞Ca＞Na＞Mg＞Al＞Zn＞Fe＞Ni＞Sn＞Pb＞(H_2)＞Cu＞Hg＞Ag＞Pt＞Au

<table>
<tr><td>乾燥空気(室温)</td><td>内部まで酸化</td><td colspan="3">表面に酸化皮膜を形成</td><td colspan="2">反応しない</td></tr>
<tr><td>水</td><td>常温で反応</td><td>高温水蒸気と反応</td><td colspan="4">反応しない</td></tr>
<tr><td>酸</td><td colspan="3">希硫酸や塩酸と反応し、水素を発生</td><td colspan="2">酸化力のある酸と反応*</td><td>王水に溶ける**</td></tr>
</table>

*酸化力のある酸とは、硝酸や熱濃硫酸のことである。

**王水は濃硝酸と濃塩酸を体積比1:3で混合したもの。

「貸そう か な、ま あ あ て に すん な、ひ ど す ぎる 借 金」というゴロで覚えると覚えやすい。

No.102 化学　さまざまな金属の性質　令和元年度

金属に関する次の記述のうち、妥当なものはどれか。

1　アルミニウム：原料はボーキサイトであり、それを溶かしてアルミナを抽出し、さらに電気分解することにより生成される。また、軽くて強く剛性もあるので、柱などの建築資材に用いられる。

2　銅　　：電気伝導性がよく、引き伸ばして導線として用いられる。また、湿った空気中においても錆びにくいので、屋根や外壁に用いられる。

3　金　　：金属光沢があり、長く貨幣として使用されてきた。化学的に非常に安定な物質であり、電気伝導性が低く、極めて酸化力が強い王水によっても溶けない。

4　水銀　：単体は無毒だが、化合物は有毒な物質である。そのため近年、国際的に使用が制限されてきている。また、他の金属と合金を作ることがないという性質がある。

5　チタン：軽くて強く錆びにくい物質である。このため、航空機の構造材や、人工骨に用いられる。しかし、自然界には酸化物として存在しているため、純度を上げる必要があり、高価な金属である。

解説

1．前半は正しいが、後半が誤り。アルミニウムは軽くて柔らかいので、窓サッシなどの建具には用いるが、柱など荷重が大きくかかる建築資材としては用いられない。

2．前半は正しいが、後半が誤り。乾いた空気中では銅の表面に酸化被膜ができ、それ以上錆びることがない。しかし、湿った空気中においては緑青（ろくしょう）と呼ばれる、緑色の錆ができる。

3．前半は正しいが、後半が誤り。金はイオン化傾向が小さく安定な物質ではあるが、電気伝導性は高く、王水には溶ける。

4．水銀は体温計などに使用される金属である。単体の水銀は体内で吸収されにくいが、気化したガスを吸いすぎると人体に影響を及ぼすので、単体であっても無害であるとはいえない。また、化合物、特に有機水銀は有毒である。メチル水銀（有機水銀の一種）は水俣病の原因となった物質である。近年使用が制限されてきていることは正しい。水銀と他の金属との合金をアマルガムといい、歯科の治療などに使用されている。よって、合金を作らないという記述も誤り。

5．妥当である。

正答　5

問題研究

1～5の金属のほかに、鉄（Fe）もよく出題されるので、まとめておく。

鉄：鉄鉱石（Fe_2O_3）とコークスを溶鉱炉に入れ、炭素（C）や一酸化炭素（CO）で還元して銑鉄に、さらに炭素や不純物を減らして鋼にする。磁石につく。酸化時は発熱するので、その性質を使い捨てカイロなどに利用している。希塩酸や希硫酸によく溶け、水素を発生する。

No.103 生物　脊椎動物　令和6年度

脊椎動物に関する次の記述のうち、妥当なものはどれか。

1　脊椎動物は、両生類、ハ虫類、鳥類、ホ乳類の４種類からなる。脊椎動物は魚類と近縁であり、魚類は脊椎動物の祖先であると考えられている。

2　脊椎動物には多くの種が含まれる。原生の脊椎動物の種数は、生物全体の種数の５割以上を占める。

3　両生類には、カエルなどが属する。一般に、両生類の幼生は水中で生活し、えらで呼吸する。

4　ハ虫類には、ヘビなどが属する。ハ虫類の体表は粘液でおおわれており、肺は持たず、呼吸は皮膚呼吸に依存している。

5　鳥類は、卵生で、変温動物である。それに対して、ホ乳類は、胎生のものがほとんどで、恒温動物である。

解説

1．脊椎動物は、無顎類、魚類、両生類、ハ虫類、鳥類、ホ乳類の６種類からなる。魚類は、さらに軟骨魚類と硬骨魚類に分かれる。

2．脊椎動物ではなく、節足動物に関する記述である。節足動物のなかでも特に昆虫類の種数が多い。昆虫類の種数は、生物全体の半数以上を占めるといわれている。

3．妥当である。

4．ハ虫類の体表は、粘液ではなく、うろこまたは甲羅でおおわれている。体表から粘液を分泌するのは、ハ虫類ではなく両生類である。また、ハ虫類は一生を通して肺呼吸を行う。ハ虫類にヘビが属するという記述は正しい。

5．鳥類は卵生であるとの記述は正しいが、変温動物ではなく恒温動物である。ホ乳類のほとんどが胎生で、恒温動物であるとの記述は正しい。

よって、正答は3である。

正答　3

問題研究

脊椎動物の無顎類、魚類（軟骨魚類、硬骨魚類）、両生類、ハ虫類、鳥類、ホ乳類は、以下のように分類することができる。

	生物例	呼吸	体温	その他
無顎類	ヤツメウナギ	えら	変温	顎骨、胸びれ、腹びれなどがない
軟骨魚類	サメ、エイ			骨格が軟骨でできている
硬骨魚類	スズキ、フナ			体表はうろこ
両生類	カエル、イモリ	肺※		体表の皮膚は粘液を分泌する
ハ虫類	ヘビ、カメ			体表はうろこ
鳥類	スズメ、ニワトリ		恒温	体表は羽毛
ホ乳類	ライオン、ヒト			体表は毛

※両生類の幼生は、えら呼吸を行う。

No.104 生物　呼吸や合成　令和6年度

野菜や果実の呼吸や合成に関する次の記述中のア～ウのうち、妥当なものの組合せはどれか。

野菜や果実は、収穫後も呼吸を行っている。呼吸は、グルコースなどの有機物をア〔a．合成　b．分解〕する過程であり、貯蔵中の野菜や果実の品質が変化する要因の一つとなる。貯蔵中の呼吸を抑制するには、貯蔵庫の温度を下げる方法が効果的であるが、そのほかに、貯蔵庫内の酸素濃度をイ〔a．上げる　b．下げる〕方法もある。

また、野菜や果実が生成するウ〔a．エチレン　b．オーキシン〕はガス状の植物ホルモンであり、呼吸を促進したり、成熟や老化を促進したりする働きを持つことから、貯蔵中の野菜や果実の品質を保持するために、この植物ホルモンの除去が行われることもある。

	ア	イ	ウ
1	a	a	a
2	a	b	a
3	b	b	a
4	b	a	b
5	b	b	b

解説

ア：bの分解が妥当である。呼吸は、グルコースなどの有機物が二酸化炭素と水に分解される過程でATPが合成される反応である。グルコースなどの有機物は、呼吸ではなく光合成の反応により合成される。

イ：bの下げるが妥当である。呼吸は、酸素が存在する条件下で行われる。

ウ：aのエチレンが妥当である。エチレンは、成熟した果実や傷んだ果実などから放出され、成熟や老化を促進する植物ホルモンである。オーキシンは、重力屈性や頂芽優勢などの現象にかかわる植物ホルモンである。

よって、正答は3である。

正答　3

問題研究

呼吸による同化産物の消耗を抑えるためには、収穫直後から収穫物をできるだけ低温に置くことが必要である。また、冷蔵に加えて貯蔵庫内のガス環境を制御することで、より長期にわたって収穫物を貯蔵することができる。鮮度を保つために最適な温度やガス環境は、植物の種類により異なるため、適切な条件を整えることが重要である。エチレンの影響により、収穫物の品質の低下が進んでしまうので、エチレンを吸着する資材を混合したフィルムが実用化されており、包装資材として利用されている。植物の発生や成長には、多くの場合、植物ホルモンがかかわっており、種なしブドウの生産におけるジベレリンなど、農業生産の多様な場面で植物ホルモンが利用されている。

No.105 生物　ヒトの染色体　令和5年度

ヒトの染色体に関する次の記述のうち、下線部の内容が妥当なものの組合せはどれか。

ヒトの1つの体細胞に含まれる染色体の数は、ア100本を超え、体細胞に含まれる染色体の数は、卵や精子といった生殖細胞に含まれる染色体の数のイ2倍である。1つの体細胞に含まれる染色体は、常染色体と性染色体に分けられ、性染色体はウすべて同じ大きさであり、2本存在する。この対となる性染色体は、エ1本は母親から、もう1本は父親から受け継いだものである。染色体の中には遺伝子が存在しており、オ1本の染色体に1個の遺伝子が存在する。

1　ア、エ
2　ア、オ
3　イ、ウ
4　イ、エ
5　ウ、オ

解説

ア：ヒトの1つの体細胞に含まれる染色体数は、46本である。23種類の染色体を1組とする染色体のセットを、父親由来と母親由来の2組持っているので、染色体の構成は $2n=46$ と表すことができる。

イ：妥当である。ヒトの卵や精子の生殖細胞に含まれる染色体数は、23本である。卵や精子などのように合体して新個体をつくる細胞を配偶子というが、配偶子は形成される過程で染色体数を半減させる減数分裂が生じている。このため、配偶子が合体して生じる子の染色体数は親の体細胞の染色体数と同じになる。

ウ：ヒトの性染色体は2本あり、大きいほうがX染色体、小さいほうがY染色体である。多くの哺乳類では、Y染色体に、性別の決定に重要な役割を果たす遺伝子であるSRY遺伝子の遺伝子座がある。

エ：妥当である。ヒトの性染色体のうち、男女に共通して見られる染色体をX染色体、男性にしか見られない性染色体をY染色体といい、ヒトの性染色体の構成は、男性ではXYとなり互いに形が異なるヘテロ型であるが、女性ではXXとなり同形のホモ型である。

オ：ヒトの持つ約20,500個の遺伝子は、染色体の特定の遺伝子座に存在する。1本の染色体に1個の遺伝子のみが存在するわけではない。

よって、妥当なものはイ、エであるから、正答は4である。

正答　4

問題研究

染色体は、タンパク質と遺伝子の本体であるDNAからなり、クロマチン繊維とも呼ばれる。染色体の構造は、細胞周期によって変化し、間期の細胞の核の内部では、細長い糸状の染色体が分散している。分裂期には、染色体は何重にも折りたたまれて、太く短いひも状になる。一般に、体細胞では、形と大きさの等しい2本の染色体が対になっており、このような染色体を相同染色体と呼ぶ。

No.106 生物 生態系 令和5年度

生態系に関する次の記述のうち、妥当なものの組合せはどれか。

ア　外来生物は、日本の農林水産業や生態系に悪影響を及ぼす可能性がある。日本における外来生物の例としては、アライグマ、ウシガエル、ヒアリなどが挙げられる。

イ　熱帯林は、温帯の森林と比べて堆積する土壌が少ない。このため、伐採や焼き畑によって森林が失われた場合、生態系の回復には時間がかかる。

ウ　赤潮は、河川から流れ込む栄養塩類の減少や水温の低下などが原因で発生するものであり、プランクトンが増殖することにより、水が赤く変色して見える。日本では冬に発生しやすい。

エ　海洋プラスチックは、船の航行の障害となったり、生物が摂食してしまったりすることが問題視されている。これらの問題を解決するために開発されたマイクロプラスチックは、生分解性のプラスチックである。

1　ア、イ
2　ア、ウ
3　イ、ウ
4　イ、エ
5　ウ、エ

解説

ア：妥当である。人間の活動によって、意図的に、あるいは意図されずに本来の生息場所から別の場所へ移された生物を外来生物という。アライグマは、ペットとして日本へ移入され、1962年以降、定着が拡大し、農作物への被害が生じている。ウシガエルは、北アメリカが原産地の大型のカエルで、食用や実験用として用いられるが、捕食力が強いため、生態系への影響が危惧されている。ヒアリは南米原産であり、極めて刺傷毒性が高く、特定外来生物に指定されている。

イ：妥当である。熱帯林では、土壌中の有機物が分解される速度が速いため、堆積する土壌が少ない。熱帯林を農地や放牧地にすると、土壌中の養分が流出してしまうため、一度森林が破壊されると生態系の回復は困難である。

ウ：赤潮は、河川から栄養塩類が海へ流入して富栄養化が進み、プランクトンが増殖して生じる。日本近海では、夏に内湾の河口付近でしばしば見られる。

エ：マイクロプラスチックは、大きさが5mm以下の微細なプラスチックごみである。自然界で分解されず、南極や北極でもマイクロプラスチックが観測されたという報告もあり、近年生態系に及ぼす影響が懸念されている。

よって、妥当なものはア、イであるから、正答は1である。

正答　1

問題研究

ヒアリやマイクロプラスチックなど、最近の話題も含んだ生態系に関する問題である。ただし、熱帯林や赤潮については、これまでたびたび公務員試験で出題されてきた内容なので、過去問に目を通しておけば正答を導くことができる。

No.107 生物　呼吸　令和4年度

呼吸に関する次の記述のうち、下線部の内容が妥当なものの組合せはどれか。

細胞内で、グルコースなどの有機物が酸素を用いて分解される過程でATPが合成される反応を、呼吸という。呼吸の反応が行われる細胞小器官は、ア動物ではミトコンドリア、植物では葉緑体であり、合成されたATPは、イ生体内の化学反応を触媒する酵素の主成分となる。呼吸によって分解される物質を呼吸基質といい、ウタンパク質や脂肪も呼吸基質として利用される。呼吸の過程で、エグルコースは最終的に乳酸に分解される。動物の筋肉は、活動が激しいとき、酸素を用いずにグルコースを分解してATPを合成する。この反応は解糖と呼ばれる。グルコース1分子当たり合成されるATPの数を呼吸と解糖で比較すると、オ呼吸のほうが大きい。

1　ア、エ
2　ア、オ
3　イ、ウ
4　イ、エ
5　ウ、オ

解説

ア：動物も植物も、呼吸の反応にかかわる細胞小器官はミトコンドリアである。葉緑体は光合成にかかわる。呼吸は、解糖系、クエン酸回路、電子伝達系の3つの反応過程で進行するが、このうち、解糖系は細胞質基質、クエン酸回路はミトコンドリアのマトリックス、電子伝達系はミトコンドリア内膜で進行する。

イ：酵素の主成分はタンパク質であり、ATPではない。ATPは、塩基の一種であるアデニンと、糖の一種であるリボースが結合したアデノシンに、3つのリン酸が結合した化合物である。

ウ：妥当である。

エ：呼吸の過程で、グルコースは二酸化炭素と水に分解される。グルコースが乳酸に分解されるのは、乳酸発酵である。乳酸発酵は、酸素を用いずに反応が進む。

オ：妥当である。

よって、妥当なものはウ、オであるから、正答は5である。

正答　5

問題研究

呼吸と発酵の反応過程は以下のとおりである。合成されるATPの分子数を確認しておこう。

呼吸　$C_6H_{12}O_6+6H_2O+6O_2 \rightarrow 6CO_2+12H_2O$（+38ATP）

- 解糖系　$C_6H_{12}O_6+2NAD^+ \rightarrow 2C_3H_4O_3+2NADH+2H^+$（+2ATP）
- クエン酸回路　$2C_3H_4O_3+6H_2O+8NAD^++2FAD \rightarrow 6CO_2+8NADH+2FADH_2$（+2ATP）
- 電子伝達系　$10NADH+10H^++2FADH_2+6O_2 \rightarrow 10NAD^++2FAD+12H_2O$（+34ATP）

乳酸発酵　$C_6H_{12}O_6 \rightarrow 2C_3H_6O_3$（+2ATP）

アルコール発酵　$C_6H_{12}O_6 \rightarrow 2C_2H_6O+2CO_2$（+2ATP）

No.108 生物　ヒトの血液　令和4年度

ヒトの血液に関する次の記述のうち、妥当なものはどれか。

1　血液の有形成分である赤血球、白血球、血小板のうち、最も大きいのは赤血球であり、血液に含まれる個数が最も多いのは白血球である。

2　血管が傷つくと、ヘモグロビンと呼ばれる血液凝固成分が放出され、血液凝固が起こって傷口をふさぐ。

3　心臓から送り出された血液は動脈を通って体の各部位に至り、静脈を通って心臓に戻る。動脈は血液の逆流を防ぐ弁を持ち、静脈は動脈に比べて厚い血管壁を持つ。

4　肝臓には血液中の有害な物質を毒性の少ない物資に変える働きがあり、たとえば有害なアンモニアが毒性の低い尿素に変えられる。

5　血液の一部は腎臓に流入し、ろ過される。ろ過によってこし出された成分のうち、糖は再吸収されるが、水や無機塩類は再吸収されることなく尿として排出される。

解説

1．血液の有効成分の直径を比較すると、赤血球は7～8 μm、白血球は6～20 μm、血小板は2～3 μmであり、赤血球が最も大きいとはいえない。また、1 m^3の血液に含まれる個数は、男性の赤血球は410万～530万個、女性の赤血球は380万～430万個、白血球は4,000～9,000個、血小板は20万～40万個であり、赤血球が最も多いといえる。

2．血管が傷つくと、まず血液凝固成分である血小板が傷口に集まり、塊となって傷口をふさぐ。さらに、血しょう中にフィブリンと呼ばれる繊維ができて、これが血球と絡みあって血液凝固が生じる。ヘモグロビンは血液凝固成分ではなく、赤血球に含まれるタンパク質である。ヘモグロビンは酸素の運搬に関与しており、肺で酸素と結合して酸素ヘモグロビンとなり、組織で酸素を離してヘモグロビンに戻る。

3．動脈は弁を持たず、高い血圧に耐えられるよう筋肉層が発達している。また、静脈は血流の持つ血圧が低く逆流が起こりやすいため、これを防ぐ弁がついている。

4．妥当である。体に有害なアンモニアは、タンパク質やアミノ酸が細胞の呼吸に使われて分解される際にできる。また、肝臓では、アンモニア以外にも、酒に含まれるアルコールの分解も行っている。

5．糖以外にも、水や、体に必要なナトリウムイオンなどの無機塩類も大部分が再吸収される。ろ過とは、動脈を通って腎臓に入った血液が、それぞれのネフロンに分配され、ネフロンに入った血液が、糸球体を通る間にボーマンのうにこし出される過程をいう。

正答　4

問題研究

肝臓と腎臓による体内環境の調節は、公務員試験における頻出テーマである。肝臓の働きには、血糖濃度の調節、血しょうタンパク質の合成、尿素の合成と解毒、胆汁の生成などがある。一方、腎臓の働きには、ろ過と再吸収がある。肝臓も腎臓も、体液の調節にかかわっているが、それぞれ扱う物質が異なり、肝臓は、タンパク質、脂質、糖などを合成・分解することで、主に体液中の有機物の濃度を調節している。一方、腎臓は、水や無機物のイオンなどの排出を調節して体液の成分の濃度を保っている。

No.109 生物　窒素の役割　令和3年度

窒素の役割に関する次の記述中のア～ウのうち、妥当なものの組合せはどれか。

窒素は、核酸や ア〔a．炭水化物　b．タンパク質〕など有機窒素化合物の構成元素である。窒素を含む有機物が環境中に放出されると、イ〔a．生産者　b．分解者〕により、アンモニウムイオンへと変換される。窒素ガスをアンモニウムイオンへと変換させることを窒素固定といい、窒素固定を行う生物として、ウ〔a．根粒菌などの一部の微生物　b．マメ科の植物〕が知られている。

	ア	イ	ウ
1	a	a	a
2	a	b	a
3	b	b	a
4	b	a	b
5	b	b	b

解説

ア：bのタンパク質が正しい。炭水化物を構成する元素は、C、H、Oであり、窒素（N）は含まれず、グルコースなどの単糖類と、それらが結合した多糖類などに分けられる。一方、タンパク質を構成する元素は、C、H、O、N、Sであり、多数のアミノ酸がペプチド結合により鎖状につながった高分子化合物である。

イ：bの分解者が正しい。有機物中の窒素は、排出物・遺体・枯死体となったものが分解者によってアンモニウムイオンへと変換される。生産者とは、生態系において、無機物から有機物を合成してエネルギーを固定している独立栄養生物であり、主に緑色植物をさす。

ウ：aの根粒菌などの一部の微生物が正しい。根粒菌は、マメ科植物の根にコブ状の根粒を作って共生する。根粒菌は空気中の窒素を直接取り入れてアンモニウムイオンを作り、宿主であるマメ科植物に与える。

よって、正答は3である。

正答　3

問題研究

多くの植物は、無期窒素化合物を取り込んでアミノ酸やタンパク質などの有機窒素化合物を合成しているが、これを窒素同化という。一方、細菌やシアノバクテリア（藍藻）の一部は、空気中の窒素を直接取り入れてNH_4^+を作り、アミノ酸などの合成に利用するが、この働きを窒素固定という。窒素固定を行う生物には、好気性細菌（アゾトバクター、根粒菌、放線菌）や、嫌気性細菌（クロストリジウム、紅色硫黄細菌、緑色硫黄細菌）やシアノバクテリア（アナベナ、ネンジュモ）などが知られている。現在のところ、真核生物の中に窒素固定を行う生物は知られていない。空中窒素の一部は、窒素固定生物の働きではなく、空中放電によって無機窒素化合物に変化して、水中や土壌中に入る。

PART 3 過去問を解いてみよう！

No.110 生物	# 生体防御	令和 3年度

生体防御に関する次の記述のうち、妥当なものはどれか。

1　皮膚の表面を覆う角質層は、セルロースに富んでおり比較的固く、異物の侵入を防いでいる。

2　皮脂腺からの分泌液や胃液はアルカリ性を示し、病原体などの繁殖を抑制する働きがある。

3　マクロファージは白血球の一種で、それ自身に異物を除去する機能はないが、食細胞を活性化させることで、間接的に異物を排除する。

4　抗体は、ウイルスに感染した細胞から出る物質であり、感染していない細胞の表面に結合し、その細胞への感染を防ぐ。

5　一度活性化された免疫細胞の一部は、異物が除去された後も残り、再び同じ異物が侵入すると、速やかに免疫反応が起こる。

解説

1．セルロースではなくケラチンが正しい。無毛部の表皮は、表層から順に、角質層、淡明層、顆(か)粒(りゅう)層、有棘(ゆうきょく)層、基底層に区分され、最深部の基底層では次々に細胞分裂が生じて新たな表皮細胞が作られ、その細胞がケラチンを形成しながら表皮へ移動する。なお、セルロースは角質層ではなく植物細胞の細胞壁の構成要素である。

2．皮脂腺や汗腺からの分泌液は、アルカリ性ではなく弱酸性を示し、病原体の繁殖を抑制している。また、胃液には強い酸が含まれており、病原体などを分解・殺菌する働きがある。

3．ヘルパーT細胞についての記述である。ヘルパーＴ細胞は、それ自身に異物を除去する機能はないが、ウイルスなどに感染した細胞を攻撃するキラーＴ細胞やマクロファージを刺激して活性化させる。マクロファージは大食細胞とも呼ばれ、強い食作用で侵入した異物を取り込む。

4．抗体は、免疫グロブリンと呼ばれるタンパク質からなり、白血球の一種であるＢ細胞によって作られる。抗体は抗原と結合し、抗原を無毒化する。

5．妥当である。一度活性化されたＢ細胞やＴ細胞などのリンパ球の一部は、記憶細胞として残るため、再び同じ抗原が侵入すると、すばやく活性化して働くことができる。

正答　5

問題研究

免疫には大きく分けて３つの段階があり、まず、体表での皮膚や粘膜などの物理的防御や、皮脂腺・汗腺からの分泌物や胃液の酸などの化学的防御によって、異物を体内に侵入させないように防いでいる。次に、物理的・化学的防御を突破した異物に対しては食作用が働き、これを自然免疫という。自然免疫で排除しきれなかった異物に対しては、特定の病原体や有害物質を選んで排除する特異性の高い免疫現象である適応免疫が働く。樹状細胞やマクロファージは、体内に侵入した病原体を認識して自然免疫系を働かせるとともに、適応免疫系の働きを活性化する。

No.111 生物　無性生殖と有性生殖　令和2年度

有性生殖と無性生殖に関する次の記述のうち、下線部の内容が妥当なものの組合せはどれか。

生物の生殖の方法には無性生殖と有性生殖がある。ア無性生殖では親とまったく同じ遺伝子を持つ個体ができ、イジャガイモやサトイモの繁殖は、無性生殖の一種である。有性生殖では、配偶子という特別な細胞が形成され、ヒトの場合、卵と精子が受精して受精卵となる。受精卵のウ染色体数は親の体細胞の2倍となるが、後に減数分裂をするので親と同じになる。エ環境に変化が少ないときは有性生殖が繁殖に有利であり、環境変化が大きい場合には無性生殖のほうが種の保存に有利である。

1　ア、イ
2　ア、ウ
3　イ、ウ
4　イ、エ
5　ウ、エ

解説

ア：妥当である。無性生殖とは親のからだの一部が分かれることによって増える生殖法であり、遺伝的には親と同じである。

イ：妥当である。無性生殖には、分裂、出芽、栄養生殖などの方法がある。ジャガイモやサトイモの繁殖は、葉や根などの親の器官の一部から新個体がつくられる栄養生殖の一種である。栄養生殖の例としては、ジャガイモやサトイモの塊茎のほかに、オニユリのむかご、サツマイモの塊根、挿し木、接ぎ木などが挙げられる。

ウ：単相（n）の卵と精子が受精し、体細胞と同じ複相（2n）の受精卵がつくり出される。減数分裂とは、植物の胞子や、動物の卵や精子などの生殖細胞をつくる分裂である。

エ：環境変化が少ない場合には増殖効率の高い無性生殖が繁殖に有利であり、環境変化が大きい場合には、多様な遺伝子構成を持つ新個体を生じる有性生殖のほうが種の保存に有利である。

よって、妥当なものはアとイであるから、正答は1である。

正答　1

問題研究

有性生殖は、繁殖のために雌雄が出会う必要があり、無性生殖と比較して増殖効率が悪い。一方、無性生殖は、一個体だけで生殖が可能であるから増殖効率は良いが、突然変異によって異なる系統の個体が生じる可能性はあるものの、多様な個体を生み出し環境の変化に適応する力は有性生殖よりも小さいと考えられている。一般に無性生殖で増殖する生物も、生活環境が悪くなると有性生殖を行う場合があり、たとえばゾウリムシは普段は分裂を行うが、環境条件が悪くなると、有性生殖である接合を行う。

No.112 生物　淡水魚の浸透圧　令和2年度

淡水魚と海水魚の浸透圧に関する次の記述中のア～エのうち、妥当なものの組合せはどれか。

魚類には、河川や湖沼など淡水中に生育する淡水魚と、海水で生育する海水魚がいるが、海水魚の場合、海水の塩分濃度のほうが海水魚の体液の塩分濃度よりも高く、淡水魚の場合、淡水の塩分濃度は淡水魚の体液の塩分濃度よりも低い。このため、淡水魚は淡水の水分が ア〔a．体内に流入しやすい　b．体外に排出されやすい〕。体液濃度を一定に保つために、淡水魚は淡水を イ〔a．大量に飲み込み　b．ほとんど飲まず〕、エネルギーを消費して、えらから塩分を ウ〔a．取り込む　b．排出する〕。また、エ〔a．体液より高濃度の尿を少量排出　b．体液より低濃度の尿を多量に排出〕する。

	ア	イ	ウ	エ
1	a	a	a	b
2	a	b	a	b
3	a	b	b	a
4	b	b	a	b
5	b	b	b	b

解説

ア：体内に流入しやすい。このため、淡水魚は、体液を淡水よりも高い濃度に保つ仕組みを持っている。〔a〕

イ：淡水魚は淡水をほとんど飲まない。〔b〕

ウ：取り込む。淡水魚は、不足する無機塩類を能動輸送で体内に取り込む。〔a〕

エ：体液より低濃度の尿を多量に排出する。淡水魚は腎臓での水の再吸収を抑制し、無機塩類の再吸収を促進している。〔b〕

よって、正答は2である。

正答　2

問題研究

水中で生活する生物は、体液の濃度と外液の濃度の差に応じて、水分が入ってきたり失われたりする。無脊椎動物の場合、体液濃度を調節する仕組みを持たないものが多いが、脊椎動物は体液濃度を一定に保つ仕組みを持っている。この問題では淡水魚の体液濃度の調節について問われているが、海水魚の場合についても押さえておきたい。海水魚は、海水の塩分濃度のほうが体液よりも高いため、体内から体外へ水分が排出されやすい。このため、体液濃度を保つために、海水魚は海水を飲み不足する水分を補いつつ、えらでは過剰な無機塩類を能動輸送で排出している。また、腎臓では水の再吸収を促進し、体液と同じ濃度の尿を少量排出する。海水と淡水を往来するウナギの場合、外液が変わっても体液の濃度をほぼ一定に保つことができる。たとえば、淡水中で飼育したウナギを海水中に移すと、ウナギは盛んに海水を飲むようになり、腎臓での水の再吸収が増えて、尿の量は減る。このような能力を持たない淡水魚を海水に入れると、体液の濃度を調節できずに死んでしまう。

No.113 生物　ヒトのDNA　令和元年度

ヒトのDNAに関する次の記述のうち、妥当なものの組合せはどれか。

ア　DNAは、アデニン（A）とアデニン（A）のように、同じ塩基どうしが結合している。

イ　DNAの転写・翻訳の過程では、塩基どうしの結合が切れて２本鎖がほどけ、ほどけた一方にリボソームが結合してタンパク質が合成される。

ウ　DNAの遺伝情報を転写されたRNAの連続する塩基３つの配列はコドンと呼ばれ、１個のアミノ酸を指定する。

エ　DNAの塩基配列はタンパク質のアミノ酸配列の情報を示しているが、一部は遺伝子発現に関する情報を示している。

1　ア、イ
2　ア、ウ
3　イ、ウ
4　イ、エ
5　ウ、エ

解説

ア：DNAは、同じ種類の塩基どうしが結合するのではなく、アデニン（A）とチミン（T）、グアニン（G）とシトシン（C）が向かい合って、水素結合によって相補的につながり合っている。したがって、AとT、GとCとは、それぞれ数が等しい。なお、RNAが含む塩基は、アデニン（A）、グアニン（G）、シトシン（C）、ウラシル（U）の４種類である。

イ：DNAの遺伝情報はRNAポリメラーゼのはたらきで合成されるmRNA（伝令RNA）に転写され、mRNAにリボソームが結合してタンパク質が合成される。

ウ：妥当である。mRNA（伝令RNA）は、アミノ酸を指定する連続した３つの塩基（コドン）を持ち、tRNA（転移RNA）上には、コドンを認識して結合するアンチコドンと呼ばれる部分がある。コドンとアンチコドンは、水素結合により結合する。

エ：妥当である。DNAの塩基配列には、アミノ酸配列をコードしている領域と、転写の調節に関与する領域がある。

よって、妥当なものはウ、エであるから、正答は5である。

正答　5

問題研究

DNAの遺伝情報をもとにタンパク質が合成される過程は、核内で起こる転写と呼ばれる段階と、細胞質中で起こる翻訳と呼ばれる段階の２つに分けられる。DNAの２本鎖がほどけ、これを鋳型として相補的にRNAが合成される過程が転写であり、RNAを鋳型としてタンパク質が合成される過程を翻訳という。DNAの塩基は４種類あり、３個の塩基配列から64種の組合せが可能であるが、この中にはタンパク質合成の開始や終了を指定する、開始コドンや終止コドンと呼ばれるものも存在する。

No.114 生物　植物の光合成　令和元年度

植物の光合成に関する次の記述のうち、妥当なものはどれか。

1　光合成では、まず、光のエネルギーを利用してATPが合成され、そのATPを利用して有機物が合成される。

2　植物は、空気中から取り入れた窒素や二酸化炭素を利用して光合成を行い、有機物を合成している。

3　光合成の場となるミトコンドリアには、クロロフィルなどの光合成色素が含まれている。

4　植物の光合成に有効な光は緑色光であり、赤色光は吸収されにくい。

5　光の強さが光補償点を超えると光合成が始まり、光が強くなればなるほど光合成速度は増加する。

解説

1．妥当である。光合成は、光エネルギーの吸収、水の分解、ATPの生成、二酸化炭素の固定という４つの反応からなる。光エネルギーを利用して合成されたATPを利用して、外界から取り入れた二酸化炭素からデンプンなどの有機物が合成される。

2．植物の光合成では空気中の二酸化炭素が利用されるが、空気中の窒素は利用されない。植物は、土の中に含まれるアンモニウム塩などの無機窒素化合物を取り込み、アミノ酸やタンパク質などの有機窒素化合物を合成する。マメ科植物の根に根粒を作って共生している根粒菌やアゾトバクターなどは、空気中の窒素を利用して窒素固定を行う。

3．光合成の場は、ミトコンドリアではなく葉緑体である。葉緑体の外側は二重の膜で包まれ、内部にはチラコイドと呼ばれる多数の扁平な袋状の膜構造があり、チラコイド以外の基質部分はストロマと呼ばれる。光合成の過程は、葉緑体のチラコイドで行われる反応とストロマで行われる反応に分けられ、光エネルギーの吸収、水の分解、ATPの生成はチラコイドで、二酸化炭素の固定はストロマで行われる。

4．一般的な緑葉の光合成に特に有効な波長の光は青色光と赤色光であり、クロロフィルなどの光合成色素に吸収される。一方、緑色光は吸収されにくい。

5．光補償点は、光合成による二酸化炭素吸収速度と、呼吸による二酸化炭素放出速度が同じになる光の強さのことである。光補償点より弱い光でも光合成は行われ、光飽和点まで光合成速度は増加し、光飽和点よりも光を強くしても、光合成速度は増加しない。

正答　1

問題研究

植物は、光合成と同時に呼吸も行っているので、放出される酸素量や吸収される二酸化炭素量で測定される光合成速度は、見かけの光合成速度である。真の光合成速度とは、見かけの光合成速度に呼吸速度を加えたものである。また、見かけの光合成速度が０になる光の強さが光補償点である。これらの用語とともに、植物の光合成速度と外部の環境要因との関係を示す光合成曲線などは、公務員試験で問われることが多いので、しっかりと押さえておきたい。

No.115 地学　エルニーニョ現象　令和6年度

エルニーニョ現象に関する次の記述中の空欄ア～オに当てはまる語句の組合せとして、妥当なものはどれか。

大気の大きな流れを見ると、中緯度域では西から東に（　ア　）が吹いており、低緯度域では東から西に（　イ　）が吹いている。平年状態の赤道付近の太平洋では、（　イ　）の影響で、表層の温かい海水が西に吹き寄せられ、東部では下から冷たい海水が湧き上がっている。そのため、赤道付近の太平洋の海面水温は、（　ウ　）で高く、（　エ　）で低くなっている。

しかし、（　イ　）がなんらかの原因で弱まると、（　ウ　）の海水が（　エ　）に広がり、海面水温が平年より高くなる。この現象はエルニーニョ現象と呼ばれる。エルニーニョ現象が生じると、日本では、夏に太平洋高気圧の張り出しが弱くなり、気温が（　オ　）傾向がある。

	ア	イ	ウ	エ	オ
1	貿易風	偏西風	東部	西部	高くなる
2	貿易風	偏西風	西部	東部	高くなる
3	偏西風	貿易風	東部	西部	低くなる
4	偏西風	貿易風	西部	東部	低くなる
5	偏西風	貿易風	西部	東部	高くなる

解説

ア：偏西風が当てはまる。偏西風は、南北に蛇行しながら地球を一周している。中緯度域の上空では偏西風が吹いているが、偏西風に対応して、地表付近では移動性高気圧や温帯低気圧などが生じて、中緯度域から高緯度域への熱輸送を担っている。

イ：貿易風が当てはまる。赤道付近で温められた空気は、熱帯収束域で上昇して中緯度域へ向かい、亜熱帯高圧帯で下降して、貿易風として赤道付近に戻る。このような大気の循環を、ハドレー循環という。

ウ・エ：ウは西部、エは東部が当てはまる。

オ：低くなるが当てはまる。日本では、エルニーニョ現象が生じると「冷夏・暖冬」となり、ラニーニャ現象が生じると「暑夏・寒冬」となる傾向がある。

よって、正答は4である。

正答　4

問題研究

ラニーニャ現象は、赤道付近の太平洋で、貿易風が強まり、平年よりも西部と東部の水温の差が大きくなり、東部の海面水温が半年以上にわたって平年よりも低くなる現象である。エルニーニョ現象やラニーニャ現象は、熱帯域に異常な天候をもたらすが、熱帯域だけでなく、世界中の天候に影響を与える。このように、離れた複数の地域に異常気象をもたらす現象を、テレコネクションという。

No.116 地学　太陽系の天体　令和5年度

太陽系の天体に関する次の記述のうち、下線部の内容が妥当なものの組合せはどれか。

太陽系の惑星は、太陽の周囲を公転する天体であり、ア<u>すべての惑星の公転の向きは同じである。</u>太陽系の惑星の中で最小である水星の表面には、イ<u>氷や液体の水が存在する</u>。太陽系の惑星で最大である木星のウ<u>表面は岩石が主成分であり、大気は存在しない。</u>

小惑星は主に火星と木星の間にあり、エ<u>日本の探査機はやぶさ２は、小惑星リュウグウから小惑星の構成物質を持ち帰ることに成功した。</u>

太陽系外縁天体とは、準惑星や小惑星などの天体であり、オ<u>海王星</u>は太陽系外縁天体に含まれる。

1　ア、イ
2　ア、エ
3　イ、エ
4　イ、オ
5　ウ、オ

解説

ア：妥当である。惑星は、ほぼ同一平面状にあり、どの惑星も、公転の向きは太陽の自転の向きと同じである。一方、自転の向きは、金星以外の惑星はすべて同じ向きに回転しているものの、金星だけは逆向きに回転している。

イ：表面に、かつて液体の水が存在したと考えられる証拠が見つかっているのは、水星ではなく火星である。また、火星の大気にはごくわずかに水蒸気が含まれており、雲や霧が発生することがある。

ウ：木星はガス惑星であり、大気の主成分は水素とヘリウムである。地球型惑星（水星・金星・地球・火星）は、中心部に金属の核があり、岩石からなる硬い表面を持つ。一方、木星型惑星（木星・土星・天王星・海王星）は、岩石の核のまわりを水素やヘリウムなどが取り巻いており、表面はガスでおおわれている。

エ：妥当である。小惑星探査機「はやぶさ」は、小惑星イトカワ表面に着陸、サンプル採取を試み、地球で回収されたサンプルはイトカワ由来の微粒子であることが確認された。また、小惑星探査機「はやぶさ２」は小惑星リュウグウの表面からサンプルを持ち帰ることに成功した。

オ：海王星ではなく冥王星が正しい。太陽系の天体のうち、海王星の軌道よりも外側のものを太陽系外縁天体という。太陽系外縁天体には、冥王星・エリス・マケマケなどの冥王星型天体や、オールトの雲などが含まれる。

よって、妥当なものはア、エであるから、正答は2である。

正答　2

問題研究

太陽系の天体に関する基本的な内容を問う問題であるが、「はやぶさ」と「はやぶさ２」の違いでイトカワかリュウグウかを悩んでしまうかもしれない。記号の組合せ候補を見れば、ある程度正誤の対象を絞ることができるので、冷静に選択肢を絞っていきたい。

No.117 地学

地震

令和4年度

地震が起こると、初めにP波による初期微動が、続いてS波による主要動が地震計では記録される。震源ではP波とS波が同時に発生するが、P波はS波よりも速く伝わるので、震源から遠ざかるにつれて、両者の到達時間の差である初期微動継続時間が長くなる。

図1は、発生したP波とS波が各地点に到達するまでの時間と震源からの距離の関係を表したものである。図2は、ある地点の地震計でこの地震を記録したものである。この地点の震源からの距離と、震源での地震の発生時刻の組合せとして妥当なものはどれか。

図1

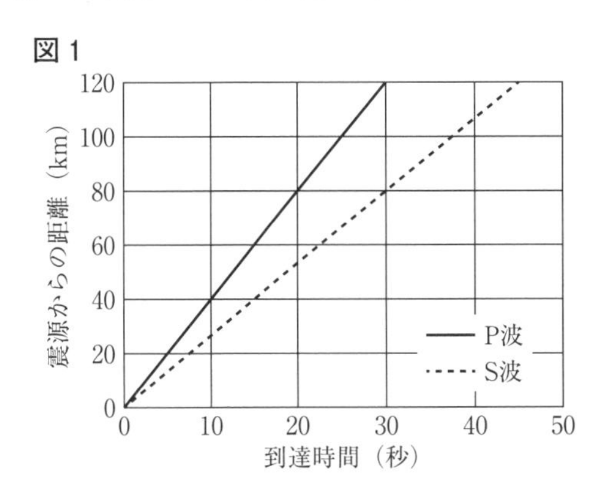

図2

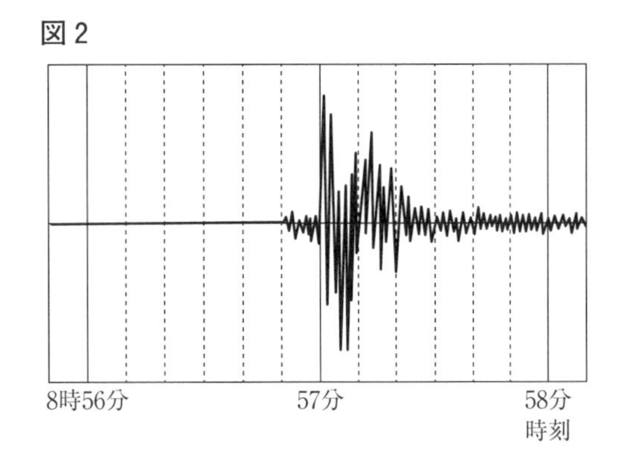

	距離	発生時刻
1	40km	8時56分30秒
2	40km	8時56分40秒
3	80km	8時56分20秒
4	80km	8時56分30秒
5	80km	8時56分40秒

解説

図2より、この地点における初期微動継続時間は10秒であり、初期微動開始時刻は8時56分50秒であることがわかる。初期微動継続時間はP波とS波の到着時刻の差であり、図1よりP波とS波の到着時刻の差が10秒となるのは震源からの距離が80kmの地点であるから、この地点の震源からの距離は80kmである。また、図1より、P波の速度は4km／秒であることがわかる。図2より、震源からの距離が80kmの地点の初期微動開始時刻が8時56分50秒であるから、震源での地震発生時刻はこれより20秒早い8時56分30秒である。

よって、正答は4である。

正答　4

問題研究

P波、S波と初期微動継続時間の関係に着目して、2つのグラフを丁寧に読むことで、正答を導くことができる。

PART 3 過去問を解いてみよう！

No.118 地学　フェーン現象　令和3年度

フェーン現象に関する次の記述中のア〜ウのうち、妥当なものの組合せはどれか。

風上側の湿った空気塊が山を越えるとき、上昇する空気塊は100mごとに温度が1℃下がる。標高が高くなると、上昇した空気塊に含まれる水蒸気が潜熱を ア〔a．大気中から吸収　b．大気中に放出〕して凝結し、雲が発生する。雲が発生してからは、空気塊は100m上昇するごとに温度が0.5℃下がる。これを、湿潤断熱減率という。山頂を越えて吹き下りる空気塊は、下降に伴い温度が上昇するが、山を吹き下りるときの温度変化は、山を上るときと比べて イ〔a．小さい　b．大きい〕ため、風下側のふもとでは、風上側と比べて気温が ウ〔a．高くなる　b．低くなる〕。

	ア	イ	ウ
1	a	a	a
2	a	b	b
3	b	a	b
4	b	b	b
5	b	b	a

解説

ア：飽和した空気塊が上昇するときは、潜熱が放出される。よって、bが正しい。

イ：湿った空気塊が山を越えて吹き下りるときは、乾燥断熱減率によって温度が上昇する。風上側から空気塊が上昇する際は温度が下がるが、放出された潜熱が空気塊を暖めるため、温度低下率は乾燥断熱減率よりも小さいので、山を吹き下りるときの温度変化のほうが大きい。よって、bが正しい。

ウ：フェーン現象では、風上側よりも風下側のふもとのほうが気温は高くなる。空気塊に含まれる水蒸気は、風上側では潜熱を放出して凝結して、降雨となって空気塊から取り除かれるが、このときに放出された潜熱は、空気塊を暖める。このため、風下側のふもとの気温は高くなる。よって、aが正しい。

よって、正答は5である。

正答　5

問題研究

山の風下側で吹く高温で乾燥した風をフェーンという。元来、ヨーロッパ、アルプスのふもとで吹く風がフェーンと呼ばれていたが、現在では他の地域で生じた場合も一般的にフェーンと呼ばれる。また、フェーンによって気温が上昇することをフェーン現象という。フェーン現象は農作物の生育に大きな影響を及ぼすことがあり、たとえば水稲では登熟期のフェーン現象により白未熟粒が多発することがある。

No.119 地学　火山　令和2年度

火山に関する次の記述のうち、妥当なものはどれか。

1　ハワイ諸島は、海洋プレートに大陸プレートが沈み込み、その収束境界に形成された火山である。

2　千島列島は、2つのプレートが離れていくプレート発散境界にできた火山であり、中央海嶺の一部を形成している。

3　ヒマラヤ山脈のエベレスト山は世界一高い火山である。溶岩円頂丘を形成しており、そのマグマの粘性は高い。

4　富士山は、過去幾度の噴火によって、溶岩や火山砕屑物が重なってできた成層火山である。

5　阿蘇山は、カルデラを有する火山であり、粘性の低いマグマが噴出して形成された。

解説

1．大陸プレートに海洋プレートが沈み込むと、海溝と呼ばれる溝が形成される。また、海溝と平行に弓なりに並んだ島を島弧と呼ぶ。プレートの分布とは関係なく地下深くからマグマが供給され続ける場所をホットスポットと呼び、ホットスポット上には火山島ができる。ハワイ諸島は島弧ではなく、ホットスポット上に新たな火山が形成されることを繰り返すことによってできた火山列である。

2．千島列島はプレート発散境界に形成されたものではなく、中央海嶺の一部でもない。プレート収束境界に形成された島弧である。中央海嶺は、マグマが上昇してくる場所であり、これがプレート発散境界であるとの記述は正しい。

3．エベレストは火山ではない。溶岩円頂丘も存在しない。エベレストを含むヒマラヤ山脈は、インド亜大陸がユーラシア大陸に衝突することによってできた褶曲山脈である。また、このようなプレート収束境界での激しい地殻変動を受けた地帯を造山帯という。

4．妥当である。成層火山は円錐形をしており、主に安山岩の溶岩と火山砕屑物が交互に堆積してできる。一方、盾状火山は、粘性が低く流れやすい玄武岩の溶岩が大量に噴出することで形成され、盾を伏せたような緩やかな傾斜が見られる。

5．カルデラとは、直径2km以上の火山性凹地形である。阿蘇山のカルデラは、比較的粘性の高いマグマが噴出して形成されたものである。

正答　4

問題研究

プレートの境界には、プレート発散境界、プレートすれ違い境界、プレート収束境界がある。2つのプレートが離れていくプレート発散境界では、地下からマグマが上昇して新しいプレートがつくられる。プレートすれ違い境界では、横ずれ断層が存在する。プレート収束境界では、海洋プレートが大陸プレートの下に沈み込むと海溝が形成され、大陸プレートどうしがぶつかると衝突帯が形成される。

No.120 地学　月の運動と満ち欠け　令和元年度

月に関する次の文中のＡ～Ｃに当てはまるものの組合せとして、妥当なものはどれか。

月は、地球の周りを公転しており、北極側から見ると反時計回りに回っているように見える。地球上のある地点で何日間か月を観測するとき、同じ時刻に月を見ると、月は前の日より［　Ａ　］に見え、月の出、月の入りの時刻は前の日よりも［　Ｂ　］なる。また、ある日、南の空に満月が観測された。翌日の月は［　Ｃ　］が暗くなっており、日がたつにつれて暗い範囲が増えていき、新月となった。

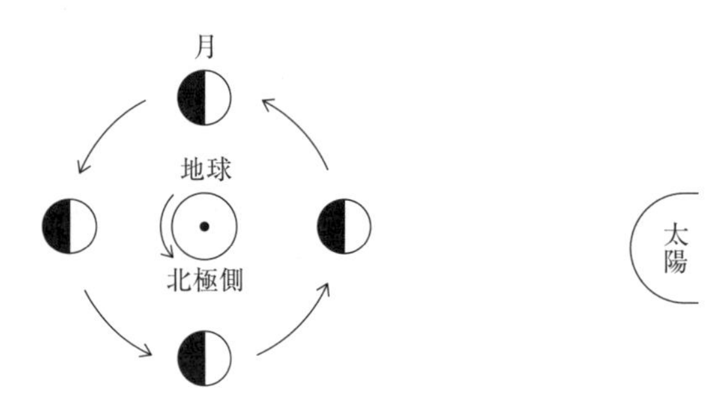

	Ａ	Ｂ	Ｃ
1	西側	早く	西側
2	西側	遅く	東側
3	東側	早く	東側
4	東側	遅く	西側
5	東側	遅く	東側

解説

Ａ：月は地球の周りを公転しているため、同じ地点から同じ時刻に見える月の位置は、日を追うごとに西から東へ移動していく。

Ｂ：月の出、月の入りは、１日におよそ50分ずつ遅くなっていく。

Ｃ：月と太陽の間に地球があるとき、地球からは月の太陽を反射している部分しか見えず、満月となる。一方、月が地球と太陽の間にあるとき、地球からは月の影の部分しか見えず、新月となる。また、満月から新月までの間、西側の暗い部分の面積が増えてゆく。

よって、Ａは「東側」、Ｂは「遅く」、Ｃは「西側」であるから、正答は**4**である。

正答　4

問題研究

月と地球と太陽の位置関係により、月の見え方が変わり、日食・月食等の現象も生じる。また、月の公転周期と自転周期は、およそ27.32日である。公転周期と自転周期が一致しており、地球からはいつも同じ面が見える。

No.121 判断推理	論理	令和 6年度

あるマンションの入居者が飼っているペットについて、次のことがわかっている。
・犬、猫、亀以外のペットを飼っている者はいない。
・亀を飼っている者は、犬を飼っている。
・犬を飼っていない者は、猫を飼っていない。
これらに加えて、さらに次のいずれかが成り立つと、ペットを飼っている者は全員、犬、猫、亀の3種類のうち2種類以上を飼っていることになる。それはどれか。

1　猫を飼っている者は、亀を飼っている。
2　犬を飼っている者は、猫を飼っていない。
3　猫を飼っている者は、亀を飼っていない。
4　亀を飼っていない者は、犬を飼っている。
5　猫を飼っていない者は、犬を飼っていない。

解説

2つ目の条件と3つ目の条件を論理式にすると、次のようになる。

亀→犬
$\overline{犬}$→$\overline{猫}$

また、3つ目の条件の対偶をとると、

猫→犬

となり、つなげると、以下のようになる。

亀→犬
　　↑
　　猫

ここで、選択肢を順に検討していく。
選択肢1、2、3、4の場合、「犬だけを飼っている人」が存在してしまうので不適。選択肢5を論理式にし、対偶をとると、

犬→猫

となり、論理式の全体図は以下のようになる。

亀→犬
　　↑↓
　　猫

この場合、どのペットを飼っていても必ず2種類以上のペットを飼っていることになる。
よって、正答は5である。

正答　5

問題研究

論理のテーマでは少し解釈が複雑な問題である。論理式化し、対偶をとり、三段論法でつなげていくという流れをしっかりと押さえておこう。また、今回のような問題では、背理法のように「1種類の場合が存在する」というほうに着目すると解きやすい。

No.122 判断推理

試合の勝敗

令和6年度

図のようなトーナメントで、①～⑤組の計５組のサッカーチームが試合を行った。Ａ～Ｅの５人はそれぞれ、①～⑤のいずれかの組のキャプテンである。次のことがわかっているとき、正しくいえるものはどれか。

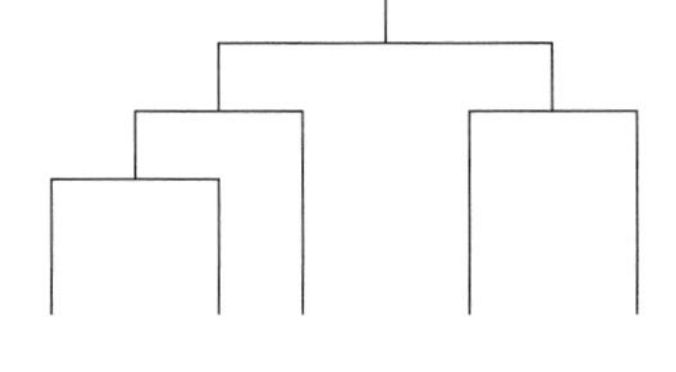

・Ａの組は優勝し、決勝戦では④組と対戦した。
・Ｂの組は、自分の組にとっての２試合目で⑤組と対戦し、勝った。
・Ｃの組は②組と対戦した。
・Ｅの組と①組は、それぞれの２試合目で対戦する可能性があった。

1　Ｃの組は③組である。
2　③組と④組は対戦した。
3　Ａの組とＤの組は対戦した。
4　①組は少なくとも１勝した。
5　Ｅの組は少なくとも１勝した。

解説

２つ目の条件から、Ｂの組は２試合目に勝利しているので、決勝戦まで進んでいるか、優勝していることがわかる。しかし、１つ目の条件で優勝したのはＡの組なので、決勝戦はＡの組とＢの組の対戦で、Ａの組が優勝したことがわかる。このことから、１つ目と２つ目の条件を考慮すると、図１のようになる（ＡとＢの配置は同ブロックであれば左右どちらでもかまわない）。

また、Ｂの組の１試合目と２試合目の相手は、自身の１試合目でＢの組（④組）に負けているので、３つ目の条件に合わない。したがって、Ｃの組はＡの組の１試合目の対戦相手であり、Ａの組は②組ということがわかる。

最後に、４つ目の条件は、⑤組とＣの組のことであり、図２のように確定する。

よって、正答は**2**である。

正答　2

図１

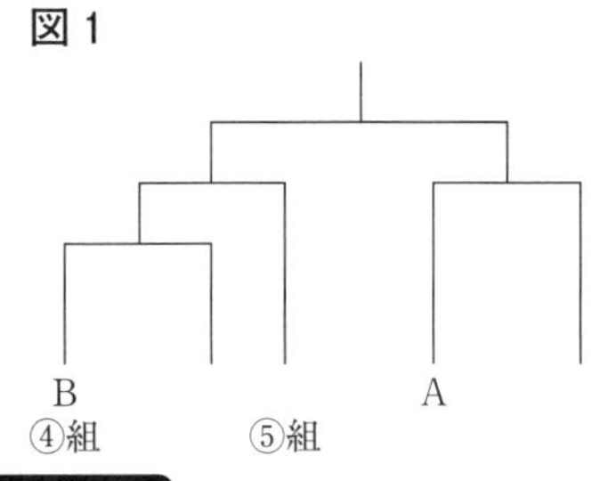

図２

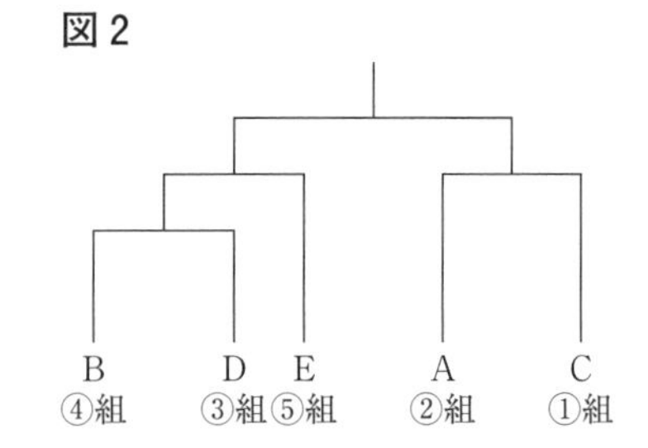

問題研究

試合の勝敗の問題では、一般的に、総当たり戦の問題よりもトーナメント戦の問題のほうが難易度が高い傾向にある。トーナメント戦の問題では、どこに誰が入るかということより、対戦相手が判明していく場合が多いことを意識しよう。

No.123 判断推理

対応関係

令和6年度

A～Dの4人にアメリカ、イギリス、スペイン、ドイツ、フランスの5か国に行ったことがあるか尋ねたところ、次のことがわかった。このとき、正しくいえるものはどれか。

・アメリカに行ったことがある人は3人、ドイツに行ったことがある人は1人である。
・行ったことがある国の数が3か国である人が3人、2か国である人が1人いる。
・AとBは、それぞれが行ったことのある国の中に、共通する国がない。
・Bはスペイン、Cはフランス、Dはイギリスに行ったことがない。
・Bが行ったことがなく、かつ、Cも行ったことがない国は2か国である。

1　イギリスに行ったことがある人は1人である。
2　スペインに行ったことがある人は2人である。
3　フランスに行ったことがある人は1人である。
4　Aはアメリカに行ったことがある。
5　Bはイギリスに行ったことがある。

解説

対応表を用いて考える。

3つ目の条件から、AとBは共通する国がなく、さらに、1つ目の条件から、アメリカに行ったことがあるのは3人なので、アメリカはAとBのいずれかが○でいずれかが×となる（2人とも×だと合計人数が合わない）。また、CとDは必ずアメリカに行ったことがわかる。

次に、2つ目と3つ目の条件を合わせて考えると、AとBが2人とも3か国に行ったことがある場合、必ず1か国以上がかぶってしまうので、AとBはいずれかが2か国で、もう片方が3か国であることがわかる。そして、CとDは3か国に行ったこともわかる。このことから、AとBの○×は常に逆になり、両者とも×はありえないことがわかる。

すると、ドイツの1人もAかBのいずれかであり、CとDは×となる。4つ目の条件を含めて、ここまでをまとめると表1のようになる。

また、合計から、Cはイギリスとスペインに、Dはスペインとフランスに行ったことがわかる。

最後に、5つ目の条件から、Bはドイツとフランスに行ったことがないことがわかり、アメリカとイギリスに行ったことがわかる。AとBの○と×は逆になるので、表2のように確定する。

よって、正答は5である。

正答　5

表1

	ア	イ	ス	ド	フ	計
A	○/×					3/2
B	×/○		×			2/3
C	○			×	×	3
D	○	×		×		3
計	3			1		

表2

	ア	イ	ス	ド	フ	計
A	×	×	○	○	○	3
B	○	○	×	×	×	2
C	○	○	○	×	×	3
D	○	×	○	×	○	3
計	3	2	3	1	2	

問題研究

対応関係としては難易度が高い問題である。ただ、2人の人物において共通するものがないという条件は非常に強力で、正しい解釈をすれば正答まで一気に近づけることになる。また、数の条件が与えられている際は、しっかりと表に書いて、ミスのないようにしよう。

No.124 判断推理　操作の手順　令和6年度

図のようなマスがある。①～⑨のうちの隣り合わない2マスに「右に1進む」と書き、次のようなルールのゲームを行った。

S	①	②	③	④	⑤	⑥	⑦	⑧	⑨	G

・Sにコマを置き、2、4、8の目のみがあるルーレットを回して出た目の数だけコマを進めることを繰り返し、コマがGに止まった時点でゲーム終了となる。
・各回でコマが進む方向は右向きであるが、Gまで進んでも移動できる数が残っている場合は、折り返して左向きに残りの数だけ進む。たとえば、コマが④にあって8の目が出た場合、6マス右に進んでGで折り返し、2マス左に進んで⑧に止まる。
・「右に1進む」と書かれたマスにコマが止まった場合（折り返して止まった場合も含む）、右に1マス進んで移動が完了する。

今、計4回ルーレットを回してゲーム終了となった。各回の移動前後のコマの位置を見たとき、移動後の位置が移動前の6マス右になった回があった。このとき、正しくいえるものはどれか。

1　4回目には2の目が出た。
2　2の目が1回だけ出た。
3　8の目が2回出た。
4　移動後のコマの位置が④である回があった。
5　⑥には「右に1進む」と書かれていた。

解説

「移動後の位置が移動前の6マス右になった回があった」ということは、8の目が出た必要があり、8の目を出して6マス右に進むことができるのは③→⑨の移動だけである。今回のルーレットの目はすべて偶数なので、③に止まるには、②の位置に「右に1進む」と書いてあることが必要である。ここまででS→③→⑨と、2回の移動があるため、残り2回でGにたどり着かなければならないことに注意する。

次に、⑨の後の3回目の移動が2の目の場合、もとの⑨に戻ってしまい、4回目のルーレットでGにたどり着くことはできない。8の目の場合、③に戻ってしまうので、同様にGにたどり着くことはできない。4の目が出て⑦のマスに止まり、そのマスに「右に1進む」と書かれていれば⑧のマスに進み、4回目のルーレットで2の目を出してGにたどり着くことができる。マス目の流れをまとめると、S→③→⑨→⑧→Gとなる。

よって、正答は1である。

正答　1

問題研究

操作の手順の問題は、最終段階から逆算していくことが大切である。ただし、今回の問題のように「右に6マス進んだ」という特徴的な条件があるときは、その部分から考察していくとよい。また、何マス進んでどこにいるかということをしっかりと書き出し、間違えないようにしよう。

No.125 判断推理

平面構成

令和6年度

正六角形のタイルを図のように並べることを考える。図の斜線で示したタイルは黒色とし、残りの部分に白、赤、青の3色のタイルを、同じ色のタイルが隣り合わないように並べる。今、白、赤、青のタイルを図に示した3か所に並べるとすると、そのほかのタイルの色の配置は、いくつかの場合がありうる。このとき、アのタイルの色について正しくいえるものはどれか。

1　いずれの場合も白である。
2　いずれの場合も赤である。
3　いずれの場合も青である。
4　白の場合と赤の場合がある。
5　白の場合と青の場合がある。

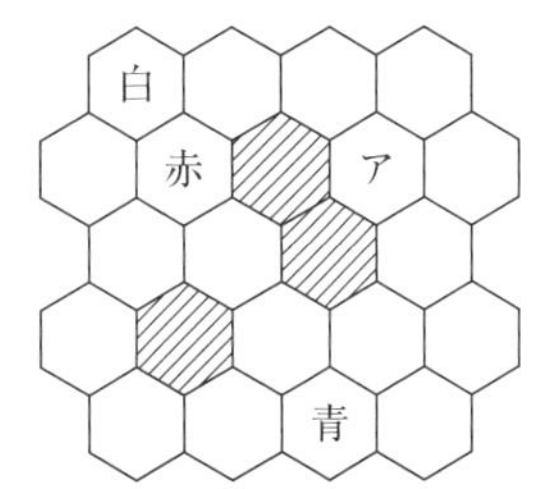

解説

図のように番号を振って考える。

まず、①には必ず青が並べられる。よって、②には白か赤が並べられることがわかる。

また、⑥と⑧には白か赤が並べられ、⑦には必ず青が並べられることがわかる。そうすると、⑤には⑧と同じ色が並べられることになる。よって、次の4パターンが考えられる。

パターンⅠ：②が赤で⑤が赤の場合（⑥に白、⑧に赤）、アに並べるものは白でも青でもよいが、③と④の色が同じになってしまうため不適。

パターンⅡ：②が白で⑤が白の場合（⑥に赤、⑧に白）、アに並べるものは赤でも青でもよいが、③と④の色が同じになってしまうため不適。

パターンⅢ：②が赤で⑤が白の場合（⑥に赤、⑧に白）、アには必ず青が並べられ、③には白、④には赤が並べられる。

パターンⅣ：②が白で⑤が赤の場合（⑥に白、⑧に赤）、アには必ず青が並べられ、③には赤、④には白が並べられる。

以上より、いずれの場合にもアには青が並べられる。

よって、正答は3である。

正答　3

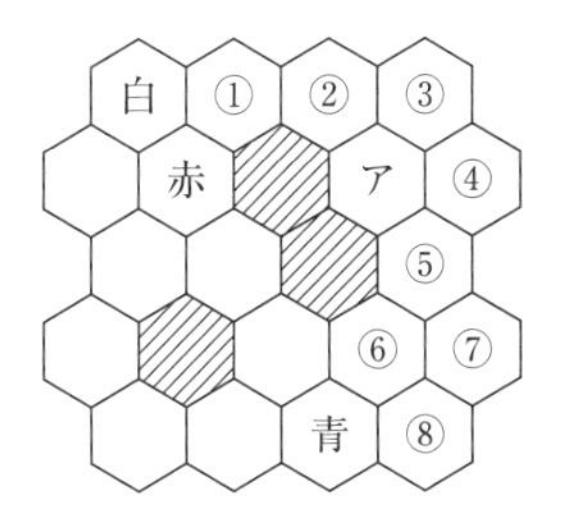

問題研究

平面構成の問題は、とにかく場合分けを嫌がらずに行うことが大切である。一見複雑そうに見える条件や問題であっても、手を動かすことで意外とあっさり解けることも多い。多少時間がかかっても、確実に解けるテーマなので、注意深く解いていこう。

No.126
判断推理

展開図

令和
6年度

右図は4つの面に白または黒の三角形の模様が描かれた正八面体である。
この正八面体の展開図として妥当なものはどれか。

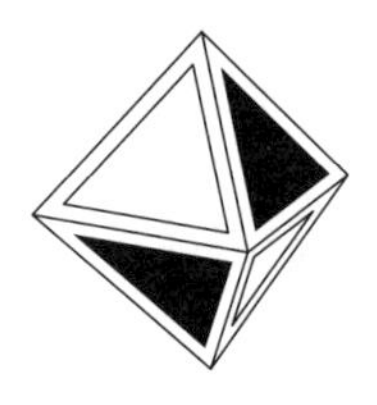

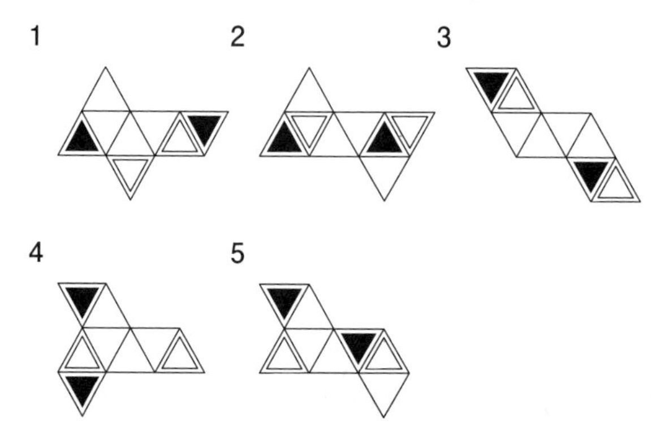

解説

まず、次の図のように、正八面体の展開図上で、一直線に四面連続している面の両端は、正八面体を作った際に向かい合う面（平行な面）となる。

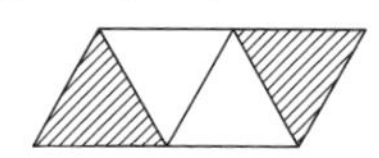

したがって、選択肢**2**、**5**は模様が描かれた面が向かい合う面に位置してしまうため不適である。

また、正八面体の展開図では、120°をなす部分で面を回転して移動させることができ、選択肢**1**の下端の1面を回転して移動させると図1のようになり、白い三角形が描かれた面が横並びになってしまうため不適。同様に選択肢**3**の上端の2面を回転して移動させると、図2のようになり、模様が描かれた面が向かい合う面に位置してしまうため不適。

よって、正答は**4**である。

図1

図2

問題研究

正八面体の展開図の問題では、「平行な面」「平行な辺」「展開図の変形」「組み立てた際に重なる点」の4つのポイントを押さえておくと、平面上で解くことができるようになる。類題を解き、確実に正答できるようにしておこう。

No.127 判断推理　命題　令和5年度

あるクラスで、A～Eの5本の映画について見たかどうかをたずねたところ、次のことがわかった。このとき、論理的に正しくいえるものはどれか。

・Aを見た人はBもCも見た。
・Bを見た人はDも見た。
・DとEの少なくとも一方を見た人はCも見た。

1　Aを見た人はEも見た。
2　Bを見た人はCも見た。
3　Cを見た人はAも見た。
4　Dを見た人はAも見た。
5　Eを見た人はBも見た。

解説

すべての発言を論理式にしてみる。

$A \rightarrow B \wedge C$

$B \rightarrow D$

$D \vee E \rightarrow C$

となり、三段論法を用いてすべてをつなげると、次のようになる。

$A \rightarrow B \rightarrow D \rightarrow C$

↓　　　　↑

C　　　　E

論理的に正しくいえる（矢印を逆走していない）のは、「Bを見た人はCも見た」のみである。
よって、正答は2である。

正答　2

問題研究

標準的なレベルの論理式の問題である。この問題はすべての対偶をとる必要はなかったが、基本的にこのような問題は対偶までとって解き進めるのがよい。また、命題の前半に「または」、後半に「かつ」が存在するときは分割できることをおさらいしておこう。

No.128 判断推理

順序関係

令和5年度

Ａ～Ｅの５人がマラソンをした。ゴールするまでにかかったタイムを計り１～５位を決めた。次のことがわかっているとき、正しくいえるものはどれか。ただし、同じタイムの者はいなかったものとする。

・１位と２位のタイムの差は20分であった。
・ＢのタイムはＤのタイムよりも20分短かった。
・Ｃのタイムは３時間10分であった。
・Ｅは３位であり、Ａとのタイムの差は30分であった。
・５位のタイムは４時間であった。

1　１位はＢであった。
2　２位のタイムは３時間よりも短かった。
3　タイムが３時間30分よりも長かったものは３人であった。
4　１位と３位のタイムの差は40分であった。
5　２位と４位のタイムの差は30分であった。

解説

まず、順位とタイムと人の関係について、「Ｅは３位であり、Ａとのタイムの差は30分であった」「５位のタイムは４時間であった」という条件を考慮して表を作ると次のようになる。

	１位	２位	３位	４位	５位
タイム					４時間
人			Ｅ		

「Ｃのタイムは３時間10分であった」という条件から場合分けをすると、次の３パターンが考えられ、そこに「１位と２位のタイムの差は20分であった」という条件を考慮すると以下のようになる。

表１

	１位	２位	３位	４位	５位
タイム				３時間10分	４時間
人	Ｂ	Ｄ	Ｅ	Ｃ	Ａ

表２

	１位	２位	３位	４位	５位
タイム	２時間50分	３時間10分	３時間20分	３時間40分	４時間
人	Ａ	Ｃ	Ｅ	Ｂ	Ｄ

表３

	１位	２位	３位	４位	５位
タイム	３時間10分	３時間30分			４時間
人	Ｃ		Ｅ		

ここで、表１はＥの時間がＡと30分差であることを考慮すると、３時間30分となり、不適。表３は、２位と５位の差が30分だが、その中にＡとＥの差の30分を入れることができないので不適。よって表２が正しいことになり、正答は**5**である。

正答　5

問題研究

順序関係の問題では、とにかく場合分けができる条件を見つけて、書いてみることである。時間がかかるように思えるかもしれないが、急がば回れと意識しておこう。

No.129 判断推理　対応関係　令和5年度

A～Fの６人が１個ずつプレゼントを用意してプレゼント交換を行った。それぞれの５人のいずれかにプレゼントを渡し、１人で２個以上のプレゼントをもらった者はいなかった。次のことがわかっているとき、正しくいえるのはどれか。

・Aがプレゼントを渡したのは、BでもCでもない。
・Bがプレゼントを渡したのは、Cではない。
・Cからプレゼントをもらった者は、Bにプレゼントを渡した。
・EはDからプレゼントをもらった。

1　AはDにプレゼントを渡した。
2　BはFにプレゼントを渡した。
3　CはAにプレゼントを渡した。
4　EはBにプレゼントを渡した。
5　FはCにプレゼントを渡した。

解説

対応表を用いて考える。まず、４つの条件からわかることを図示すると表１のようになる。その際、３つ目の条件から、Bにプレゼントを渡したのはCではないことに注意する。

表1　もらう（縦：渡す）

	A	B	C	D	E	F
A	＼	×	×		×	
B		＼	×		×	
C		×	＼		×	
D	×	×	×	＼	○	×
E					＼	
F					×	＼

また、３つ目の条件と４つ目の条件から、Bにプレゼントを渡したのはEでもないので、Fで確定する。すると、３つ目の条件から、FはCからプレゼントをもらったことになり、まとめると表2のようになる。さらに、表の空いている箇所を埋めると表３のようになる。

表2

	A	B	C	D	E	F
A	＼	×	×		×	×
B		＼	×		×	×
C	×	×	＼	×	×	○
D	×	×	×	＼	○	×
E		×			＼	×
F	×	○	×	×	×	＼

表3

	A	B	C	D	E	F
A	＼	×	×	○	×	×
B	○	＼	×	×	×	×
C	×	×	＼	×	×	○
D	×	×	×	＼	○	×
E	×	×	○	×	＼	×
F	×	○	×	×	×	＼

よって、正答は1である。

正答　1

問題研究

対応表の問題で、特にプレゼント交換の問題は苦手意識を持つ受験者が多いが、まず「条件の中で一番登場している人物を基準に考える」ことを徹底しよう。解答までの糸口となる非常に重要な意識である。

No.130 判断推理　操作の手順　令和5年度

赤、青、黄、緑の球がそれぞれ３個ずつ計12個ある。これらの球をＡ～Ｄの４人が１個ずつ取っていくということを３回行い、球を４人で分けた。次のことがわかっているとき、正しくいえるのはどれか。

・同じ色の球を２個以上取った者はいない。
・Ａは青、黄、緑を取り、青は３巡目に取った。
・Ｂの１巡目とＣの２巡目に取った球の色は同じであった。
・Ｂの２巡目とＤの３巡目に取った球の色は同じであった。
・２巡目に４人が取った球は２色だけで、２巡目が終わった時点で黄は２個残っていた。

1　Ａは１巡目に緑を取った。
2　Ｂは１巡目に緑を取った。
3　Ｃは３巡目に赤を取った。
4　Ｄは２巡目に赤を取った。
5　１巡目に４人は互いに異なる色の球を取った。

解説

与えられた条件を表にまとめると次のようになる。同じ色の球をそれぞれ○、◎で示す。

表１

	１巡目	２巡目	３巡目
A			青
B	○	◎	
C		○	
D			◎
		２色のみ	黄２個

残り黄・緑

２巡目が終わった時点で黄は２個残っていたので、２巡目までに黄は１個しか取られておらず、２巡目は２色だけが取られたことを考慮すると、Ａの２巡目は黄ではなく緑である。したがって、Ａの１巡目が黄となり、３巡目の黄２個も確定する（表２）。

表２

	１巡目	２巡目	３巡目
A	黄	緑	青
B	○	◎	黄
C		○	黄
D			◎

○か◎のいずれかが緑であるが、○が緑の場合はＤが同じ色の玉を２個取ったことになり不適で、◎が緑となる。○が青の場合は青が４個となるため不適で、○は赤となり確定する（表３）。

表３

	１巡目	２巡目	３巡目
A	黄	緑	青
B	赤	緑	黄
C	青	赤	黄
D	青	赤	緑

よって、正答は４である。

正答　4

問題研究

条件をしっかりと表にまとめて、同じ色の玉に注目すると、時間はかかるが正答できる。

No.131 判断推理	平面構成	令和 5年度

図1のように、同じ大きさの正三角形をつなげてできた紙片ア～オがある。ア～オを裏返すことなく並べて図2のような図形を作った。グレーの部分では紙片が2枚重なっており、それ以外の部分では紙片は重なっていない。図2の☆で示された正三角形が含まれる紙片はア～オのうちどれか。

図1　ア　イ　ウ　エ　オ

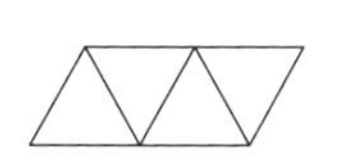

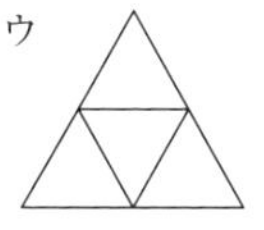

図2

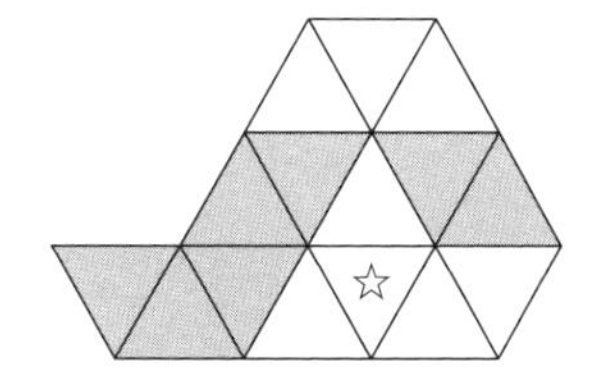

1　ア
2　イ
3　ウ
4　エ
5　オ

解説

まず、図2の左下の部分に注目する。グレーなので2枚重なっているが、ここに並べることのできる紙片はイとエのみなので、ここでイとエの位置が確定する。

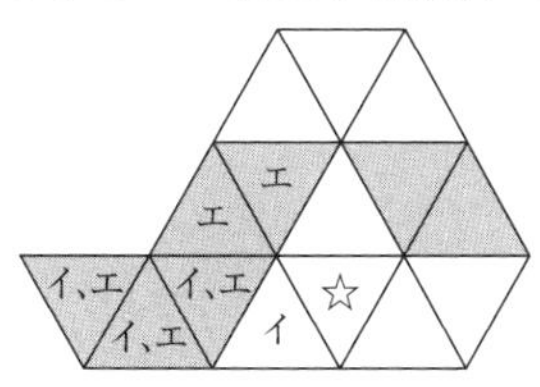

次に、図2の右下の部分に注目する。この部分は重なっていないことから、ここに並べる紙片はオと推測できる。残りの重なっている部分に注意しながらアとウを並べると、次のように当てはまる。

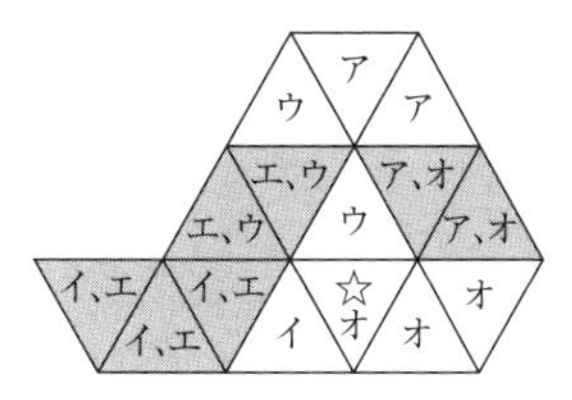

よって、正答は5である。

正答　5

問題研究

図形パズルの問題は、まず特徴的な図形の配置を確定してしまうことが大切である。また、「重なっている部分」だけでなく、「重なっていない部分」にも注目することでより解きやすくなる。

PART 3 過去問を解いてみよう！

No.132 判断推理

発言推理

令和4年度

年齢が互いに異なるＡ～Ｅの５人が次のような発言をしており、１人だけが事実と異なる発言をしていることがわかっている。このとき、５人の年齢について確実にいえるのはどれか。

Ａ：「ＣはＥよりも年下である」

Ｂ：「Ａ、Ｃ、Ｄのうち、私よりも年下であり、かつＥよりも年上である者は１人だけである」

Ｃ：「私以外の４人のうち、私よりも年下である者は２人いる」

Ｄ：「Ａ、Ｂ、Ｃのうち、最も年齢が低いのはＣである」

Ｅ：「Ｃの発言は正しい」

1　Ａよりも年上である者は２人である。

2　Ｂよりも年上である者は１人である。

3　Ｃよりも年上である者は３人である。

4　ＢはＤよりも年下である。

5　ＥはＤよりも年下である。

解説

Ａ～Ｅそれぞれの発言の真偽を仮定して考える。ただし、Ｅの「Ｃの発言は正しい」という発言は、ＥがうそつきならＣもうそつきとなり、１人だけが事実と異なる発言をしているという条件と矛盾するので、Ｃ、Ｅは正しいことを言っていることとなる。よって、Ａ、Ｂ、Ｄがうそつきの場合だけ考える。

・Ａがうそつきの場合

Ｂ～Ｅが正しいことを言っていることとなる。

年長者を左から並べると、Ｃの発言より、○○Ｃ○○、Ｂ、Ｄの発言より、ＡＢＣＥ○となり、ＡＢＣＥＤで確定する。これは、Ａの発言がうそであることとも一致する。

・Ｂがうそつきの場合

Ａ、Ｃ～Ｅが正しいことを言っていることとなる。

Ｃの発言より、○○Ｃ○○、Ｄの発言より、ＡＢＣ○○、ＢＡＣ○○となるが、これはＡの「ＣはＥよりも年下である」という発言と矛盾する。

・Ｄがうそつきの場合

Ａ～Ｃ、Ｅが正しいことを言っていることとなる。

Ｃの発言より、○○Ｃ○○、Ｂの発言より、○ＢＣＥ○となるが、これはＡの「ＣはＥよりも年下である」という発言と矛盾する。

よって、うそつきはＡであり、正答は**2**である。

正答　2

問題研究

うそつき問題は、１人ずつうそつきと仮定して場合分けを行うことが定石である。その場合、本問のように、明らかにうそつきでない者を探すことが時間短縮につながるので、しっかりと問題の全文に目を通すようにしよう。

No.133 判断推理

位置関係

令和4年度

あるバスが連続する３つの停留所に停車した。停留所ではそれぞれ乗客の乗り降りがあり、２つ目と３つ目の停留所でバスに新たに乗車した人数は、それぞれ１人であった。図１～図３は、これら３つのいずれかの停留所において、バスが発車する際のバスの乗客の着席位置を示したものである（斜線部分が乗客の着席位置）。ただし、図中においてすべての乗客は着席しており、また、着席後、降車までの間に着席位置を変更した乗客はいなかったものとする。図１～図３を停車した順に正しく並べているものはどれか。

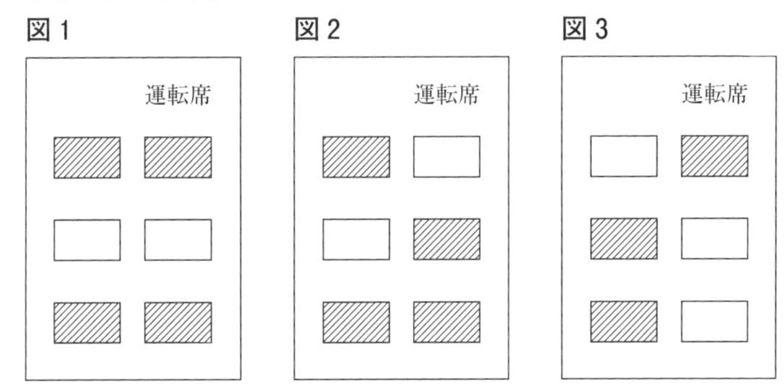

1　図１→図２→図３
2　図１→図３→図２
3　図２→図１→図３
4　図２→図３→図１
5　図３→図１→図２

解説

着席位置の連続性を考える。２つ目と３つ目の停留所で乗車した人数がそれぞれ１人であることから、

図２→図３
図３→図１
図３→図２

と連続することはない（それぞれ、新たに座席に２人以上座ったことになる）。

ここで、図１～図３を順番に並べる方法は、図１→図２→図３、図１→図３→図２、図２→図１→図３、図２→図３→図１、図３→図１→図２、図３→図２→図１の６通りのみである。

この中から、図２→図３、図３→図１、図３→図２が含まれるものを除くと、残るのは図２→図１→図３のみである。この場合、２つ目と３つ目の停留所でバスに乗車した人数はそれぞれ１人という条件にも合致している。

よって、正答は**3**である。

正答　3

問題研究

図の連続性から、「新たに座席に２人以上が座ったことになる」という条件さえ見つけられれば、容易に解くことのできる問題である。位置関係の問題は、このように場合分けを行って消去法で考えることも多いので、正確に書き表す練習をしておこう。

PART 3 過去問を解いてみよう！

No.134 判断推理　数量相互の関係　令和4年度

１～４の互いに異なる数が１つずつ書かれ赤いカードが４枚、１～４の互いに異なる数が１つずつ書かれた青いカードが４枚の計８枚のカードがある。これらのうち６枚をＡ～Ｃの３人に、１人２枚ずつ配った。次のことがわかっているとき、Ａ～Ｃに配られていないカードに書かれた数の合計はいくらか。

・青いカードを持っているのはＡとＢだけであり、ＡとＢが持っている青いカードの枚数は同じである。
・Ａが持っているカードに書かれた数の合計は７以上である。
・Ｂが持っているカードに書かれた数は２枚とも偶数である。
・Ｃが持っているカードに書かれた数は連続している。

1　２
2　３
3　４
4　５
5　６

解説

１つ目の条件より、ＡとＢはそれぞれ青のカードを１枚ずつか、２枚ずつ持っていることとなるが、２枚ずつ持っていた場合、２つ目の条件より、Ａが青のカードの３と４、Ｂが青のカードの１、２となり、３つ目の「Ｂが持っているカードに書かれた数は２枚とも偶数である」という条件に反する。よって、ＡとＢはそれぞれ１枚ずつ青のカードを持っていることになる。したがって、カードの色の内訳は、Ａ、Ｂは赤と青のカードを１枚ずつ、Ｃは２枚とも赤のカードとなる。また、２つ目の条件より、Ａが持っている赤のカードは３か４である。この場合、４つ目の条件より、Ｃが持っている赤のカードの組合せは（１、２）、（２、３）のいずれかとなるので、場合分けして考える。

・Ｃの持っているカードが（１、２）の場合

３つ目の条件の「Ｂが持っているカードに書かれた数は２枚とも偶数である」より、Ｂが持っている赤のカードは４となる。Ａが持っている赤のカードは３となり、２つ目の条件からＡが持っている青のカードは４となる。また、３つ目の条件よりＢが持っている青のカードは２となり、それぞれの持っているカードが確定する。

・Ｃの持っているカードが（２、３）の場合

２つ目の条件より、Ａの持っている赤のカードが４であることが確定するが、Ｂの持っている赤のカードが１となり、３つ目の条件に反する。よってこの場合は不適である。

以上より、Ａが持っているカードは青の４、赤の３、Ｂが持っているカードは青の２、赤の４、Ｃが持っているカードは赤の１、赤の２、配られていないカードは青の１、青の３となり、その合計は４となる。よって、正答は**3**である。

正答　3

問題研究

場合分けをコツコツと行うことが解答への近道である。難易度は低いので失点は避けたい問題である。

No.135 判断推理

操作の手順

令和 4年度

ある商店に物品A～Dを持ち込むと別の物品に交換してもらうことができる。この商店における物品の交換の仕方は次の3通りである。

・AとD1個ずつの計2個を、BとE1個ずつの計2個に交換する。
・BとC1個ずつの計2個を、DとE1個ずつの計2個に交換する。
・BとD1個ずつの計2個を、E1個に交換する。

ある人がこの商店に、交換対象の物品を計5個持ち込んだ。5個のうちAは1個であり、Eは0個であった。これらの物品の交換を複数回行ったところ、最終的に4個のEだけとなった。B、C、Dのうち、最初に持ち込んだ個数が1個以下であるもののみをすべて挙げているものはどれか。ただし、物品の交換の仕方は上記の3通りから任意に選択することができ、また、交換して得た物品であっても、その後の交換に使用することができるものとする。

1 B　**2** D　**3** B、C　**4** B、D　**5** C、D

解説

「AとD1個ずつの計2個を、BとE1個ずつの計2個に交換する」という操作を操作Ⅰ、「BとC1個ずつの計2個を、DとE1個ずつの計2個に交換する」という操作を操作Ⅱ、「BとD1個ずつの計2個を、E1個に交換する」という操作を操作Ⅲとする。最終的に4個のEだけとなったことより、最後は操作Ⅲを行ったことになる。まとめると、表1のようになる。

表1

	最初	①	②	③	最後
A	1			0	0
B				1	0
C				0	0
D				1	0
E	0			3	4

また、5個の物品を持ち込み、③の状態までは個数が変化していないことから、最初→①、①→②、②→③はすべて操作Ⅰか操作Ⅱであったことがわかる（操作Ⅲだと物品が1個減ってしまう）。②→③に関しての操作を場合分けして考える。

・②→③が操作Ⅰの場合

②はA1個、B0個、C0個、D2個、E2個となる。また、最初から②までAの個数が変わっていないことを考慮すると、①→②、最初→①は操作Ⅱを行ったことになり、表2のようになる。

表2

	最初	①	②	③	最後
A	1	1	1	0	0
B	2	1	0	1	0
C	2	1	0	0	0
D	0	1	2	1	0
E	0	1	2	3	4

・②→③が操作Ⅱの場合

②はA0個、B2個、C1個、D0個、E2個となる。Aが0個、Dが0個なので、①→②は操作Ⅰを行ったことになり、表3のようになる。このときも、最初→①は操作Ⅱを行っていることがわかる。

表3

	最初	①	②	③	最後
A	1	1	0	0	0
B	2	1	2	1	0
C	2	1	1	0	0
D	0	1	0	1	0
E	0	1	2	3	4

よって、B、C、Dのうち最初に持ち込んだ個数が1個以下であるものはいずれの場合もDのみとなり、正答は**2**である。

正答　2

問題研究

最初の条件から解き進めるのではなく、最後の個数から逆算していくことに気づくことができれば、正答に近づくことができる。個数の合計も確認しつつ、表を用いて解き進めるのが良い。

No.136 判断推理

平面構成

令和4年度

　次の図において、四角形は全部で何個あるか。ただし、内角が180°以上の頂点を持つものは数えないものとする。

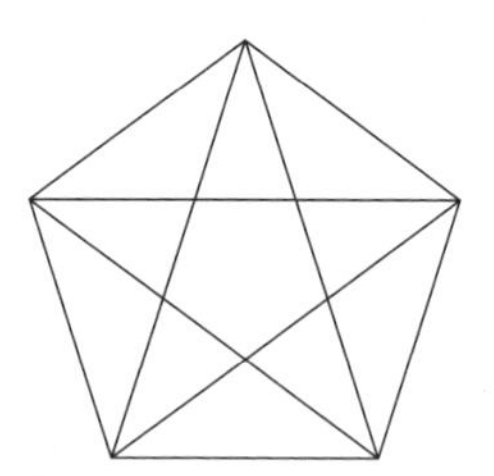

1　10個
2　12個
3　16個
4　20個
5　22個

解説

　正五角形の３辺を共有する図１のような台形が５個ある。
　正五角形と２辺を共有する図２のような平行四辺形が５個ある。
　正五角形の１辺と、それに平行な線分で作ることのできる図３のような台形が５個ある。
　正五角形と一辺も共有せずに作ることのできる図４のような四角形が５個ある。
　以上、合計20個の四角形がある。

図１　図２ 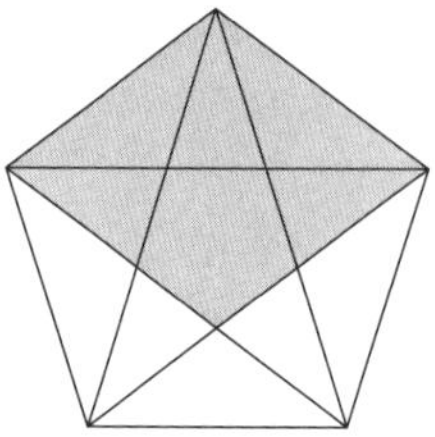　図３

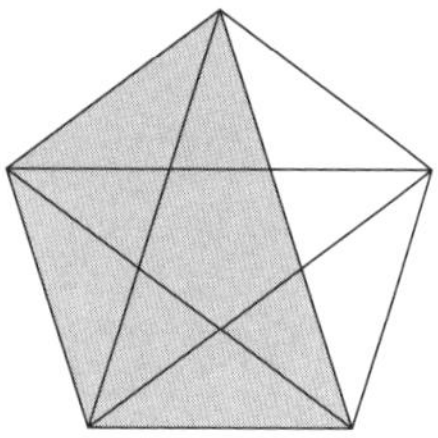

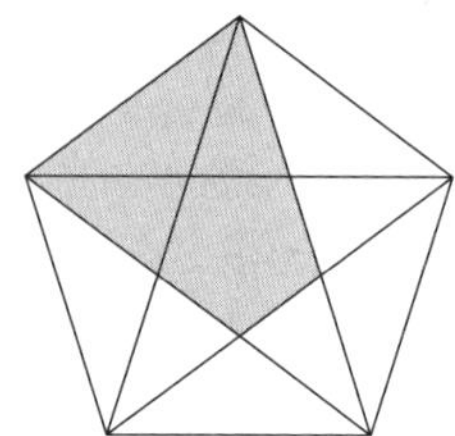

図４

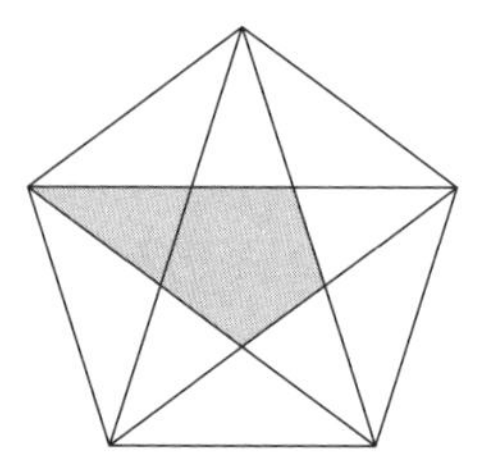

　よって、正答は４である。

正答　4

問題研究

　図１～図３に関しては見つけることは容易であるが、図４はなかなか見つけることが難しい。このような問題は、ある程度の規則性を自分で見つけ、場合分けを行うことが大切である。

No.137 判断推理	# 命題	令和 3年度

昆虫採集をしてきた子どもたちに、捕まえた昆虫について尋ねたところ、次のア～ウのことがわかった。このとき、確実にいえるのはどれか。

ア　カブトムシを捕まえた子どもは、クワガタまたはチョウを捕まえた。

イ　クワガタを捕まえた子どもは、バッタを捕まえた。

ウ　チョウを捕まえなかった子どもは、バッタを捕まえなかった。

1　カブトムシを捕まえた子どもは、チョウを捕まえた。

2　カブトムシを捕まえた子どもは、バッタを捕まえた。

3　チョウを捕まえた子どもは、クワガタを捕まえた。

4　チョウを捕まえた子どもは、カブトムシまたはクワガタを捕まえた。

5　バッタを捕まえた子どもは、カブトムシまたはクワガタを捕まえた。

解説

与えられた命題ア～ウを論理式で表すと、次のようになる。

ア：「カブトムシ→（クワガタ∨チョウ）」

イ：「クワガタ→バッタ」

ウ：「$\overline{\text{チョウ}}$→$\overline{\text{バッタ}}$」

このア～ウについて、その対偶をそれぞれエ～カとする。

エ：「（$\overline{\text{クワガタ}}$∧$\overline{\text{チョウ}}$）→$\overline{\text{カブトムシ}}$」

オ：「$\overline{\text{バッタ}}$→$\overline{\text{クワガタ}}$」

カ：「バッタ→チョウ」

これらア～カから、各選択肢を検討していく。

1．正しい。命題アより、「カブトムシ→（クワガタ∨チョウ）」となるが、この段階では「カブトムシ→チョウ」まで推論することはできない。しかし、クワガタを捕まえた子どもについては、命題イ、命題カより、「クワガタ→バッタ→チョウ」が成り立つ。つまり、カブトムシを捕まえた子どもは、全員がチョウも捕まえている。

2．命題アより、「カブトムシ→（クワガタ∨チョウ）」となり、命題イより、「クワガタ→バッタ」となる。しかし、カブトムシを捕まえた子どもがすべてクワガタを捕まえたかどうかは判断できない。したがって、カブトムシを捕まえた子どもがバッタも捕まえたと、確実に推論することはできない。

3．「チョウ→」となる命題が存在しないので、判断できない。

4．3と同様で、判断できない。

5．命題カより、「バッタ→チョウ」となるが、その先が推論できない。

正答　1

問題研究

形式論理に関する問題では、ベン図、論理式、真偽分類表という解法の使い分けを確実にしておこう。

No.138 判断推理

対応関係

令和3年度

A～Dの４人が、同じ宅配ピザ店にピザを注文した。４人が注文したピザは、マルゲリータ、オルトラーナ、スパイシー、シーフードの中から１種類ずつで、同じ種類のピザを注文した者はいなかった。ところが、ピザ店が配達先を間違えたため、４人にはすべて注文した種類と異なるピザが配達された。次のア～ウのことがわかっているとき、正しいのはどれか。

ア　AとBが注文したのは、オルトラーナでもスパイシーでもなかった。

イ　Aに配達されたのは、Cが注文したピザではなく、スパイシーでもなかった。

ウ　オルトラーナを注文した者には、シーフードが配達された。

1　Aに配達されたのは、オルトラーナだった。

2　Bが注文したのは、マルゲリータだった。

3　Cが注文したのは、スパイシーだった。

4　Dが注文したのは、オルトラーナだった。

5　Dに配達されたのは、シーフードだった。

解説

AとBが注文したのはオルトラーナでもスパイシーでもない（ア）ので、マルゲリータとシーフードである。これにより、CとDが注文したのはオルトラーナとスパイシーである。そして、Aに配達されたのはCが注文したピザではなく、スパイシーでもなかった（イ）のだから、Cが注文したのはスパイシーではなく、オルトラーナである。ここから、Dが注文したのはスパイシーとなる（表Ⅰ）。オルトラーナを注文した者にはシーフードが配達された（ウ）ので、Cにはシーフードが配達されている。そうすると、Aに配達されたのはマルゲリータ（Aが注文したのはシーフード）、Dに配達されたのはオルトラーナ、Bに配達されたのはスパイシー（Bが注文したのはマルゲリータ）となり、表Ⅱのように確定する。この表Ⅱより、正答は**2**である。

表Ⅰ

	注文				配達			
	マルゲリータ	オルトラーナ	スパイシー	シーフード	マルゲリータ	オルトラーナ	スパイシー	シーフード
A		×	×			×	×	
B		×	×					
C	×	○	×	×		×		
D	×	×	○	×			×	

表Ⅱ

	注文				配達			
	マルゲリータ	オルトラーナ	スパイシー	シーフード	マルゲリータ	オルトラーナ	スパイシー	シーフード
A	×	×	×	○	○	×	×	×
B	○	×	×	×	×	×	○	×
C	×	○	×	×	×	×	×	○
D	×	×	○	×	×	○	×	×

正答　2

問題研究

基本的な対応関係の問題である。C、Dが注文した種類を確定できるかがポイントになる。

No.139 判断推理

軌跡

令和3年度

正方形ABCDの内部に1点Pがある。点Pは、△ABPの面積が、△BCPの面積より小さくならず、かつ、△CDPの面積より小さくならないという条件を満たすように、正方形ABCD内を動く。このとき、正方形ABCD内で点Pが動きうる範囲を斜線で示した図として、正しいのはどれか。

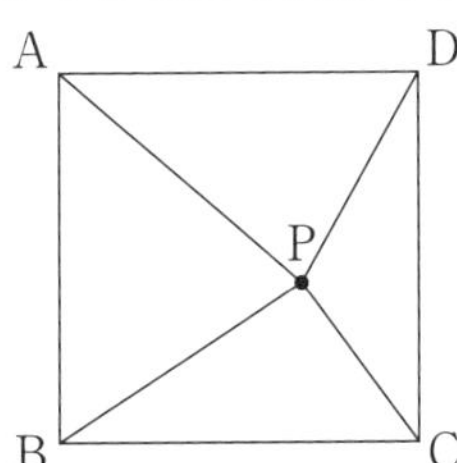

1 2 3 4 5

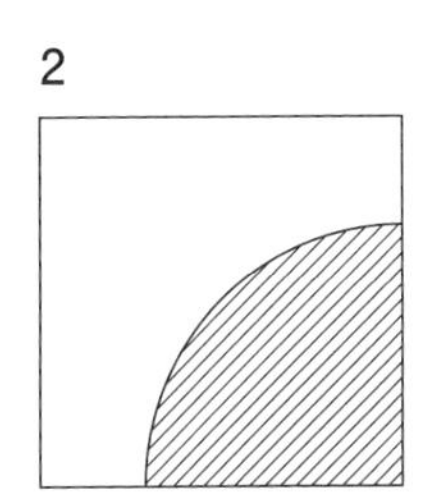

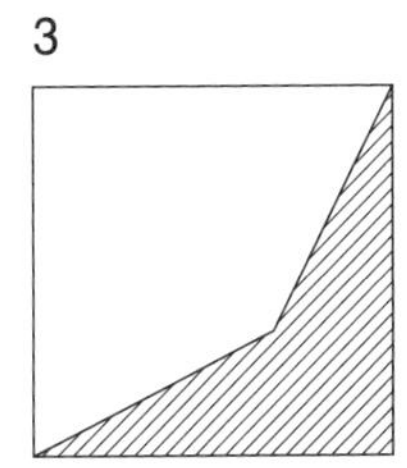

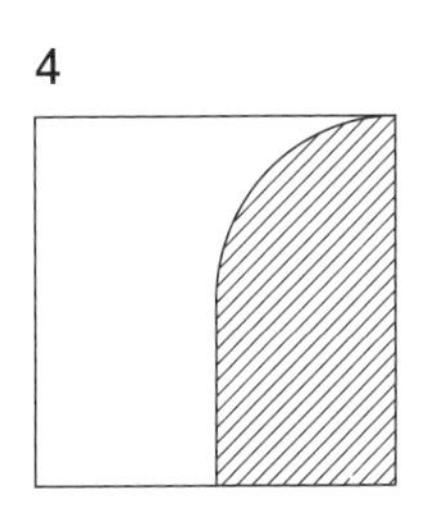

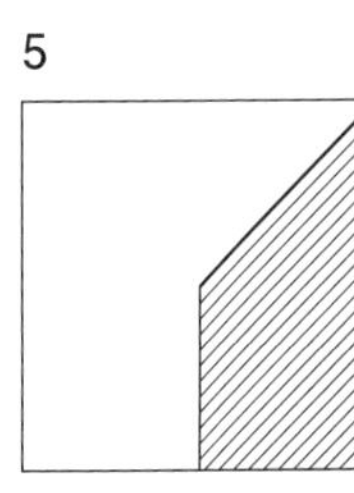

解説

図のように、正方形ABCDの対角線AC、BDの交点をOとし、Oから辺BCに引いた垂線をOHとする。点Pが、線分ODよりも辺AB側にあるとき、△ABP＜△BCPとなるので、点Pは線分OD上、および線分ODより辺CDに近い側でなければならない。また、点Pが、線分OHよりも辺AB側にあるとき、△ABP＜△CDPとなるので、点Pは線分OH上、および線分ODより辺CDに近い側でなければならない。つまり、点Pの可動範囲は、台形OHCD内（辺上含む）であり、正答は**5**である。

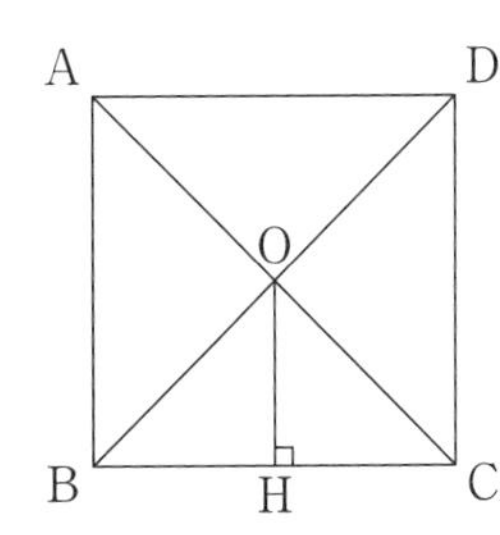

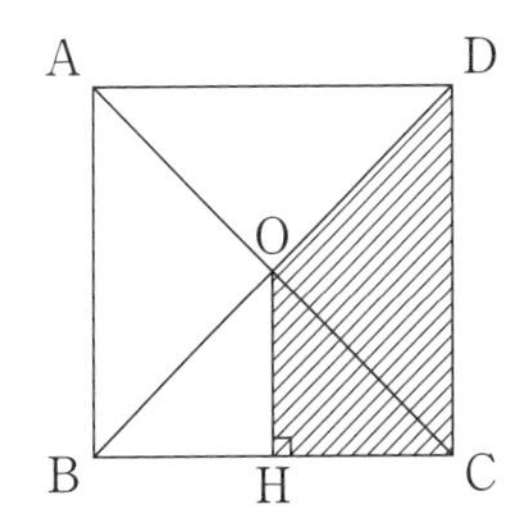

正答　5

問題研究

可動範囲の問題としては、比較的易し目である。解法としては消去法が合理的であろう。

PART 3 過去問を解いてみよう！

No.140 判断推理	立体構成	令和 3年度

大きさの等しい球が4個ある。このうち、3個は平らな床面と接しており、4個の球はすべて他の3個の球と接している。これらの球を真上から見たとき、球と床面の接点を○印、球どうしの接点を•印と表した図として、正しいのはどれか。

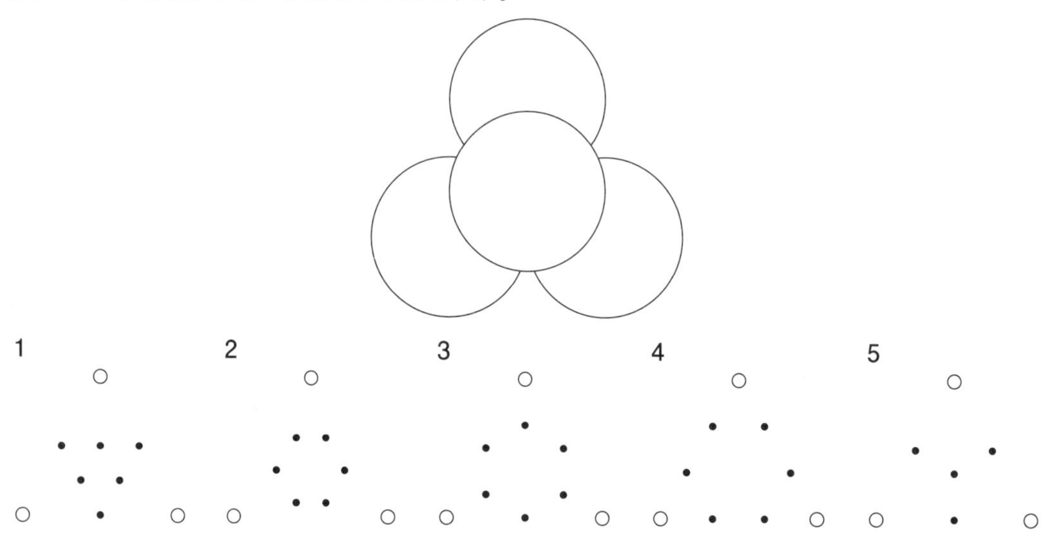

解説

床面に接している3個の球をA、B、Cとすると、もう1個の球Oは、図Ⅰのようにそれぞれ接している3個の球A、B、Cの上に乗る形になる。3個の球A、B、Cと床面との接点は、真上から見れば球の中心の直下となるので、図Ⅰの○印となる。4個の球がすべて接しているとき、その接点は6個（$={}_4C_2$）あるが、球どうしの接点は、球の中心どうしを結ぶ線分の中点となる。4個の球の中心をそれぞれ結び、その中点を示すと図Ⅱの•印となる。

図Ⅰ

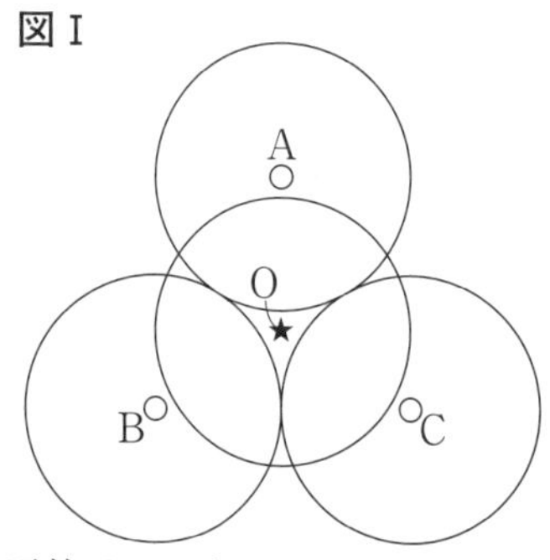

図Ⅱ

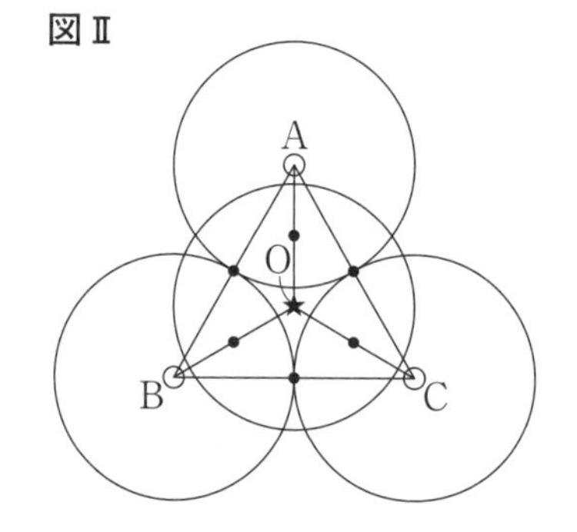

よって、正答は**3**である。

正答　3

問題研究

球どうしの接点は、球の中心を結ぶ直線分の中点であることに気づけばよい。

No.141 判断推理 | **命題** | 令和2年度

病院の待合室にいる者について、次のア～ウのことがわかっている。このとき、確実にいえるのはどれか。

ア　眼鏡をかけている者は、全員女性である。
イ　腕時計をしている男性がいる。
ウ　眼鏡をかけている者は、全員マスクをしている。

1　女性は全員、腕時計をしていない。
2　眼鏡をかけ、かつ腕時計をしている者はいない。
3　男性は全員、マスクをしていない。
4　マスクをしている女性がいる。
5　腕時計をしていて、かつマスクをしている者はいない。

解説

ア、ウは全称命題であるが、イが存在命題なので、論理式よりベン図のほうが検討しやすい。ア、イ、ウをベン図で表すと、次のようになる。

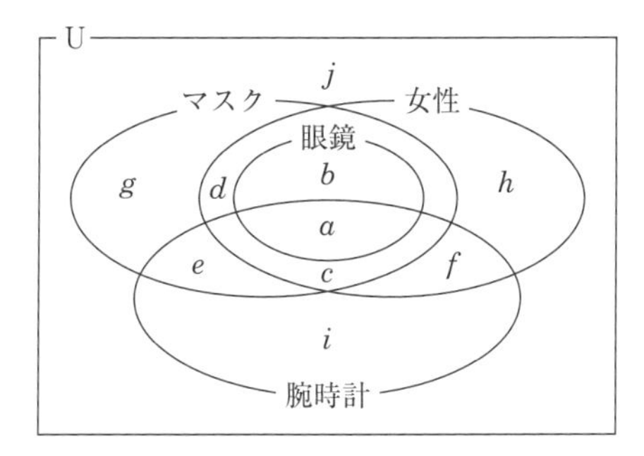

このベン図から、各選択肢を検討していく。

1．ベン図で検討すると、a、c、fに要素（腕時計をしている女性）が存在する可能性がある。

2．aに要素（眼鏡をかけ、かつ腕時計をしている者）が存在する可能性がある。

3．e、gに要素（マスクをしている男性）が存在する可能性がある。

4．正しい。ア、ウより、「眼鏡→（女性∧マスク）」（眼鏡をしている者は、全員女性であり、かつマスクをしている）、となる。したがって、「マスクをしている女性がいる」ことは、確実に推論できる。

注：「眼鏡をかけている者は、全員女性である」とある場合、「眼鏡をかけている女性が少なくとも1人は存在する」が前提となっている。つまり、眼鏡をかけている女性が少なくとも1人は存在し、その者は眼鏡をかけているのでマスクをしている。よって、マスクをしている女性がいる、となる。

5．a、c、eに要素（腕時計をしていて、かつマスクをしている者）が存在する可能性がある。

正答　4

問題研究

形式論理に関する問題では、ベン図、論理式、真偽分類表という解法の使い分けを確実にしておくことである。基本的には、全称命題だけならば「論理式から対偶と三段論法への流れ」、存在命題があれば「ベン図により要素の有無を考える」となる。

PART 3 過去問を解いてみよう！

No.142 判断推理　対応関係　令和2年度

Ａ～Ｅ５枚のカードがある。この５枚のカードの表裏両面に、白、黒、赤、青、黄の５色から、各面に１色ずつ選んで塗り分ける。その際、カードの表面は５枚とも異なる色で塗り、カードの裏面も５枚とも異なる色で塗る。５枚とも、表面と裏面は異なる色で塗る。また、使われている２色の組合せが同じカードはない。さらに、次のア、イのことがわかっているとき、確実にいえるのはどれか。

ア　Ａの表面は白で塗られ、また、Ａの裏面とＢの表面は同じ色で塗られている。

イ　Ｃの表面は黄、Ｄの裏面は赤、Ｅの裏面は黄で、それぞれ塗られている。

1　Ａの裏面とＢの表面は、黒で塗られている。

2　Ｂの裏面は、青で塗られている。

3　Ｃの裏面は、青で塗られている。

4　Ｄの表面は、黒で塗られている。

5　Ｅの表面は、赤で塗られている。

解説

まず、条件ア、イを表にまとめてみる。たとえば、Ｄの裏面を赤で塗れば、Ａ、Ｂ、Ｃ、Ｅの裏面が赤で塗られることはなく、Ａの裏面と同色であるＢの表面も赤で塗られることはない。また、Ａの裏面とＢの表面が同色なので、Ｂの裏面が白で塗られると、Ａ、Ｂの２枚は、使われている２色が同じとなってしまうので、Ｂの裏面が白で塗られているということはない。ここから、Ｃの裏面は白で塗られており、表Ⅰのようになる。

表Ⅰ

	白	黒	赤	青	黄
Ａ　表	○	×	×	×	×
Ａ　裏	×		×		×
Ｂ　表	×		×		×
Ｂ　裏	×		×		×
Ｃ　表	×	×	×	×	○
Ｃ　裏	○	×	×	×	×
Ｄ　表	×		×		×
Ｄ　裏	×	×	○	×	×
Ｅ　表	×				×
Ｅ　裏	×	×	×	×	○

表Ⅰから、Ａの裏面とＢの表面を黒で塗られているとすると表Ⅱ、Ａの裏面とＢの表面を青で塗られているとすると表Ⅲとなる。

表Ⅱ

	白	黒	赤	青	黄
Ａ　表	○	×	×	×	×
Ａ　裏	×	○	×	×	×
Ｂ　表	×	○	×	×	×
Ｂ　裏	×	×	×	○	×
Ｃ　表	×	×	×	×	○
Ｃ　裏	○	×	×	×	×
Ｄ　表	×	×	×	○	×
Ｄ　裏	×	×	○	×	×
Ｅ　表	×	×	○	×	×
Ｅ　裏	×	×	×	×	○

表Ⅲ

	白	黒	赤	青	黄
Ａ　表	○	×	×	×	×
Ａ　裏	×	×	×	○	×
Ｂ　表	×	×	×	○	×
Ｂ　裏	×	○	×	×	×
Ｃ　表	×	×	×	×	○
Ｃ　裏	○	×	×	×	×
Ｄ　表	×	○	×	×	×
Ｄ　裏	×	×	○	×	×
Ｅ　表	×	×	○	×	×
Ｅ　裏	×	×	×	×	○

この表Ⅱおよび表Ⅲから、**1**、**2**、**4**は確定できず、**3**は誤りで、確実にいえるのは、「Ｅの表面は、赤で塗られている」という**5**だけである。

よって、正答は**5**である。

正答　5

No.143 判断推理

位置関係

令和2年度

ある動物園に、図のような８つのオリＡ～Ｈがある。ここに、２種類の肉食動物（ライオン、トラ）、３種類の草食動物（キリン、シマウマ、ガゼル）、２種類の雑食動物（チンパンジー、アライグマ）が入れられており、Ａ～Ｈのオリのうち、１つは空いている。次のア～キのことがわかっているとき、確実にいえるのはどれか。ただし、ＢのオリとＧのオリのように、斜め方向の位置関係にあるオリは、隣接しているとはいわない。

A	B	C	D
E	F	G	H

ア　１つのオリには、１種類の動物だけが入れられている。
イ　肉食動物と草食動物のオリは、隣接していない。
ウ　シマウマとガゼルのオリは、どちらもＢ、Ｃ、Ｆ、Ｇのいずれかである。
エ　トラのオリは、チンパンジーのオリと隣接している。
オ　シマウマのオリは、３種類の動物のオリと隣接している。
カ　キリンのオリは、Ａである。
キ　ライオンのオリは、空いているオリとは隣接していない。

1　Ｂは、シマウマのオリである。
2　Ｃは、ガゼルのオリである。
3　Ｄは、ライオンのオリである。
4　Ｅは、アライグマのオリである。
5　Ｆは、チンパンジーのオリである。

解説

キリンのオリはＡであり（条件カ）、シマウマとガゼルのオリはＢ、Ｃ、Ｆ、Ｇのいずれかである（条件ウ）。しかし、シマウマとガゼルの一方だけでもＣまたはＧだとすると、必ず肉食動物と草食動物のオリが隣接してしまい、条件イに反する。つまり、シマウマとガゼルのオリはＢ、Ｆであり、ここまでで表Ⅰ、表Ⅱの２通りが考えられる。

表Ⅰ

A キリン	B シマウマ	C	D
E	F ガゼル	G	H

表Ⅱ

A キリン	B ガゼル	C	D
E	F シマウマ	G	H

この表Ⅰ、表Ⅱにおいて、条件エを考えると、ＣがチンパンジーでＤがトラ、ＧがチンパンジーでＨがトラという２通りがあり、そのそれぞれについて、条件キから、ＧがアライグマでＨがライオン、ＣがアライグマでＤがライオンとなる。これにより、表Ⅰ－２、表Ⅰ－３、表Ⅱ－２、表Ⅱ－３となるが、表Ⅱ－２、表Ⅱ－３では条件オを満たせない。したがって、可能性があるのは表Ⅰ－２、表Ⅰ－３の２通りである。

この表Ⅰ－２、表Ⅰ－３より、**2**、**4**、**5**は誤り、**3**は不確定で、正答は**1**である。

表Ⅰ－２

A キリン	B シマウマ	C チンパンジー	D トラ
E	F ガゼル	G アライグマ	H ライオン

表Ⅱ－２

A キリン	B ガゼル	C チンパンジー	D トラ
E	F シマウマ	G アライグマ	H ライオン

表Ⅰ－３

A キリン	B シマウマ	C アライグマ	D ライオン
E	F ガゼル	G チンパンジー	H トラ

表Ⅱ－３

A キリン	B ガゼル	C アライグマ	D ライオン
E	F シマウマ	G チンパンジー	H トラ

正答　1

問題研究

位置関係（配置・部屋割り型）の問題としては、基本的部類に属するといえる。列挙されている条件が多い場合、条件どおりに進めていけば、それほど難しくないことが多い。

PART 3 過去問を解いてみよう！

No.144 判断推理

数量推理

令和2年度

A～Eの５人が、２人と３人のチームに分かれてゲームを５回行った。チームのメンバーは毎回入れ替わり、２人のチームが勝つと２人は３点ずつ獲得し、３人のチームが勝つと３人が２点ずつ獲得する。次のア～エのことがわかっているとき、確実にいえるのはどれか。

ア　１回目はA、Bが２人のチーム、C、D、Eが３人のチームで行った。

イ　２回目が終了した時点で、Aが１位、BとCが同点で２位だった。

ウ　３回目が終了した時点では、得点がないのはDだけで、AとBが同点、CとEが同点であった。

エ　５回目が終了した時点で、Aは10点獲得して１位、Eが２位であり、Dが最下位であるが無得点ではなかった。

	１回目	２回目	３回目	４回目	５回目
２人のチーム	ＡＢ				
３人のチーム	ＣＤＥ				

1　Aは、１回目から３回目まで、いずれも２人のチームだった。

2　Bは、４回目と５回目のうち、どちらか一方が３人のチームだった。

3　５回目が終了した時点で、CはDより３点多く獲得していた。

4　Dは、４回連続して３人のチームになった。

5　５回目が終了した時点で、Eの得点は８点であった。

解説

２回目が終了した時点で、Aが１位、BとCが同点で２位となっている（条件イ）。１回目にAとBは同じ２人のチームなので、Aは１回目と２回目に勝ち、Bは１回目に勝って２回目は負け、Cは１回目に負けて２回目は勝ち、でなければならない。そして、BとCは同点で２位なので、２人の得点はどちらも３点ということになる。１回目と２回目の結果をまとめると、表Ⅰのようになる。太枠が勝者である。

表Ⅰ

	１回目	２回目	３回目	４回目	５回目
２人のチーム	ＡＢ	ＡＣ			
３人のチーム	ＣＤＥ	ＢＤＥ			

３回目が終了した時点で得点がないのはDだけ、AとBが同点、CとEが同点（条件ウ）となるためには、３回目にBとEが２人のチームで勝っている必要がある（表Ⅱ）。AとBが６点、CとEが３点、Dが０点となる。

表Ⅱ

	１回目	２回目	３回目	４回目	５回目
２人のチーム	ＡＢ	ＡＣ	ＢＥ		
３人のチーム	ＣＤＥ	ＢＤＥ	ＡＣＤ		

５回目が終了した時点で、Aは10点獲得して１位なので、Aは４回目と５回目に３人のチームで、どちらも勝っていることになる。そして、３回目が終了した時点で、Bが６点、Eが３点なので、Eが２位となるためには、４回目と５回目に勝っていなければならない。つまり、Eも４回目と５回目に３人のチームで、どちらも勝っている。Eが獲得したのは７点なので、Eが２位であるためには、３回目までで６点のBは、４回目と５回目に負けていなければならない（２人のチーム）。そして、Dは無得点ではないが最下位なので、３回目までに３点獲得しているCより得点は少ない。チームのメンバーは毎回入れ替わるので、４回目と５回目の３人のチームメンバーは、一方がA、C、E、他方がA、D、Eであり、表Ⅲのようになる（４回目と５回目は順不同）。

表Ⅲ

	１回目	２回目	３回目	４回目・５回目	
２人のチーム	ＡＢ	ＡＣ	ＢＥ	ＢＣ	ＢＤ
３人のチーム	ＣＤＥ	ＢＤＥ	ＡＣＤ	ＡＤＥ	ＡＣＥ

この表Ⅲより、**1**、**2**、**5**は誤り、**4**は不確定で、確実にいえるのは**3**だけである。

よって、正答は**3**である。

正答　3

投影図

図1のように、小立方体4個を貼り合わせて作った合同な立体が2個あり、このうち1個は黒く塗られている。この立体を図2のように組み合わせて平面上に置き、これを南東方向から見ると図3のようになった。図2の立体を北西方向から見たときの図として、正しいのはどれか。

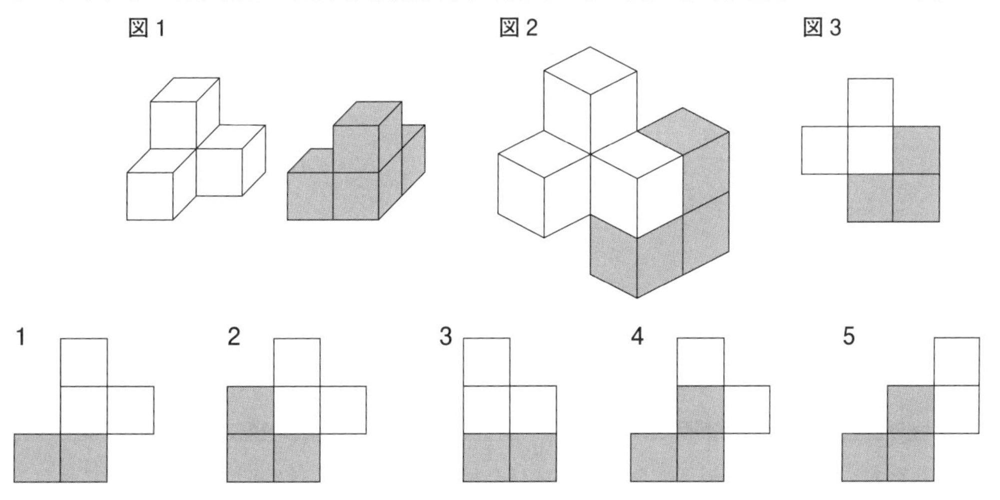

解説

問題の図2の立体を南東方向から見たときに問題の図3となるのだから、南東方向は図Ⅰに示すとおりである。北西方向は南東方向と180°反対側なので、この立体を図Ⅰに示す北西方向から見た図を考えればよい。立体を図Ⅰの北西方向から見た場合、図Ⅱに示す図となる。

よって、正答は2である。

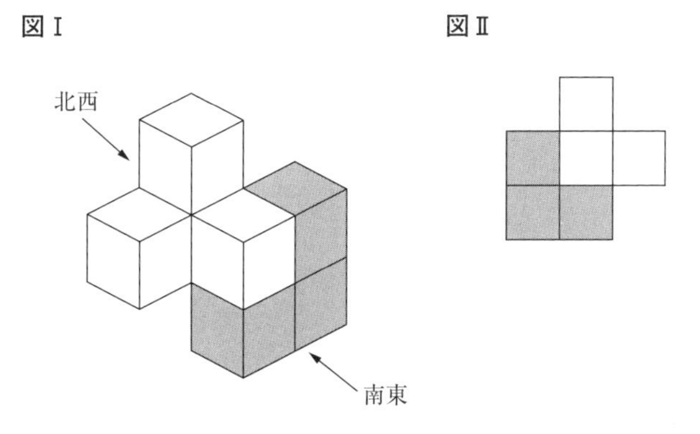

正答　2

問題研究

南東と北西は反対方向であることが理解できていれば正答できる、というレベルの問題である。確実に正答しておくことが必要で、失点は許されない。

No.146 判断推理

道順

令和2年度

図のような碁盤の目状の街路を、P地点からQ地点まで最短経路で行く。このとき、途中にあるA～D4地点のうち、2地点だけを通過する経路は何通りあるか。

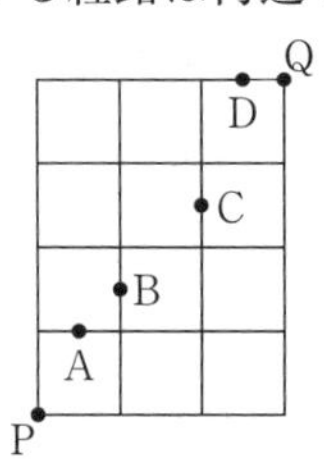

1　7通り
2　8通り
3　9通り
4　10通り
5　11通り

解説

A～D4地点のうち2地点を通過するにしても、P地点からQ地点まで最短経路で行くことは変わらないので、図において右と上にしか行くことができない。この条件で考えると、A、Bを通過するのは①、②、A、Cを通過するのは③、B、Cを通過するのは④、B、Dを通過するのは⑤、⑥、C、Dを通過するのは⑦、⑧、⑨となり、全部で9通りである。「P→A→D→Q」と経由する最短経路はない。

よって、正答は3である。

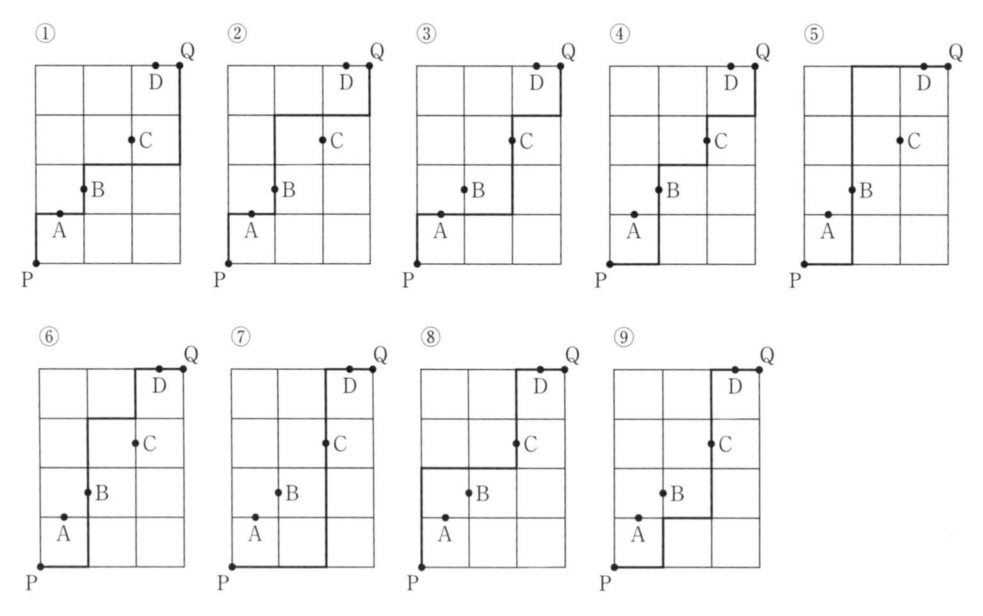

正答　3

問題研究

最短経路の問題としては珍しいタイプである。経路数そのものは多くないが、見落とし、数え漏れの出やすい問題といえる。注意を払って取り組みたい。

No.147 判断推理

立体の切断

令和2年度

図1のような、底面の半径が1、母線の長さが2の円錐がある。この円錐を2個用意し、図2のように底面の中心O、Q、および頂点Pが1直線となるように、頂点Pで結合した。この2個の円錐を1つの平面で切断したとき、切断面の図形として正しい組合せはどれか。

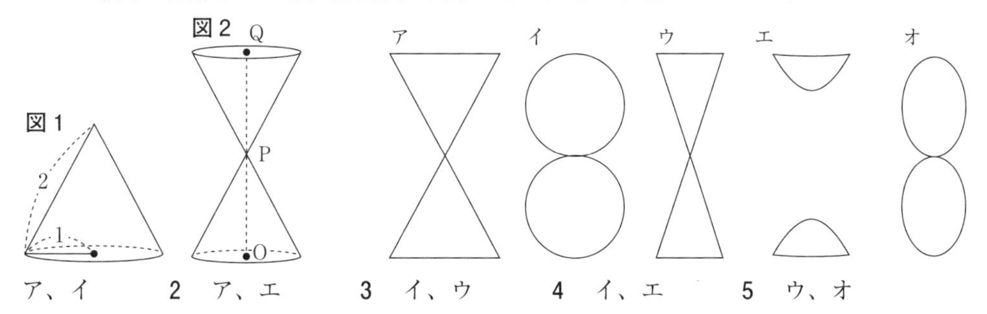

1 ア、イ　　2 ア、エ　　3 イ、ウ　　4 イ、エ　　5 ウ、オ

解説

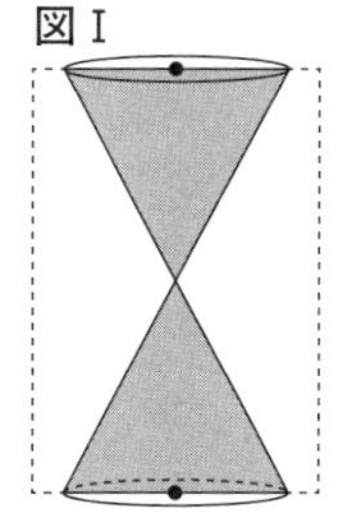

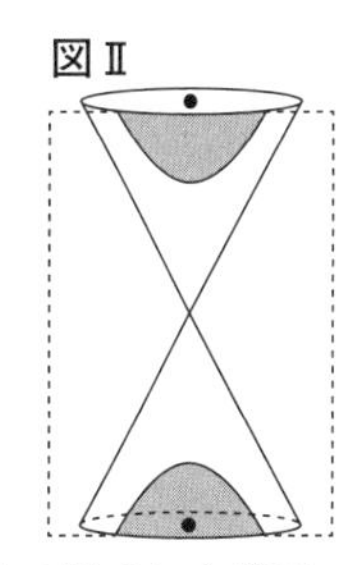

図Ⅰのように、円錐の底面中心および頂点を通る平面で切断すると、切断面は三角形となる。一般的には二等辺三角形となるが、ここでの円錐は底面直径と母線がどちらも2なので、その切断面は正三角形でなければならない。つまり、アは切断面の図形となるが、ウは不適である。図Ⅰにおける切断面を、手前方向に平行移動させると図Ⅱになる。この切断面はエとなる。円錐の切断面が円となるのは、円錐の回転軸に対して垂直に切断した場合であり、また、円錐の切断面が楕円となるのは、母線より浅い角度で斜めに切断した場合である。したがって、2個の円錐を問題図2のように結合した場合、1つの平面で切断して2個の円、および2個の楕円が切断面となることはないので、イ、オは不適である。

よって、正答は2である。

正答　2

問題研究

円錐の切断面、特に円錐曲線は正確に理解しておきたい。2個の円錐をこの問題のように配置した場合、1つの平面で切断したときに、円、楕円（楕円弧）、放物線が両方の円錐に現れることはない。

参考：円錐を1つの平面で切断すると、この平面が頂点および底面中心を通る場合に切断面は二等辺三角形（底面直径＝母線のときは正三角形）となり、切断面が多角形となるのはこの場合だけである。円錐の回転軸に対して垂直な平面で切断すると、その切断面は円となる。円錐の母線の傾きより小さい角度の平面で切断すると、その切断面は楕円または楕円弧となる。円錐の母線の傾きに等しい角度の平面で切断した場合、その切断面は放物線となり、円錐の母線の傾きより大きい角度の平面で切断すると、その切断面は双曲線となる。ここから、円、楕円、放物線、双曲線を円錐曲線と呼ぶ。

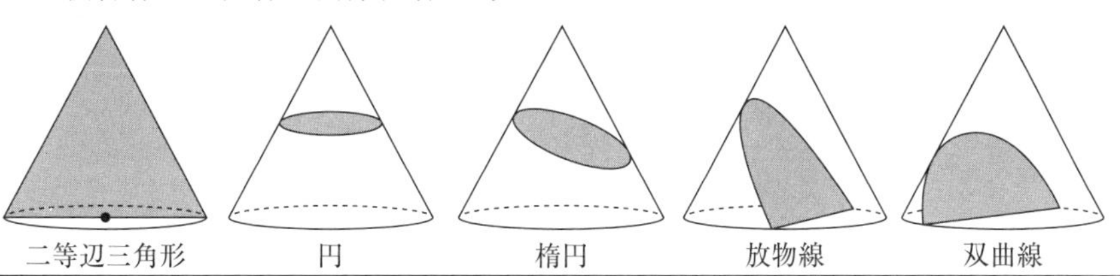

No.148 判断推理	試合の勝敗	令和元年度

テニスのトーナメント戦が行われ、6人が出場した。試合は3セット先取の5セットマッチで、2人がシードされた。次のア～エのことがわかっているとき、確実にいえるのはどれか。

ア　優勝者より合計取得セット数の多い者がいた。

イ　5セットまで続いた試合が2試合あった。

ウ　対戦をまたいで6セット連続で取得した者がいた。

エ　3セット取得して4セット失った者がいた。

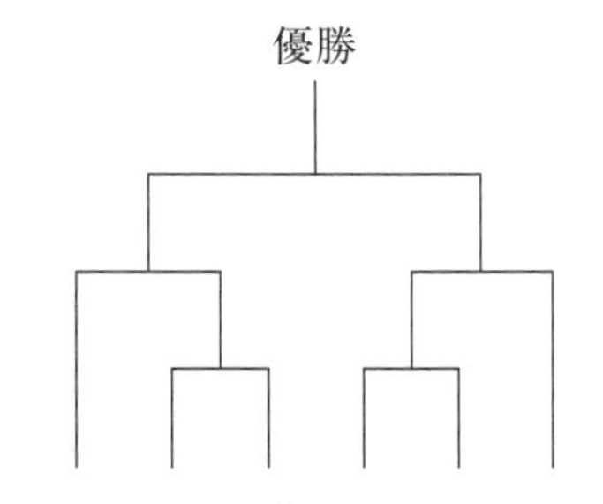

1　取得したセット総数が0の者はいなかった。

2　取得したセット総数が1の者はいなかった。

3　4セット行われたのは2試合だった。

4　取得したセット総数が8の者がいた。

5　取得したセット総数が2の者はいなかった。

解説

6人の出場者をA～Fとして、左下のようなトーナメント表で考えてみる（AとFがシードされている）。

条件ア「優勝者より合計取得セット数の多い者がいた」とあるので、優勝者はシードされた者でなければならない。これをAとすると、決勝戦の相手はシードされていない者（Aより取得セット数が多い）となり、これをDとする。条件エ「3セット取得して4セット失った者がいた」というのは、セット数3対1で勝った後、セット数0対3で負けたということである。この条件を満たすのは、BとCとの対戦で勝った者なので、勝者をBとすると、BはCに3対1で勝った後、Aに0対3で負けたことになる。次に、条件イ「5セットまで続いた試合が2試合あった」、および条件ウ「対戦をまたいで6セット連続で取得した者がいた」を考える。Aが6セット連続で取得したとすると、Aは決勝戦でDに3対0で勝ったことになり、条件アを満たすことができない。つまり、対戦をまたいで6セット連続して取得したのはDでなければならない。この場合、DはFに3対0で勝っていなければならず、5セットまで続いた2試合はDとEの対戦、AとDの対戦ということになり、条件アも満たすことができる。なお、DとEの対戦、AとDの対戦の取得セットは、右下の表のパターンが考えられる。以上から、**1**、**2**、**3**、**5**は誤りで、正答は**4**である。

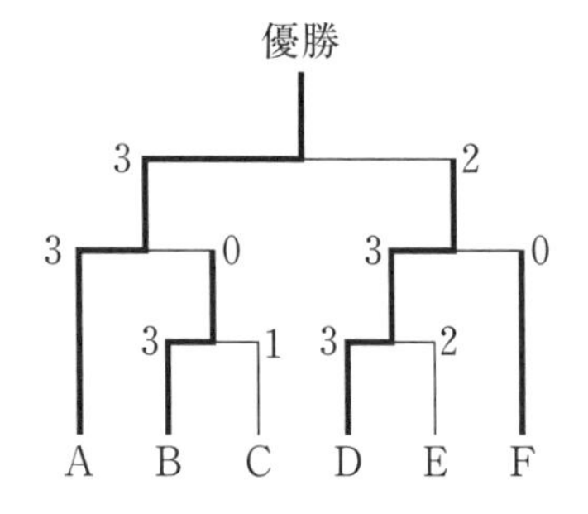

	対戦相手												
	E					F			A				
D	×	×	○	○	○	○	○	○	×	○	○	×	×
	○	×	×	○	○	○	○	○	○	×	○	×	×
	×	○	×	○	○	○	○	○	○	×	○	×	×
	○	×	○	×	○	○	○	○	○	○	×	×	×
	○	○	×	×	○	○	○	○	○	○	×	×	×

正答　4

問題研究

優勝者はシードされた者であること、準優勝者はシードされていない者であること、また、3対1で勝った後に0対3で負けた者がいること、に気がつけばよい。

No.149 判断推理　位置関係　令和元年度

図１のような３種類の本がある。Ａは幅（厚さ）が１の単行本で３巻、Ｂは幅が１の単行本で５巻、Ｃは幅が２の図鑑で３巻あり、高さはいずれも等しい。これらの本を、図２のような幅が５で３段ある本棚に並べることにした。今、中段の中央にＢの第４巻、下段の右端にＡの第２巻を並べたところである。さらに、次のア～エの条件にしたがって本を並べていくとき、中段の右端に並べられる本として、正しいのはどれか。なお、真上というのは１段上のみをさす。

ア　Ｂの第３巻の真上にＢの第１巻、Ｂの第３巻の真下にＣの第２巻を並べる。
イ　Ｃの第１巻をＢの第４巻の真上に並べる。
ウ　Ｃの第２巻の右隣にＢの第２巻を並べる。
エ　Ａの第１巻とＡの第３巻は隣どうしに並べ、Ａの第１巻の真下にＢの第５巻を並べる。

図１

A1
A2
A3
B1
B2
B3
B4
B5
C1
C2
C3

図２

B4
A2

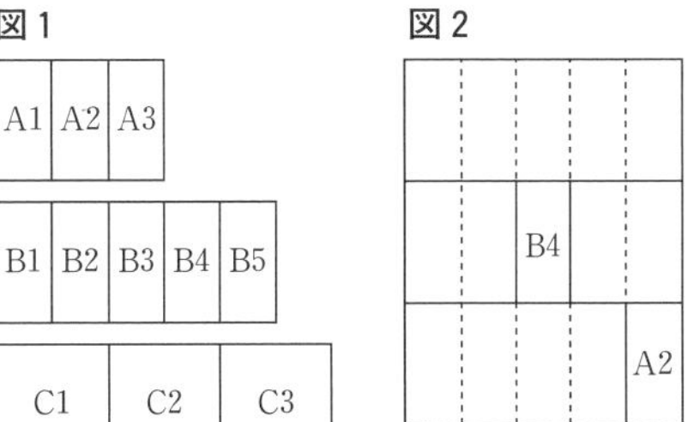

1　Ａの第１巻　　**2**　Ａの第３巻
3　Ｂの第２巻　　**4**　Ｂの第５巻
5　Ｃの第３巻

解説

条件ア、イ、ウより、図Ⅰ～図Ⅳの４通りが考えられる。しかし、図Ⅱ～図Ⅳでは、条件エを満たすためには、Ｂの第４巻の右隣にＡの第１巻、その右隣にＡの第３巻、Ａの第１巻の真下にＢの第５巻を並べることになるが、このとき、Ｃの第３巻を並べることができない。反対に、Ｂの第４巻の右隣にＣの第３巻を並べれば、条件エを満たすことができない。これに対し、図Ⅰの場合は、Ｃの第１巻の右隣にＣの第３巻を並べ、Ｂの第４巻の右隣にＡの第１巻、その右隣にＡの第３巻、Ａの第１巻の真下にＢの第５巻を並べれば、すべての条件を満たすことが可能である（図Ⅴ）。

よって、正答は**2**である。

図Ⅰ

B1
C1
B3
B4
C2
B2
A2

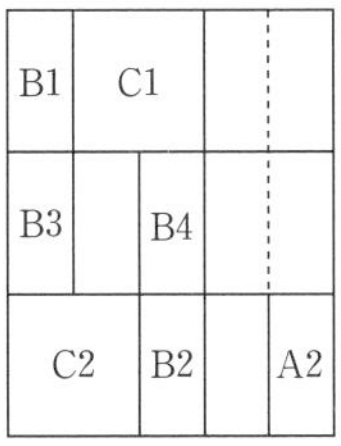

図Ⅱ

B1
C1
B3
B4
C2
B2
A2

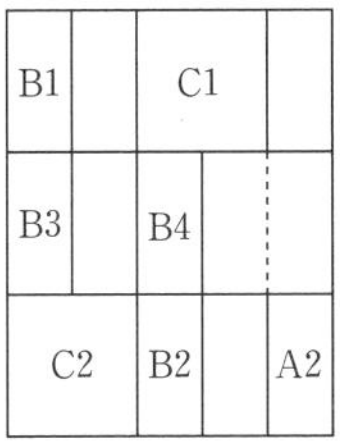

図Ⅲ

B1
C1
B3
B4
C2
B2
A2

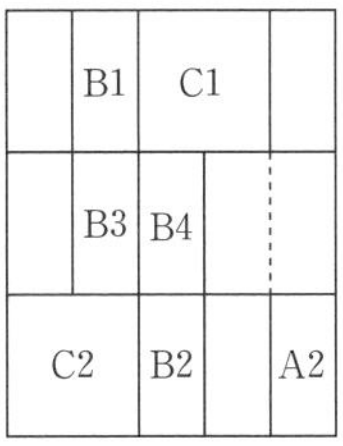

図Ⅳ

B1
C1
B3
B4
C2
B2
A2

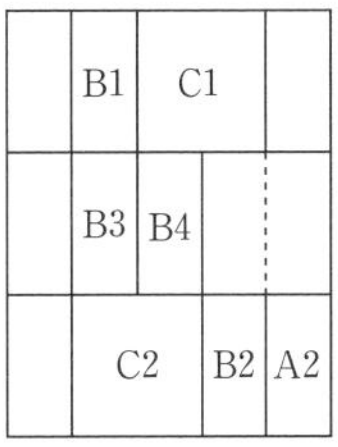

図Ⅴ

B1
C1
C3
B3
B4
A1
A3
C2
B2
B5
A2

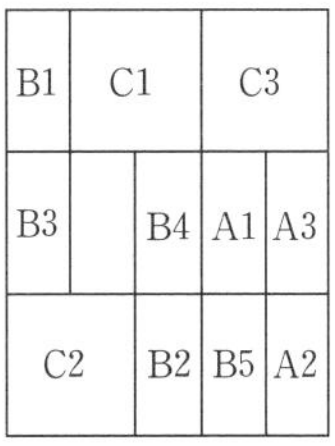

正答　2

問題研究

このような配置の問題では、複数の条件を組み合わせて条件を絞っていくことになる。場合分けをしたうえで、他の条件との整合性を検討する。

No.150 判断推理	対応関係	令和元年度

Ａ～Ｄの４人が、もちつき、花見、七夕、秋祭りの４回のイベントに参加した。次のア～オのことがわかっているとき、確実にいえるのはどれか。

ア　もちつきには１人、花見、七夕、秋祭りにはそれぞれ２人が参加した。

イ　全員１回以上参加し、Ａは３回参加した。

ウ　Ｂは花見だけに参加した。

エ　Ｃが参加したイベントには、Ｄも参加した。

オ　Ｄは秋祭りに参加した。

1　Ａは七夕に参加した。

2　Ａは秋祭りに参加した。

3　Ｃは七夕に参加した。

4　Ｃは秋祭りに参加した。

5　Ｄは七夕と秋祭りに参加した。

解説

条件アより、イベントの延べ参加人数は７人である。Ａが３回、Ｂが花見だけに１回参加しているので、ＣとＤの合計で３回参加していることになる。ここで、条件エ「Ｃが参加したイベントには、Ｄも参加した」を考えると、Ｃが２回参加すれば、Ｄも２回参加することになって条件を満たせない。つまり、Ｃが参加したのは１回、Ｄが参加したのは２回である。そうすると、Ｃがもちつき、花見に参加すると条件エを満たせないので（もちつきなら２人、花見なら３人参加したことになってしまう)、Ｃはもちつきにも花見にも参加していない。ここまでで、表Ⅰとなる。ここで、Ｃが参加したのが七夕であるか、秋祭りであるかで場合分けしてみる。Ｃが七夕に参加したとすると、七夕に参加したのはＣとＤの２人なので、Ａが参加したのはもちつき、花見、秋祭りとなる（表Ⅱ)。Ｃが参加したのが秋祭りの場合、秋祭りに参加したのはＣとＤの２人なので、Ａが参加したのはもちつき、花見、七夕となり、七夕に参加したもう１人はＤとなる（表Ⅲ)。この表Ⅱ、表Ⅲより、**1**～**4**は不確定。

よって、正答は**5**である。

表Ⅰ

	もちつき	花見	七夕	秋祭り	
A					3
B	×	○	×	×	1
C	×	×			1
D				○	2
	1	2	2	2	

表Ⅱ

	もちつき	花見	七夕	秋祭り	
A	○	○	×	○	3
B	×	○	×	×	1
C	×	×	○	×	1
D	×	×	○	○	2
	1	2	2	2	

表Ⅲ

	もちつき	花見	七夕	秋祭り	
A	○	○	○	×	3
B	×	○	×	×	1
C	×	×	×	○	1
D	×	×	○	○	2
	1	2	2	2	

正答　5

問題研究

対応関係の問題としては、最も基礎的なレベルである。ＣとＤとの関係を正確に把握することが、正答へのカギになる。

No.151 判断推理	立体構成	令和元年度

図１のような、１辺の長さ６cmの正六角形ABCDEFがある。対角線AD、BE、CFの交点をＯとし、OA、OC、OE（図の実線部分）を山折り、OB、OD、OF（図の破線部分）を谷折りにして、３頂点Ｂ、Ｄ、Ｆが１点に集まる立体を作った。図２はこれを真上から見た状態である。この立体を、点Ｏの部分に糸を付けてつるしたところ、３点Ａ、Ｃ、Ｅが床から10cmの高さにあった。このとき、３点Ｂ、Ｄ、Ｆの床からの高さとして、正しいのはどれか。

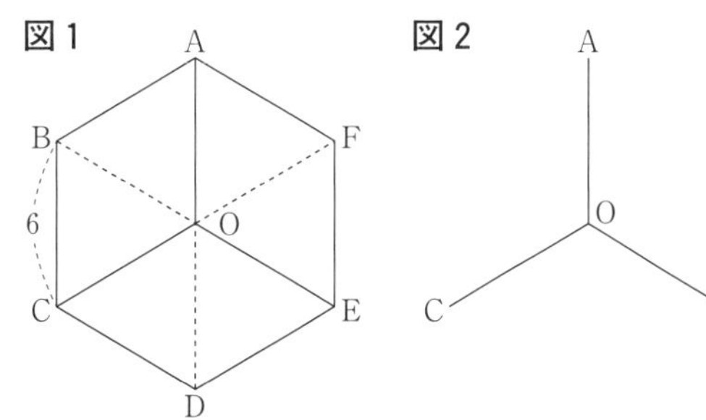

1　10cm
2　$10-\sqrt{2}$ cm
3　$10-\sqrt{3}$ cm
4　7cm
5　$4+\sqrt{3}$ cm

解説

正六角形は６枚の正三角形で構成されており、１辺の長さが６cmならば、OA＝OB＝OC＝OD＝OE＝OF＝６cmである（図Ⅰ）。正六角形ABCDEFを条件に従って折ると、３枚の正三角形を１辺で120°間隔につないだ立体となる（図Ⅱ）。つまり、△OABと△OAF、△OCBと△OCD、△OEDと△OEFがそれぞれ表裏となるように貼り合わせ、辺OB、OD、OFをまとめて１本の辺とするのである。この立体を、辺ODに対して垂直方向で、点Ｃ、Ｅから均等な位置から見ると図Ⅲのように見える。△OCD、△OEDは正三角形であるが、この条件で見た場合、２頂点Ｃ、Ｅは辺ODより手前方向に傾いているので、正三角形より高さの低い二等辺三角形（CO＝CD＝EO＝ED）として見ることになるが、いずれにしても四角形OCDEはひし形に見える。対角線ODの長さは６cmで、対角線CEによって２等分されるので、３点Ｂ、Ｄ、Ｆの床からの高さは３点Ａ、Ｃ、Ｅより３cm低いことになる。したがって、３点Ｂ、Ｄ、Ｆの床からの高さは７cmである。

よって、正答は４である。

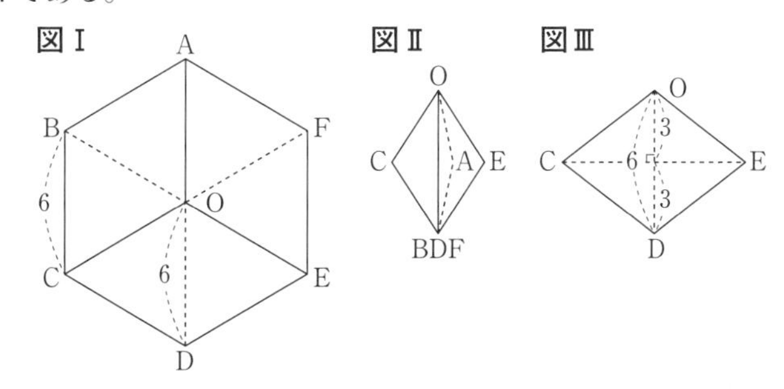

正答　４

問題研究

図形のイメージを把握するのが難しいので、初見で解くのは厳しい問題といえる。傘をたたむのと同じイメージである。

PART 3 過去問を解いてみよう！

No.152 判断推理

平面構成

令和元年度

図のような長方形のビリヤード台がある。この台のAの位置に球を置いて打ち出したところ、順に辺BC、辺CD、辺DAで跳ね返ってBの位置に到達した。辺DAで球が跳ね返った位置をPとするとき、AP：DPの長さの比として、正しいのはどれか。ただし、入射角＝反射角が成り立っているものとする。

1　2：1
2　3：2
3　4：3
4　5：4
5　6：5

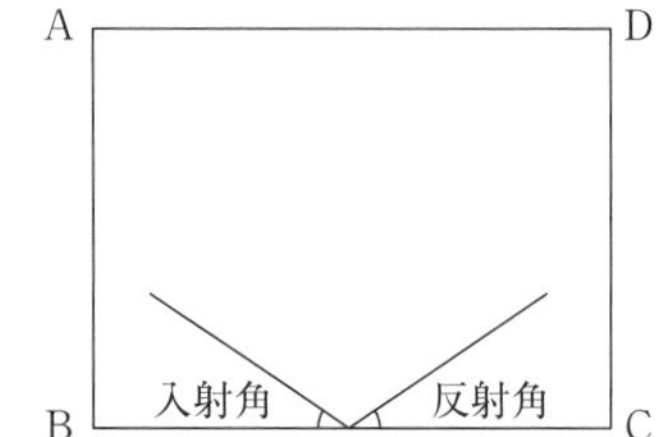

解説

この種の問題では、平面を拡張して考えるのがポイントである。図のように、平面を拡張すると、辺BC、辺CD、辺DAで跳ね返る球の動きは、点Aから、辺BC上の点R、辺CD上の点Q、辺DA上の点Pを通過してBに至る直線として表せる。このとき、図の対称性から点Qの位置は球の動きを表した直線ABの中点なので、辺CDの中点になる。このとき、点Qを最上部とする△QDPと△QCBは相似となり、QD：QC＝1：（1＋2）＝1：3、したがって、DP：CB＝1：3、DP：AD＝1：3であるから、AP：DP＝2：1。

よって、正答は1である。

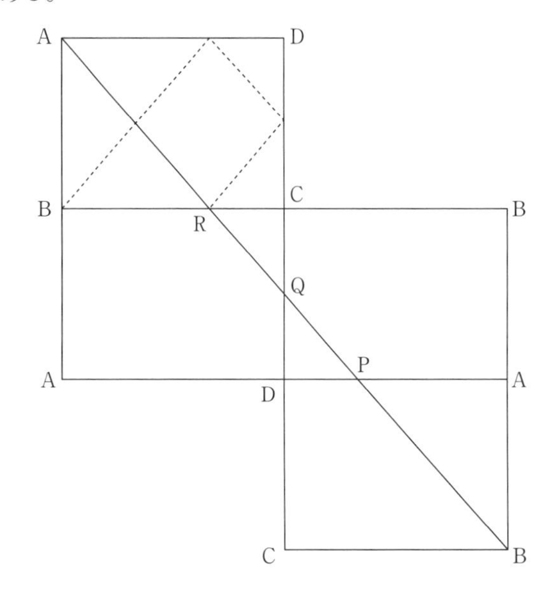

正答　1

問題研究

ビリヤード型の問題は、とにかく図形を拡張することである。入射角＝反射角が成り立っているので、向こう側へ拡張すれば直線となる。

No.153 判断推理　立体の回転・切断　令和元年度

図のような直円錐があり、底面の中心Oと頂点Pを結ぶ線分の中点をMとする。点Mを通り、底面と平行な直線 l を軸としてこの直円錐を１回転させてできる立体を、直線 l を含み底面に垂直な平面で切断した。このとき、切断面の図として正しいのはどれか。

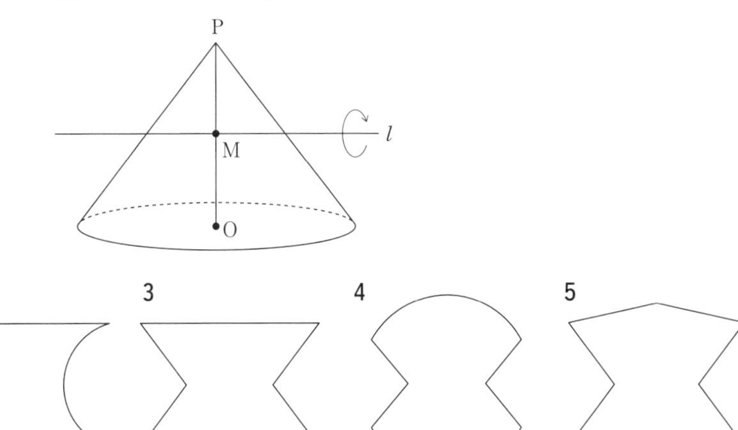

解説

直円錐を、直線 l を軸として１回転させてできる立体を、直線 l を含み底面に垂直な平面で切断するのだから、その切断面を考えるのならば、基本的には、この直円錐を180°回転させた直円錐を組み合わせてみればよい。しかし、図Ⅰにおいて、直円錐の母線をPA、PBとしたとき、２点A、Bから直線 l までの距離はMO、MPと等しいが、弧ABの中点Nにおいては、MO＝MP＜MNとなり、直線 l までの距離が長い。したがって、180°回転させた直円錐を組み合わせるだけでは不正確で、回転体は図Ⅱのような全体に曲面が存在する立体になる。この立体を、直線 l を含み底面に垂直な平面で切断した場合の切断面は、図Ⅲの斜線部分のようになる。

よって、正答は４である。

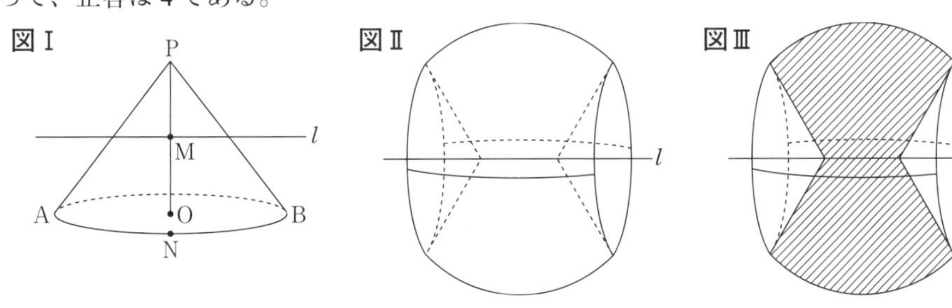

正答　４

問題研究

回転体の問題では、回転軸との距離を正確に捉える必要がある。この問題では、回転軸と底面の円周との距離に注意する。

No.154 判断推理　対応関係　平成30年度

北棟および南棟の２棟の建物に、それぞれ会議室Ｘ、Ｙ、Ｚがある。その日の会議室利用状況は、会議室利用表に○印が付けられているので、この表で確認することが可能である。ある日、Ａ、Ｂの２人は同じ会議に出席したが、利用した会議室に関して、２人は次のように述べた。

Ａ：「会議を行う時間帯しかわからなかったが、表を見たら、どちらの棟なのかはわかった」

Ｂ：「会議室名だけはわかっていたが、どちらの棟なのかも時間帯もわからなかった。Ａから話を聞くことによって、場所と時間帯が確定できた」

このとき、ＡとＢが出席した会議について、その時間と場所の組合せとして、可能性があるのは次のうちどれか。

北　棟	10時～11時	13時～14時	14時～15時	15時～16時	16時～17時
会議室Ｘ	○	○		○	
会議室Ｙ	○	○	○		
会議室Ｚ					

南　棟	10時～11時	13時～14時	14時～15時	15時～16時	16時～17時
会議室Ｘ					
会議室Ｙ				○	○
会議室Ｚ	○		○		○

1　北棟―13時～14時―会議室Ｘ
2　北棟―15時～16時―会議室Ｙ
3　南棟―14時～15時―会議室Ｚ
4　南棟―16時～17時―会議室Ｙ
5　南棟―16時～17時―会議室Ｚ

解説

Ａは、会議の時間帯しかわからなかったが、会議室利用表を見ることによってどちらの棟なのかがわかったのだから、会議の時間帯は13時～14時、または16時～17時のいずれかである。13時～14時に利用される会議室は北棟のみ、16時～17時に利用される会議室は南棟のみだからである。これ以外の時間帯は、北棟、南棟のどちらであるか判断できない。一方、Ｂは、会議室名だけはわかっていたが、棟と時間帯のいずれもわからなかったのだから、会議室Ｙでなければならない。会議室Ｘが利用されるのは北棟のみ、会議室Ｚが利用されるのは南棟のみなので、どちらの棟であるかわからないならば、それは会議室Ｙだけだからである。そうすると、ＢがＡから話を聞くことによって場所と時間帯を確定できたとするならば、「北棟―13時～14時―会議室Ｙ」または「南棟―16時～17時―会議室Ｙ」のどちらかである。

よって、正答は４である。

正答　4

問題研究

対応関係としては比較的珍しい設定および設問形式の問題ではあるが、内容的には難しいものではない。確実に正答したい問題である。

No.155 判断推理

順序関係

平成30年度

A～Eの5チームにより、4区間で構成された駅伝競走が行われた。各区間における順位の状況が次のア～エのようであるとき、正しいのはどれか。ただし、いずれの区間においても、その終了時に同順位のチームはなかった。

ア　第1区間の終了時は、Cチームが1位であった。

イ　第2区間では、あるチームが2チームを抜いた。この区間でそれ以外に順位の変動はなく、Dチームはこの区間中に順位が変動することはなかった。

ウ　第3区間において、C、D、E3チームの順位が変動した。A、B2チームはどのチームも抜かず、また、どのチームからも抜かれなかった。

エ　第4区間でAチームはDチームを抜いたが、それ以外に順位の変動はなかった。

1　Aは、1位でゴールした。
2　Bは、第1区間終了時に2位だった。
3　Cは、第3区間終了時に3位だった。
4　Dは、4位でゴールした。
5　Eは、第3区間終了時に5位だった。

解説

まず、第1区間の1位はC、第2区間で2チームを抜いたチームがあり、第2区間の順位変動はこれだけで、Dの順位は変動していないという条件（ア、イ）から、表Ⅰ～表Ⅳの4通りが考えられる。しかし、第3区間でC、D、Eに順位変動があり、A、Bにはまったく順位変動がない（ウ）。そうすると、第2区間終了時にC、D、E3チームの順位が連続していなければならない。この点で表Ⅱ、表Ⅳは可能性がない。また、表Ⅲの場合は第2区間終了時に表Ⅲ－2となるが、この場合、第3区間でDの順位が変動する（2位または3位になる）ので、第4区間における条件エを満たせない。したがって、可能性があるのは表Ⅰだけである。そして、第4区間での順位変動は、「AがDを抜いた」だけなので（エ）、第3区間終了時にDが3位、Aが4位でなければならない。また、第3区間ではC、D、Eに順位変動があったのだから、第3区間終了時の1位（したがって、ゴール時も）はEでなければならない（表Ⅰ－2）。

表Ⅰ

	1位	2位	3位	4位	5位
第1区間	C	D			
第2区間	C	D			
第3区間					
第4区間					

表Ⅱ

	1位	2位	3位	4位	5位
第1区間	C				D
第2区間	C				D
第3区間					
第4区間					

表Ⅲ

	1位	2位	3位	4位	5位
第1区間	C			D	
第2区間		C		D	
第3区間					
第4区間					

表Ⅳ

	1位	2位	3位	4位	5位
第1区間	C				D
第2区間		C			D
第3区間					
第4区間					

表Ⅰ－2

	1位	2位	3位	4位	5位
第1区間	C	D	A	B	E
第2区間	C	D	E	A	B
第3区間	E	C	D	A	B
第4区間	E	C	A	D	B

表Ⅲ－2

	1位	2位	3位	4位	5位
第1区間	C	E		D	A
第2区間	B	C	E	D	A
第3区間					
第4区間					

よって、正答は4である。

正答　4

問題研究

順序関係におけるこのタイプの問題では、どうしても場合分けが必要になる。確実に場合分けを行い、そこから条件を満たす場合を絞り込んでいくことである。

No.156 判断推理　対応関係　平成30年度

A～E５人の警備員が、月曜日から金曜日までの連続する５日間で行われたイベントの警備を担当した。各人の担当について、次のア～カのことがわかっているとき、確実にいえるのはどれか。

ア　５日間とも、３人ずつが担当した。

イ　Aは４日間、BとEはそれぞれ３日間担当し、Eが担当した３日間は連続していた。

ウ　Bは、火曜日に担当した。

エ　Cは、２日間担当したが、連続して担当することはなかった。

オ　Dは、木曜日と金曜日には担当しなかった。

カ　CとEが一緒に担当した日はなかった。

1　Aは、火曜日に担当した。

2　Bは、水曜日に担当した。

3　Cは、木曜日に担当した。

4　BとCは、一緒に担当した日が２日あった。

5　DとEは、一緒に担当した日が２日あった。

解説

Eは担当した３日が連続しており（イ）、CとEが一緒に担当した日はなく（カ）、Cは２日続けて担当することはなかった（エ）ので、Cが担当したのは月曜日と金曜日、Eが担当したのは火曜日～木曜日である。これに、Bが火曜日に担当した（ウ）、Dは木曜日と金曜日には担当しなかった（オ）、という条件を加えると、表Ⅰとなる。５日間とも３人ずつが担当しているので、A、Bは木曜日、金曜日に担当している。そうすると、Bが担当したのは３日だから、Bは月曜日と水曜日には担当していない（表Ⅱ）。残りはAが月曜日と水曜日、Dが月曜日～水曜日に担当していることになり、表Ⅲのように確定する。この表Ⅲより、正答は５である。

表Ⅰ

	月	火	水	木	金
A					
B		○			
C	○	×	×	×	○
D				×	×
E	×	○	○	○	×
	3	3	3	3	3

表Ⅱ

	月	火	水	木	金
A				○	○
B	×	○	×	○	○
C	○	×	×	×	○
D				×	×
E	×	○	○	○	×
	3	3	3	3	3

表Ⅲ

	月	火	水	木	金
A	○	×	○	○	○
B	×	○	×	○	○
C	○	×	×	×	○
D	○	○	○	×	×
E	×	○	○	○	×
	3	3	3	3	3

正答　5

問題研究

この問題も対応関係としては基本的レベルである。条件に従って対応表を作成していけばよい。

No.157 判断推理	平面構成	平成 30年度

図1のような、正方形のタイルを2枚つなげた長方形のタイルがある。正方形のタイルには、それぞれ4種類の模様のうちのいずれかが描かれている。この長方形のタイルを、図2のように順次8枚並べて正方形を作った。その際、直前に並べたタイルの少なくとも一方の模様と同一の模様があるタイルを並べることとし、その同一の模様のタイルどうしが辺で接するようにした。

1番目に並べたタイルおよび6、7番目に並べたタイルが図のようにわかっているとき、ア、イに該当する模様の組合せとして、正しいのはどれか。

図1

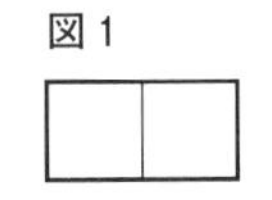

図2

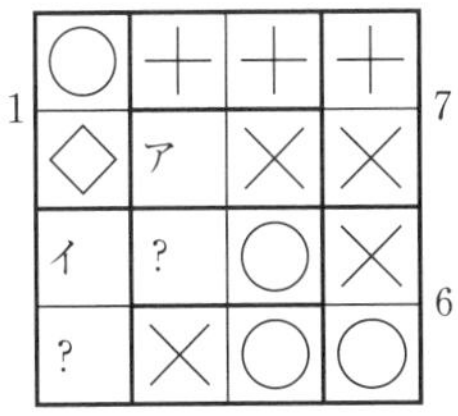

○	＋	＋	＋
◇	ア	×	×
イ	?	○	×
?	×	○	○

1　7　6

	ア	イ
1	○	×
2	◇	○
3	＋	×
4	◇	◇
5	＋	○

解説

「直前に並べたタイルの少なくとも一方の模様と同一の模様があるタイルを並べることとし、その同一の模様のタイルどうしが辺で接する」という条件を満たすように並べると、その順は図Ⅰのようになる。この場合、1→2→3→4と連続させるには、ア、イ（および3番目のタイルの？も）の模様はいずれも◇でなければならない。すべての模様の配置は図Ⅱのようになり、正答は4である。

図Ⅰ

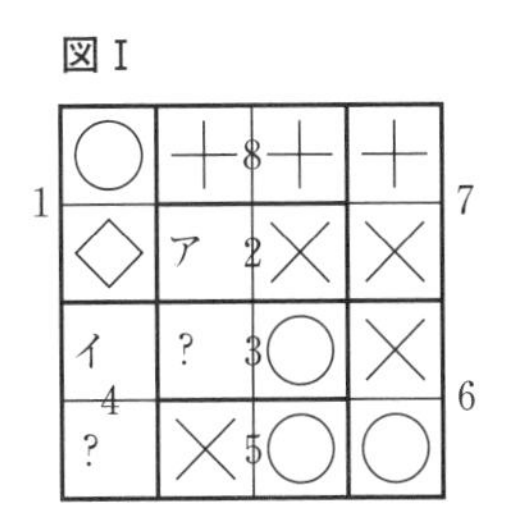

図Ⅱ

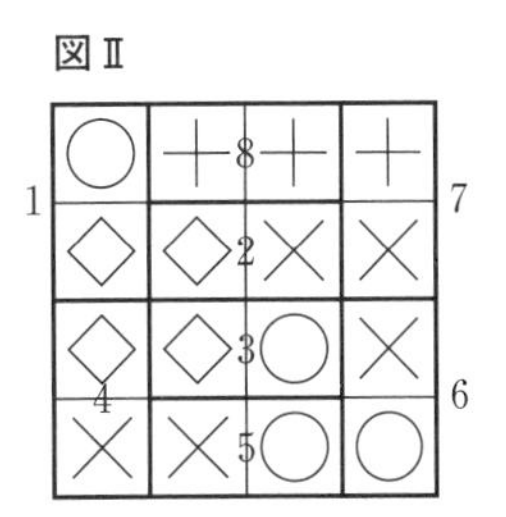

正答　4

問題研究

8枚を順次並べていく、という条件を見落とさないことである。8枚目に並べたタイルが最初に確定できるので、そこから2枚目に並べたタイルも確定する。

No.158 判断推理	軌跡	平成30年度

1辺の長さが1の正三角形が、1辺の長さが2の正三角形の辺に沿って、滑ることなく図のように回転する。このとき、頂点Aが描く軌跡の長さと、頂点Bが描く軌跡の長さの比として、正しいのはどれか。

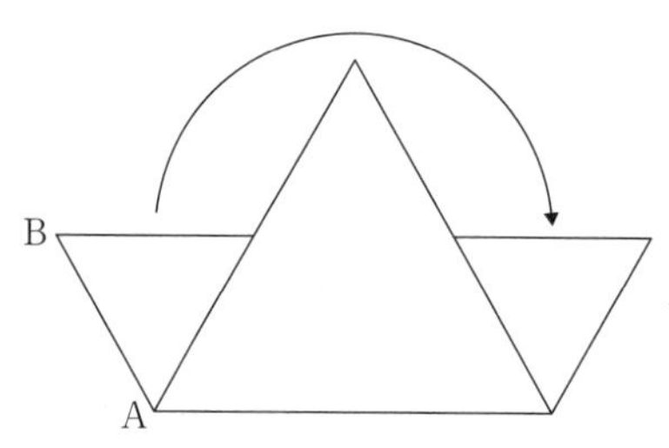

1　A：B＝1：1
2　A：B＝2：1
3　A：B＝3：2
4　A：B＝4：3
5　A：B＝6：5

解説

頂点Aが描く軌跡は図Ⅰ、頂点Bが描く軌跡は図Ⅱのようになる。軌跡となる弧の長さは中心角の大きさに比例する。したがって、頂点Aが描く軌跡の長さと、頂点Bが描く軌跡の長さの比は、(120＋240)：(120＋120)＝360：240＝3：2となり、正答は**3**である。

図Ⅰ

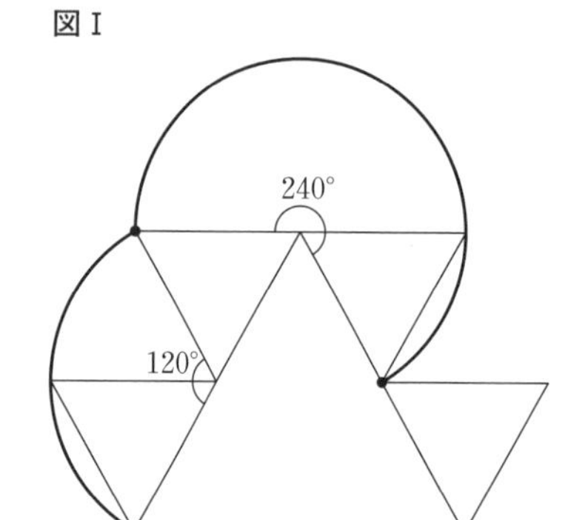

図Ⅱ

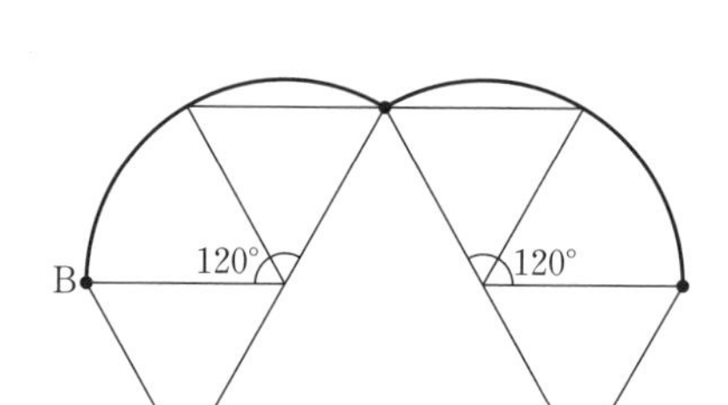

正答　3

問題研究

多角形が回転する場合の軌跡は、回転中心、回転半径、回転角度の3点を見極めるのがポイントである。

No.159 数的推理

整数問題

令和6年度

　ある分数があり、分子の値は分母の値よりも11小さい。分母の値から3を引き、分子の値に1を加えてできた分数を約分すると$\frac{11}{12}$になる。もとの分数の分母の値について、各ケタの数を足し合わせるといくらになるか。

1　11
2　12
3　13
4　14
5　15

解説

　もとの分数の分母をxとすると、分子は$x-11$となる。
　分母から3を引き、分子に1を加えてできる分数は、次のように表すことができる。

$$\frac{x-11+1}{x-3}=\frac{x-10}{x-3}$$

　この値が$\frac{11}{12}$と等しくなるので、$\frac{x-10}{x-3}=\frac{11}{12}$　となる。この式を解くと、

$$11(x-3)=12(x-10)$$
$$x=87$$

となり、もとの分母の各ケタの数を足し合わせると15となる。
　よって、正答は**5**である。

正答　5

問題研究

　数的推理の計算では、しばしば分数＝分数の形の方程式が出現する。その際は、お互いの分母と分子を掛け合わせたもの（斜め掛けをしたもの）が等しくなるということを押さえておこう。

No.160 数的推理

方程式

令和6年度

ある回転寿司店では、１皿の値段が320円、240円、180円の寿司を提供している。この３種類の値段の寿司を少なくとも１皿ずつ食べたところ、合計金額は2,400円であった。このとき、合計で何皿食べたか。

1　９皿
2　10皿
3　11皿
4　12皿
5　13皿

解説

少なくとも１皿ずつ食べているので、合計金額の2,400円から１皿分ずつの値段を引くと1,660円となる。それ以降の食べた皿の枚数を、320円をx皿、240円をy皿、180円をz皿とすると、次のような式ができる。

$$320x+240y+180z=1660$$
$$16x+12y+9z=83$$

ここで、$16x$、$12y$のいずれも偶数であるため、$9z$のzは奇数である必要がある。

$z=1$の場合：$16x+12y+9=83$、$16x+12y=74$、$8x+6y=37$となり、これを満たすxとyが存在しないため不適。

$z=3$の場合：$16x+12y+27=83$、$16x+12y=56$、$4x+3y=14$となり、$x=2$、$y=2$となる。

$z=5$の場合：$16x+12y+45=83$、$16x+12y=38$、$8x+6y=19$となり、これを満たすxとyが存在しないため不適。

$z=7$の場合：$16\mathrm{x}+12\mathrm{y}+63=83$、$16\mathrm{x}+12\mathrm{y}=20$、$4\mathrm{x}+3\mathrm{y}=5$となり、これを満たすxとyが存在しないため不適。

$z=9$の場合：$16x+12y+81=83$、$16x+12y=2$、$8x+6y=1$となり、これを満たすxとyが存在しないため不適。

よって、$(x、y、z)=$（２、２、３）と確定し、もともと食べていた１皿ずつを足すと、320円の皿が３皿、240円の皿が３皿、180円の皿が４皿とわかり、合計は10皿となる。

よって、正答は**2**である。

正答　2

問題研究

不定方程式の問題では、いかに効率良く数字を代入し、時間を短縮することができるかがカギとなる。今回の問題のように奇偶の四則演算の特徴を用いるものは頻出であるので、しっかりと押さえておこう。

No.161 数的推理　比、割合　令和6年度

A、Bの2地域で住宅の総数とそのうちの空き家の数を調査した。B地域では、住宅総数はA地域の1.2倍、空き家の数はA地域の1.5倍であった。また、B地域の住宅総数に占める空き家の比率は10%であった。A地域の住宅総数に占める空き家の比率は何%か。

1　5%
2　6%
3　7%
4　8%
5　9%

解説

総数が記されていないので、A地域の住宅総数を100、B地域の住宅総数を120と置く。

A地域の空き家の数をxとすると、B地域の空き家の数は$1.5x$と表すことができ、B地域の住宅総数に占める空き家の比率は10%であったことから、以下の式を作ることができる。

$120 \times 0.1 = 1.5x$

$x = 8$

したがって、A地域の空き家の数は8、A地域の住宅総数に占める空き家の比率は$8 \div 100 = 0.08$となるため、8%とわかる。

よって、正答は4である

正答　4

問題研究

比と割合の単元では今回の問題のように、割合のみしか記されておらず、総数や具体的数字が一切記されていない問題がある。その際は総数を文字で表すのではなく、100と置くことで解きやすくなる。これは利益算や濃度算でも用いることの多い手法なので、しっかりと押さえておこう。

No.162 数的推理

ニュートン算

令和6年度

10分間の動画を毎日１本公開する動画チャンネルがある。このチャンネルが動画の公開を開始して数日後のある日、A、Bの２人がこのチャンネルの過去の動画を、１日目の動画から順に、毎日20分間視聴することを始めた。ただし、視聴中の動画の再生速度はAが1.5倍速、Bが１倍速であった。両者とも毎日20分間の視聴を続けたところ、Aはチャンネルが動画の公開を開始してx日目に、Bは（$x+6$）日目に、それぞれ20分間視聴したところで、その日公開された動画を含む過去の全動画の視聴を終えた。このときxはいくらか。

1　6
2　9
3　12
4　15
5　18

解説

チャンネルが動画の公開を開始してa日目にA、Bが視聴を始めたとすると、２人が見始めるまでに、チャンネルには$10a$分間の動画が公開されていることになる。

Aは毎日20分間を1.5倍速で見ているので、実質、$20\times1.5=30$〔分〕の動画を見ていることになる。ここで、Aが動画を見始めてからy日目に動画を見終えるとすると、

$$10a+10y=30y$$
$$a=2y$$

となる。

Bは毎日20分間見ているので、

$$10a+10(y+6)=20(y+6)$$

となり、$a=2y$を代入すると、

$$10\times2y+10(y+6)=20(y+6)$$

となる。これを解くと、

$$y=6、a=12$$

となる。

したがって、求めるxは$a+y$で求めることができるので、$x=12+6=18$〔日〕となる。

よって、正答は**5**である。

正答　5

問題研究

ニュートン算の問題では、もともとの量$=a$　単位時間当たり増加量$=b$　単位時間当たり減少量$=c$　時間$=t$とすると、$a+b\times t=c\times t$という式を立てることができることを押さえておこう。

No.163 数的推理　確率　令和5年度

1～6の目が書かれたサイコロ2つを同時に振る。出た目の和が10の場合には終了し、出た目の和が10でない場合にはサイコロを2つとも振り直して、出た目の和が10になるまで繰り返す。このとき、2回目までに終了する確率はいくらか。

1　$\frac{1}{6}$

2　$\frac{1}{9}$

3　$\frac{5}{36}$

4　$\frac{23}{144}$

5　$\frac{25}{216}$

解説

出た目の数の和が10になるのは、(4、6)(5、5)(6、4)の3通りなので、

出た目の数の和が10になる確率：$\frac{3}{36}=\frac{1}{12}$

出た目の数の和が10にならない確率：$\frac{11}{12}$

となる。

2回目までに出た目の数の和が10になる確率は、余事象より、

1－(2回目までに出た目の数の和が10にならない確率)

で求めることができる。よって、

$$1-\left(\frac{11}{12}\right)^2=1-\frac{11}{12}\times\frac{11}{12}=1-\frac{121}{144}=\frac{23}{144}$$

となり、正答は4である。

正答　4

問題研究

このような問題は、(1回目に終了する確率)+(2回目に終了する確率)でも求めることができるが、余事象を使うと速く解くことができる。数え上げの際にミスのないように気をつけよう。

PART 3 過去問を解いてみよう！

No.164 数的推理

覆面算

令和 5年度

次の計算のA～Cに0～9のうちの互いに異なる整数を入れて、計算が成り立つようにする。A～Cの組合せは複数考えられるが、A＋B＋Cの最大値はいくらか。ただし、AとCに0は入らないものとする。

$$\begin{array}{r} A\ B\ A \\ \times\quad A\ A \\ \hline C\ C\ C\ C \end{array}$$

1　6
2　8
3　10
4　12
5　14

解説

A=4の場合、積は5ケタになるので、Aは3以下である。

A=1の場合、C=1となるので不適。

A=2の場合、C=4となり、2B2×22=4444となるので、B=0。このときA+B+C=2+0+4=6である。

A=3の場合、C=9となり、3B3×33=9999となるので、B=0。このときA+B+C=3+0+9=12である。

よって、正答は4である。

正答　4

問題研究

覆面算ですべてが隠されている場合は数の特徴を使うことが多く、整数問題の要素も含んでいる。計算の中で特徴的な部分を見つけ、場合分けをすることが重要である。

No.165 数的推理　速さ・距離・時間　令和5年度

列車A、列車Bが平行な線路をそれぞれ一定の速さで走っている。同じ向きに走っているとき、Aの先端がBの後端に追いついてから、Aの後端がBの先端を追い越すまでに30秒かかった。互いに逆向きに走っているとき、AとBの先端どうしがすれ違ってから、後端どうしがすれ違うまでに、12秒かかった。Aの長さが200m、速さが秒速28mであったとすると、Bの長さはいくらか。

1　200m
2　220m
3　240m
4　260m
5　280m

解説

列車のすれ違いに関しては、追い越すときもすれ違うときも、距離を2つの列車の長さの和として考えると理解しやすい。

Bの速さを秒速bm、Bの長さをlmとすると、

同じ向きに走っているとき　$200+l=(28-b)\times 30$

逆向きに走っているとき　$200+l=(28+b)\times 12$

この2式から、連立方程式を解くと、$l=280$〔m〕となる。

よって、正答は**5**である。

正答　5

問題研究

基本的な通過算、旅人算の問題である。同一方向に走っているときは速度を引き、反対方向に走っているときは速度を足すことも復習しておこう。

No.166 数的推理

平均

令和5年度

あるクラスで反復横跳びの測定を行った。AとBの2人は欠席したため、クラスの平均をAとBを除いた状態で計算した。翌日、Aの測定を行ったところ、その結果は60回であり、これを加えて計算すると、クラスの平均は1回増加した。さらに後日、Bの測定を行ったところ、その結果は48回であり、これを加えて計算すると、クラスの平均はAを加えた平均よりも0.5回増加した。このクラスの生徒は何人か。

1　20人
2　24人
3　28人
4　32人
5　36人

解説

クラスのAとBを除いた人数をx人、そのときの平均をp回とすると、次のような表になる。

	もともと	A追加	A、B追加
人　数	x人	$(x+1)$人	$(x+2)$人
平　均	p回	$(p+1)$回	$(p+1+0.5)$回
合　計	px回	$(px+60)$回	$(px+60+48)$回

ここで、人数×平均＝合計の関係から

（A追加）　$(x+1)(p+1)=px+60$　⇒　$x+p=59$

（A、B追加）　$(x+2)(p+1+0.5)=px+60+48$　⇒　$1.5x+2p=105$

この2式を連立して解くと、$x=26$となる。

そこにAとBの2人を足すと、$26+2=28$〔人〕となる。

よって、正答は3である。

正答　3

問題研究

おそらく、この年度の数的推理の中で一番難しい問題であっただろう。数的推理では、「平均」と出てきたら、必ず「合計」も出すことが重要である。また、それぞれの状況を表にしっかりとまとめることを意識しよう。

No.167 数的推理　三角形　令和4年度

図のように、正方形ABCDの中に長方形EFGHと三角形BCIがある。AH＝16、EB＝EH＝20のとき、GIの長さはいくらか。

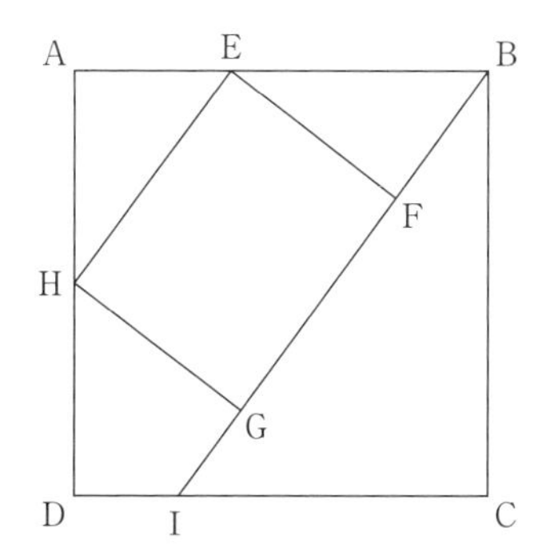

1　6
2　7
3　8
4　9
5　10

解説

EH：AH＝20：16＝5：4となっているので、△AEHは、辺の比が3：4：5の直角三角形であり、AE：16：20＝3：4：5より、AE＝12である。このことから、正方形ABCDの一辺は12＋20＝32である。

△AEHと△FBEについて、∠AHE＝90°－∠AEH、∠FEB＝90°－∠AEH、∠EAH＝∠BFE＝90°より、2組の角が等しいので、△AEH∽△FBEとなる。また、斜辺であるEH＝BE＝20より、△AEH≡△FBEとなる。よって、FB＝12、FE＝16である。

△CBIと△FEBについて、∠CIB＝90°－∠CBI、∠FBE＝90°－∠CBI、また、∠BCI＝∠EFB＝90°より、△CBI∽△FEBであり、その相似比は、CB：FE＝32：16＝2：1より、BI＝40である。

GI＝BI－FB－FGであるから、GI＝40－12－20＝8である。

よって、正答は**3**である。

正答　3

問題研究

相似比を用いた問題である。この問題の考え方は非常によく使う手段なので、確実に身につけておこう。

PART 3 過去問を解いてみよう！

No.168 数的推理　数の計算　令和4年度

1～4の互いに異なる数字が1つずつ書かれたカードが4枚ある。これらのうち3枚を並べて3ケタの数を作るとき、作ることのできるすべての数の和はいくらか。

1　2220
2　4440
3　5440
4　6660
5　7880

解説

作ることのできる数のうち、百の位が4である数字を考えると、${}_3P_2=3\times2=6$より、6通り存在する。これは、百の位が1～3のときも同様に6通りずつ存在する。また、十の位が1～4のとき、一の位が1～4のときも同様に6通りずつ存在するので、その和は、

$(4\times6+3\times6+2\times6+1\times6)\times100+(4\times6+3\times6+2\times6+1\times6)\times10+(4\times6+3\times6+2\times6+1\times6)\times1$
$=6000+600+60$
$=6660$

となり、正答は**4**である。

正答　4

問題研究

順列組合せの知識と規則性の発想が必要となる問題である。このような問題は、作ることのできる数が少ない場合が多い（今回は24通り）ので、書き出していくことも可能である。

No.169 数的推理　素因数分解　令和4年度

3844を素因数分解すると、$3844=2^2\times31^2$ となる。3844よりも81小さい値である3763は、1よりも大きい2つの整数の積で表すことができるが、その2つの整数の和はいくらか。

1　124
2　178
3　236
4　344
5　556

解説

3763が 3844－81 であることを利用する。

$3844=2^2\times31^2$ より、$3763=2^2\times31^2-9^2=62^2-9^2$ と表すことができる。62^2-9^2 を因数分解すると $(62+9)(62-9)$ となるので、2つの整数の積で表すと 71×53 となる。

よって、その和は $71+53=124$ となり、正答は1である。

正答　1

問題研究

指数の計算と因数分解の知識が必要な問題である。81という数字を見たときに、これが9^2であることを見抜くとともに、3763を、2乗した数字を使って表すことができれば正答できる。整数問題は素因数分解や因数分解を使うケースが非常に多いので、今一度復習しておこう。

No.170 数的推理　仕事算　令和4年度

ある水槽を空の状態から満水にするのに、ポンプAのみを使うと30分、ポンプBのみを使うと60分かかる。この水槽に空の状態からポンプA、Bを使って同時に水を注ぎ始めたが、途中でポンプAが故障したため、その後はポンプBのみを使って満水にした。空の水槽が満水になるまでにかかった時間は、ポンプAが故障しなかった場合にかかる時間よりも10分長かった。ポンプAが故障したのは水を注ぎ始めてから何分後であったか。ただし、ポンプA、Bの単位時間当たりの注水量はそれぞれ一定とする。

1　9分後
2　12分後
3　15分後
4　18分後
5　21分後

解説

水槽全体を1と置くと、ポンプAの1分当たりの仕事率は$\frac{1}{30}$、ポンプBの1分当たりの仕事率は$\frac{1}{60}$と表すことができる。この2台の仕事率の合計は、$\frac{1}{30}+\frac{1}{60}=\frac{1}{20}$となり、通常は$1\div\frac{1}{20}=20$〔分〕かかることになる。したがって、ポンプAが故障したことで10分長くかかったことより、満水にするのに$20+10=30$〔分〕かかったことになる。

ポンプAが故障した時間を、注ぎ始めてからt分後とすると、

$\frac{1}{30}\times t+\frac{1}{60}\times 30=\frac{t}{30}+\frac{1}{2}=1$より、

$\frac{t}{30}=\frac{1}{2}$

$2t=30$

$t=15$

よって、正答は**3**である。

正答　3

問題研究

仕事算の知識が必要な問題である。全体を1と置くこと、また、問題文に通常の時間より10分長くかかったと記述があるので、仕事量÷仕事率＝かかる時間であることを利用して、通常は何分かかるのかを明確にして解き進めていこう。

No.171 数的推理

数量問題

令和4年度

ある委員会ではA～Cの３人の中から委員長を選挙で選ぶこととなった。この委員会の人数は78人であり、１人１票ずつA～Cのいずれかに投票を行った。その結果、Aの得票数はBの得票数の$\frac{9}{5}$倍よりも多く、２倍よりも少なかった。また、Cの得票数はBの得票数の$\frac{1}{5}$倍よりも多く、$\frac{1}{4}$倍よりも少なかった。このとき、AとCの得票数の差はいくらか。

1　33票
2　35票
3　37票
4　39票
5　41票

解説

Aの得票数をa、Bの得票数をb、Cの得票数をcとすると、

$a+b+c=78$……①

$2b>a>\frac{9}{5}b$……②

$\frac{1}{4}b>c>\frac{1}{5}b$……③

が成り立つ。a、b、cが整数であることを考慮すると、③の条件から、$b>20$でなければならない（$b\leqq20$だと、$\frac{1}{4}b>c>\frac{1}{5}b$を満たす整数の$c$が存在しない）。

また、bを最小値である21とすると、③の条件より$c=5$となることから、$c\geqq5$であることがわかる。①に最小値の$c=5$を代入すると、$a+b+5=78$、$a+b=73$となる。②の$a>\frac{9}{5}b$を考慮すると、$\frac{9}{5}b+b<73$となり、$\frac{14}{5}b<73$より、$b<26.07\cdots$となる。

よって、$21\leqq b\leqq26$の場合を考える。

$b=21$の場合、③より$c=5$、①より$a=52$となり、②に反する。
$b=22$の場合、③より$c=5$、①より$a=51$となり、②に反する。
$b=23$の場合、③より$c=5$、①より$a=50$となり、②に反する。
$b=24$の場合、③より$c=5$、①より$a=49$となり、②に反する。
$b=25$の場合、③より$c=6$、①より$a=47$となり、②にも当てはまるので、妥当である。
$b=26$の場合、③より$c=6$、①より$a=46$となり、②に反する。

よって、AとCの得票数の差は$47-6=41$となり、正答は**5**である。

正答　5

問題研究

それぞれの投票数が整数であること、それぞれの条件からbの範囲が確定することを見抜けば正答することができる。ただ、そのために必要な不等式の知識なども難易度が高く、初見で解くことはなかなか難しい問題である。

No.172 数的推理　条件付き確率　令和3年度

　ある都市の住人の１％が罹患している感染症があり、感染の有無を調べる検査を行うこととなった。この検査を行った場合、感染している者のうち30％は陰性と判定され、感染していない者のうち１％は陽性と判定される。このとき、陽性と判定された者が実際に感染している確率として、正しいのはどれか。

1　15％
2　41％
3　59％
4　82％
5　99％

解説

　１％が感染していて、検査の結果陽性と判定されるのは70％だから、実際に感染していて陽性と判定される確率は、

$$\frac{1}{100}\times\frac{70}{100}=\frac{70}{10000}$$

である。感染していない99％に対しても、１％の確率で陽性と判定されるので、感染していなくて陽性と判定される確率は、

$$\frac{99}{100}\times\frac{1}{100}=\frac{99}{10000}$$

である。したがって、検査の結果陽性と判定される確率は、

$$\frac{70}{10000}+\frac{99}{10000}=\frac{169}{10000}$$

である。このうち、実際に感染しているのは$\frac{70}{10000}$だから、陽性と判定された者が実際に感染している確率は、

$$\frac{70}{10000}\div\frac{169}{10000}=\frac{70}{169}\fallingdotseq 0.4142$$

となり、41％である。
　よって、正答は**2**である。

正答　2

問題研究

　本問のような条件付き確率は、対策をしていないと戸惑いそうであるが、複雑な構造ではないので、必ずチェックしておきたい。

No.173 数的推理	整数問題	令和3年度

向かい合う面の目の和がすべて7であり、1～6の目で構成されたサイコロがある。このサイコロを何度か振ったところ、出た目の積が60となったが、出た目と反対側にある目の積も60であった。このとき、サイコロを振った回数および出た目の和の組合せとして、正しいのはどれか。

	回数	和
1	3回	12
2	3回	13
3	4回	13
4	4回	14
5	5回	15

解説

出た目の積と反対側の目の積が等しくなるのだから、その目の構成が等しければよい。そうすると、出た目が（1、2、5、6）のとき、反対側の目は（6、5、2、1）となり、その積はどちらも60である。したがって、サイコロを振った回数は4回で、目の和は、1+2+5+6=14となる。

よって、正答は**4**である。

正答　4

問題研究

「出た目と反対側にある目の積も60」がポイントである。

PART 3 過去問を解いてみよう！

No.174 数的推理　濃度　令和3年度

濃度が不明の食塩水が500gある。この食塩水を200gと300gに分け、それぞれに同量の水を加えたところ、5％の食塩水と6％の食塩水ができた。もとの食塩水の濃度として、正しいのはどれか。

1　9％
2　10％
3　11％
4　12％
5　13％

解説

200gの食塩水が5％に、300gの食塩水が6％の食塩水になる。もとの食塩水の濃度をx％、加える水の量をygとしててんびん図を利用すると、200gの食塩水について図Ⅰ、300gの食塩水については図Ⅱのようになる。これらの図において、食塩水および水の量の比と、濃度の差の比は逆比の関係になる。つまり、図Ⅰにおいては、$(x-5):5=y:200$、図Ⅱにおいては、$(x-6):6=y:300$である。ここから、

$5y=200(x-5)$、$5y=200x-1000$、$y=40x-200$

$6y=300(x-6)$、$6y=300x-1800$、$y=50x-300$

である。そして、$50x-300=40x-200$、$10x=100$、$x=10$となる。したがって、もとの食塩水の濃度は10％である。

図Ⅰ

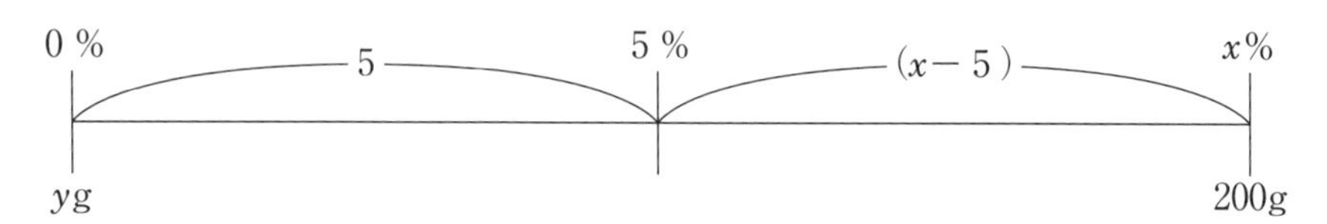

図Ⅱ

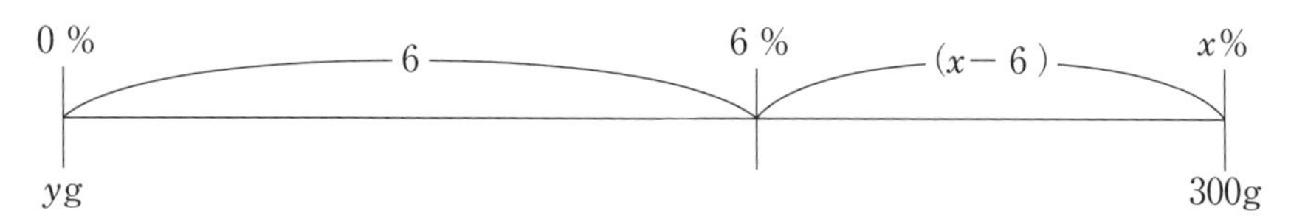

よって、正答は**2**である。

正答　2

問題研究

濃度問題は天びん図の活用が有効である。

No.175 数的推理　速さ・距離・時間　令和3年度

ある鉄道の路線では、特急列車A、快速列車B、普通列車Cが並行して走っている。列車の長さは、いずれも180mである。特急列車Aが快速列車Bに追いついてから追い越し終わるまでに30秒かかる。また、快速列車Bが普通列車Cに追いついてから追い越し終わるまでに20秒かかる。このとき、特急列車Aが普通列車Cに追いついてから追い越し終わるまでにかかる時間として、正しいのはどれか。ただし、追いつくとは、追い越す車両の最前部が追い越される列車の最後部に並んだときであり、追い越し終わるとは、追い越す車両の最後部が追い越される車両の最前部に並んだときである。

1　10秒
2　12秒
3　14秒
4　16秒
5　18秒

解説

列車の長さはいずれも180mなので、特急列車Aが快速列車Bに追いついてから追い越し終わるまでの30秒間で、特急列車Aは快速列車Bより360m（＝180×2）余計に走らなければならない。同様に、快速列車Bが普通列車Cに追いついてから追い越し終わるまでの20秒間で、快速列車Bは普通列車Cより360m余計に走らなければならない。特急列車Aの速さ（秒速）をa、快速列車Bの速さをb、普通列車Cの速さをcとすると、1秒間に特急列車Aと快速列車Bの進む距離の差が$(a-b)$で、これが30秒間続くと360mになるから、$30(a-b)=360$、$a-b=12$である。快速列車Bと普通列車Cについても、$20(b-c)=360$、$b-c=18$である。特急列車Aと普通列車Cの速さの差は、$(a-b)+(b-c)=a-c=12+18=30$だから、$360 \div 30=12$となり、特急列車Aが普通列車Cに追いついてから追い越し終わるまでにかかる時間は12秒である。

よって、正答は2である。

正答　2

問題研究

「追い越す」ことの意味を的確に捉えよう。自分と相手の長さの和だけ余計に走らなければならない。

No.176 数的推理

速さと三平方

令和 2年度

点Oの真上から水が落ちてきて、点Oを中心とする円状の水たまりができており、この水たまりの半径は毎秒5cmずつ広がっている。また、2匹のアリが2点A、Bから、線分OBに対して垂直方向に毎秒3cmの速さで進んでいく。AB間の距離が60cmで、水たまりができ始めるのと同時に2匹のアリがA、Bから進み始めたとき、Bから進むアリが水に触れるのは、Aから進むアリが水に触れてから何秒後か。

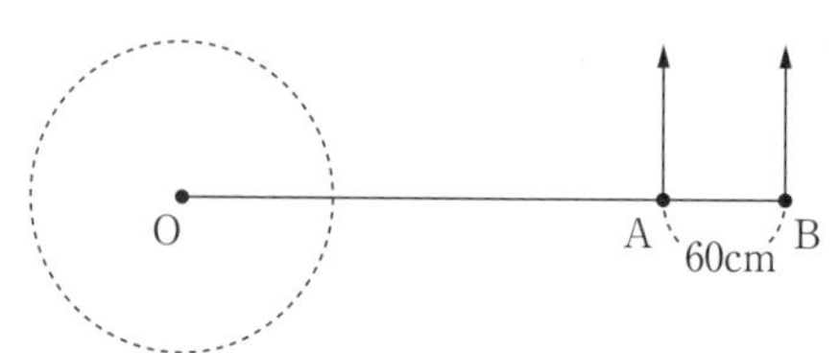

1　10秒後
2　12秒後
3　15秒後
4　20秒後
5　30秒後

解説

図のように、点Aから進むアリがx秒後に点Pで水に触れるとする。アリは毎秒3cm進むので、AP＝3x、水たまりの半径は毎秒5cm大きくなるので、OP＝5xである。∠OAP＝90°だから、△OAPは3辺の長さの比が3：4：5の直角三角形である。点Bから進むアリが点Qで水に触れるとすると、点Pから線分BQに垂線PRを引けば、△OAP∽△PRQより、PR：PQ＝4：5＝60：75となり、PQ＝75cmである。したがって、75÷5＝15より、Bから進むアリが水に触れるのは、Aから進むアリが水に触れてから15秒後である。

よって、正答は**3**である。

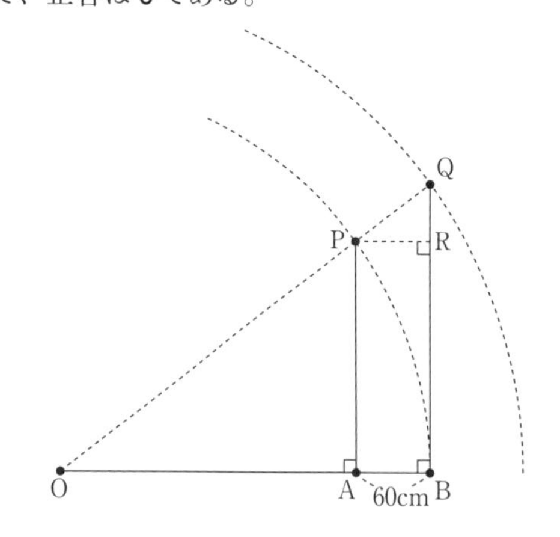

正答　3

問題研究

三角形の相似と三平方の定理に関する問題であることに気づけるかどうかにかかっている。最初に接触点を決めて図を描いてみるとよい。

No.177 数的推理　素数　令和2年度

1～9までの1ケタの自然数の中から3個を選び、これをA、B、Cとする。A、B、Cから2個を選び、一方を十の位の数、他方を一の位の数として2ケタの整数を作ると、AB、AC、BA、BC、CA、CBの6通りある。この6通りある2ケタの整数がすべて素数であるとき、A＋B＋Cの値として、正しいのはどれか。

1　9
2　11
3　13
4　15
5　17

解説

偶数のうち、素数は2だけであり、2ケタの偶数が素数であることはない。つまり、A、B、Cに偶数である2、4、6、8が含まれていることはない。また、A、B、Cに5が含まれていれば、必ず5の倍数ができてしまうので、5も含まれていない。ここから、A、B、Cは、1、3、7、9の4個の自然数のうちの3個であり、その組合せは、(A、B、C)＝(1、3、7)、(1、3、9)、(1、7、9)、(3、7、9)、のいずれかである（順不同)。このうち、1と9が含まれていれば、91＝7×13、3と9の両方が含まれていれば、39＝3×13、という素数でない整数（＝合成数）ができてしまう。したがって、(A、B、C)＝(1、3、7) だけが条件を満たしている。

よって、A＋B＋C＝1＋3＋7＝11であるので、正答は**2**である。

正答　2

問題研究

近年、多くの試験で素数の問題が出題され、内容も多様化している。この問題では、偶数と5は使えない、3と9は同時に使えない（必ず3の倍数になるため)、という2点は必ず押さえたい。あとは、91が素数ではないことに気づけるかである。

No.178
数的推理

商と余り

令和
2年度

倉庫に保管してある貨物を8tずつ輸送していくと、最後に6t輸送して倉庫内の貨物がなくなり、輸送作業は終了する。5tずつ輸送していくと、最後に1t輸送して倉庫内の貨物がなくなり、輸送作業は終了する。8tずつ輸送する場合と5tずつ輸送する場合の輸送回数の差が、5回以上10回未満であるとき、その輸送回数の差として、正しいのはどれか。

1　5回
2　6回
3　7回
4　8回
5　9回

解説

5と8の公倍数を足掛かりにして考えてみるのがよい。

5と8の最小公倍数は、5が素数、$8=2^3$なので（共通因数がない）、5×8＝40である。これに6を加えた46は、8で割ると6余る数であり、45が5の倍数なので、5で割ると1余る数である。ここから、貨物が46tあると、8tずつ輸送していけば、5回輸送して6回目は6t、5tずつ輸送していけば、9回輸送して10回目は1t、となり、その回数の差は4回である。これだと、輸送回数の差が5回以上10回未満という条件を満たしていない。

46の次に8で割ると6余り、5で割ると1余る整数は、46に5と8の最小公倍数40を加えた86である。つまり、貨物が86tあると、8tずつで輸送回数が5回増え、5tずつで輸送回数が8回増える。つまり、8tずつでの輸送回数は、6＋5＝11より、11回、5tずつでの輸送回数は、10＋8＝18より、18回となる。両者の輸送回数の差は、18－11＝7より、7回となる。

貨物が126tあると、16回と26回となり、その差が10回となるので、不適である。

よって、正答は**3**である。

正答　3

問題研究

公倍数に関する問題であるという意識が持てれば、最小公倍数40に6を加えると、問題前半の条件を満たしていることに到達できる。この後は、40×2＋6、40×3＋6、……、という作業を行えばよい。

No.179 数的推理　ニュートン算　令和2年度

ある貯水槽には、注水管が1本と排水管が4本取り付けられており、4本の排水管の排水能力は等しい。貯水槽が空の状態から、注水管および排水管1本を開けると、5分後に水が10L貯まる。また、貯水槽に160Lの水が入っている状態で、注水管および排水管4本を開けると、10分後には貯水槽が空になる。このとき、注水管の1分当たりの注水量として、正しいのはどれか。

1　4L
2　6L
3　8L
4　10L
5　12L

解説

注水管および排水管1本を開けると、5分後に水が10L増えているのだから、1分間に2L増えることになる。つまり、注水管が1分間に注水する量は、排水管1本が1分間に排水する量より2L多い。貯水槽に160Lの水が入っている状態で、注水管および排水管1本を開けると、10分後には貯水槽に180L（＝160＋2×10）の水が貯まっているはずである。これを残り3本の排水管がすべて排水するので、貯水槽が空になるのである。180÷3÷10＝6より、1本の排水管が1分当たりに排水する量は6Lである。したがって注水管が1分間に注水する量はこれより2L多い8Lとなる。

よって、正答は3である。

正答　3

問題研究

いわゆるニュートン算と呼ばれる問題であるが、ニュートン算としては平易な部類なので、連立方程式で解いてもよい。ただし、難度が上がると、単純に式を立てて計算、とはいかず、分析力が要求されることになる。その点はしっかりと取り組んでおきたい。

No.180 数的推理

つるかめ算

令和2年度

ある洋菓子店において、ケーキ100個を販売するに当たり、予約販売を実施した。このケーキの定価は、原価の50％の利益を見込んでいるが、予約販売の場合は定価の20％引きとなっている。100個のケーキはすべて販売され、原価総額の32％の利益が得られた。予約販売したケーキの個数として、正しいのはどれか。

1　45個
2　50個
3　55個
4　60個
5　65個

解説

ここでは濃度の異なる食塩水の混合の問題などと同様に、てんびん図を利用するとよい。定価は原価の50％の利益を見込んでいるので、原価を100とすれば定価は150である。これを20％引きにすれば、150－15×２＝120より、予約販売は120、最終的に32％の利益が得られたので、これは132となる。これを図に表すと、下図のようになる。(132－120)：(150－132)＝12：18＝２：３であり、「予約販売：定価販売」の個数比は２：３の逆比で、予約販売：定価販売＝３：２＝60：40となり、予約販売したケーキの個数は60個である。

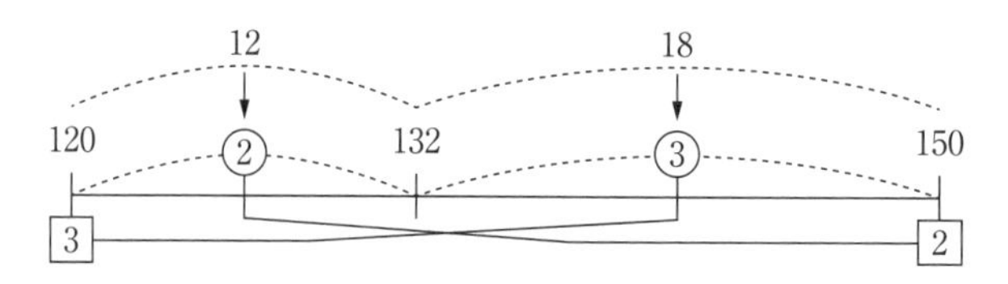

よって、正答は4である。

正答　4

問題研究

この種の問題の構造は、濃度の異なる食塩水の混合と同様であり、てんびん図の活用が合理的といえる。この点を正しく捉えられるようにしておくとよい。

本問のように、両者のつり合い（バランス）を考える問題においては、次のような、てんびんのつり合いと同様の構造が成り立っている。

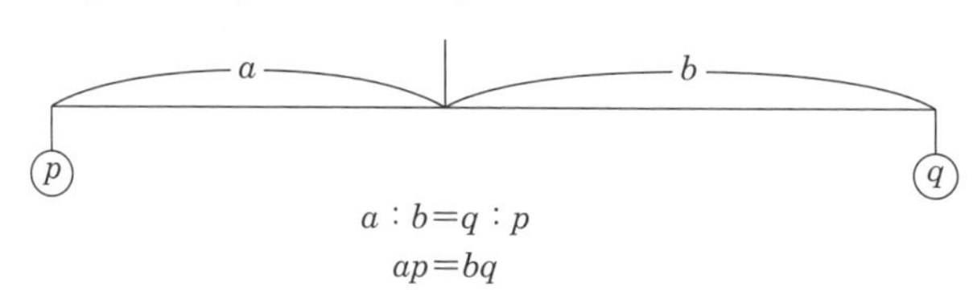

$a : b = q : p$

$ap = bq$

No.181
数的推理

順列

令和
元年度

図のように、正方形の内部に合同な長方形４枚を配置し、中央に小さな正方形ができるようにする。この小さな正方形と４枚の長方形を異なる５色で塗り分けるとき、塗り分け方は何通りあるか。ただし、回転させて同一になる場合は１通りとする。

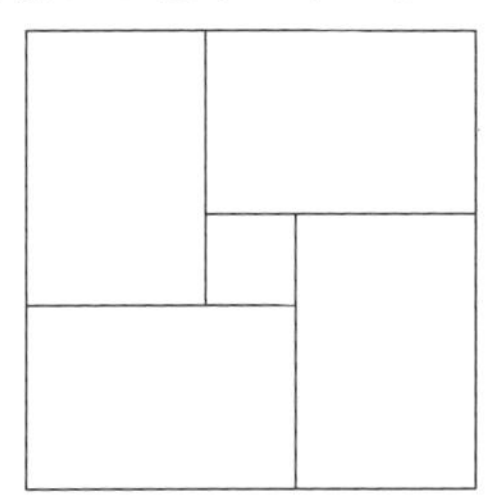

1　24通り
2　30通り
3　48通り
4　60通り
5　120通り

解説

図のように、塗り分ける各部分をＡ～Ｅとする。まず、中央のＡについて５通りある。Ｂ、Ｃ、Ｄ、ＥをＡに塗った以外の４色で塗り分けることになるが、回転させて同一になる場合は１通りとするので、Ｂ、Ｃ、Ｄ、Ｅの塗り方は４個の円順列である。したがって、塗り分け方は全部で、

$5\times(4-1)!$
$=5\times3\times2\times1$
$=30$

より、30通り。
よって、正答は**2**である。

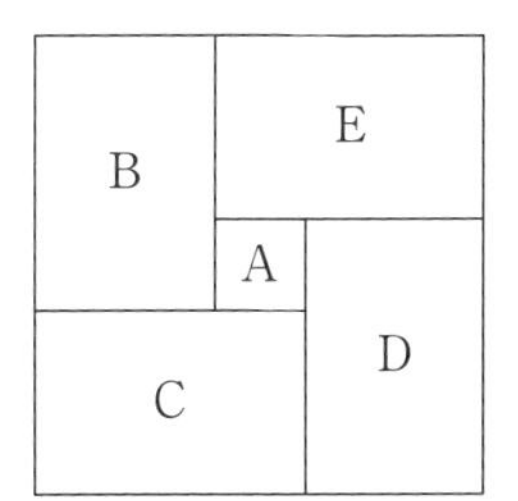

正答　2

問題研究

基本的な円順列の問題である。円順列も含めて、順列・組合せの基本事項は必ず確認しておくこと。異なるn個のものを円形状に並べる並べ方（＝円順列）は、$(n-1)!$である。

PART 3 過去問を解いてみよう！

No.182 資料解釈	# グラフ	令和 6年度

次のグラフは、A～Fの６か国における2000年と2019年の自動車の保有台数および人口千人当たり保有台数を示したものである。このグラフに関する次の記述ア～エのうち、妥当なものの組合せはどれか。

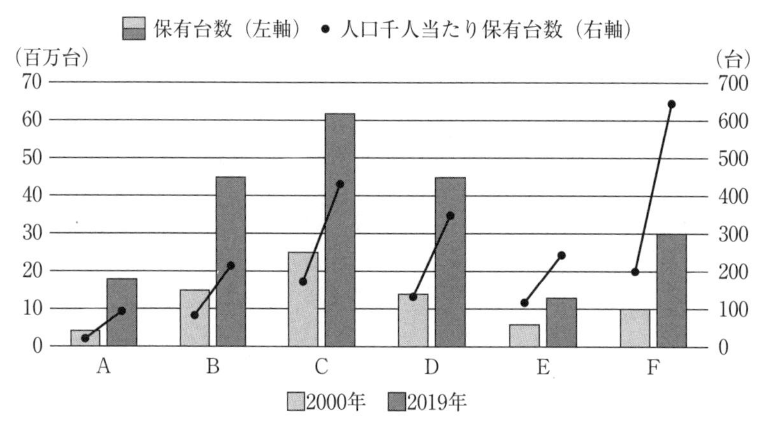

ア　６か国を、2000年の人口千人当たり保有台数が多いほうから順に並べた順位と、2019年の人口千人当たり保有台数が多いほうから順に並べた順位は一致している。

イ　2019年における６か国の保有台数の合計は、２億台を下回っている。

ウ　2019年の人口をＢとＤで比較すると、Ｂのほうが多い。

エ　Ｆの人口は、2019年には2000年の１.２倍以上に増加している。

1　ア、イ　　**2**　ア、ウ　　**3**　ア、エ　　**4**　イ、ウ　　**5**　イ、エ

解説

ア：妥当である。折れ線グラフを単純に並べ替えるだけでよく、2000年も2019年もいずれも、Ｆ＞Ｃ＞Ｄ＞Ｅ＞Ｂ＞Ａの順である。

イ：2019年の棒グラフの合計を考えると、概数でＡは18百万台、Ｂは44百万台、Ｃは62百万台、Ｄは44百万台、Ｅは12百万台、Ｆは30百万台となり、その合計は210百万台となるので、２億台を上回っている。

ウ：妥当である。2019年のＢを見ると、保有台数は約44百万台であり、人口千人当たりの保有台数は約210台である。一人当たりに換算すると0.21台となり、保有台数を一人当たりの保有台数で割って人口を求めると、44〔百万台〕÷0.21〔台/人〕≒210〔百万人〕となる。同様にＤを見ると、保有台数は約44百万台であり、人口千人当たりの保有台数は約350台である。一人当たりに換算すると0.35台となり、保有台数を一人当たりの保有台数で割って人口を求めると、44〔百万台〕÷0.35〔台/人〕≒126〔百万人〕となり、Ｂのほうが人口が多いことがわかる。

エ：ウと同様に人口を算出すると、2000年は10〔百万台〕÷0.2〔台/人〕＝50〔百万人〕であり、2019年は30〔百万台〕÷0.65〔台/人〕≒46〔百万人〕となり、減少している。

以上より、正答は**2**である。

正答　2

問題研究

一見複雑そうに見える問題でも、選択肢を読み解くと、計算自体は単純な場合がある。また、この問題のように、資料には記されていない値（一人当たりの保有台数）を自分で求めなければならないこともあるので、「どのような値が必要か」を見極めることが正答への近道となる。

No.183 資料解釈

グラフ

令和元年度

次の図は、2005年から2014年までの、小学校における児童数および教員数の推移を、それぞれ2005年を100とする指数で示したものである。次のア～エの記述のうち、この図から確実にいえるもののみを選んだ組合せとして、正しいのはどれか。

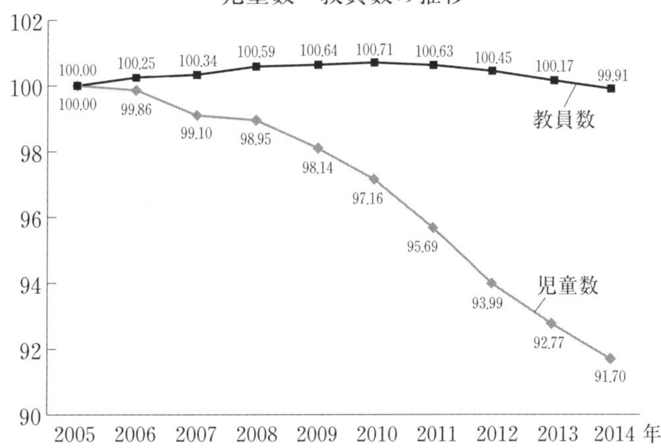

ア　2006年から2014年までの間で、前年より児童数が減少した年は、教員数も減少している。

イ　2005年から2014年までの平均で見ると、児童数は教員数の17倍以上である。

ウ　2005年における教員１人当たりの児童数を100とする指数で表すと、2014年における教員１人当たりの児童数を表す指数は90を超えている。

エ　2011年から2014年まで、教員数は毎年減少している。

1　ア、ウ
2　ア、エ
3　イ、ウ
4　イ、エ
5　ウ、エ

解説

ア：誤り。2006年から2010年まで、児童数は前年より減少しているが、教員数は前年より増加している。

イ：誤り。この資料では、実数値としての児童数、教員数を比較することはできない。

ウ：正しい。2014年における児童数の2005年に対する割合（指数）は91.70、教員数の割合は99.91であるから、91.70÷99.91×100≒92であり、90を超えている。

エ：正しい。この資料は2005年を100とする指数なので、数値が前年より小さくなれば、指数値が100を超えていても、その人数は減少していることになる。

よって、アは誤、イは誤、ウは正、エは正であるから、正答は5である。

正答　5

問題研究

基準を固定した増減率の資料であり、対前期増減率の資料と見誤らないことである。また、資料から判断できる内容と判断できない内容の見極めは、資料解釈での重要事項である。

PART 3 過去問を解いてみよう！

No.184 資料解釈

グラフ

平成30年度

次の図は、A～E5か国における1次エネルギー供給構成を示したものである。この図から確実にいえることとして、正しいのはどれか。

A～E5か国の1次エネルギー供給構成

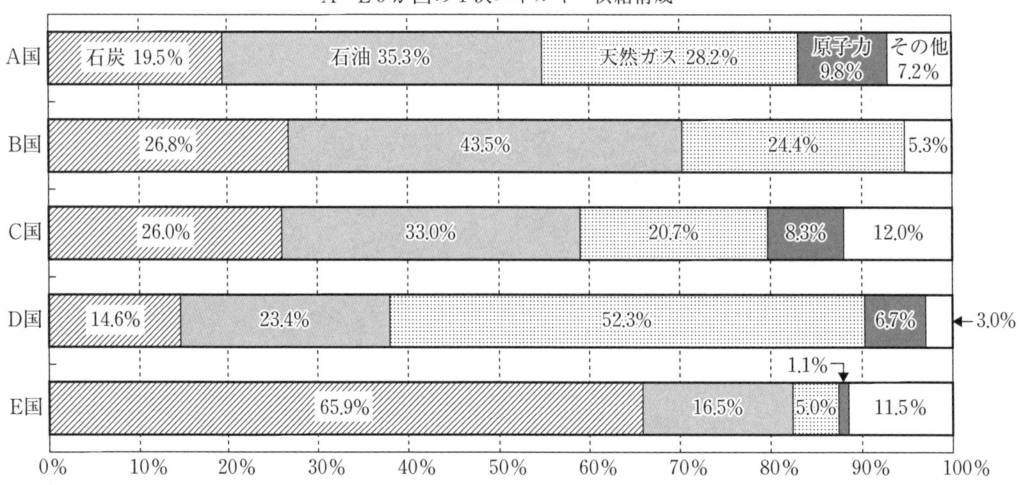

1　図中の5か国のうち、石炭による1次エネルギー供給量が最も多いのはE国である。

2　石油による1次エネルギー供給量を比較すると、A国はE国の2倍を超えている。

3　B国の場合、石炭と天然ガスによる1次エネルギー供給量の和は、石油による1次エネルギー供給量より多い。

4　原子力による1次エネルギー供給量を比較すると、D国はC国の約80%である。

5　図中の5か国のうち、石炭より石油による1次エネルギー供給量のほうが多いのは4か国であり、石炭より天然ガスによる1次エネルギー供給量のほうが多いのは3か国である。

解説

1．この資料は各国の1次エネルギー供給構成の割合を示したものであるから、異なる国の間での供給量を比較することはできない。

2．1と同様に、判断することができない。

3．正しい。B国の場合、石炭と天然ガスによる1次エネルギー供給量の和は、26.8＋24.4＝51.2より、全体の過半数なので、石油による1次エネルギー供給量（＝43.5%）より多い。

4．これも1と同様に、判断することができない。

5．石炭より石油による1次エネルギー供給量のほうが多いのは、A、B、C、Dの4か国であるが、石炭より天然ガスによる1次エネルギー供給量のほうが多いのは、A、Dの2か国である。

正答　3

問題研究

与えられた資料から判断できる事項、判断できない事項を正しく見極めることが要求されている。その点を誤らなければ、難しい問題ではない。

No.185 資料解釈	グラフ	平成29年度

次の図は、空き家数および空き家率の推移を示したものである。次のア～エの記述のうち、妥当なものの組合せはどれか。ただし、空き家率とは住宅総数に占める空き家の割合である。

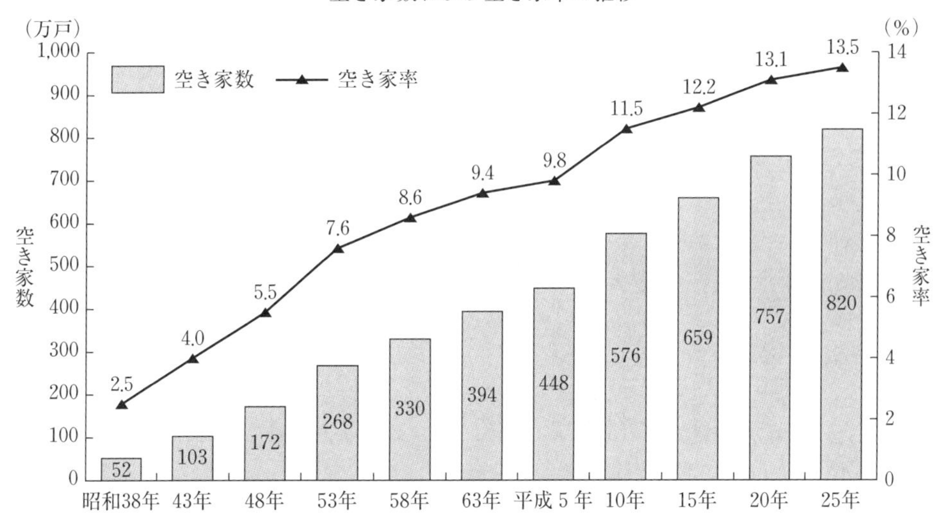

ア　平成25年の空き家数は、昭和38年の空き家数の17倍を超えている。

イ　平成5年における住宅総数は、4,500万戸を超えている。

ウ　図に示した昭和43年から平成25年までの各調査年で、前回調査年に対する空き家数の増加率が最も大きいのは昭和43年である。

エ　平成5年から平成25年にかけて、空き家数は年間平均で約93万戸増加している。

1　ア、イ　　**2**　ア、ウ　　**3**　イ、ウ　　**4**　イ、エ　　**5**　ウ、エ

解説

ア：誤り。50×17＝850であり、17倍を超えているならば、平成25年の空き家数は850万戸を超えていなければならない。

イ：正しい。4500×0.098＝441より、平成5年における住宅総数が4,500万戸なら、空き家数は441万戸となる。平成5年の空き家数は448万戸なので、住宅総数は4,500万戸を超えている。

ウ：正しい。昭和38年に対する昭和43年の空き家数増加率は、103÷52≒1.98より、約98％になる。ほかに増加率が70％を超える年はなく（昭和48年でも70％未満である）、図に示した昭和43年から平成25年までの各調査年で、前回調査年に対する空き家数の増加率が最も大きいのは昭和43年である。

エ：誤り。平成5年から平成25年まで20年間あるので、年間平均で約93万戸増加しているならば、20年間では約1,860万戸増加していることになる。

よって、妥当なものはイとウであるから、正答は**3**である。

正答　3

問題研究

2種類の異なる項目が示された図表であるが、内容としては基本的、一般的である。資料が連続年ではなく5年間隔なので、この点に注意が必要である。

No.186 資料解釈	グラフ	平成28年度

次の図は、大学と民間企業との共同研究実施件数と研究費受入額の推移を示したものである。以下のア～エの記述のうち、正しい内容の記述は2つあるが、その組合せとして正しいのはどれか。

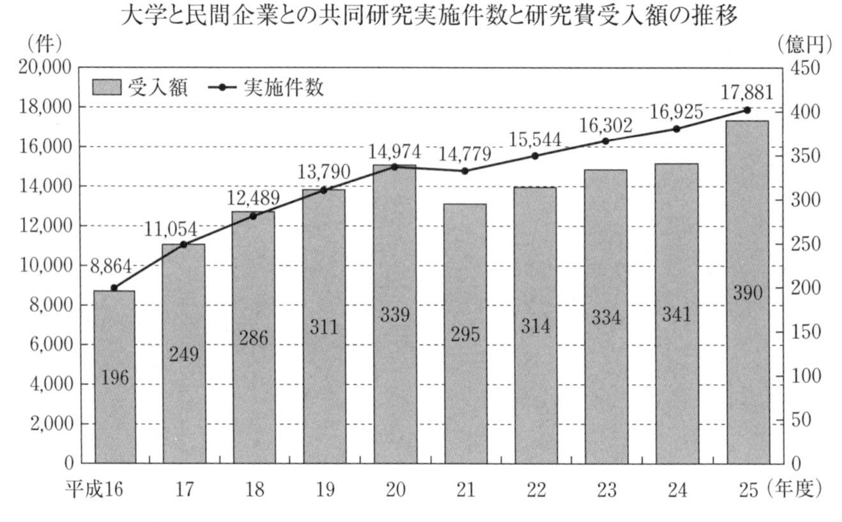

ア　平成25年度の受入額は、平成16年度の受入額の２倍を超えている。

イ　平成16年度から平成25年度までの１年度当たり平均実施件数は、15,000件未満である。

ウ　平成17年度から25年度までのうち、研究費受入額の対前年度増加率が最も大きいのは、平成25年度である。

エ　平成20年度における研究費受入額を100とする指数で表すと、平成21年度における研究費受入額の指数は90を下回っている。

1　ア、イ　　2　ア、ウ　　3　イ、ウ　　4　イ、エ　　5　ウ、エ

解説

ア：誤り。196×2＝392>390であり、２倍に達していない。

イ：正しい。15,000件を基準にすると、15,000件を超えている平成22年度以降について、その超過件数は、544＋1302＋1925＋2881＝6652である。これに対し、15,000件未満の年度についてその不足分を考えると、平成16年度が6,136、平成17年度が3,946であり、この２年度だけで10,000超の不足となる。したがって、全体では平均15,000件未満である。

ウ：誤り。平成25年度の場合、対前年度増加額は49億円であるが、平成17年度における対前年度増加額は53億円である。平成16年度の研究費受入額は平成24年度より少ないのだから、平成17年度の対前年度増加率は平成25年度より大きい。

エ：正しい。339×0.9≒339－34＝305より、平成21年度の指数が90を上回るためには、305億円以上でなければならない。

よって、正しいものはイとエであるから、正答は４である。

正答　4

問題研究

比較的長期間における推移を示した資料ではあるが、各記述の内容はいずれも基本的である。各記述を着実に処理していけばよい。

No.187 資料解釈

帯グラフ

平成26年度

次の図は、地方における歳入決算額の推移について示したものである。この図から確実にいえることとして、正しいのはどれか。

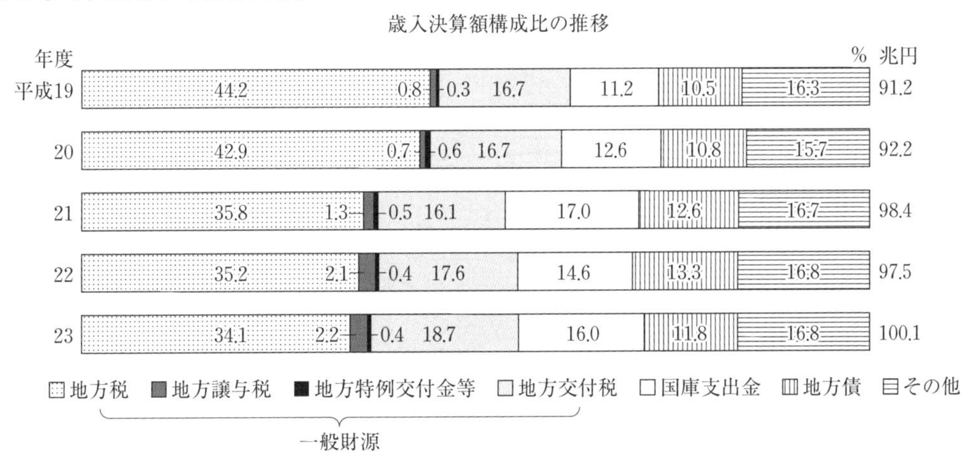

1　平成19年度から23年度までの間で、歳入決算額に占める一般財源の割合が60%を超えているのは平成19年度だけである。

2　平成19年度に対する平成23年度の増加率を見ると、地方交付税は約11%である。

3　平成23年度の地方税は、平成20年度に比べて約21%減少している。

4　平成19年度から23年度までのいずれの年度においても、地方特例交付金等の額は5,000億円未満である。

5　平成23年度における地方交付税の対前年度増加率は、全歳入決算額の対前年度増加率を上回っている。

解説

1．42.9＋0.7＋0.6＋16.7＝60.9〔%〕より、平成20年度も60%を超えている。

2．18.7÷16.7≒1.12 より、地方交付税が歳入決算額に占める構成比の数値だけで、平成23年度は19年度の約1.12倍となっている。全歳入決算額は、100.1÷91.2≒1.10 より、約1.1倍となっているので、19年度に対する23年度の地方交付税増加率は、1.12×1.10≒1.23 より、約23%である。

3．34.1÷42.9≒0.79 より、平成23年度における地方税構成比の数値は20年度の約0.79倍である。全歳入決算額は、100.1÷92.2≒1.09 より、約1.09倍となっているので、23年度の地方税を20年度と比較すると、0.79×1.09≒0.86 より、約86%であり、約14%の減少である。

4．平成20年度の場合、92.2×0.006≒0.55 より、約5,500億円で、5,000億円を超えている。

5．正しい。平成23年度の全歳入決算額は22年度に対して増加しているが、地方交付税の構成比も上昇しており、地方交付税の対前年度増加率は全歳入決算額の増加率より大きいというのは正しい。

正答　5

問題研究

内容も難易度も標準的。割合・構成比の資料に全体の実数値（総額）が与えられている場合には、総額と構成比の関係から、各項目に関する変化を的確に読み取ることが必要である。

PART 3 過去問を解いてみよう！

No.188 資料解釈

グラフ

平成22年度

下のグラフは、「片親（父または母）と子」「夫婦のみ」「夫婦と子」のそれぞれの世帯数の推移を、2000年を100とする指数で示したものである（2010年以降は予測）。このグラフから確実に読み取れる内容として、次のア～ウの記述の正誤を正しく組み合わせたものはどれか。

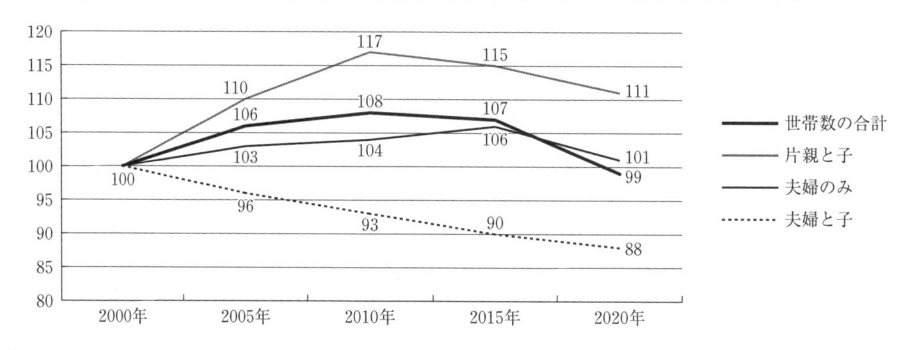

ア 「夫婦と子」の世帯数に関して、2020年における世帯数を、2005年を基準（＝100）とする指数で表すと、88より大きくなる。

イ 「片親と子」および「夫婦と子」世帯数の和が「世帯数の合計」に占める割合を、2010年と2015年で比較すると、2015年は2010年より小さくなっている。

ウ 2020年において、「片親と子」「夫婦のみ」「夫婦と子」の世帯数を比較すると、最も多いのは「片親と子」である。

	ア	イ	ウ
1	正	誤	誤
2	正	誤	正
3	正	正	誤
4	誤	正	誤
5	誤	正	正

解説

ア：正しい。2020年における「夫婦と子」の世帯数を、2005年を基準（＝100）とする指数で表すと、$\frac{88}{96}\times 100 \fallingdotseq 91.7$である。

イ：正しい。2015年と2010年を比較すると、2015年は「世帯数の合計」が減少して「夫婦のみ」の世帯数は増加しているので、「夫婦のみ」の世帯数が「世帯数の合計」に占める割合は大きくなっている。したがって、2015年における「片親と子」および「夫婦と子」世帯数の和が「世帯数の合計」に占める割合は、2010年より小さくなっている。

ウ：誤り。この資料ではそれぞれの項目ごとの指数値しか示されていないので、異なる項目間での世帯数の比較をすることはできない。

よって、アは正、イは正、ウは誤であるから、正答は3である。

正答 3

問題研究

資料解釈の指数を扱った問題では、まず実数が出ているかどうかを確認しよう。これによって、記述ウのように、資料から読み取れない選択肢を誤りと判断することができる。

PART 4

7年度
予想問題

過去5年間の出題傾向をもとに、7年度試験で出題されそうな問題を掲載した。実力をチェックするとともに、実戦でのペース配分や解答順などをつかんでほしい。

【No. 1】 各国の政治制度に関する次の記述のうち、妥当なものはどれか。

1　アメリカの大統領は、有権者の直接選挙によって選出されるが、同国の主要政党である民主党か共和党のいずれかの指名を受けない限り、当選は困難である。

2　イギリスの首相は、上院において多数を占める政党の代表が就任する慣例が成立しており、2024年に行われた総選挙では、労働党が勝利したことに伴い14年ぶりに同党によるスターマー内閣が成立した。

3　フランスの大統領は、国民の直接選挙によって選出されるため、大統領と国民議会の多数派が選出する首相の所属政党が異なるコアビタシオンと呼ばれる状況が見られた。

4　ドイツの政治体制は、大統領と首相が併存する体制であるが、強力な権限が大統領に集中しており、首相の権限の多くは儀礼的なものにとどまる。

5　イタリアでは、戦後、穏健な路線を掲げる2つの有力な政党が交互に政権を担当する体制が長く続いたため、同国の政党制は典型的な二大政党制に分類される。

【No. 2】 憲法13条の幸福追求権に関する次の記述ア～オのうち、判例に照らし、妥当なものの組合せはどれか。

ア　個人の私生活上の自由の一つとして、何人も、その承諾なしに、みだりにその容ぼう・姿態を撮影されない自由を有するものではない。

イ　前科および犯罪経歴（前科等）は人の名誉、信用にかかわる事項ではあるが、前科等のある者が、これをみだりに公開されないという法律上の保護に値する利益を有するものではない。

ウ　患者が、輸血を受けることは自己の宗教上の信念に反するとして、輸血を伴う医療行為を拒否するとの明確な意思を有している場合でも、このような意思決定をする権利は、人格権の一内容として尊重されるものではない。

エ　トランスジェンダーが戸籍上の性別を変えるのに生殖能力を失わせる手術を必要とする性同一性障害特例法の要件は、当該規定による身体への侵襲を受けない自由への制約が、必要かつ合理的なものとはいえないので、憲法13条に違反する。

オ　特定の疾病や障害を有する者などを対象者とする不妊手術について定めた旧優生保護法により不妊手術を受けることを強制することは、自己の意思に反して身体への侵襲を受けない自由に対する重大な制約に当たるから、憲法13条に違反する。

1　ア、イ
2　ア、ウ
3　イ、オ
4　ウ、エ
5　エ、オ

【No. 3】 裁判所に関する次の記述のうち、妥当なものはどれか。ただし、争いがあるものは、判例の見解による。

1 特別裁判所は、設置することができず、また、行政機関は、前審として裁判を行うことができない。

2 最高裁判所は、訴訟に関する手続き、弁護士、裁判所の内部規律および司法事務処理に関する事項について、規則を定める権限を有し、下級裁判所に関する規則を定める権限を、下級裁判所に委任することはできない。

3 裁判所が、裁判官の全員一致で、公の秩序または善良の風俗を害するおそれがあると決した場合には、判決は、公開しないで行うことができるが、政治犯罪、出版に関する犯罪またはこの憲法第3章で保障する国民の権利が問題となっている事件の判決は、常に公開しなければならない。

4 裁判所は、具体的な争訟事件が提起されないのに将来を予想して憲法およびその他の法律命令等の解釈に対し存在する疑義論争に関し、抽象的な判断を下す権限を行いうるものではない。

5 安全保障条約は、主権国としての我が国の存立の基礎に極めて重大な関係を持つ高度の政治性を有するものであって、その内容が違憲か否かの法的判断は、内閣および国会の高度の政治的ないし自由裁量的判断に任されており、裁判所の審査権の範囲外のものである。

【No. 4】 為替レート（外国為替相場）に関する次の文中の空欄ア～オに当てはまる語句の組合せとして、妥当なものはどれか。

為替レートの決定については大きく2つの考え方がある。1つは、自国と外国との物価水準の差が調整されるように為替レートが決定されるとするものであり、（　ア　）と呼ばれる。これは長期的な為替レートの水準を決定する理論であるとされる。もう1つは、自国と外国の金利の差を調整するように為替レートが決定されるとするものであり、（　イ　）と呼ばれる。これは短期的な為替レートの水準を決定する理論であるとされる。

近年の我が国の為替レートは、2021年初めにおおむね1ドル105円程度であったものが、2022年春頃から急速な円の（　ウ　）が進み、2024年前半はおおむね1ドル150円台で推移した。

また、近年の我が国の消費者物価（総合）の前年比は、2021年は（　エ　）であり、2022年以降は（　オ　）である。

	ア	イ	ウ	エ	オ
1	購買力平価説	金利平価説	減価	プラス	プラス
2	購買力平価説	金利平価説	減価	マイナス	プラス
3	購買力平価説	金利平価説	増価	マイナス	プラス
4	金利平価説	購買力平価説	増価	プラス	マイナス
5	金利平価説	購買力平価説	増価	マイナス	プラス

【No. 5】 次の図は国民所得決定メカニズムを表したものである〔Y：国民所得、Y_D：総需要、Y_S：総供給〕。これに関する次の説明文中の空欄ア～ウに入る語句の組合せとして、妥当なものはどれか。

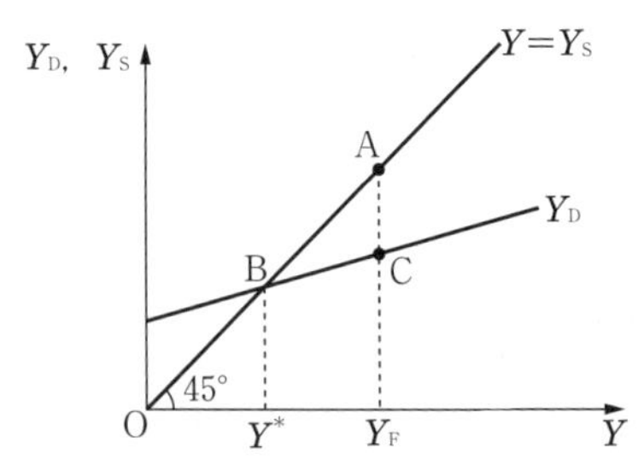

均衡国民所得がY^*、完全雇用国民所得がY_Fで与えられるとき、有効需要の原理の考え方からは、（　ア　）が存在している。その大きさは線分（　イ　）で示され、完全雇用国民所得を達成するためには（　ウ　）を行う必要がある。

	ア	イ	ウ
1	インフレ・ギャップ	AC	拡張的財政政策
2	インフレ・ギャップ	Y^*Y_F	緊縮的財政政策
3	デフレ・ギャップ	AC	拡張的財政政策
4	デフレ・ギャップ	Y_FY^*	拡張的財政政策
5	デフレ・ギャップ	AC	緊縮的財政政策

【No. 6】 環境問題に関する次の記述のうち、妥当なものはどれか。

1　2023年9月に開催された気候野心サミットは日本などの主導によって開催されたものだが、それに先立つ2019年の国連気候行動サミットでは、参加国は温室効果ガス排出量について、2050年までにゼロエミッションを達成するための具体案を持ち寄ることを求められた。

2　マイクロプラスチックによる海洋汚染や海の生態系への悪影響を背景に、2018年のG7シャルルボワサミットにおいて「海洋プラスチック憲章」が採択され、各国がプラスチックごみの排出を抑制するために協力することについて合意された。

3　国際捕鯨委員会は、海の生態系を守るため、1982年に商業目的の捕鯨を一時禁止することを決定し、日本も1988年以降調査捕鯨を除く捕鯨を中断したが、同委員会が禁止を解除したことを受け、2019年から全面的に再開した。

4　2018年に日本政府が打ち出した気候変動適応計画において、温暖化に伴う熱中症や感染症のリスクへの対応が提唱される一方、温暖化を容認することにつながりかねないとの立場から、農林水産業分野における対策については盛り込まれなかった。

5　環境省が作成するレッドリストによれば、日本における絶滅危惧種に指定される種の数は減少傾向にあり、それを受け、「特定第二種国内希少野生動植物種」の制度は廃止された。

【No. 7】 日本の社会保障に関する記述のうち、妥当なものはどれか。

1　2000年の発足以来、介護保険制度の65歳以上被保険者数は、サービス利用者数の増加を上回るペースで増え続けた。

2　2016年に改正された年金改革法により、賃金が物価より低下する場合、賃金低下に合わせて年金額を減額する制度が導入されることになった。

3　2018年に改正された生活困窮者自立支援法により、就労準備支援事業や家計改善支援事業は、国が主体となって進めることが定められた。

4　2019年に健康保険法が改正されたことに伴い、健康保険などの被用者保険の被扶養者の要件のうち、居住地に関する規定が撤廃された。

5　2018年に障害者総合支援法が改正されたことにより、障害福祉サービスを利用していた障害者は、本人が希望すれば、65歳以降も継続して同サービスを受けられることになった。

【No. 8】 地形に関する次の記述のうち、妥当なもののみをすべて挙げているのはどれか。

ア　地下水や雨水が石灰岩を溶食することによって形成された地形をカルスト地形という。このような石灰岩地域では、地表にドリーネと呼ばれる小さな凹地、地下に鍾乳洞ができる。日本では秋吉台や平尾台などで見られる。

イ　氾濫原を流れる河川は蛇行することが多く、洪水の際に河道からあふれた土砂が河川に沿って堆積し、河岸段丘と呼ばれる微高地を形成する。また、その背後は水はけのよい後背湿地となる。石狩川や阿賀野川など多くの河川で見られる。

ウ　近くの海岸が沿岸流に侵食されて生じた砂礫などが運ばれて堆積すると砂浜や砂州ができる。砂州によって閉じられた入り江をトンボロという。野付崎や函館などで見られる。

エ　氷河によって削り取られた岩くずが下流に運搬され、氷河の末端部や側方などに堤防状に堆積した砂礫の丘をモレーンという。北ヨーロッパや北アメリカ北部などで見られる。

1　ア、イ
2　ア、ウ
3　ア、エ
4　イ、ウ
5　ウ、エ

【No. 9】 世界の主な島に関する次の記述のうち、妥当なものはどれか。

1　ミンダナオ島は、面積ではフィリピン第二の島である。環太平洋造山帯とアルプス・ヒマラヤ造山帯が会合する所に位置している。この島はフィリピン海プレートがユーラシアプレートに沈んで形成されたフィリピン海溝に沿った弧状列島である。

2　ニュージーランド島は、北島と南島からなり、環太平洋造山帯の一部をなしている。太平洋プレートとインド・オーストラリアプレートの広がる境界に位置している。

3　アイスランド島は、広がる境界でできた大西洋中央海嶺が地上に現れたものである。火山活動で氷河が解けて洪水になったり、噴火で航空機の飛行に障害が起こったことがある。

4　マダガスカル島は、アフリカ沖にある面積が世界第4位の島である。アフリカプレートと南極プレートの広がる境界にあり、火山や地震活動が活発である。

5　キューバ島は、南アメリカプレートと北アメリカプレートの広がる境界に位置している。同じような地体構造のハイチ（イスパニョーラ島）で2010年に大地震が起こった。

【No. 10】 19世紀後半から20世紀初頭にかけてのヨーロッパ列強の対外政策に関する次の記述のうち、妥当なものはどれか。

1　アフリカ縦断政策をとるフランスは、横断政策をとるイギリスとスーダンのファショダで衝突した。

2　アフリカ進出に遅れたドイツは、二度のモロッコ事件を起こし、モロッコを保護国とした。

3　アメリカは、アメリカ＝スペイン戦争（米西戦争）に勝って、キューバを植民地とした。

4　イギリスは、東アジアにおけるロシアの進出に対抗するため日英同盟を結び、これまでの「光栄ある孤立」政策を放棄した。

5　バルカン半島では、オーストリアが、トルコの支配下にあるスラヴ民族の独立を支援する汎スラヴ主義を唱えてバルカン半島に勢力を拡大した。

【No. 11】 20世紀のアラブ世界に関する次の記述のうち、妥当なものはどれか。

1　第一次世界大戦で戦勝国となったトルコでは、軍司令官として大戦の勝利に貢献したムスタファ・ケマルがトルコ共和国を樹立して大統領となり、太陽暦の採用や女性参政権の実施などの近代化を推進した。

2　パレスティナ地方では、第一次世界大戦中、イギリスがフセイン=マクマホン協定によってユダヤ人のパレスティナ復帰運動を援助した。

3　アラビア半島では、イギリスの援助でイブン=サウードが独立して、半島の大部分を統一してサウジアラビア王国を建てた。

4　第二次世界大戦後のパレスティナでは、国際連合によってユダヤ人国家の建設が否定されると、ユダヤ人はこれに反発して、米ソの支援を受けてイスラエルを建国した。

5　第四次中東戦争が起こると、アラブ石油輸出国機構（OAPEC）は、イスラエルを支援する国に対して原油価格の大幅引上げを決定して対抗したが、イスラエルはシナイ半島・ゴラン高原を占領した。

【No. 12】 江戸時代の対外関係に関する次の記述のうち、妥当なものはどれか。

1　朝鮮とは、幕府が朝鮮と結んだ己酉約条で、対馬藩主の宗氏の朝鮮貿易の独占を両国が互いに認め、釜山に倭館を設置して交易が行われた。

2　琉球王国は、事実上、島津氏の軍に征服されてその支配下に置かれたが、一方で独立した王国として清の冊封を受け、朝貢貿易を継続させた。

3　蝦夷地については、1604年、徳川家康がこれまで松前氏が行っていたアイヌとの交易独占権を取り上げ、アイヌとの交易は内地商人の請負制とした。

4　オランダは、バタヴィアの東インド会社の支店として長崎の出島に商館を開き、毎年１回、江戸参府を行い、オランダ国王からの国書を将軍に奉呈した。

5　中国で明清交代の混乱が終息すると、長崎に来航する中国船が年々増加し、これまで居住していた唐人屋敷が手狭になったので、長崎の町中での雑居を認めるようになった。

【No. 13】 日本の土地制度や農業に関する記述として、妥当なものはどれか。

1　班田収授法では、男子だけに口分田が支給された。民衆の税負担は田地にかかる租だけでなく、調・庸・雑徭などがあり、男子だけが負担した。

2　平安時代には開発領主が自ら開発した土地を中央の貴族や寺社などに寄進して、彼らを領主と仰いで、自らは在庁官人となって税の負担を逃れようとした。

3　豊臣秀吉は、新しく獲得した土地に一定の基準で検地を実施し、田畑を直接耕作している農民を検地帳に登録して、彼らを年貢負担者とした。

4　江戸時代の初めには米の増産が図られたが、商品作物の栽培などは制限されたため、江戸時代を通じて農業生産は停滞した。

5　明治政府は、積極的に地主･小作関係を解消して自作農を創設する改革を行った。その結果、小作農はほとんどいなくなり、農家の大半は自作農となった。

【No. 14】 西洋近現代の思想に関する次の記述のうち、思想家とその説明の組合せが妥当なものはどれか。

1　経験論に対置される合理論の祖といわれるフランスの哲学者。普遍的な真理を前提に、経験によらず、論理的な推理から結論を導き出す演繹法を真理探究の方法とした。「われ思う、ゆえにわれあり」が彼の哲学の根本原理で、主著に『方法序説』がある。――カント

2　合理論と経験論を批判的に総合する批判哲学を樹立したドイツの哲学者。ドイツ観念論を創始した。国際社会にも道徳法則を適用し、著書『永久平和のために』の中で、国際法の制定や国際平和機関の設置を永久平和の条件として主張した。――デカルト

3　ベンサムの功利主義に感銘を受けその普及に努めたが、思想的転換を果たし、ベンサム流の量的な快楽計算を否定し、快楽に質的な差異を認めて質的功利主義を説いた。「満足した豚であるより不満足な人間のほうがよい」の言葉は有名である。主著に『功利主義』がある。――サルトル

4　現代フランスの無神論的実存主義を代表する哲学者・作家。彼の言葉「実存は本質に先立つ」は、人間はまず先に実存して、後から自覚的に自分の本質を作り上げていく自由な存在であるという意味である。彼が使用した「アンガージュマン」という用語は「社会参加」という意味で、政治・社会問題にも積極的に関与した。主著に『嘔吐』『存在と無』などがある。――J.S.ミル

5　現代フランスの社会人類学者で構造主義の創始者といわれる。社会人類学の構造分析の手法を用いて未開社会の親族組織や神話を研究し、表面的な社会現象の背後にある無意識的な構造を解明した。主著に『野生の思考』『悲しき熱帯』などがある。――レヴィ・ストロース

【No. 15】 放物線 $C: y=x^2$ 上を動く点Pと定点A（3、3）に対して、線分APの中点Qの軌跡として、正しいものはどれか。

1　$y=2x-1$

2　$y=2x^2-3$

3　$y=2x^2+6x+6$

4　$y=2x^2-6x+6$

5　$y=3x^2-6x+2$

【No. 16】 下図のように、長さが80cmの野球のバットの端をそれぞれA端とB端とする。A端を地面に着けたまま、B端に鉛直上向きの力を加えて少し持ち上げるには、3.75Nの力が必要であった。また、B端を地面に着けたまま、A端を同様に少し持ち上げるには、2.25Nの力が必要であった。このとき、バットに働く重力と、A端からバットの重心までの距離の組合せとして、妥当なものはどれか。

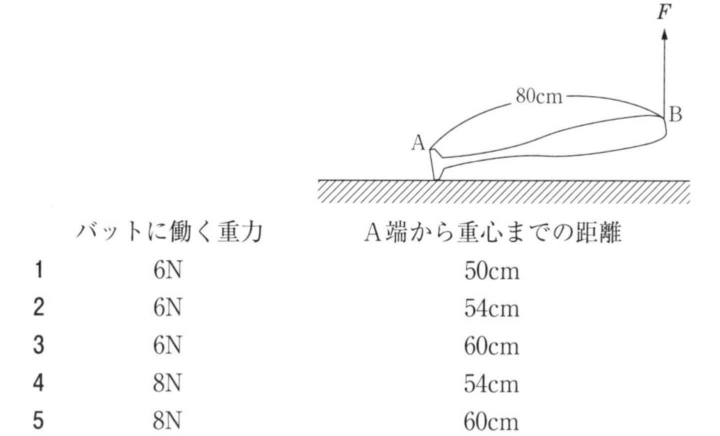

	バットに働く重力	A端から重心までの距離
1	6N	50cm
2	6N	54cm
3	6N	60cm
4	8N	54cm
5	8N	60cm

【No. 17】 酸化と還元に関する次の記述のうち、妥当なものはどれか。

1 酸化とは、酸素や水素と化合したり、電子をもらう反応で、特定の原子の酸化数が増加する反応をいう。還元とは、その逆の反応のことである。

2 酸化剤とは、過酸化水素や硝酸などのように相手の物質を酸化し、自らは還元される物質のことである。過酸化水素や硝酸などの酸化剤は、どの物質に対しても常に酸化剤として働く。

3 イオン化傾向の大きな金属は酸化されにくい。その代表例である金や白金は、自然界ではほとんど変化しない。その美しい光沢をいつまでも保つことから、貴金属と呼ばれている。

4 ボルタ電池は、亜鉛板と銅板を希硫酸に浸し、両金属板を導線でつないだものである。亜鉛板では、亜鉛が溶け出し電子を放出する。その電子が導線を通って銅板に移動して、銅板上で希硫酸中の水素イオンと反応して水素を発生する。

5 塩化銅(Ⅱ)水溶液の電気分解では、陽極で銅イオンが電子をもらう酸化反応が起こり、銅が析出する。陰極では、塩化物イオンが電子を放出する還元反応が起こり、塩素ガスが発生する。

【No. 18】 呼吸に関する次の記述のうち、妥当なもののみをすべて挙げているのはどれか。

ア　呼吸とは、生命活動に必要なエネルギーを手に入れることで、呼吸基質から取り出されたエネルギーはADPとなる。

イ　嫌気呼吸では、酸素を使わずにエネルギーを手に入れることができ、酵母菌や乳酸菌が活動する際に利用される。

ウ　好気呼吸は、解糖系、カルビン・ベンソン回路、電子伝達系の3つの反応からなり、多くのATPが生じる。

エ　好気呼吸の電子伝達系では多くのATPが作られ、グルコース1分子当たり、34分子のATPが生じる。

オ　ミトコンドリアで行われるのは解糖系の反応で、これは筋肉などで無酸素状態で行われる反応と同じである。

1　ア、イ
2　イ、ウ
3　イ、エ
4　ウ、オ
5　エ、オ

【No. 19】 セキツイ動物のホルモンとその働きに関する次の記述のうち、妥当なものはどれか。

1　水を飲んで体内の水分量が多くなると、脳下垂体前葉から分泌されるバソプレシンの量が減少する。

2　副腎髄質は交感神経の支配を受けており、ここから分泌されるアドレナリンは、肝臓に貯えられたグリコーゲンをブドウ糖に分解するのを促進する。

3　副腎皮質から分泌される糖質コルチコイドは、じん臓の細尿管におけるナトリウムの再吸収を促進する。

4　ニワトリの精巣を両側とも手術で取り除くと、とさかが次第に小さくなった。このニワトリに成長ホルモンを注射し続けると、とさかが再び大きくなっていった。

5　すい臓から分泌されるグルカゴンは、肝臓でのグリコーゲンの合成を促進し、同じすい臓から分泌されるインスリンとは反対の働きを持つ。

【No. 20】 地震に関する次の記述中の空欄ア～オに入る語の組合せとして、妥当なものはどれか。

震源を出発した地震波は、ある震央距離以上の地点では、それ以前の地点に比べて早く到着するようになる。これは、地殻から（　ア　）を通過し、さらに観測地点まで伝わってきた地震波が先に到着するためである。また、（　ア　）からさらに深部の（　イ　）を伝わるのは（　ウ　）波のみである。

地震の放出エネルギーは、マグニチュードとして測定されるが、この値が1大きくなると放出エネルギーは約（　エ　）倍となる。地震の被害は、地盤中に水分が多いほうが（　オ　）なる傾向がある。

	ア	イ	ウ	エ	オ
1	マントル	外核	P	10	大きく
2	外殻	内核	S	10	小さく
3	マントル	外核	S	10	小さく
4	外殻	内核	S	32	大きく
5	マントル	外核	P	32	大きく

【No. 21】 次の文章の要旨として、最も妥当なものはどれか。

そもそも「信じる」とはどのような心の作用なのであろうか。単純に言えば、「信じる」とは、「不確かなこと」に対して、「こうであると想定すること」である。あくまで「想定」だから「確定」（ましてや「決定」）ではない。ところが、あたかも「確定した」かのごとく思い込んでしまうのが「信じる」という行為と言える。

むろん、信じるのは何らかの情報があってのことで、それには他から（例えば、テレビ、本、先生や知人など）の情報か、自らの体験で判断した情報か、の二種類がある。前者から形作られる信念を「情報的信念」と言い、第三者の確認がとれるという意味で「基本的信念」とも呼ばれる。情報的信念においては、付和雷同するとか、そのまま鵜呑(うの)みにするとかのように、検証作用抜きで誤った信念を持つこともあるのだが、情報源を調べることにより客観的に修正することが可能である。一方、後者の自らの体験に根ざした信念は「推論的信念」と言い、本人の心理作用が大きく影響するので「高次元信念」とも呼ばれている。当人がそうであると主張する限り検証できず、以下に述べるように認知上のエラーがつきものだが、なかなか修正することが困難である。基本的に「信じる」という行為の危うさはここに発すると言える。

1 「情報的信念」は、第三者から間接的に得られる情報に基づく信念で、自分の体験から直接得られる「推論的信念」より確実性が低い。

2 「基本的信念」のほうが「高次元信念」より、情報源を調べることにより修正可能という意味で、信頼性が高い。

3 「推論的信念」も、自らの体験で判断した情報という意味で、「情報的信念」に含まれる。

4 「基本的信念」は、自分以外の情報源から得た情報に基づく信念であるが、「高次元信念」は、自らの体験に基づく信念であるため、修正が難しく「信じる」という行為の危うさがある。

5 「推論的信念」は、いかなる情報にも基づかず、もっぱら自らの体験に根差した信念で、なかなか修正が困難で危ういものがある。

【No. 22】 次の文章の要旨として、最も妥当なものはどれか。

植民地支配からグローバル資本の支配にいたるまでの近代のさまざまな企図（プロジェクト）は、世界を「文明化された先進地域」と「野蛮な低開発地域」に分割し、啓蒙と開発という使命のもとに、欧米諸国を征服へと駆り立ててきました。この過程で、地球上のあらゆる地域は、近代世界という一つのシステムに組み込まれることになったのです。

近代がグローバルな空間であるということは、バラバラであった地域が相互に結びついて統合化されたということではありません。組み込まれてきた一つの空間のなかに、政治的、文化的、あるいは社会的な境界が引かれて、差異が明確な形で示される過程でもありました。その最終的な形が国民国家です。植民地という形態も、きわめて作為的に形成された一つの国民国家形成です。国民国家形成は、一定の領域を単位として、差異を構成することによって、境界を固定化してきたのです。

差異によって作りだされた単位は、平面上に等しく配列されたのではなく、ある地域の中心化と他の地域の辺境化、人種や性による秩序などの、ピラミッド型のヒエラルヒーのなかに配置されたのです。近代世界は、グローバルな体制として成立しながらも、世界的な規模での相互の結びつきの過程で、さまざまな境界によって分断され、序列化されてきたのです。

1　近代世界は、グローバル化の過程の中で、バラバラであった諸地域を、国民国家形成という名の下に結びつけて統合化し、ヒエラルヒーの下、序列化していった。

2　グローバルな近代世界では、ある地域は中心とし、他の地域は辺境といったようなピラミッド型のヒエラルヒーの下に、国民国家間の国境が形成されてきた。

3　近代世界は、グローバルな空間の中で、もっぱら欧米諸国に対するその植民地という序列を形成することで、成立してきた。

4　グローバルな空間の中に境界が引かれ、差異によって作り出された単位は、ヒエラルヒーの中に置かれ、近代世界は序列化されてきた。

5　グローバルな世界においては、植民地という形態の国民国家は、作為的に形成されたものであり、根拠を持たない。

【No. 23】 次の文章の内容に合致するものとして、最も妥当なものはどれか。

まず、自然についていえば、もともと大和言葉には漢語の〈自然〉や英語の〈ネーチュア〉に相当することばがなく、自然は〈じねん〉と読まれて〈おのずからそうであること〉を意味していた。だから、それは、もっぱら形容詞的あるいは副詞的に使われて、実体化も対象化もされないできたという事情がある。したがって、近代的な科学・技術を使って処理し、操作したのは、日本人の意識のうちでは部分としての物あるいは物体ではあっても、自然ではなかったと言っていいのではなかろうか。ここで物体とは、操作的な観点から捉えられた事象であるが、それ自体が科学・技術的な知の所産にほかならない。

近代科学は十九世紀の後半以来ようやく日本に入ってきて、日本人に〈物体〉という捉え方を教え、深くかつ強く刻み込んだ。これは、一つには、わが国では対象化された自然の考え方が弱かったこと、もう一つには、当時、近代科学が西欧においてもまさに〈科学〉(Fachwissenschaft 個別科学)としていよいよ操作的になっていたこと、と無関係ではない。しかし、そうは言っても、近代科学がもつこのような性格は、十九世紀になってはじめて生じたものではなく、近代科学が成立して以来、可能性としてはじめから含まれていた。それが、つよく自己目的化することによって、とりわけわが国で極端な仕方で現れることになったのである。

1 わが国では、豊かな自然への甘えと科学・技術の自己目的化によって、自然は取り返しのつかないほど破壊されつつある。

2 〈自然〉が〈おのずからそうであること〉を意味していた日本に近代科学によって〈物体〉という考え方がもたらされたことで、科学・技術を使って物体を操作することが極端な形で自己目的化するようになった。

3 日本の科学・技術は、極端なまでに自己目的化し、自然を物体として操作することによって発展してきた。

4 自然を実体化も対象化もせず、〈おのずからそうであること〉と考えてきた日本人にとって、自然を物体として操作することはなじまないことであった。

5 19世紀に日本に入ってきた近代科学は、日本においていよいよ操作的になり、西欧において「個別科学」として発展していった。

【No. 24】 次の英文の要旨として、最も妥当なものはどれか。

The English weather is most notable for its moderation. For 367 days a year the temperature will fluctuate between 4 and 17 degrees centigrade. The average temperature in winter is 6 degrees, in summer it is 14. It rains (lightly) for around 10 minutes two or three times a day. The weather forecasting service's job consists largely of trying to think of different ways to tell people "Today we expect it to be cloudy with a bit of rain and a bit of sunshine."

I exaggerate of course (and thank you to all of those who were thinking of telling me there are fewer than 367 days a year). But I don't exaggerate by much. Deprived of certain visual hints such as blooming flowers or falling leaves, it is often difficult to tell which season it is in England.

The great hallmark of the English weather is how unexceptional it is. Extreme weather —— or even weather that is highly uncomfortable like Tokyo summers or New York winters —— are all but unimaginable.

And yet, the English talk about the weather all the time. It is an incredibly hot summer, they will complain, when they have had 10 consecutive days over 25 degrees. "Look at what it has down to my lawn," they moan. It has been an awful winter, they say, when they endure a couple of weeks near freezing.

1　イギリス人はいつも天気の話ばかりしている、とよくいわれるが、実際にはイギリスの気候は変化に乏しく、天気がそれほど話題に上ることはない。

2　イギリスの気候は１年を通して温暖であり、毎日のように小雨が降ることを除けば、東京やニューヨークよりははるかに住みやすい。

3　実際にはイギリスの天気はほかの国に比べて寒暖の差が少なく過ごしやすいのだが、イギリス人はちょっとした変化をとらえて天気を話題にしたがる。

4　イギリスの気候で特徴的なのは、ほぼ毎日２、３度雨が降ることであり、毎日の天気予報や人々の話題は、今日はいつ雨が降りいつ晴れ間がのぞくかということである。

5　イギリス人はちょっとした気候の変化にも敏感で、特に夏の暑さや冬の寒さを不満に思う人の割合は、ほかの国に比べて圧倒的に高い。

【No. 25】 次の英文の要旨として、最も妥当なものはどれか。

Consider a person learning to play a piece of music on the piano. If he stops learning it when he becomes able to play it through, he'll miss the opportunity to become a good performer of that piece. That is only the beginning of the process of making good music. He needs to keep working on it so that he can express the composer's intentions. The same is true in communication. You may be able to speak English flawlessly in terms of grammar. However, if you can't get your points across, or if you don't convey your feelings—like your good will and your commitment towards common goals— then the conversation may not be counted as a success. Like musicians who use speed and the volume of the sound to accentuate the mood of the music, we also need to use speed and volume to emphasize our points and our feelings.

In general, we need to pronounce verbs more clearly, and with strength. When speaking in Japanese, the verb comes at the end of the sentence, and most Japanese can read your mind through context (who, where, when, and how), so we don't have to make our point (what) very clear. However, in English, you need to say your point first, and you need to speak clearly and sometimes a bit more slowly to emphasize the verb.

Also, when we know there's a disagreement, we tend to speak rather quietly without sustained eye contact. This can create an unintended result: you appear to be less confident about your opinion, and you may appear to be accepting their opinion. And later, when they learn that you are not in agreement with them, they may feel as if they have been tricked. So, we need to convey our positive attitude (I don't agree with your opinion, but I like working with you), and clearly convey our thoughts and feelings through dynamics as well as words.

1 優れた演奏者になるには、正確に弾くだけでなく、作曲者の意図を表現できないといけない。
2 英語でのコミュニケーションにおいては、文法的に間違えていても自分の気持ちを伝えることが第一である。
3 日本人が英語で話すときは、話す速度や声の高低を使い、伝えたいポイントや気持ちを強調する必要がある。
4 日本人は動詞をはっきりと強く発音するため、相手は話し手の気持ちや考えを推測することができる。
5 相手に誤解されないために、言葉だけでなく声の高低を使って、自分の気持ちを伝えなければならない。

【No. 26】 次の英文の要旨として、最も妥当なものはどれか。

Today's fathers do a lot more around the house than their fathers did. They've made tremendous strides in such traditionally female-dominated areas as child care, cooking, and cleaning (handling the diaper, the spatula, the dust rag, the needle and thread more often and more skillfully than their fathers), but apparently they still — on average — do a lot less than mothers do. Studies show that in families in which mothers don't work outside the home, fathers share under 10% of child care and housework. When both parents work outside the home, the statistics stack up a little better (with Dad handling between 20% and 30% of the load), but clearly, in most two-parent homes, moms still shoulder the lioness's share of the work.

There are several reasons why this inequity exists. For one, cultural habit dies hard: Household chores and child care have been considered "women's work" since the beginning of time. During their formative years, most men had paternal role models who didn't make a whole lot of domestic contributions. For another, many men feel fundamentally insecure in these roles — and many women unwittingly feed these feelings by being hypercritical and overly judgmental when Dad does chip in. For still another, while women do tend to complain a lot about their heavy loads, they tend not to do anything about them; instead of sitting down and hammering out a fair division of labor between the spouses, they often suffer with the status quo.

1　今日では、父親は家事でも子どもの世話でも積極的に参加することが常識となっている。

2　父親は外で働き、母親は内で家事や子育てをするという伝統的な考えが今でも支配的である。

3　父親の家事や育児への参加は増えているが、さまざまな理由からまだ十分とはいえない段階である。

4　父親に家事や育児へ参加させるためには、母親が父親をおだてる必要がある。

5　家事や育児が母親の仕事であるという固定観念は、女性の社会進出を阻むものである。

【No. 27】 次の英文の要旨として、最も妥当なものはどれか。

Washington's Birthday, also known unofficially as Presidents' Day, is a federal holiday. Falling on the third Monday in February, it celebrates the birth of George Washington, the first president of the United States. All government offices and schools, and most corporations, are closed for Washington's Birthday.

The United States Congress first voted to make Washington's Birthday a holiday in 1879, and the holiday was first observed in 1885. The holiday was originally celebrated on February 22, George Washington's actual birthday, but in 1971, it was legally changed to the third Monday in February in order to give employees a long weekend. It was also changed to this date because at the time, some members of U.S. Congress wanted the holiday not to honor just one president (Washington), but the role of the presidency in general. Because of this, they chose a day that would fall between George Washington's birthday (February 22) and Abraham Lincoln's birthday (February 12).

Although the date of the holiday was officially changed, the attempt to honor all presidents was never officially accepted, so the holiday technically remains Washington's Birthday.

However, U.S. businesses have taken advantage of the idea of "Presidents' Day" to promote sales of their products. There are many "Presidents' Day" sales across the nation, especially at department stores and car dealers.

Whether it is called Washington's Birthday or Presidents' Day, the spirit of the holiday is focused on patriotism, honoring the nation's leaders and the work they do. It is also a time to recognize the men and women who have served in the U.S. military. Many cities host Presidents'Day parades and community events. The biggest celebration of Washington's Birthday, however, happens in Alexandria, Virginia, the town where George Washington was born.

1　ワシントンの誕生日の２月22日は、1879年から「大統領の日」だったが、現在では連邦祝日に変わっている。

2　ワシントンの誕生日とリンカーンの誕生日の中間である２月の第３月曜日は、公式に大統領の日とされている。

3　「大統領の日」には、企業のセールが行われたり、大統領の仕事をたたえるパレードや行事が主催されたりしている。

4　２月の第３月曜日はワシントンの誕生を祝う日であるとともに、国の指導者をたたえる大統領の日でもある。

5　ワシントンの誕生を祝う日は、1971年、誕生日の２月22日から２月の第３月曜日へと公式に変更された。

【No. 28】 ある英会話学校には、AからDまで4コースの講座があり、受講者は1つ以上の任意の講座を選択して受講することができるようになっている。受講者の受講状況については、次のア～エのことがわかっている。このとき、確実にいえるものはどれか。

ア　Aコースと Bコースの両方を受講している者はいない。

イ　Bコースと Cコースの両方を受講している者がいる。

ウ　Aコースを受講していない者は、Dコースも受講していない。

エ　Cコースと Dコースの両方を受講している者がいる。

1　3種類の講座を受講している者は、Bコースを受講していない。

2　Bコースと Dコースの両方を受講している者がいる。

3　2種類以上の講座を受講している者は Aコースを受講していない。

4　Dコースのみを受講している者がいる。

5　Aコースを受講していない者は、Cコースを受講している。

【No. 29】 箱の中に、赤色、白色、青色の球がそれぞれ2個ずつ、計6個入っており、各色とも、2個のうちの一方には1、他方には2という数字が書かれている。A、B、C、D、Eの5人がその順番で、箱の中から2個の球を同時に取り出し、そのうちの1個を自分の手元に残し、もう1個は箱に戻すという操作を行った。次のア～オのことがわかっているとき、確実にいえるものはどれか。

ア　Aが取り出した球には、2個とも1という数字が書かれており、箱に戻した玉の色は赤色であった。

イ　Bが自分の手元に残した球の色は、Aが自分の手元に残した球の色と同じであった。

ウ　Cは、青色の球を箱に戻した。

エ　Dが取り出した球は、2個とも赤色であった。

オ　Eが取り出した球には、2個とも2という数字が書かれていた。

1　Aが自分の手元に残したのは、1という数字が書かれた青色の球であった。

2　Bが箱に戻した球は、Aが箱に戻した球と同じであった。

3　Cが自分の手元に残したのは、1という数字が書かれた青色の球であった。

4　Dが箱に戻した球には、Cが自分の手元に残した球と同じ数字が書かれていた。

5　Eが自分の手元に残したのは、2という数字が書かれた白色の球であった。

【No. 30】 8階建てのビルがあり、ある企業がこのビル全体を借りている。この企業は、営業部、企画部、広報部、総務部の4部を置いている。ビルのどの階も1つの部が使用しており、複数の階を使用している部は、連続した階となっている。A～Dの4人は、営業部、企画部、広報部、総務部のいずれかに配属されているが、同じ部に配属されている者はいない。次のア～オのことがわかっているとき、正しいものはどれか。

ア 企画部と広報部はどちらも2つの階を使用し、営業部は3つの階を使用している。

イ 企画部は広報部より上の階を使用している。

ウ Aは営業部に配属されており、7階で勤務している。

エ Bが勤務しているのは4階である。

オ Cは、Dが勤務している階より3つ下の階で勤務している。

1 Cが勤務しているのは1階である。
2 Dが勤務しているのは8階である。
3 Bは総務部に配属されている。
4 Cは広報部に配属されている。
5 Dは企画部に配属されている。

【No. 31】 ある地域に、A村とB村という2つの村が隣接している。A村の住人は常に本当のことを言うが、B村の住人は常にうそを言うことがわかっている。A村とB村で合同の盆踊り大会を開いたところ、どちらの村からも1人以上が参加し、合計で99人が参加した。この99人が1つの輪になって踊っているときに、その全員に対して、「あなたの左隣の人と右隣の人は、同じ村の人ですか（2人ともA村の人か、2人ともB村の人）」と尋ねたところ、全員が「そうです」と答えた。このとき、B村から盆踊り大会に参加した人数として、正しいのはどれか。

1 22人
2 33人
3 44人
4 55人
5 66人

PART 4 7年度予想問題

【No. 32】 1～5の数字が1つずつ書かれた5枚のカードがあり、同じ数字が書かれたカードはない。この5枚のカードを裏返してよく混ぜ、そこからA、Bの2人が2枚ずつ取った。A、Bの2人は、自分の取ったカードに書かれた数字を確認した後、自分の取ったカードから、書かれている数字が大きいほうのカードを相手に見せた。すると、A、Bは2人とも相手が取ったもう1枚のカードの数字が何であるか、確実に判断できたという。このとき、A、Bの2人が取らなかったカードに書かれた数字として、正しいものはどれか。

1　1
2　2
3　3
4　4
5　5

【No. 33】 図1は正方形を縦横に並べたものであり、このうち2枚の正方形の一方にS、他方にGという文字が書かれている。ここで、Sと書かれた正方形からスタートして、縦横いずれかに移動し、すべての正方形を1回ずつ通過してGと書かれた正方形まで進むことを考えると、たとえば、図2のように進むことにより可能である。

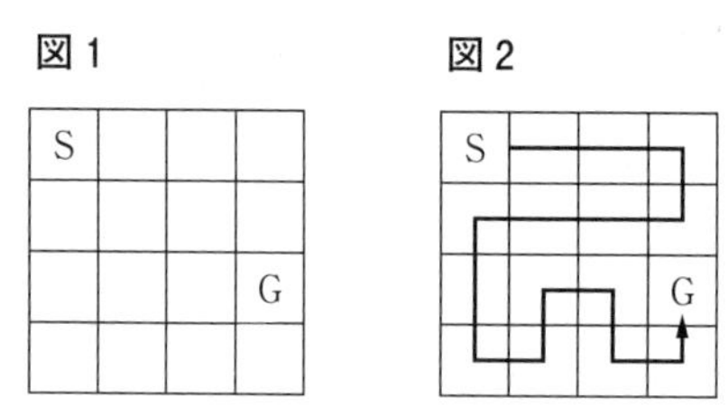

次のうち、Sと書かれた正方形からスタートして縦横いずれかに移動し、すべての正方形を1回ずつ通過して、Gと書かれた正方形まで進むことが可能な図形はどれか。

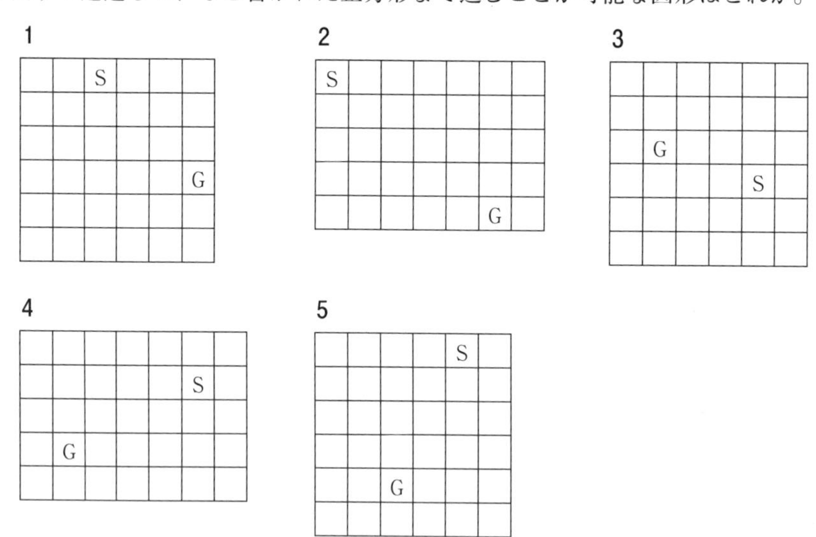

【No. 34】　図は、1辺の長さ1の小立方体を、縦6個、横6個、高さ6段に積み上げて作った大立方体である。この大立方体に対し、底面を含むすべての面に赤い色を塗り、その後、元の小立方体に分解した。分解した小立方体について、赤い色が3面に塗られている小立方体の個数を p 、2面に塗られている小立方体の個数を q、1面だけ塗られている小立方体の個数を r とするとき、$p:q:r$ の値として、正しいものはどれか。

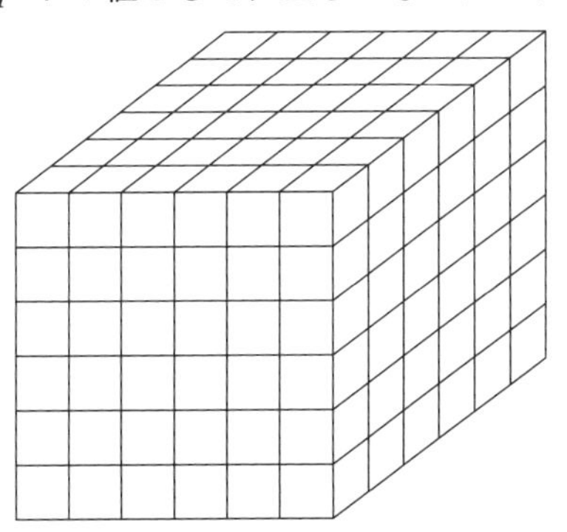

1　$p:q:r=1:5:12$
2　$p:q:r=1:6:12$
3　$p:q:r=2:5:10$
4　$p:q:r=2:5:12$
5　$p:q:r=2:6:15$

【No. 35】　1～6の数字が各面に1つずつ書かれた立方体があり、向かい合う面に書かれた数の和はいずれも7となっている。この立方体を、異なる2方向から見ると図のようになるとき、この立方体の展開図として、正しいものはどれか。

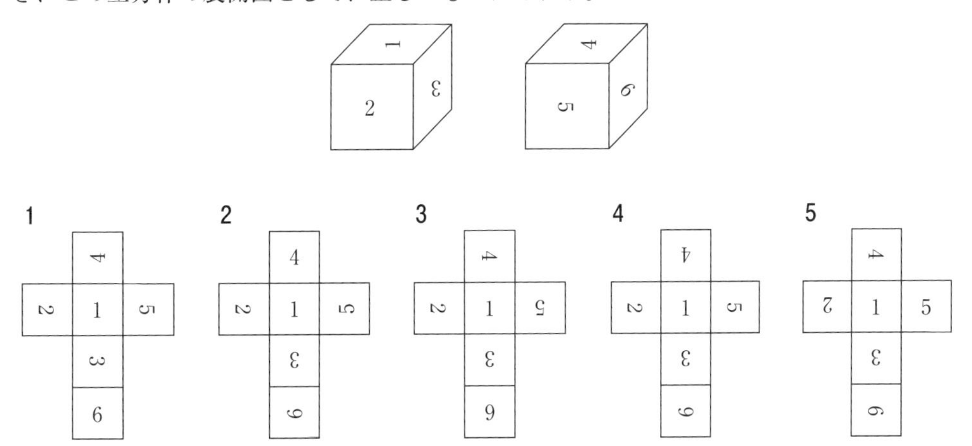

【No. 36】 整数xに7を加えると、11の倍数となる。また、整数xに11を加えると、7の倍数となる。整数xが300以上400未満であるとき、整数xを5で割った余りとして、正しいものはどれか。

1　0
2　1
3　2
4　3
5　4

【No. 37】 川の2地点P、Q間を2隻の船A、Bが運航している。AがP地点を、BがQ地点を同時に出発したところ、出発してから20分後に、Q地点から2,400mの地点でAとBはすれ違った。Bは、Aとすれ違ってから28分後にP地点に到着した。A、Bの静水での速さが等しいとき、川の流れの速さとして、正しいものはどれか。

1　16m/分
2　20m/分
3　24m/分
4　28m/分
5　32m/分

【No. 38】 美術館で絵画の特別展が実施されることになり、開館前から行列ができ始めた。この行列は初めから一定の割合で増え始め、開館後もこの割合は変わらない。入場口が1つだと、行列がなくなるまで1時間40分かかるが、入場口が2つだと、30分で行列がなくなる。この行列ができ始めたのが開館時刻の何分前であるかについて、正しいものはどれか。

1　30分前
2　45分前
3　60分前
4　75分前
5　90分前

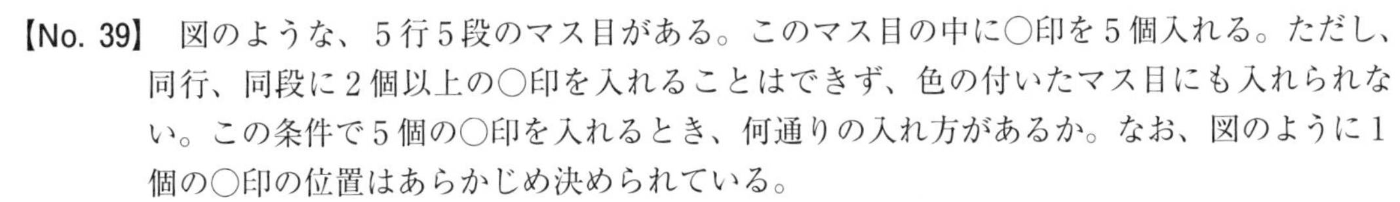
【No. 39】 図のような、5行5段のマス目がある。このマス目の中に○印を5個入れる。ただし、同行、同段に2個以上の○印を入れることはできず、色の付いたマス目にも入れられない。この条件で5個の○印を入れるとき、何通りの入れ方があるか。なお、図のように1個の○印の位置はあらかじめ決められている。

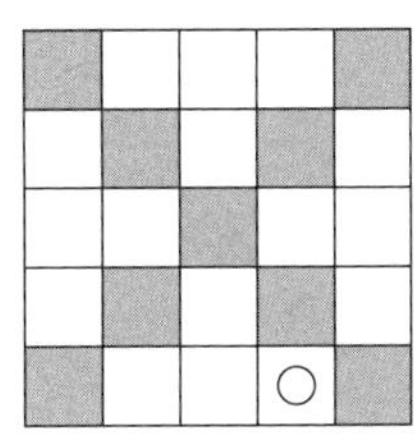

1　4通り
2　6通り
3　8通り
4　10通り
5　12通り

【No. 40】 次の図は、日本の自動車生産台数および世界の自動車生産台数に対する日本の割合について、その推移を示したものである。この図から確実にいえることとして、正しいものはどれか。

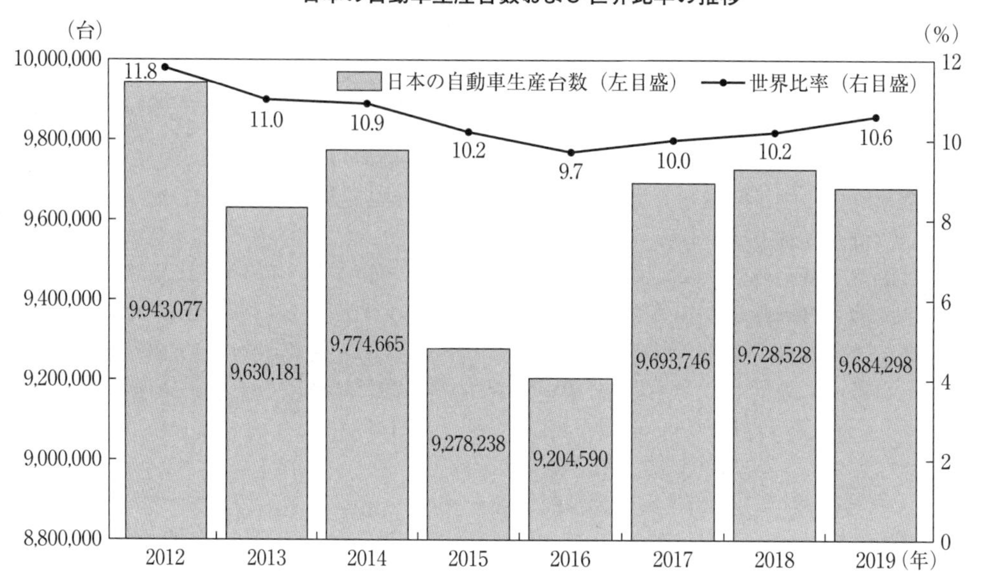

1　2013年から2016年までのいずれの年も、世界の自動車生産台数は前年より減少している。

2　2015年における日本の自動車生産台数は、前年の生産台数より約50％減少している。

3　2017年から2019年までの３か年で見ると、日本の自動車生産台数の１年当たり平均は、970万台を下回っている。

4　2016年における世界の自動車生産台数は、１億台を下回っている。

5　2012年における日本の自動車生産台数を100とする指数で表すと、2016年は90を下回っている。

正答と解説

●正答●

No. 1	3	No.11	3	No.21	4	No.31	5
No. 2	5	No.12	2	No.22	4	No.32	5
No. 3	4	No.13	3	No.23	2	No.33	4
No. 4	2	No.14	5	No.24	3	No.34	2
No. 5	3	No.15	4	No.25	5	No.35	4
No. 6	2	No.16	1	No.26	3	No.36	3
No. 7	2	No.17	4	No.27	4	No.37	3
No. 8	3	No.18	3	No.28	1	No.38	4
No. 9	3	No.19	2	No.29	3	No.39	2
No.10	4	No.20	5	No.30	4	No.40	4

【政治】

No. 1 〔比較政治〕

1．アメリカの大統領は、一般投票で選出された大統領選挙人によって選出されるため、この制度は間接選挙に分類される。なお、民主党か共和党のいずれかの指名を受けなければ、当選は困難である。

2．イギリスの首相は、非公選の上院ではなく、選挙によって選ばれる下院の多数党の党首が国王の任命を受けて就任する慣例が成立している。

3．妥当である。

4．ドイツの政治体制は議院内閣制を柱としており、首相の権限が強く、大統領の権限の多くは儀礼的なものである。

5．イタリアは、二大政党制ではなく、多党制に分類される。

【法律】

No. 2 〔憲法13条の幸福追求権〕

ア：個人の私生活上の自由の一つとして、何人も、その承諾なしに、みだりにその容ぼう・姿態を撮影されない自由を有するとするのが判例である（最大判昭44・12・24）。

イ：前科および犯罪経歴（前科等）は人の名誉、信用に直接にかかわる事項であり、前科等のある者もこれをみだりに公開されないという法律上の保護に値する利益を有するとするのが判例である（最判昭56・4・14）。

ウ：患者が、輸血を受けることは自己の宗教上の信念に反するとして、輸血を伴う医療行為を拒否するとの明確な意思を有している場合、このような意思決定をする権利は、人格権の一内容として尊重されなければならないとするのが判例である（最判平12・2・29）。

エ：妥当である（最大決令5・10・25）。

オ：妥当である（最大判令6・7・3）。

よって、妥当なものはエとオであるから、正答は5である。

No. 3 〔裁判所〕

1．特別裁判所は、これを設置することがで

PART 4 7年度予想問題

きない。また、行政機関は、「終審」として裁判を行うことができない（憲法76条2項）。

2．最高裁判所は、訴訟に関する手続き、弁護士、裁判所の内部規律および司法事務処理に関する事項について、規則を定める権限を有する（憲法77条1項）。また、最高裁判所は、下級裁判所に関する規則を定める権限を、下級裁判所に委任することができる（同条3項）。

3．裁判所が、裁判官の全員一致で、公の秩序または善良の風俗を害するおそれがあると決した場合には、「対審」は、公開しないでこれを行うことができる。ただし、政治犯罪、出版に関する犯罪またはこの憲法第3章で保障する国民の権利が問題となっている事件の「対審」は、常にこれを公開しなければならない（憲法82条2項）。

4．妥当である（最大判昭27・10・8）。

5．安全保障条約は、主権国としての我が国の存立の基礎に極めて重大な関係を持つ高度の政治性を有するものであって、その内容が違憲なりや否やの法的判断は、その条約を締結した内閣およびこれを承認した国会の高度の政治的ないし自由裁量的判断と表裏をなす。それゆえ、純司法的機能をその使命とする司法裁判所の審査には、原則としてなじまない性質のものであり、一見極めて明白に違憲無効であると認められない限りは、裁判所の司法審査権の範囲外のものである（最大判昭34・12・16）。

【経済】

No. 4〔為替レート〕

ア：「購買力平価説」が入る。これは、たとえば、日本で100円のパンが米国では1ドルであるような場合に為替レートが1ドル＝100円となるような状況（一物一価）を拡張して、為替レートを介すれば2国間の物価水準が等しくなるとする考え方である。

イ：「金利平価説」が入る。これは、たとえば、日本で100円の金融資産の収益率が1％であり、米国では1ドルの金融資産の収益率が5％であるような場合に、為替レートは1ドル＝96.2円（1.05ドル＝101円）となるとする考え方である。

ウ：「減価」が入る。たとえば、1ドル105円が1ドル150円になったとすれば、1ドルを持っている人は105円から150円へとより多くの円と交換できる状態になったということである。これは1ドルに対して円が安くなったということであり、円の減価という。

エ：「マイナス」が入る。総務省によると、2021年の消費者物価指数（総合）の前年比は－0.2％とマイナスである。

オ：「プラス」が入る。総務省によると、2022年の消費者物価指数（総合）の前年比は2.5％とプラスを記録した。なお、2023年は3.2％と伸び率が加速した。

よって、正答は**2**である。

No. 5〔完全雇用国民所得〕

本問の図では均衡国民所得 Y^* が完全雇用国民所得 Y_F を下回っている。ケインズの有効需要の原理では、完全雇用国民所得が達成されないのは有効需要の不足が原因であり、この有効需要の不足分をデフレ・ギャップという（ア）。

ここで、現在、C点を通っている総需要 Y_D がA点を通る水準まで上方シフトしたとすると、総需要 Y_D と総供給 Y_S の一致する均衡国民所得 Y^* は完全雇用国民所得 Y_F に等しくなる。したがって、デフレ・ギャップは線分ACに相当する（イ）。

また、総需要 Y_D を上方にシフトさせるには総需要を増加させればよいから、そのような政策としては総需要の一項目である政府支出を拡張する財政政策が挙げられる（ウ）。

よって、正答は**3**である。

【社会】

No. 6〔環境問題〕

1．気候野心サミットに日本は参加していない。なお、国連気候行動サミットにおいて、2050年までにゼロエミッションを達成する具体案を持ち寄ったのは、イギリス、ドイツ、フランスなど77か国であったが、日本、アメリカ、中国などは含まれていない。

2．妥当である。
3．国際捕鯨委員会（IWC）が商業捕鯨の禁止を解除した事実はない。日本は2019年にIWCを脱退し、商業捕鯨を再開した。
4．気候変動適応法に基づく気候変動適応計画では、農林水産分野では気候変動の下で、「生育できる農作物への切り替え」などの方針が示された。
5．絶滅危惧種に指定される種は増加傾向にあり、2018年には「種の保存法」が改正され、「特定第二種国内希少野生動植物種」の制度が新設された。

No. 7〔社会保障〕

1．介護保険制度の発足時と2018年4月を比較すると、65歳以上被保険者数は約1.6倍に増加したが、サービス利用者数はそれを上回る約3.2倍に増加した。
2．妥当である。
3．就労準備支援事業や家計改善支援事業は自治体によって行われる。なお、2024年の改正により、生活保護を受けている世帯の子どもや、経済的に厳しい状況にある単身の高齢者などへの支援を強化する内容が盛り込まれた。
4．健康保険などの被用者保険の被扶養者の要件に、「原則として国内に居住していること」という要件が追加された。
5．制度上、障害福祉サービスの利用者は、65歳以上になると、原則として、介護保険サービスを受けることになる。

【地理】

No. 8〔地形〕

ア：妥当である。石灰岩地域では、地表の溶食が進むと、ドリーネが結合・拡大してやや大きな凹地のウバーレとなり、さらに溶食盆地といわれるポリエになる。石灰岩地域では、セメント工業などが発達した。
イ：洪水の際に河道からあふれた土砂が河川に沿って堆積した微高地を自然堤防という。自然堤防上は集落や畑が立地する。その背後は水はけの悪い後背湿地となり、主に田に利用される。代表例は正しい。
ウ：砂州によって閉じ込められた入り江をラグーン（潟湖）という。ラグーンの代表例はサロマ湖、八郎潟などである。なお、野付崎は砂嘴（さし）（陸から海に突き出た砂州）、函館は陸繋島（トンボロ〈陸繋砂州〉によって陸とつながった島）の代表例である。
エ：妥当である。大陸氷河は岩盤を削り取り、岩くずを下流に運搬し、氷河の末端や側方に三日月型の丘や堤防状のモレーンを形成する。

よって、妥当なものはアとエであるから、正答は**3**である。

No. 9〔世界の主な島〕

1．ミンダナオ島は、環太平洋造山帯に属しているが、アルプス・ヒマラヤ造山帯とは関係ない。プレートに関する記述は正しい。
2．ニュージーランド島は、太平洋プレートとインド・オーストラリアプレートの狭まる境界にある。
3．妥当である。
4．マダガスカル島の面積順位は正しいが、アフリカプレート上にあり、南極プレートとは関係ない。また、火山活動や地震活動はほとんど見られない。
5．キューバ島はカリブプレートと北アメリカプレートのずれる境界に位置し、環太平洋造山帯に属している。ハイチについての記述は正しい。

【世界史】

No.10〔19～20世紀のヨーロッパ列強の対外政策〕

1．英・仏がファショダ事件（1898年）で衝突したのは正しいが、フランスはサハラ砂漠からインド洋へ抜ける横断政策をとり、イギリスはカイロとケープタウンを結ぶ縦断政策をとった。
2．モロッコ事件の結果、モロッコはドイツではなくフランスの保護国となった。モロッコ事件は、英仏協商（1904年）によってモロッコにおけるフランスの支配的地位をイギリスが認めたことに反発して、ドイツが起こした事件である。第一次モロッコ事件（タンジール事件、1905年）、第二次モロッコ事件（アガディール事件、1911年）

PART 4 7年度予想問題

で、いずれもイギリスがフランスを支援したことで、モロッコはフランスの保護国となった（1912年）。

3．アメリカ=スペイン戦争（米西戦争、1898年）の結果、キューバは1902年にキューバ共和国として独立したが、独立するに当たって、外交権の制約や海軍基地建設権など8か条の修正条項（プラット条項）が憲法に付け加えられ、事実上、アメリカの保護国となった。

4．妥当である。日英同盟の締結は1902年。

5．オーストリアが唱えたのは汎ゲルマン主義で、ロシアが唱えたのが汎スラヴ主義である。汎スラヴ主義は、ロシアの南下政策を背景に、19世紀の後半にバルカン半島で盛んに唱えられた。一方、オーストリアは自国内のスラヴ系民族に影響が及ぶのを恐れてロシアと対立した。

No.11〔20世紀のアラブ世界〕

1．トルコは第一次世界大戦では敗戦国である。そのためセーブル条約で、国土を大幅に削減された。これに反発して立ち上がったのが軍司令官のムスタファ・ケマル（後のケマル・アタテュルク、1881～1938年）で、アンカラに大国民議会を組織してイスタンブルのスルタン政府に対抗し、1923年にトルコ共和国を樹立し、さまざまな近代化政策を実施した。

2．イギリスが第一次世界大戦後のパレスティナにユダヤ人の民族的郷土の建設を認めたのはバルフォア宣言である（1917年）。その一方でイギリスは、アラブ人の独立国家建設を認めるフセイン=マクマホン協定を結んでいた（1915年）。

3．妥当である。

4．国際連合の案は、パレスティナをユダヤ人地域とアラブ人地域に分割して、イェルサレムを国際管理下に置くというもので、ユダヤ人はこの分割案を受け入れて、1948年のイギリスの委任統治終了後、米ソの支援を受けて直ちにイスラエルの建国を宣言した。

5．イスラエルがシナイ半島・ゴラン高原を占領したのは第三次中東戦争（六日間戦争、1967年）である。第四次中東戦争（1973年）でアラブ石油輸出国機構（OAPEC）がとったのは、イスラエルを支援する国に対する原油輸出停止や制限で、原油価格の大幅値上げを行ったのは石油輸出国機構（OPEC）である。

【日本史】

No.12〔江戸時代の対外関係〕

1．己酉(きゆう)約条（1609年）は、幕府ではなく対馬藩主宗義智が朝鮮王朝と結んだものである。この条約により釜山に倭館が設置され交易が行われたことは正しい。朝鮮とは1607年に国交が回復し、以後朝鮮からは使節が前後12回来日し、4回目以降は通信使と呼ばれた。

2．妥当である。琉球王国は江戸時代を通じて日清に両属する関係に置かれ、幕府に対しても、国王の代替わりには謝恩使を、将軍の代替わりには慶賀使を派遣した。

3．松前氏は、1604年に徳川家康からアイヌとの交易独占権を保障されて藩制が敷かれた。松前氏の家臣との主従関係は、場所（商場(あきないば)）におけるアイヌとの交易権を知行として与えることで成り立っていた（商場知行制）が、18世紀前半頃までには、場所におけるアイヌとの交易を内地商人に請け負わせて運上を納めさせるようになった（場所請負制）。

4．1633年以来、オランダ商館長は定期的に御礼のために江戸参府を行ったが、オランダとは国家間の外交関係はないため、国書をやり取りすることはなかった。

5．明清交代の動乱が収まって清船の来航が年々増加したため、幕府は1689年、これまで長崎の町内に雑居していた清国人を、郊外に唐人屋敷を設けて移し、取引きなどを行わせた。

No.13〔土地制度と農業〕

1．班田は6歳以上の男女に班給され、男性は2段、女性はその3分の2が班給された。調・庸・雑徭は成年男子（正丁）に課せられ、女子には課せられなかった。

2．10世紀後半になると、有力農民や地方に土着した国司の子孫たちの中で、一定の領域を開発して開発領主と呼ばれる有力者が現れた。彼らの中には所領を中央の有力者に寄進するものが現れ、現地荘園の荘官（預所・下司）となって、政府から不輸・不入の特権を得て、荘園を国家の管理の及ばない土地とした。

3．妥当である。いわゆる「一地一作人の原則」である。

4．江戸時代の初め、たばこ・木綿・菜種などの商品作物の栽培は禁止され（田畑勝手作りの禁）、耕地面積は江戸時代初めの100年間で164万町歩から297万町歩へ激増した。中期以降は年貢米以外の商品作物の栽培を行う地域も増え、江戸時代を通じて農業生産は増大した。

5．地主・小作関係を解消して、積極的に自作農を創設したのは第二次世界大戦後の農地改革である。明治政府が行ったのは、江戸時代の年貢負担者（地主・自作）に地券を交付して土地の所有権を認め、地券所有者を納税者とする地租改正である。

【思想】

No.14〔西洋近現代の哲学者〕

1．本肢はデカルト（1596～1650年）についての記述である。17～18世紀の西洋近代哲学には経験論と合理論の二大潮流があった。認識や知識は経験からのみ得られるとする経験論は、実験や観察から一般的理論を導き出す帰納法を確立したベーコンがその先駆をなし、理性を認識の基礎とし、理性で確認できることのみを真実とした合理論は、デカルトがその基礎を築いた。

2．本肢はカント（1724～1804年）についての記述である。批判哲学とは、経験論と合理論を結びつけ、人間の認識能力を経験できる範囲に限定し、その認識能力を吟味・検討する哲学である。ドイツ観念論とは、精神的なものを世界の根底に実在するものと考える観念論哲学の一つ。

3．本肢はJ.S.ミル（1806～73年）についての記述である。功利主義は、19世紀イギリスで体系化された、行為の目的は幸福・快楽・利益を得ることにあるとする理論。「最大多数の最大幸福」を唱え、幸福は量的に計算可能とした創始者ベンサムの量的功利主義に対し、ミルの思想は質的功利主義といわれる。

4．本肢はサルトル（1905～80年）についての記述である。実存主義を唱えた哲学者にはほかに、キルケゴール、ニーチェ、ハイデッガー、ヤスパースらがいる。

5．妥当である。

【数学】

No.15〔点の軌跡〕

放物線C上の点Ｐの座標を（u、v）と置くと、

$v=u^2$……①

点Ｑの座標を（x、y）と置くと、Ｑは線分ＡＰの中点より、

$$x=\frac{u+3}{2}$$

$$y=\frac{v+3}{2}$$

すなわち、

$u=2x-3$

$v=2y-3$

となる。これらを①に代入すると、

$2y-3=(2x-3)^2$

$2y-3=4x^2-12x+9$

$y=2x^2-6x+6$

よって、正答は**4**である。

【物理】

No.16〔重心の位置〕

バットに働く重力をW〔N〕、Ａ端から重心Ｇまでの距離をx〔cm〕とする。Ｂ端を持ち上げたとき、Ａ点回りの力のモーメントのつり合いから、

$3.75\times80=Wx$……①

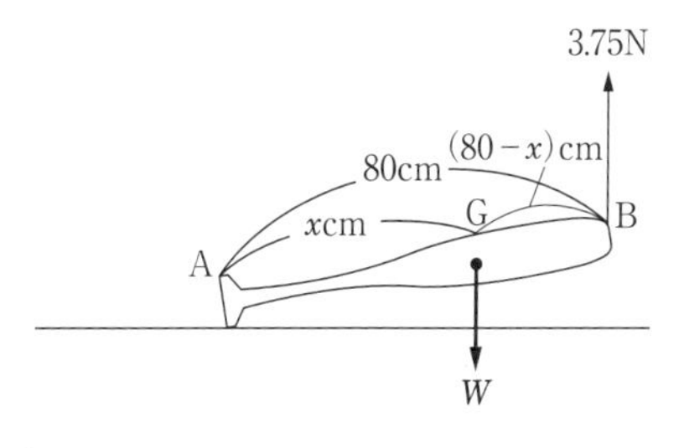

となる。

同様に、A端を持ち上げたとき、B点回りの力のモーメントのつり合いから、

$2.25 \times 80 = W(80-x)$……②

となり、①＋②から、$300+180=80W$より、

$W=6$〔N〕

となる。これを①に代入すると、

$x=50$〔cm〕

よって、正答は**1**である。

【化学】

No.17〔酸化と還元〕

1．酸化とは、物質が酸素と化合したり、水素を失ったり、電子を失う反応である。特定の原子の酸化数は、反応後に増加することは正しい。

2．酸化剤は相手の物質を酸化し、自らは還元される物質のことであるが、過酸化水素や二酸化硫黄のように、相手の物質によって、酸化剤として働いたり、還元剤として働く物質もある。

3．イオン化傾向の小さい金属ほど酸化されにくい。金や白金はイオン化傾向の小さい金属の代表で、空気中で酸化されにくく、水とも反応しない。硝酸や硫酸とも反応せず、王水にのみ溶ける。いつまでもその美しい光沢を保つことができる貴金属である。王水とは、濃塩酸と濃硝酸を3：1の割合で混合した溶液のことである。

4．妥当である。亜鉛板では電子を失う酸化反応が起こり、負極となる。一方、銅板では電子を受け取る還元反応が起こり、正極となる。電子は負極の亜鉛板から正極の銅板へと移動するが、電流は正極から負極へ流れると定義されているので、電子の移動と電流の向きが逆であることに注意したい。

5．電気分解では、陽極で陰イオンが電子を失う酸化反応が起こり、陰極で陽イオンが電子を受け取る還元反応が起こる。塩化銅(Ⅱ)$CuCl_2$水溶液の電気分解では、陽極で$2Cl^- \rightarrow Cl_2+2e^-$のように酸化反応が起こり、塩素$Cl_2$が発生する。陰極では$Cu^{2+}+2e^- \rightarrow Cu$のように還元反応が起こり、銅Cuが析出する。

【生物】

No.18〔呼吸〕

ア：外界とのガス交換を外呼吸、細胞で行われる反応を内呼吸ともいう。呼吸は、グルコースなどの呼吸基質からエネルギーを取り出し、ATP（アデノシン三リン酸）の形にすることで、ATPは生体のエネルギー通貨と呼ばれる。ATPがエネルギーを放出するとADP（アデノシン二リン酸）とリン酸に分解する。

イ：妥当である。酸素を使わない嫌気呼吸には、酵母菌が行うアルコール発酵、乳酸菌が行う乳酸発酵などがあるが、グルコース1分子当たり生じるATPは2分子と少ない。このATPが酵母菌や乳酸菌の生命活動に利用される。

ウ：酸素を利用する好気呼吸は、解糖系、クエン酸回路、電子伝達系の3つの反応からなる。反応式は、$C_6H_{12}O_6+6O_2+6H_2O \rightarrow 6CO_2+12H_2O+38ATP$である。カルビン・ベンソン回路とは、光合成の反応経路の名称である。

エ：妥当である。好気呼吸ではグルコース1分子当たり38分子のATPが生じる。解糖系で2ATP、クエン酸回路で2ATP、電子伝達系では、酸素を利用して34ATPを生じる。酸素を利用しない嫌気呼吸と比べると多くのATPを手に入れることができる。

オ：ミトコンドリアは好気呼吸を行う場である。ただし3つの反応のうち、解糖系は細胞質基質で行われ、クエン酸回路はミトコンドリアのマトリックスで、電子伝達系の反応はミトコンドリアのクリステで行われる。無酸素状態の筋肉で行われるのは、乳酸発酵と同じ反応の解糖である。解糖の結果生じる乳酸が、疲労物質である。

よって、妥当なものはイとエであるから、正答は**3**である。

No.19〔ホルモンの働き〕

1．バソプレシンは、脳下垂体後葉から分泌され、抗利尿作用があるので、体内水分量が多いときは分泌が抑制される。

2．妥当である。

3．じん臓の細尿管におけるナトリウムの再吸収を促進するのは副腎皮質から分泌される鉱質コルチコイドである。

4．成長ホルモンではなく、雄性ホルモンを注射し続けるととさかが再び大きくなる。

5．肝臓でのグリコーゲンの合成を促進するのはすい臓のランゲルハンス島のB細胞から分泌されるインスリンであり、A細胞から分泌されるグルカゴンは、反対の働きを持っている。

【地学】

No.20〔地震〕

走時曲線を見ると、ある震央距離までは地震波のP波は直線的に進むと見てよいが、やがて、マントルを通って屈折してきた波が地殻内を通過してきた波よりも先に到着するようになる。これが走時曲線の折れ曲がりとなって示される。これはマントル内でのP波の速度が地殻内より速いことを意味する。また、このことから、地下の構造がわかってきたといえる。

アは「マントル」、イは「外核」が正しい。地震波S波はマントル以深には伝わらないので、ウは「P」である。S波は横波で固体中のみを伝わることから、外核は流体の性質を持つと考えられている。マグニチュードは値が1大きくなると、放出エネルギーは約32倍差となる。2大きくなると約1,000倍となる。したがって、エは「32」である。地震による被害と、地盤中の水分の関係は、水分が多いと揺れが大きくなり、被害も大きくなりやすい。したがって、オは「大きく」が正しい。

よって、正答は**5**である。

【文章理解】

No.21〔現代文（要旨把握）〕

出典は、池内了『疑似科学入門』。信念には、「情報的信念」と「推論的信念」の2種類があり、前者は誤りを、その情報源を調べることで客観的に修正可能であるが、後者は、当人がそうと主張する限り検証できず、修正困難である、という主旨の文章。

1．本文では、どちらの信念のほうがより信頼性が高いか、ということについては述べられていない。「情報的信念」のほうが「推論的信念」よりも修正しやすいと述べているにすぎない。

2．1と同様、「基本的信念」のほうが「高次元信念」より信頼性が高い、とは述べられていない。

3．本文の「情報的信念」の定義と合っていない。「情報的信念」で言う情報は、第三者から得られたものに限られる。

4．妥当である。

5．「いかなる情報にも基づかず」というのが誤りである。本文には、「信じるのは何らかの情報があってのこと」だとあり、「推論的信念」も情報に基づくといえる。また要旨としては、「情報的信念」についても触れる必要がある。

No.22〔現代文（要旨把握）〕

出典は、伊豫谷登士翁『グローバリゼーションとは何か』。グローバルな空間の中に境界が引かれ、差異によって作り出された単位は、人種や性による秩序などのヒエラルヒーの中に置かれ、近代世界は序列化されてきた、という趣旨の文章。

1．第2段落1文目と合致しない。近代世界は、バラバラであった諸地域が結合されてできたわけではない。

2．本文中には、国民国家間の国境については書かれていない。第2段落2文目に、単に「政治的、文化的、あるいは社会的な境界が引かれて」とあるにすぎない。

3．「もっぱら」というのが誤り。本文最後に「近代世界は、…さまざまな境界によって分断され、序列化されてきた」とあり、欧米諸国に対するその植民地という序列だけの話ではない。

4．妥当である。

5．本文では、植民地という形態の国民国家については、作為的に形成されたとしか書かれておらず、根拠を持たないとは書かれていない。

No.23　出典は、中村雄二郎『臨床の知とは何か』。自然の恩恵への甘えと科学・技術の自己目的化が極端な形で存在する日本を危惧した文章。

1．日本の自然が取り返しのつかないほど破壊されつつあるという記述は本文中に見られない。
2．妥当である。
3．本文中に日本の科学技術の発展についての言及はない。
4．「わが国では対象化された自然の考え方が弱かったこと」が、むしろ「日本人に〈物体〉という捉え方を教え、深くかつ強く刻み込んだ」といえる。
5．近代科学は西欧において操作的になっていたとある。

No.24〔英文（要旨把握）〕

出典は、Colin Joyce, *Let's England*。全訳は以下のとおり。

〈イギリスの天気において特筆すべきものは、その温暖さだ。1年のうち367日の間、気温は摂氏4度と17度の間を行き来している。冬の平均気温は6度で、夏は14度である。1日に2、3回、10分前後にわたって（軽く）雨が降る。天気予報サービスの仕事のうちの大部分は、「今日は曇りで、一時小雨が降り、また一時晴れ間がのぞくでしょう」という内容を違った表現で人々に伝えようとあれこれ考えることで成り立っている。

もちろん私は話を誇張している（そして、1年は367日より短いということを私に指摘しようと思っていたすべての方々には感謝する）。だが、誇張のしすぎというわけでもない。いくつかの視覚的な手がかり、たとえば咲いている花や落ち葉といったものがなければ、イギリスでは今がいつの季節なのかを知ることは往々にして難しい。

イギリスの天気で際立つのは、それがどれほど例外がないものなのか、というところだ。極端な天気、すなわち東京の夏やニューヨークの冬と同等の天気は、ほとんど想像不可能なのである。

だがそれでも、イギリス人はいつも天気を話題にしている。今年は信じられないくらい暑い夏だ、と不平を言ったりするが、実際には10日連続で25度を超えたという程度だ。それで「うちの芝生がこんなになっちまったよ」とブツブツ言っている。また、「えらい冬の冷え込みだ」と言ったりするが、実際は氷点下近くまで下がった日が2、3週間続いたという程度だ〉

1．イギリスの気候は温暖で変化が少ないが、それでも人々はいつも天気を話題にしていると述べられている。
2．イギリスの気候が温暖で、毎日のように小雨が降ること、また東京のような夏の暑さやニューヨークのような冬の寒さがないことは述べられているが、それらと比べて住みやすいかどうかについて述べた記述はない。
3．妥当である。
4．前半部分については正しいが、後半部分が誤り。人々が天気について話題にするのは、その日の雨や晴れ間の時間帯だけではないことが本文中からわかる。
5．夏や冬の気候を不満に思う人の割合について、他国と比較した記述はない。

No.25〔英文（要旨把握）〕

出典は、しゅわぶ美智子『心が伝わる英語の話し方』。全訳は以下のとおり。

〈ピアノで曲の演奏を習っている人を考えてみよう。最後まで通して弾けるようになった時点で習うのをやめたら、その人はその曲の優れた演奏者になる機会を失うだろう。それは優れた演奏をするプロセスの始まりに過ぎないのだ。作曲家の意図を表現できるようになるために、さらに練習し続けなければならない。コミュニケーションでも同じことが言える。文法という点では完璧な英語を話すことができるかもしれない。しかし、あなたの言いたいことを伝えることができなかったり、あるいは善意や共通の目標へのコミットメントといった、自分の気持ちを伝えられなかったりしたら、会話は成功したとは言えないだろう。曲のムードを強調するために演奏の速度や音量を使う演奏者のように、私たちも話す速度や声の音量を使って言いたいことや感情を強調しなければならない。

一般に、（訳注：日本人である）私たちは、動詞をもっとはっきりと強く発音しないといけない。日本語で話すときは、文の終わりに動詞が来るし、たいていの日本人は（誰が、どこで、いつ、どのように、といった）文脈を通じて相手の心を推測することができるから、言いたいこと（何、の部分）をそれほど明確にしなくてもすむ。しかし、英語で話すときは、言いたいことを最初に言わなければならないし、動詞を強調するために、はっきりと、時にはよりゆっくりと話す必要がある。

また、意見に相違があることがわかっているとき、私たちは相手の目を見ずにむしろ静かに話そうとしがちである。これでは、意図しない結果を生み出しかねない。つまり、自分の意見に自信がなく、相手の意見を受け入れているように見えるかもしれないのだ。あとで、あなたが違う意見であることがわかると、相手はだまされたかのように感じるかもしれない。だから、前向きな態度（私はあなたの意見には同意していないけれど、あなたと一緒に仕事がしたい）を伝えつつ、自分の考えや感情を言葉だけでなく声の強弱法を通じて、はっきりと伝えなければならないのである〉

1．第１段落に書かれている内容だが、本文のテーマは、日本人が英語でコミュニケーションをとるときに必要なことであって、音楽の演奏はたとえとして挙げられているため、要旨には当たらない。

2．文法的に間違いがなくても相手に気持ちを伝えられない場合はコミュニケーションが成功したとはいえないとは述べているが、文法的な正確さより気持ちを伝えることのほうが重要とは述べていない。

3．妥当である。

4．日本人どうしでは文脈から相手の気持ちを推測するのであり、「動詞をはっきりと強く発音する」から相手の気持ちや考えを推測できるわけではない。むしろ英語で話すときにポイントを強調するために、「動詞をはっきりと強く発音」すべき、と述べている。

5．第３段落に書かれている内容だが、要旨としては声の高低だけでなく、話す速度にも触れる必要がある。また、日本人が英語でコミュニケーションをとるときのことが問題になっているので、「相手」「自分」が誰をさしているのかも明確にしなければならないため、要旨としては不十分。

No.26〔英文（要旨把握）〕

出典は、*What to Expect the Toddler Year*。全訳は以下のとおり。

〈今どきの父親たちは自分たちの父親よりも家事をたくさんこなしている。子どもの世話、料理、掃除（おむつ交換、食事の世話、雑巾がけ、針仕事を自分たちの父親よりも頻繁にそして上手に扱うこと）といった伝統的に女性が中心であった分野で大変大きな進歩を遂げているが、明らかにまだ、平均的には、母親よりもだいぶ少ない。母親が外で働いていない家庭では父親は子供の世話や家事を10％以下しか手伝っていないという研究結果がある。共働きの場合、数値は少しましになる（家事負担の20～30％を父親がこなしている）が、明らかに、多くの二人親家庭では母親がいまだに損な役回りを引き受けている。

こんな不平等が存在するにはいくつかの理由がある。一つには文化的な習慣はなかなかなくならないということである。退屈な家事労働や育児は昔から女性の仕事と考えられてきた。成長段階で、多くの男性は多くの家事に貢献しなかった父親のお手本がいた。もう一つには、多くの男性は基本的にそういう役目にいると居心地が悪い――そして、多くの女性は知らないうちに、父親が協力しようとすると酷評したり細かいことで文句を言いすぎたりして、男性のそういう居心地の悪さを助長させている。さらにもう一つ、女性は自分の大きな負担に文句は言うものの、それについて何も対策をとらない。配偶者との公平な役割分担について腰を据えて取り組んだり、検討したりはせずに、しばしば、現状を我慢してしまうのである〉

1．父親の家事・育児の参加は求められているが、それが常識になっているという記述はない。

2．父親が家事や育児に参加している割合は増えているので、家事はや育児は女性の仕事という伝統的な考えが今でも支配的であるとまではいえない。

3．妥当である。

4．母親が父親をおだてるという記述は本文中にはない。

5．女性の社会進出についての記述は本文中にはない。

No.27〔英文（要旨把握）〕

出典は、ニーナ・ウェグナー『アメリカ歳時記』。全訳は以下のとおり。

〈ワシントンの誕生日は、非公式に大統領の日としても知られているが、連邦祝日である。2月の第3月曜日に当たり、合衆国の初代大統領ジョージ・ワシントンの誕生を祝う日だ。ワシントンの誕生日には、すべての官庁と学校、ほとんどの会社が休みになる。

アメリカ連邦議会がワシントンの誕生日を休日にすることを最初に決議したのは1879年のことで、1885年に初めて祝日として実施された。当初、祝日はジョージ・ワシントンの実際の誕生日にちなんで2月22日だったが、労働者に長い週末休暇を与えるため、1971年に法律によって2月の第3月曜日に変更された。この日付に変更されたのは、同時に、連邦議員の中に、一人の大統領（ワシントン）だけではなく、大統領という任務全般をたたえる祝日にしたいと希望する者たちがいたからである。このため、ジョージ・ワシントンの誕生日（2月22日）とエイブラハム・リンカーンの誕生日（2月12日）の間の日付が選ばれた。

祝日の日付が公式に変更されたが、すべての大統領をたたえようとする試みは公式には認められなかったため、この祝日は厳密にはワシントンの誕生日のままである。

しかし、合衆国の企業は、自社商品の販売促進に「大統領の日」という考えを利用してきた。全国の、特に百貨店や自動車販売店で「大統領の日」セールが行われている。

ワシントンの誕生日と呼ばれようと、大統領の日と呼ばれようと、祝日の精神は愛国心と、国の指導者とその仕事をたたえる気持ちに重きを置いている。また、この日は合衆国の軍隊で働いている男性や女性をたたえる日でもある。多くの都市が、大統領の日パレードや地域の行事を主催している。しかし、ワシントンの誕生日を最も盛大な祝賀行事は、ジョージ・ワシントンが生まれた町、バージニア州のアレキサンドリアで行われている〉

1．ワシントンの誕生日の2月22日が「大統領の日」として祝日にされていたことは正しいが、1971年に「大統領の日」は2月の第3月曜日に変更になったと第2段落で述べられている。

2．第3段落に、2月の第3月曜日にすべての大統領をたたえようとする試みは公式に認められたわけではないとある。

3．第4～5段落に書かれている内容で正しいが、「大統領の日」がワシントンの誕生日に由来していることに言及していないため、要旨としては不十分である。

4．妥当である。

5．第2段落に書かれている内容で正しいが、ワシントンの誕生を祝う日が、公式ではないが「大統領の日」として祝われていることに触れていないので、要旨としては不十分である。

No.28〔命題〕

それぞれのコースについて、受講していることを（A、B、C、D）、受講していないことを（a、b、c、d）として、真偽分類表（**表Ⅰ**）を用意する。

AコースとBコースの両方を受講している者はいない（ア）ので、「AB＊＊」となる組合せはなく、①～④は消去できるので、灰色に着色する（**表Ⅱ**）。次に、Aコースを受講していない者は、Dコースも受講していない（ウ）ので、「a＊＊D」となる組合せはなく、⑨、⑪、⑬、⑮も消去される。また、受講している者がいない⑯も消去してよい。ここからイを考えると、⑩に該当する者が確実に存在し、エより、⑤に該当する者が確実に存在することがわかる。ここまでを整理すると、**表Ⅲ**のようになり、太枠部分は確実に存在する、それ以外は存在する可能性があるが確実ではない、となる。

この**表Ⅲ**より、「＊B＊D」は可能性がないので、**2**は誤り、⑤は確実に存在するので、**3**は誤りである。さらに、⑮は可能性がないので、**4**は誤り、⑫は可能性があるので、**5**も誤りとなり、3種類以上の講座を受講しているのは⑤だけで、Bコースを受講していないことがわかる。

表Ⅰ

A				a			
①	B	C	D	⑨	B	C	D
②	B	C	d	⑩	B	C	d
③	B	c	D	⑪	B	c	D
④	B	c	d	⑫	B	c	d
⑤	b	C	D	⑬	b	C	D
⑥	b	C	d	⑭	b	C	d
⑦	b	c	D	⑮	b	c	D
⑧	b	c	d	⑯	b	c	d

表Ⅱ

A				a			
①	B	C	D	⑨	B	C	D
②	B	C	d	⑩	B	C	d
③	B	c	D	⑪	B	c	D
④	B	c	d	⑫	B	c	d
⑤	b	C	D	⑬	b	C	D
⑥	b	C	d	⑭	b	C	d
⑦	b	c	D	⑮	b	c	D
⑧	b	c	d	⑯	b	c	d

表Ⅲ

A				a			
①	B	C	D	⑨	B	C	D
②	B	C	d	⑩	B	C	d
③	B	c	D	⑪	B	c	D
④	B	c	d	⑫	B	c	d
⑤	b	C	D	⑬	b	C	D
⑥	b	C	d	⑭	b	C	d
⑦	b	c	D	⑮	b	c	D
⑧	b	c	d	⑯	b	c	d

よって、正答は**1**である。

No.29〔操作の手順〕

Cが球を箱に戻した時点で、箱の中に残っている球は3個である。ウ、エより、この3個は青色1個、赤色2個である。AとBは同じ色の球を自分の手元に残しているので、Aが自分の手元に残したのは、1という数字が書かれた白色の球、Bが自分の手元に残したのは、2という数字が書かれた白色の球ということになる。また、Cが自分の手元に残した球は、エより赤色ではなく、オより2という数字が書かれた球ではない。つまり、Cが自分の手元に残した球は、1という数字が書かれた青色の球である。したがって、**1**は誤り、**2**は確定できず、**4**は誤り（Cが自分の手元に残したのは1と書かれた青色の球、Dが箱に戻したのは2と書かれた赤色の球）、**5**も誤りである。

よって、正答は**3**である。

No.30〔対応関係〕

Aが配属されているのは営業部で、勤務しているのは7階（ウ）なので、**表Ⅰ**、**表Ⅱ**の2通りが考えられる。アより、総務部は1つの階しか使用していないことになるので、**表Ⅱ**の場合は8階が総務部である。したがって、1、2階が広報部、3、4階が企画部である（イ）。しかし、**表Ⅱ**では、Cが1階でDが4階（BとDが同じ階）、Cが2階でDが5階（AとDが営業部）、Cが3階でDが6階（AとDが営業部、BとCが企画部）、Cが5階でDが8階（AとCが営業部）、のいずれとしても条件を満たせない。**表Ⅰ**では、1、2階が広報部、3、4階が企画部、5階が総務部で、Cが2階で勤務、Dが5階で勤務とすれば、すべての条件を満たすことが可能である（**表Ⅲ**）。

表Ⅰ

階	部	
8	営業	
7	営業	A
6	営業	
5		
4		B
3		
2		
1		

表Ⅱ

階	部	
8	総務	
7	営業	A
6	営業	
5	営業	
4	企画	B
3	企画	
2	広報	
1	広報	

表Ⅲ

階	部	
8	営業	
7	営業	A
6	営業	
5	総務	D
4	企画	B
3	企画	
2	広報	C
1	広報	

よって、正答は**4**である。

No.31〔発言からの推理〕

A村の住人を○、B村の住人を×で表すことにする。A村の住人が「そうです」と答える場合、「○○○」と並んでいるか、「×○×」と並んでいるかのいずれかになる。B村の住人が「そうです」と答えるのは、「○××」と並んでいるか、「××○」と並んでいるかのどちらかである。ところが、「○○○」と並んでいる3人がいた場合、99人全員が「そうです」と答えるには、99人全員が○（参加した全員がA村の住人）でなければならない。B村からも1人以上参加しているの

PART 4 7年度予想問題

で、これはありえない。そうすると、99人の輪から連続するどの3人を選んでも、「×○×」、「○××」、「××○」のいずれかになっていることになる。つまり、3人のうち2人がB村の住人ということである。$99\times\frac{2}{3}=66$より、B村から参加したのは66人である。

よって、正答は**5**である。

No.32〔操作の手順〕

まず、Aから考えてみる。Aは自分が取ったカードの数字を見ているので、それ以外の3枚のカードに書かれた数字が何であるかわかっている。これを、$x<y<z$とする。Bが取った2枚のカードに書かれている数字の組合せは、$(x、y)$、$(x、z)$、$(y、z)$の3通りである。BがAに見せたカードに書かれた数字がzに該当する場合、AはBが取ったもう1枚のカードに書かれた数字を確実に判断することができない（xの場合とyの場合がある）。つまり、BがAに見せたカードに書かれた数字はyに該当するので、最大数ではないことになる。これは、BがAからカードを見せられた場合にも同様に成り立つ。この結果、Aが取ったカードに書かれた数字の大きいほうより、さらに大きな数字が書かれたカードがあり、Bが取ったカードに書かれた数字の大きいほうより、さらに大きな数字が書かれたカードがある、ということである。要するに、A、Bの2人は、どちらも最大数である5と書かれたカードを取っていない、ということである。

よって、正答は**5**である。

No.33〔経路〕

図のように、正方形を2色の市松模様に塗り分けてみるとよい。**1**、**3**、**5**は、$6\times6=36$より、正方形が36枚あるので、2色が18枚ずつある。縦横いずれに移動しても、2色の正方形を交互に通過することになるので、2色が18枚ずつあれば、SとGが書かれた正方形は、異なる色（最初と最後は異なる色）でなければ不可能である。一方、**2**、**4**は、$5\times7=35$より、正方形が35枚で、2色が18枚と17枚になる。この場合、SとGが書かれた正方形は同じ色（18枚あるほう）でなければならない。**1**、**3**、**5**はいずれもSとGが同じ色の正方形にあり、**2**はSとGが異なる色の正方形にあるので、いずれも不可能である。これに対し、**4**ではSとGが同じ色（18枚あるほう）の正方形にあるので、たとえば図に示すようなルートを取れば、すべての正方形を1回ずつ通過して、SからGまで進むことが可能である。

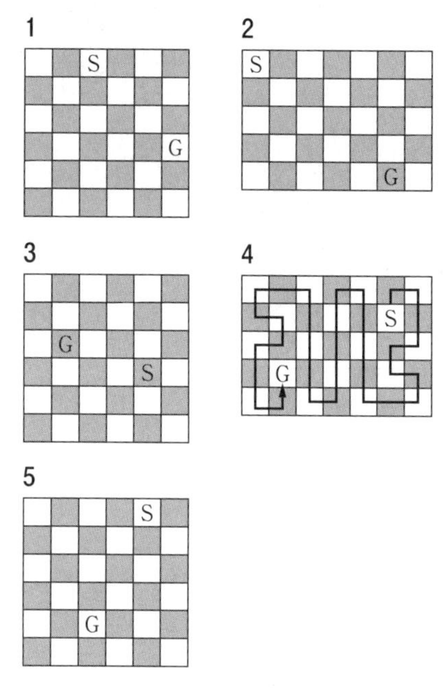

よって、正答は**4**である。

No.34〔立体図形〕

大立方体の6面に色を塗ると、小立方体は、3面を塗られる、2面を塗られる、1面を塗られる、内部にあって1面も塗られない、という4種類に分類される。図に示すように、3面塗られる小立方体は、大立方体の頂点部分に1個ずつある。立方体の頂点は8個だから、3面塗られる小立方体は8個である（p）。2面塗られる小立方体は、大立方体の辺部分に4個ずつある（q）。立方体の辺は12本だから、2面塗られる小立方体は、$4\times12=48$より、48個である。1面塗られる小立方体は、大立方体の面部分に16個ずつある。立方体の面は6面だから、1面塗られる小立方体は、$16\times6=96$より、96個である（r）。したがって、$p:q:r=8:48:96=1:6:12$、となる。

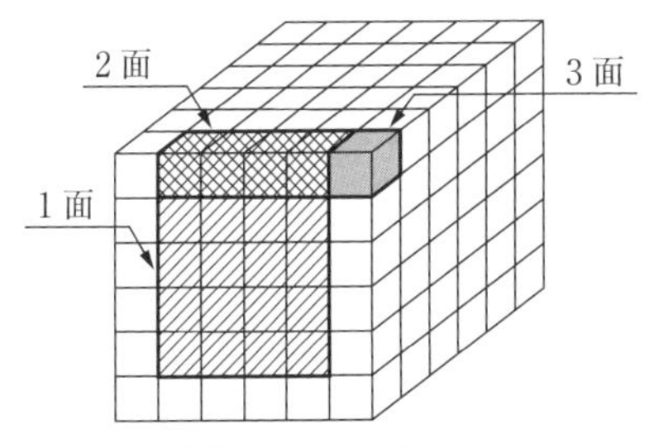

よって、正答は**2**である。

No.35〔展開図〕

まず、3面ずつの展開図を考えると、**図Ⅰ**のようになる。

図Ⅰ

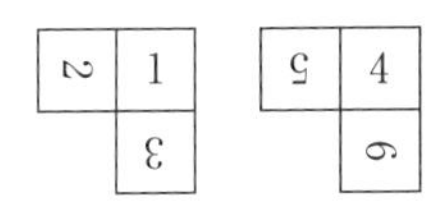

この**図Ⅰ**から、1、2、3の面を配置すると、**図Ⅱ**の左端のようになる。この段階で、選択肢**1**および**5**は誤りとわかる。向かい合う面の数の和が7なので、**図Ⅱ**の左端で1の面の上側が4の面、1の面の右側が5の面、3の面の下側が6の面である。6の面を平行移動、5の面を回転移動させ、**図Ⅰ**の4、5、6の面の展開図に合わせる。これを6の面を平行移動、5の面を回転移動させて、元の位置に戻せばよい。そうすると、**図Ⅱ**の右端のようになる。

図Ⅱ

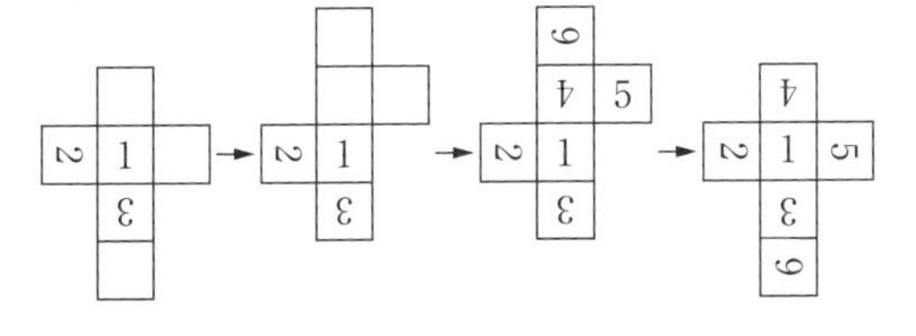

よって、正答は**4**である。

No.36〔整数〕

整数xに7を加えると11の倍数となるので、その数に11を加えても11の倍数である。また、整数xに11を加えると7の倍数となるので、その数に7を加えても7の倍数である。つまり、整数xに、7＋11＝18、を加えると、7と11の公倍数となる。7と11はいずれも素数なので、その最小公倍数は、7×11＝77より、77である。ここから、$x=77n-18$と表せる。

77×1－18＝59
77×2－18＝136
77×3－18＝213
77×4－18＝290
77×5－18＝367
77×6－18＝444

であることから、xとして条件を満たすのは、367だけである。367÷5＝73…2より、367を5で割った余りは2となる。

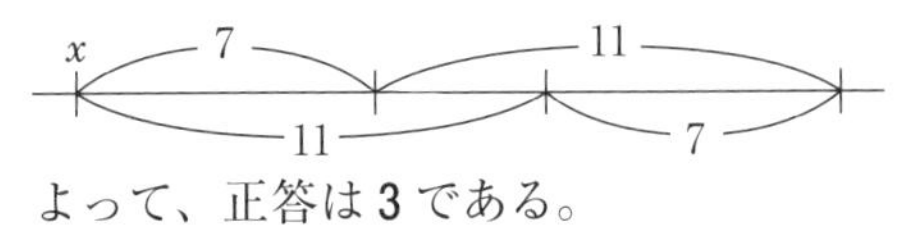

よって、正答は**3**である。

No.37〔速さ・距離・時間〕

A、Bがすれ違った地点をRとすると、QR＝2,400mである。BはQR間を20分かかって進んでいるので、Bの速さは120m/分（＝2400÷20）である。BはPR間に28分かかっているので、PR間の距離は、120×28＝3360より、3,360mとなる。Aは、この3,360mを20分で進んでいる。ここから、Aの速さは、3,360÷20＝168より、168m/分となる。つまり、川の上流にあるのがP、下流にあるのがQで、Aは下り、Bは上りということになる。

船速をx、流速をyとすれば、下りの速さは（$x+y$）、上りの速さは（$x-y$）である。

$(x+y)=168$
$(x-y)=120$

より、

$(x+y)-(x-y)=168-120$
$2y=48$
$y=24$

となり、川の流れの速さは、24m/分である。

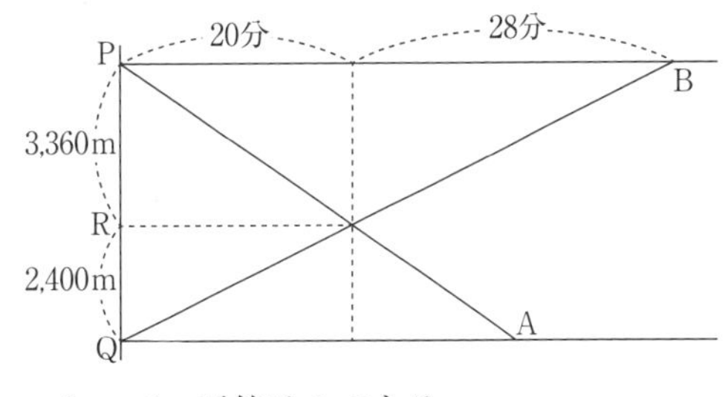

よって、正答は**3**である。

No.38〔比・割合〕

行列が解消するまでにかかる時間の比と、行列が減っていく速さの比は逆比の関係にな

る（**図Ⅰ**）。つまり、入場口が１つの場合と２つの場合とで、行列が減っていく速さの比は３：10である。そうすると、３と10との差である７が入場口１つ分であり、この関係は**図Ⅱ**のようになる。この**図Ⅱ**において、④の部分が表しているのは新たに並ぶ人数である。ここで、毎分$4x$人が並ぶとすると、入場口が２つの場合、毎分$14x$人が入場するが、$4x$人が新たに並ぶということである。そうすると、30分で行列がなくなるので、開館前に並んでいたのは、$10x\times30=300x$〔人〕ということになる。１分間に$4x$人ずつ並んで$300x$人となるには、$300x\div4x=75$より、75分かかることになる。

図Ⅰ

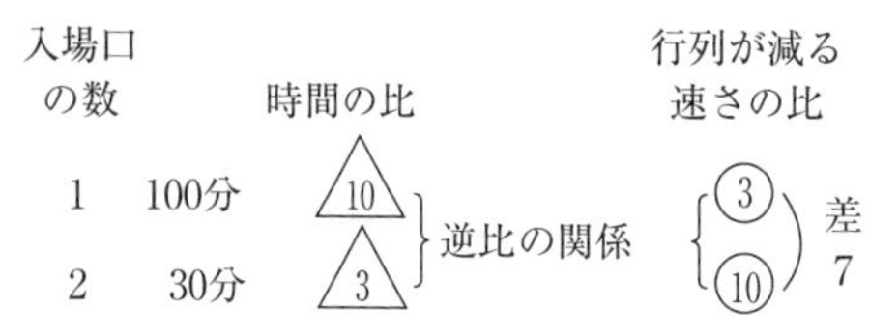

図Ⅱ

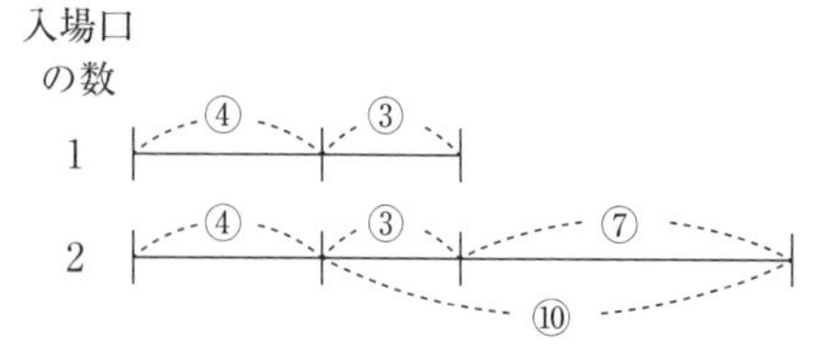

よって、正答は**4**である。

No.39〔場合の数〕

図Ⅰのように、行（A～E）、段（a～e）を決めると、Da、Dc、Be、Ceに○印を入れることはできない。ここで、a段についてBaに○印を入れ、c段についてAcに○印を入れると（**図Ⅱ**）、C行、E行への○印の入れ方は、(Cb、Ed)、(Cd、Eb)の２通りである。c段についてEcに○印を入れた場合も、同様に２通りある。a段についてCaに○印を入れると、c段はBcに決まるので（**図Ⅲ**）、A行、E行への○印の入れ方は、(Ab、Ed)、(Ad、Eb)の２通りである。したがって、2+2+2=6より、全部で６通りの入れ方があることになる。

図Ⅰ

	A	B	C	D	E
a				×	
b					
c				×	
d					
e		×	×	○	

図Ⅱ

	A	B	C	D	E
a		○	×	×	
b	×				
c	○	×		×	×
d	×				
e		×	×	○	

図Ⅲ

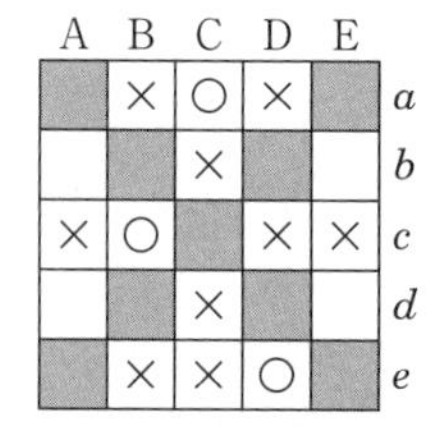

よって、正答は**2**である。

No.40〔グラフ（実数、指数）〕

1．2014年における日本の自動車生産台数は前年より増加しているが、世界の自動車生産台数に対する日本の割合は、前年より小さくなっている。このことは、2014年における世界の自動車生産台数が前年より増加していることを示している。

2．2014年における日本の自動車生産台数は約977万台、2015年は約928万台だから、約５％の減少である。左目盛は下限が880万台なので、柱の高さが約$\frac{1}{2}$になっても、数量そのものが$\frac{1}{2}$になるわけではない。

3．970万台を基準にすると、2017年は約−6,000、2019年は約−16,000であり、この両年で約−22,000である。2018年は970万台に対して＋28,528であるから、３か年の平均は970万台を上回っている。

4．正しい。2016年における世界の自動車生産台数は１億台だとすると、１億×0.097＝970万より、日本の生産台数が970万台でなければならない。2016年における日本の自動車生産台数は約920万台であるから、2016年における世界の自動車生産台数は、１億台を下回っている。

5．$9{,}943{,}077\times0.9<9{,}000{,}000<9{,}204{,}590$であり、2016年の指数は90を上回っている。

★試験情報を募集します

7年度国立大学法人等職員採用試験（統一試験）の一次試験および採用機関別の二次試験の情報を募集しています。なるべくGoogleフォーム（アンケート形式）をご利用ください。下の二次元コードを読み込んでいただくと、試験情報提供用のGoogleフォームが開きます（一次試験情報用と二次試験情報用があります）。試験情報を入力してそのままご送信いただけます。情報をお寄せくださった方には、当社規定により謝礼を進呈いたします。E-mail、郵送でも受け付けています。

一次試験情報用

二次試験情報用

★合格体験記を募集します

7年度国立大学法人等職員採用試験や、各種公務員試験の合格体験記を募集します。執筆をご希望の方は編集部までご連絡ください。折返し執筆要領を送付いたします。ご執筆くださった方には、原稿料をお支払いします。

E-mail／juken-j@jitsumu.co.jp （件名を「合格体験記執筆希望」としてください）

小社ホームページのご案内

実務教育出版ホームページ：https://www.jitsumu.co.jp/

別冊受験ジャーナル

7年度 国立大学法人等職員採用試験攻略ブック

2024年12月15日　初版第1刷発行

編集人／加藤幸彦
発行人／淺井　亨
発行所／**株式会社　実務教育出版**
〒163-8671　東京都新宿区新宿1-1-12
印刷・製本／図書印刷

【編集】 川辺知里／田村初穂／笹原奈津子／谷本優子
【編集協力】 ウララコミュニケーションズ／明昌堂
ME TIME
【表紙デザイン】 鳴田小夜子（KOGUMA OFFICE）
【表紙イラスト】 高橋由季

問合せ先

●編集（記事内容について）
FAX：03-5369-2237　TEL：03-3355-1813
E-mail：juken-j@jitsumu.co.jp
※原則として、E-mail、FAX、郵送でお願いします。

●販売（当社出版物について）
TEL：03-3355-1951
万一、落丁、乱丁などの不良品がございましたら、当社にて良品とお取り替えいたします。

「公務員合格講座」の特徴

68年の伝統と実績

実務教育出版は、68年間におよび公務員試験の問題集・参考書・情報誌の発行や模擬試験の実施、全国の大学・専門学校などと連携した教室運営などの指導を行っています。その積み重ねをもとに作られた、確かな教材と個人学習を支える指導システムが「公務員合格講座」です。公務員として活躍する数多くの先輩たちも活用した伝統ある「公務員合格講座」です。

時間を有効活用

「公務員合格講座」なら、時間と場所に制約がある通学制のスクールとは違い、生活スタイルに合わせて、限られた時間を有効に活用できます。通勤時間や通学時間、授業の空き時間、会社の休憩時間など、今まで利用していなかったスキマ時間を有効に活用できる学習ツールです。

取り組みやすい教材

「公務員合格講座」の教材は、まずテキストで、テーマ別に整理された頻出事項を理解し、次にワークで、テキストと連動した問題を解くことで、解法のテクニックを確実に身につけていきます。初めて学ぶ科目も、基礎知識から詳しく丁寧に解説しているので、スムーズに理解することができます。

実戦力がつく学習システム

「公務員合格講座」では、習得した知識が実戦で役立つ「合格力」になるよう、数多くの演習問題で重要事項を何度も繰り返し学習できるシステムになっています。特に、eラーニング［Jトレプラス］は、実戦力養成のカギになる豊富な演習問題の中から学習進度に合わせ、テーマや難易度をチョイスしながら学習できるので、効率的に「解ける力」が身につきます。

eラーニング

豊富な試験情報

公務員試験を攻略するには、まず公務員試験のことをよく知ることが必要不可欠です。受講生専用の［Jトレプラス］では、各試験の概要一覧や出題内訳など、試験の全体像を把握でき、ベストな学習プランが立てられます。
また、実務教育出版の情報収集力を結集し、最新試験情報や学習対策コンテンツなどを随時アップ！　さらに直前期には、最新の時事を詳しく解説した「直前対策ブック」もお届けします。

※KCMのみ

親切丁寧なサポート体制

受験に関する疑問や、学習の進め方や学科内容についての質問には、専門の指導スタッフが一人ひとりに親身になって丁寧にお答えします。模擬試験や添削課題では、客観的な視点からアドバイスをします。そして、受講生専用サイトやメルマガでの受講生限定の情報提供など、あらゆるサポートシステムであなたの学習を強力にバックアップしていきます。

受講生専用サイト

受講生専用サイトでは、公務員試験ガイドや最新の試験情報など公務員合格に必要な情報を利用しやすくまとめていますので、ぜひご活用ください。また、お問い合わせフォームからは、質問や書籍の割引購入などの手続きができるので、各種サービスを安心してご利用いただけます。

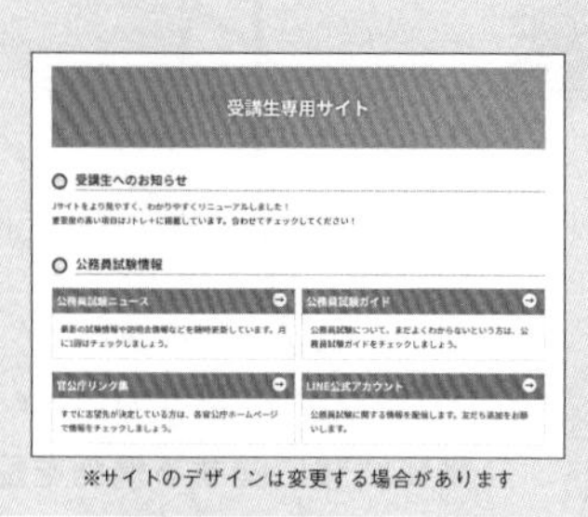

※サイトのデザインは変更する場合があります

志望職種別　講座対応表

各コースの教材構成をご確認ください。下の表で志望する試験区分に対応したコースを確認しましょう。

	教材構成			
	教養試験対策	専門試験対策	論文対策	面接対策
K 大卒程度 公務員総合コース［教養+専門行政系］	●	●行政系	●	●
C 大卒程度 公務員総合コース［教養のみ］	●		●	●
L 大卒程度 公務員択一攻略セット［教養＋専門行政系］	●	●行政系		
D 大卒程度 公務員択一攻略セット［教養のみ］	●			
M 経験者採用試験コース	●		●	●
N 経験者採用試験［論文・面接試験対策］コース			●	●
R 市役所教養トレーニングセット［大卒程度］	●		●	●

	試験名［試験区分］		対応コース
国家公務員試験	国家一般職［大卒程度］	行政	教養*3＋専門対策 → K L
		技術系区分	教養*3対策 → C D
	国家専門職［大卒程度］	国税専門A（法文系）／財務専門官	教養*3＋専門対策 → K L *4
		皇宮護衛官［大卒］／法務省専門職員（人間科学）／国税専門B（理工・デジタル系）／食品衛生監視員／労働基準監督官／航空管制官／海上保安官／外務省専門職員	教養*3対策 → C D
	国家特別職［大卒程度］	防衛省 専門職員／裁判所 総合職・一般職［大卒］／国会図書館 総合職・一般職［大卒］／衆議院 総合職［大卒］・一般職［大卒］／参議院 総合職	教養*3対策 → C D
国立大学法人等職員			教養対策 → C D
地方公務員試験	都道府県 特別区（東京23区） 政令指定都市*2 市役所［大卒程度］	事務（教養＋専門）	教養＋専門対策 → K L
		事務（教養のみ）	教養対策 → C D R
		技術系区分、獣医師 薬剤師 保健師など資格免許職	教養対策 → C D R
		経験者	教養＋論文＋面接対策 → M　論文＋面接対策 → N
	都道府県 政令指定都市*2 市役所［短大卒程度］	事務（教養＋専門）	教養＋専門対策 → K L
		事務（教養のみ）	教養対策 → C D
	警察官	大卒程度	教養＋論文対策 → *5
	消防官（士）	大卒程度	教養＋論文対策 → *5

＊1 地方公務員試験の場合、自治体によっては試験の内容が対応表と異なる場合があります。
＊2 政令指定都市…札幌市、仙台市、さいたま市、千葉市、横浜市、川崎市、相模原市、新潟市、静岡市、浜松市、名古屋市、京都市、大阪市、堺市、神戸市、岡山市、広島市、北九州市、福岡市、熊本市。
＊3 国家公務員試験では、教養試験のことを基礎能力試験としている場合があります。
＊4 国税専門A（法文系）、財務専門官は K「大卒程度 公務員総合コース［教養＋専門行政系］」、L「大卒程度 公務員択一攻略セット［教養＋専門行政系］」に『新スーパー過去問ゼミ 会計学』（有料）をプラスすると試験対策ができます（ただし、商法は対応しません）。
＊5 警察官・消防官の教養＋論文対策は、「警察官 スーパー過去問セット［大卒程度］」「消防官 スーパー過去問セット［大卒程度］」をご利用ください（巻末広告参照）。

大卒程度 公務員総合コース

[教養＋専門行政系]

膨大な出題範囲の合格ポイントを的確にマスター！

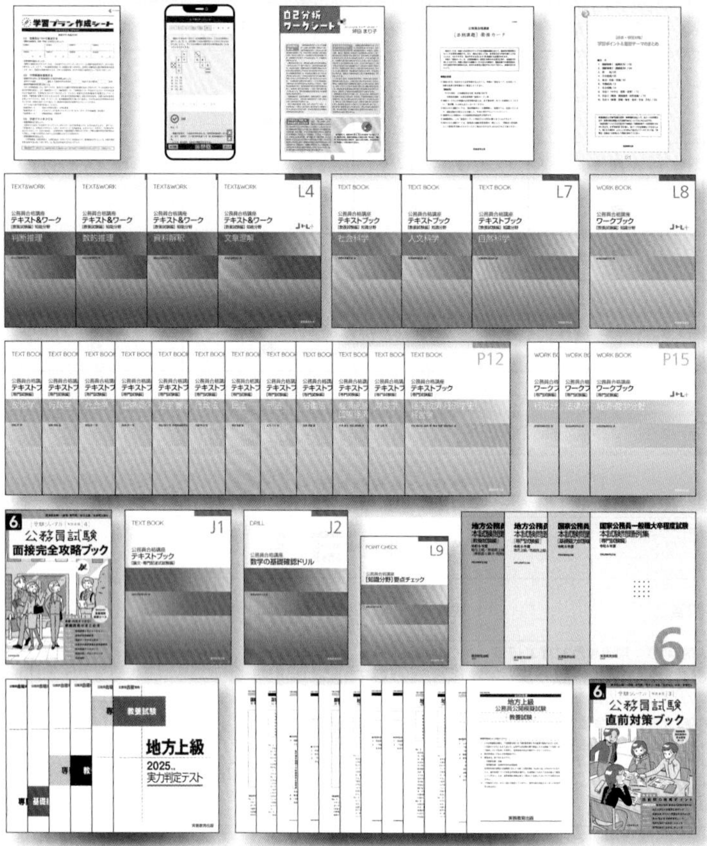

※表紙デザインは変更する場合があります

教材一覧

- ●受講ガイド（PDF）
- ●学習プラン作成シート
- ●テキスト＆ワーク［教養試験編］知能分野（4冊）
  判断推理、数的推理、資料解釈、文章理解
- ●テキストブック［教養試験編］知識分野（3冊）
  社会科学［政治、法律、経済、社会］
  人文科学［日本史、世界史、地理、文学・芸術、思想］
  自然科学［数学、物理、化学、生物、地学］
- ●ワークブック［教養試験編］知識分野
- ●数学の基礎確認ドリル
- ●［知識分野］要点チェック
- ●テキストブック［専門試験編］（12冊）
  政治学、行政学、社会学、国際関係、法学・憲法、行政法、民法、刑法、労働法、経済原論（経済学）・国際経済学、財政学、経済政策・経済学史・経営学
- ●ワークブック［専門試験編］（3冊）
  行政分野、法律分野、経済・商学分野
- ●テキストブック［論文・専門記述式試験編］
- ●6年度　面接完全攻略ブック
- ●実力判定テスト★（試験別 各1回）
  地方上級［教養試験、専門試験、論文・専門記述式試験（添削2回）］
  国家一般職大卒［基礎能力試験、専門試験、論文試験（添削2回）］
  市役所上級［教養試験、専門試験、論・作文試験（添削2回）］
  ＊教養、専門は自己採点　＊論文・専門記述式・作文は計6回添削
- ●［添削課題］面接カード（2回）
- ●自己分析ワークシート
- ●［時事・事情対策］学習ポイント&重要テーマのまとめ（PDF）
- ●公開模擬試験★（試験別 各1回）＊マークシート提出
  地方上級［教養試験、専門試験］
  国家一般職大卒［基礎能力試験、専門試験］
  市役所上級［教養試験、専門試験］
- ●本試験問題例集（試験別過去問1年分 全4冊）
  令和6年度 地方上級［教養試験編］★
  令和6年度 地方上級［専門試験編］★
  令和6年度 国家一般職大卒［基礎能力試験編］★
  令和6年度 国家一般職大卒［専門試験編］★
  ※平成27年度～令和6年度分は、［Jトレプラス］に収録
- ●7年度　直前対策ブック★
- ●eラーニング［Jトレプラス］

★印の教材は、発行時期に合わせて送付（詳細は受講後にお知らせします）。

教養・専門・論文・面接まで対応

行政系の大卒程度公務員試験に出題されるすべての教養科目と専門科目、さらに、論文・面接対策教材までを揃え、最終合格するために必要な知識とノウハウをモレなく身につけることができます。また、汎用性の高い教材構成ですから、複数試験の併願対策もスムーズに行うことができます。

出題傾向に沿った効率学習が可能

出題範囲をすべて学ぼうとすると、どれだけ時間があっても足りません。本コースでは過去数十年にわたる過去問研究の成果から、公務員試験で狙われるポイントだけをピックアップ。要点解説と問題演習をバランスよく構成した学習プログラムにより初学者でも着実に合格力を身につけることができます。

受講対象	大卒程度 一般行政系・事務系の教養試験（基礎能力試験）および専門試験対策 ［都道府県、特別区（東京23区）、政令指定都市、市役所、国家一般職大卒など］	申込受付期間	2024年3月15日～2025年3月31日
		学習期間のめやす	6か月　学習期間のめやすです。個人のスケジュールに合わせて、長くも短くも調整することが可能です。試験本番までの期間を考慮し、ご自分に合った学習計画を立ててください。
受講料	93,500円 （本体85,000円＋税　教材費・指導費等を含む総額） ※受講料は2024年4月1日現在のものです。	受講生有効期間	2026年10月31日まで

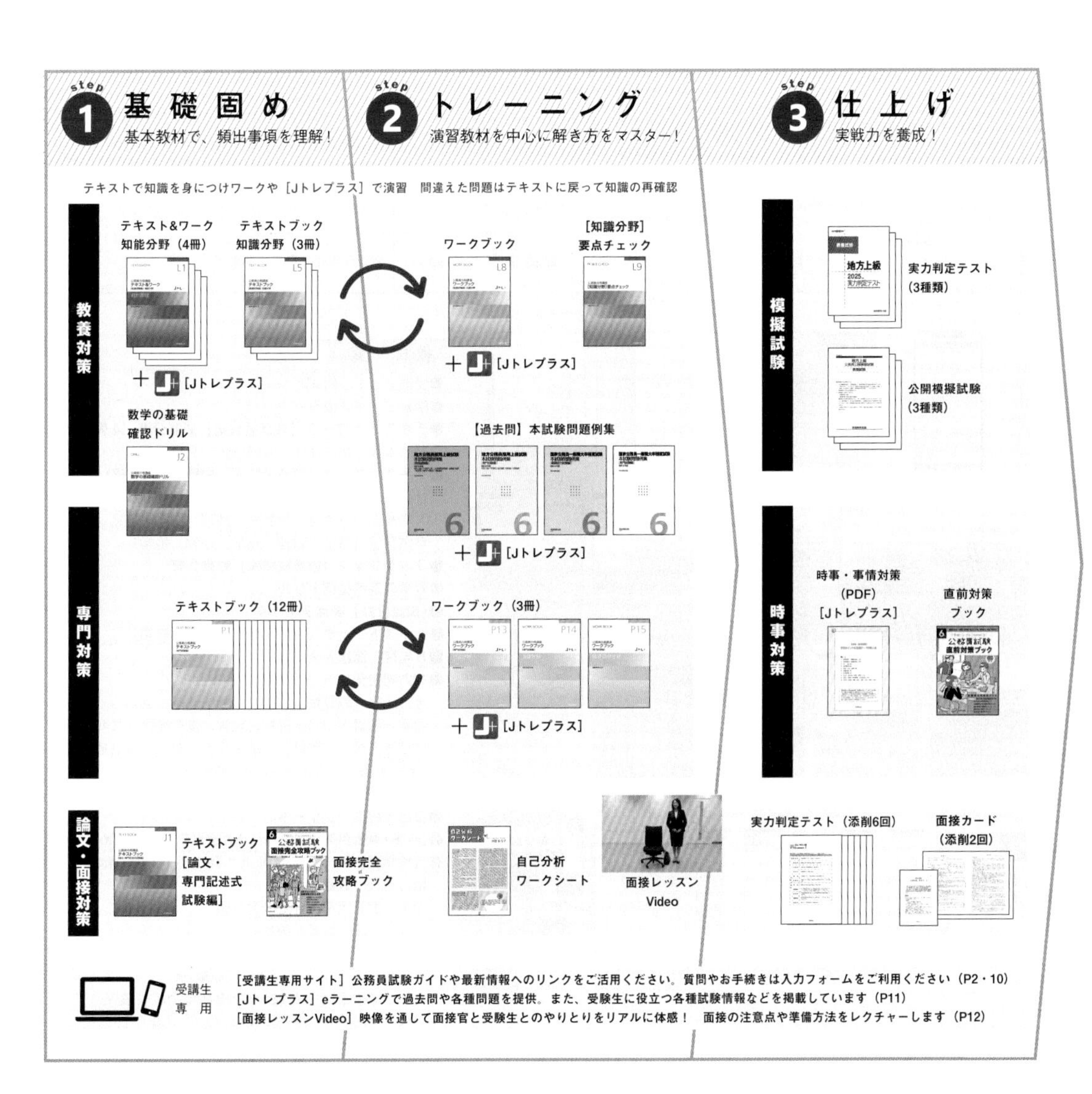

公務員合格！

success voice!!

通信講座を使い時間を有効的に活用すれば念願の合格も夢ではありません

奥村 雄司 さん
龍谷大学卒業

京都市 上級Ⅰ 一般事務職 合格

私は医療関係の仕事をしており平日にまとまった時間を確保することが難しかったため、いつでも自分のペースで勉強を進められる通信講座を勉強法としました。その中でも「Jトレプラス」など場所を選ばず勉強ができる点に惹かれ、実務教育出版の通信講座を選びました。

勉強は試験前年の12月から始め、判断推理・数的推理・憲法などの出題数の多い科目から取り組みました。特に数的推理は私自身が文系であり数字に苦手意識があるため、問題演習に苦戦しましたが、「Jトレプラス」を活用し外出先でも問題と正解を見比べ、問題を見たあとに正解を結びつけられるイメージを繰り返し、解ける問題を増やしていきました。

ある程度基礎知識が身についたあとは、過去問集や本試験問題例集を活用し、実際に試験で解答する問題を常にイメージしながら問題演習を繰り返しました。回答でミスした問題も放置せず基本問題であればあるほど復習を忘れずに日々解けない問題を減らしていくことを積み重ねていきました。

私のように一度就職活動中の公務員試験に失敗したとしても、通信講座を使い時間を有効的に活用すれば念願の合格も夢ではありません。試験直前も最後まであきらめず、落ちてしまったことがある方も、その経験を糧にぜひ頑張ってください。社会人から公務員へチャレンジされる全ての方を応援しています。

大卒程度 公務員総合コース

[教養のみ]

「教養」が得意になる、得点源にするための攻略コース！

受講対象	**大卒程度 教養試験（基礎能力試験）対策** [一般行政系（事務系）、技術系、資格免許職を問わず、都道府県、特別区（東京23区）、政令指定都市、市役所、国家一般職大卒など]	申込受付期間	**2024年3月15日～2025年3月31日**
		学習期間のめやす	**6か月** 学習期間のめやすです。個人のスケジュールに合わせて、長くも短くも調整することが可能です。試験本番までの期間を考慮し、ご自分に合った学習計画を立ててください。
受講料	**68,200円** （本体62,000円＋税　教材費・指導費等を含む総額） ※受講料は、2024年4月1日現在のものです。	受講生有効期間	2026年10月31日まで

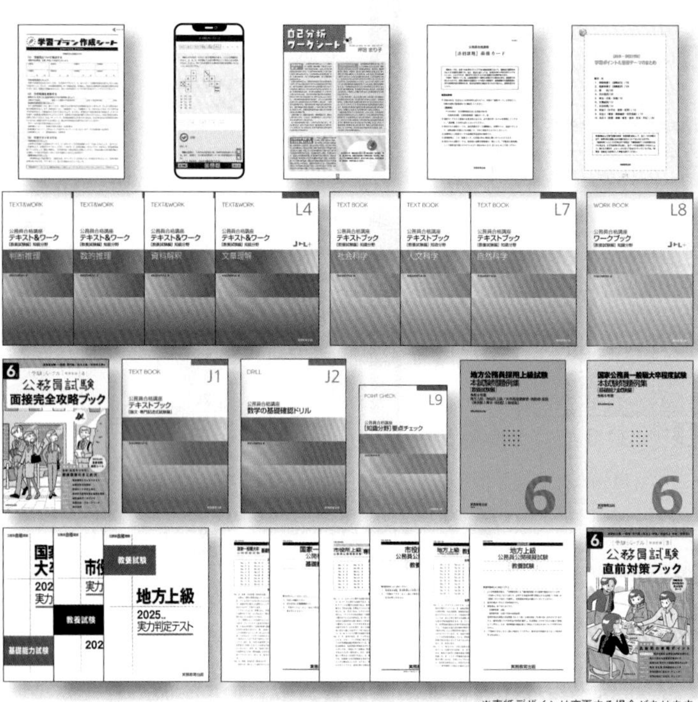

※表紙デザインは変更する場合があります

教材一覧

- 受講ガイド（PDF）
- 学習プラン作成シート
- **テキスト＆ワーク［教養試験編］知能分野（4冊）**
  判断推理、数的推理、資料解釈、文章理解
- **テキストブック［教養試験編］知識分野（3冊）**
  社会科学［政治、法律、経済、社会］
  人文科学［日本史、世界史、地理、文学・芸術、思想］
  自然科学［数学、物理、化学、生物、地学］
- **ワークブック［教養試験編］知識分野**
- **数学の基礎確認ドリル**
- **［知識分野］要点チェック**
- **テキストブック［論文・専門記述式試験編］**
- **6年度　面接完全攻略ブック**
- **実力判定テスト★（試験別 各1回）**
  地方上級［教養試験、論文試験（添削2回）］
  国家一般職大卒［基礎能力試験、論文試験（添削2回）］
  市役所上級［教養試験、論・作文試験（添削2回）］
  ＊教養は自己採点　＊論文・作文は計6回添削
- **［添削課題］面接カード（2回）**
- **自己分析ワークシート**
- **［時事・事情対策］学習ポイント＆重要テーマのまとめ（PDF）**
- **公開模擬試験★（試験別 各1回）**＊マークシート提出
  地方上級［教養試験］
  国家一般職大卒［基礎能力試験］
  市役所上級［教養試験］
- **本試験問題例集（試験別過去問1年分 全2冊）**
  令和6年度 地方上級［教養試験編］★
  令和6年度 国家一般職大卒［基礎能力試験編］★
  ※平成27年度～令和6年度分は、［Jトレプラス］に収録
- **7年度　直前対策ブック★**
- **eラーニング［Jトレプラス］**

★印の教材は、発行時期に合わせて送付します（詳細は受講後にお知らせします）

success voice!!

「Jトレプラス」では「面接レッスンVideo」と、直前期に「動画で学ぶ時事対策」を利用しました

伊藤 拓生さん
信州大学卒業

長野県 技術系 合格

私が試験勉強を始めたのは大学院の修士1年の5月からでした。研究で忙しい中でも自分のペースで勉強ができることと、受講料が安価のため通信講座を選びました。

まずは判断推理と数的推理から始め、テキスト&ワークで解法を確認しました。知識分野は得点になりそうな分野を選んでワークを繰り返し解き、頻出項目を覚えるようにしました。秋頃から市販の過去問を解き始め、実際の問題に慣れるようにしました。また直前期には「動画で学ぶ時事対策」を追加して利用しました。食事の時間などに、繰り返し視聴していました。

2次試験対策は、「Jトレプラス」の「面接レッスンVideo」と、大学のキャリアセンターの模擬面接を利用し受け答えを改良していきました。

また、受講生専用サイトから質問ができることも大変助けになりました。私の周りには公務員試験を受けている人がほとんどいなかったため、試験の形式など気になったことを聞くことができてとてもよかったです。

公務員試験は対策に時間がかかるため、継続的に進めることが大切です。何にどれくらいの時間をかけるのか計画を立てながら、必要なことをコツコツと行っていくのが必要だと感じました。そして1次試験だけでなく、2次試験対策も早い段階から少しずつ始めていくのがよいと思います。またずっと勉強をしていると気が滅入ってくるので、定期的に気分転換することがおすすめです。

大卒程度 公務員択一攻略セット

[教養＋専門行政系]

教養＋専門が効率よく攻略できる

受講対象	**大卒程度 一般行政系・事務系の教養試験（基礎能力試験）および専門試験対策** [都道府県、特別区（東京23区）、政令指定都市、市役所、国家一般職大卒など]
受講料	**62,700円** （本体57,000円＋税 教材費・指導費等を含む総額）※受講料は2024年4月1日現在のものです。
申込受付期間	**2024年3月15日～2025年3月31日**
学習期間のめやす	**6か月** 学習期間のめやすです。個人のスケジュールに合わせて、長くも短くも調整することが可能です。試験本番までの期間を考慮し、ご自分に合った学習計画を立ててください。
受講生有効期間	2026年10月31日まで

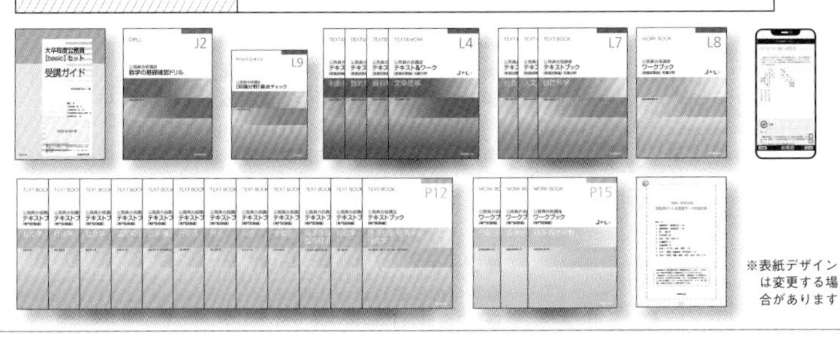

※表紙デザインは変更する場合があります

教材一覧

- ●受講ガイド（PDF）
- ●テキスト＆ワーク［教養試験編］知能分野（4冊）
  判断推理、数的推理、資料解釈、文章理解
- ●テキストブック［教養試験編］知識分野（3冊）
  社会科学［政治、法律、経済、社会］
  人文科学［日本史、世界史、地理、文学・芸術、思想］
  自然科学［数学、物理、化学、生物、地学］
- ●ワークブック［教養試験編］知識分野
- ●数学の基礎確認ドリル
- ●［知識分野］要点チェック
- ●テキストブック［専門試験編］（12冊）
  政治学、行政学、社会学、国際関係、法学・憲法、行政法、民法、刑法、労働法、経済原論（経済学）・国際経済学、財政学、経済政策・経済学史・経営学
- ●ワークブック［専門試験編］（3冊）
  行政分野、法律分野、経済・商学分野
- ●［時事・事情対策］学習ポイント&重要テーマのまとめ（PDF）
- ●過去問 ※平成27年度～令和6年度 ［Jトレプラス］に収録
- ●eラーニング［Jトレプラス］

教材は K コースと同じもので、面接・論文対策、模試がついていません。

大卒程度 公務員択一攻略セット

[教養のみ]

教養のみ効率よく攻略できる

受講対象	**大卒程度 教養試験（基礎能力試験）対策** [一般行政系（事務系）、技術系、資格免許職を問わず、都道府県、政令指定都市、特別区（東京23区）、市役所など]
受講料	**46,200円** （本体42,000円＋税 教材費・指導費等を含む総額）※受講料は2024年4月1日現在のものです。
申込受付期間	**2024年3月15日～2025年3月31日**
学習期間のめやす	**6か月** 学習期間のめやすです。個人のスケジュールに合わせて、長くも短くも調整することが可能です。試験本番までの期間を考慮し、ご自分に合った学習計画を立ててください。
受講生有効期間	2026年10月31日まで

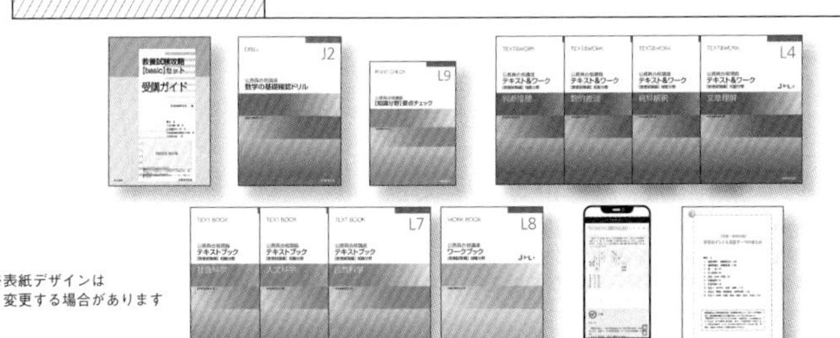

※表紙デザインは変更する場合があります

教材一覧

- ●受講ガイド（PDF）
- ●テキスト＆ワーク［教養試験編］知能分野（4冊）
  判断推理、数的推理、資料解釈、文章理解
- ●テキストブック［教養試験編］知識分野（3冊）
  社会科学［政治、法律、経済、社会］
  人文科学［日本史、世界史、地理、文学・芸術、思想］
  自然科学［数学、物理、化学、生物、地学］
- ●ワークブック［教養試験編］知識分野
- ●数学の基礎確認ドリル
- ●［知識分野］要点チェック
- ●［時事・事情対策］学習ポイント&重要テーマのまとめ（PDF）
- ●過去問 ※平成27年度～令和6年度 ［Jトレプラス］に収録
- ●eラーニング［Jトレプラス］

教材は C コースと同じもので、面接・論文対策、模試がついていません。

経験者採用試験コース

職務経験を活かして公務員転職を狙う教養・論文・面接対策コース！

POINT

広範囲の教養試験を頻出事項に絞って
効率的な対策が可能！

8回の添削で論文力をレベルアップ
面接は、本番を想定した準備が可能！
面接レッスン Video も活用しよう！

受講対象	民間企業等職務経験者・社会人採用試験対策
受講料	79,200 円（本体 72,000 円＋税　教材費・指導費等を含む総額）※受講料は、2024 年 4 月 1 日現在のものです。
申込受付期間	2024 年 3 月 15 日～ 2025 年 3 月 31 日
学習期間のめやす	6か月　学習期間のめやすです。個人のスケジュールに合わせて、長くも短くも調整することが可能です。試験本番までの期間を考慮し、ご自分に合った学習計画を立ててください。
受講生有効期間	2026 年 10 月 31 日まで

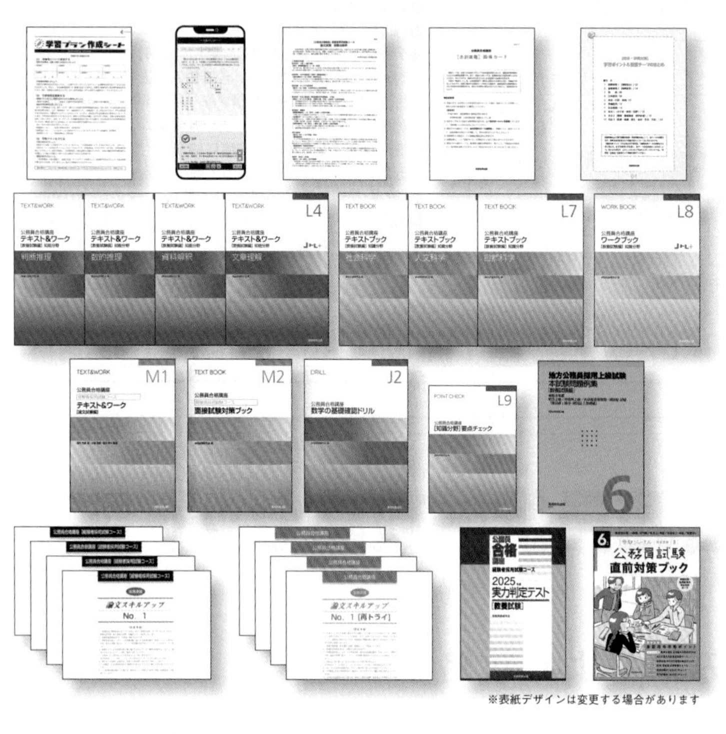

※表紙デザインは変更する場合があります

教材一覧

- ●受講ガイド（PDF）
- ●学習プラン作成シート
- ●論文試験・集団討論試験等 実際出題例
- ●テキスト＆ワーク［論文試験編］
- ●テキスト＆ワーク［教養試験編］知能分野（4 冊）
  判断推理、数的推理、資料解釈、文章理解
- ●テキストブック［教養試験編］知識分野（3 冊）
  社会科学［政治、法律、経済、社会］
  人文科学［日本史、世界史、地理、文学・芸術、思想］
  自然科学［数学、物理、化学、生物、地学］
- ●ワークブック［教養試験編］知識分野
- ●数学の基礎確認ドリル
- ●［知識分野］要点チェック
- ●面接試験対策ブック
- ●提出課題 1（全 4 回）
  ［添削課題］論文スキルアップ No.1（職務経験論文）
  ［添削課題］論文スキルアップ No.2、No.3、No.4（一般課題論文）
- ●提出課題 2（以下は初回答案提出後発送　全 4 回）
  再トライ用［添削課題］論文スキルアップ No.1（職務経験論文）
  再トライ用［添削課題］論文スキルアップ No.2、No.3、No.4（一般課題論文）
- ●実力判定テスト［教養試験］★（1 回）＊自己採点
- ●［添削課題］面接カード（2 回）
- ●［時事・事情対策］学習ポイント＆重要テーマのまとめ（PDF）
- ●本試験問題例集（試験別過去問 1 年分 全 1 冊）
  令和 6 年度 地方上級［教養試験編］★
  ※平成 27 年度～令和 6 年度分は、［J トレプラス］に収録
- ●7 年度　直前対策ブック★
- ●e ラーニング［J トレプラス］

★印の教材は、発行時期に合わせて送付します（詳細は受講後にお知らせします）。

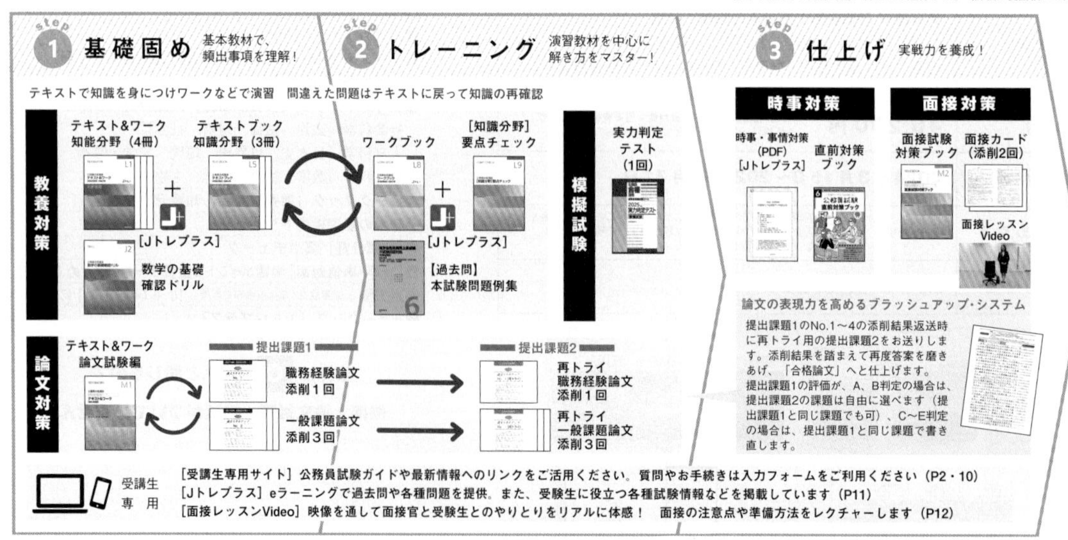

経験者採用試験［論文・面接試験対策］コース

経験者採用試験の論文・面接対策に絞って攻略！

POINT

8回の添削指導で論文力をレベルアップ！

面接試験は、回答例を参考に本番を想定した準備が可能！面接レッスン Video も活用しよう！

受講対象	民間企業等職務経験者・社会人採用試験対策
受講料	39,600円（本体36,000円＋税　教材費・指導費等を含む総額）※受講料は、2024年4月1日現在のものです。
申込受付期間	2024年3月15日～2025年3月31日
学習期間のめやす	4か月　学習期間のめやすです。個人のスケジュールに合わせて、長くも短くも調整することが可能です。試験本番までの期間を考慮し、ご自分に合った学習計画を立ててください。
受講生有効期間	2026年10月31日まで

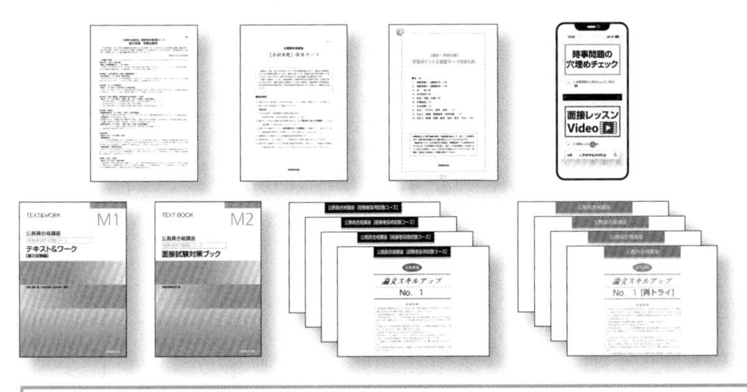

教材一覧

- ●受講のてびき
- ●論文試験・集団討論試験等 実際出題例
- ●テキスト＆ワーク［論文試験編］
- ●面接試験対策ブック
- ●提出課題1（全4回）
  - ［添削課題］論文スキルアップ No.1（職務経験論文）
  - ［添削課題］論文スキルアップ No.2、No.3、No.4（一般課題論文）
- ●提出課題2（以下は初回答案提出後発送　全4回）
  - 再トライ用［添削課題］論文スキルアップ No.1（職務経験論文）
  - 再トライ用［添削課題］論文スキルアップ No.2、No.3、No.4（一般課題論文）
- ●［添削課題］面接カード（2回）
- ●［時事・事情対策］学習ポイント&重要テーマのまとめ（PDF）
- ●eラーニング［Jトレプラス］

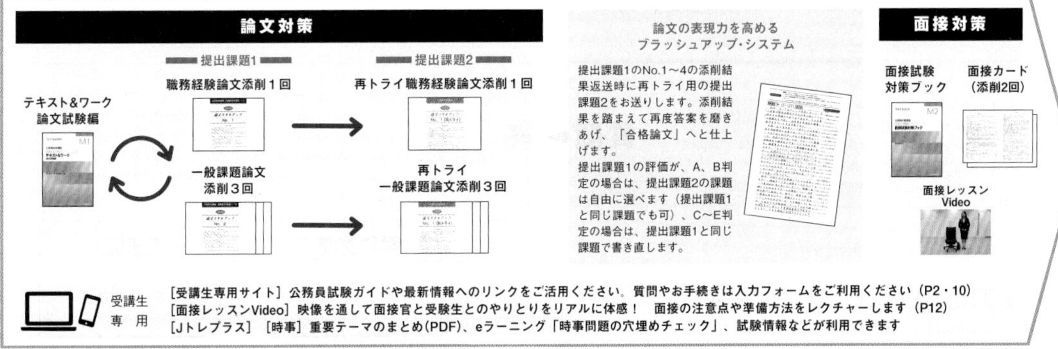

公務員合格！

※『経験者採用試験コース』と『経験者採用試験［論文・面接試験対策］コース』の論文・面接対策教材は同じものです。両方のコースを申し込む必要はありません。どちらか一方をご受講ください。

success voice!!

通信講座のテキスト、添削のおかげで効率よく公務員試験に必要な情報を身につけることができました

小川 慎司 さん
南山大学卒業

国家公務員中途採用者選考試験（就職氷河期世代）合格

私が大学生の頃はいわゆる就職氷河期で、初めから公務員試験の合格は困難と思い、公務員試験に挑戦しませんでした。そのことが大学卒業後20年気にかかっていましたが、現在の年齢でも公務員試験を受験できる機会を知り、挑戦しようと思いました。

通信講座を勉強方法として選んだ理由は、論文試験が苦手だったため、どこが悪いのかどのように書けばよいのかを、客観的にみてもらいたいと思ったからです。

添削は、案の定厳しい指摘をいただき、論文の基本的なことがわかっていないことを痛感しましたが、返却答案のコメントやテキストをみていくうちに、順を追って筋道立てて述べること、明確に根拠を示すことなど論文を書くポイントがわかってきました。すると筆記試験に合格するようになりました。

面接は、面接試験対策ブックが役に立ちました。よくある質問の趣旨、意図が書いてあり、面接官の問いたいことはなにかという視点で考えて、対応することができるようになりました。

正職員として仕事をしながらの受験だったので、勉強時間をあまりとることができませんでしたが、通信講座のテキスト、添削のおかげで効率よく公務員試験に必要な情報を身につけることができました。

ちょうどクリスマスイブに合格通知書が届きました。そのときとても幸せな気持ちになりました。40歳代後半での受験で合格は無理ではないかと何度もくじけそうになりましたが、あきらめず挑戦してよかったです。

2025年度試験対応

市役所教養トレーニングセット

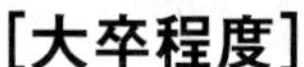

[大卒程度]

大卒程度の市役所試験を徹底攻略！

受講対象	**大卒程度 市役所 教養試験対策** 一般行政系（事務系）、技術系、資格免許職を問わず、大卒程度市役所
受講料	**31,900円** （本体29,000円＋税 教材費・指導費等を含む総額）※受講料は2024年8月1日現在のものです。
申込受付期間	**2024年8月1日～2025年7月31日**
学習期間のめやす	3か月 学習期間のめやすです。個人のスケジュールに合わせて、長くも短くも調整することが可能です。試験本番までの期間を考慮し、ご自分に合った学習計画を立ててください。
受講生有効期間	2026年10月31日まで

教材一覧

- ●受講ガイド（PDF）
- ●学習のモデルプラン
- ●テキスト＆ワーク［教養試験編］知能分野（4冊）
  判断推理、数的推理、資料解釈、文章理解
- ●テキストブック［教養試験編］知識分野（3冊）
  社会科学［政治、法律、経済、社会］
  人文科学［日本史、世界史、地理、文学・芸術、思想］
  自然科学［数学、物理、化学、生物、地学］
- ●ワークブック［教養試験編］知識分野
- ●数学の基礎確認ドリル
- ●［知識分野］要点チェック
- ●面接試験対策ブック
- ●実力判定テスト★ ＊教養は自己採点
  市役所上級［教養試験、論・作文試験（添削2回）］
- ●過去問（5年分）
  ［J トレプラス］に収録 ※令和2年度～6年度
- ●eラーニング［J トレプラス］

★印の教材は、発行時期に合わせて送付（詳細は受講後にお知らせします）。

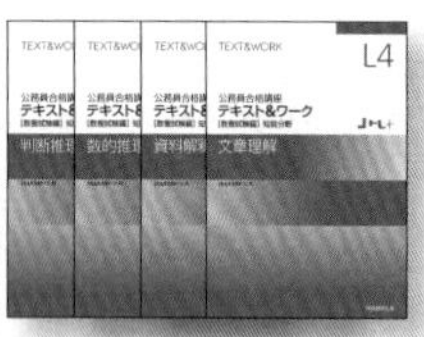

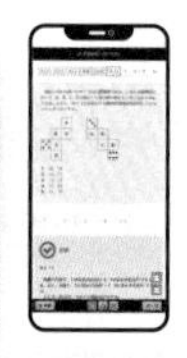

※表紙デザインは変更する場合があります

質問回答

学習上の疑問は、指導スタッフが解決！

マイペースで学習が進められる自宅学習ですが、疑問の解決に不安を感じる方も多いはず。でも「公務員合格講座」なら、学習途上で生じた疑問に、指導スタッフがわかりやすく丁寧に回答します。
手軽で便利な質問回答システムが、通信学習を強力にバックアップします！

質問の種類	**学科質問** 通信講座教材の内容についてわからないこと	**一般質問** 志望先や学習計画に関することなど
回数制限	**10回まで無料** 11回目以降は有料となります。詳細は下記参照	**回数制限なし** 何度でも質問できます。
質問方法	受講生専用サイト　郵便　FAX 受講生専用サイト、郵便、FAXで受け付けます。	受講生専用サイト　電話　郵便　FAX 受講生専用サイト、電話、郵便、FAXで受け付けます。

受講後、実務教育出版の書籍を当社に直接ご注文いただくとすべて10%割引になります！！

公務員合格講座受講生の方は、当社へ直接ご注文いただく場合に限り、実務教育出版発行の本すべてを10% OFFでご購入いただけます。
書籍の注文方法は、受講生専用サイトでお知らせします。

いつでもどこでも学べる学習環境を提供！

K C L D M R

eラーニング

［Jトレプラス］

時間や場所を選ばず学べます！

スマホで「いつでも・どこでも」学習できるツールを提供しています。本番形式の「五肢択一式」のほか、手軽な短答式で重要ポイントの確認・習得が効率的にできる「穴埋めチェック」や短時間でトライできる「ミニテスト」など、さまざまなシチュエーションで活用できるコンテンツをご用意しています。外出先などでも気軽に問題に触れることができ、習熟度がUPします。

ホーム

五肢択一式

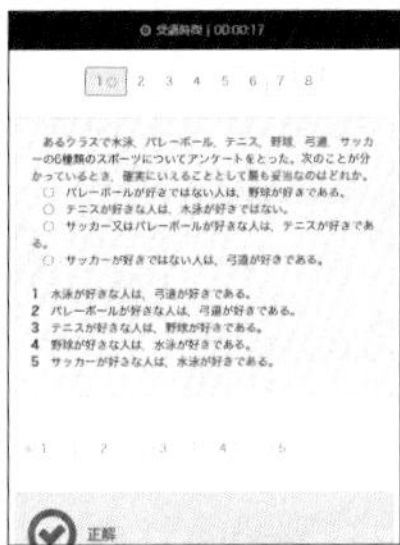

穴埋めチェック

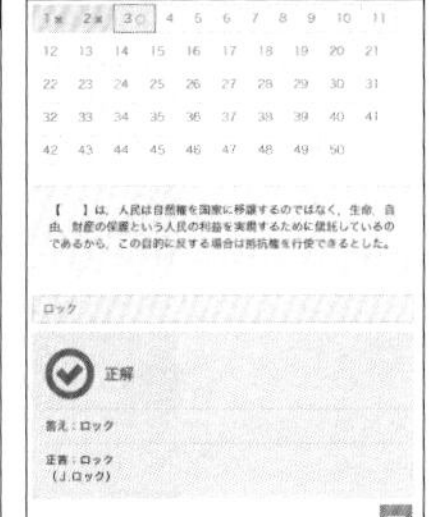

ミニテスト

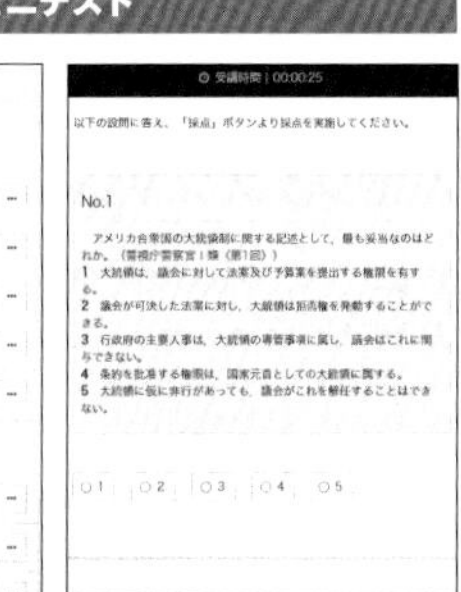

スキマ時間で、問題を解く！　テキストで確認！

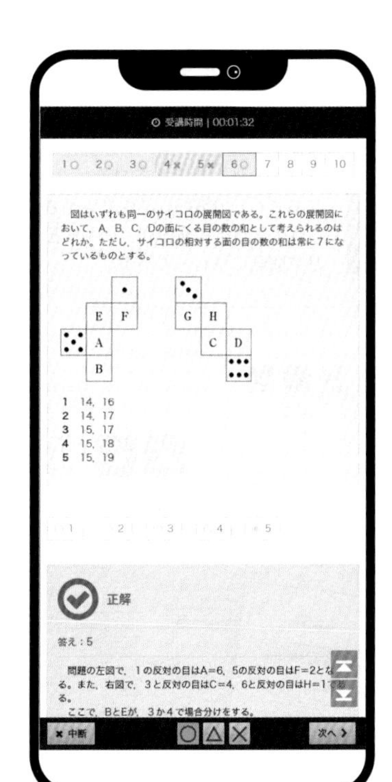

［Jトレプラス］をスマートフォンで利用し、ゲーム感覚で問題を解くことができたので、飽きることなく進められて良かったと思います。

ちょっとした合間に手軽に取り組める［J トレプラス］でより多くの問題に触れるようにしていました。

通学時間に利用した［J トレプラス］は時間が取りにくい理系学生にも強い味方となりました。

テキスト自体が初心者でもわかりやすい内容になっていたのでモチベーションを落とさず勉強が続けられました。

テキスト全冊をひととおり読み終えるのに苦労しましたが、一度読んでしまえば、再読するのにも時間はかからず、読み返すほどに理解が深まり、やりがいを感じました。勉強は苦痛ではなかったです。

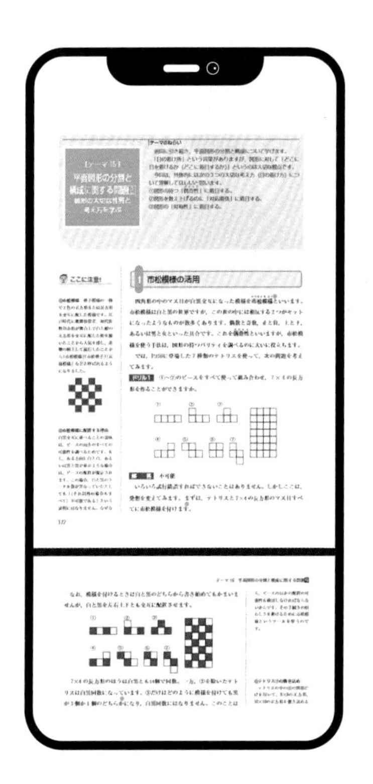

対応コースを記号で明記しています。

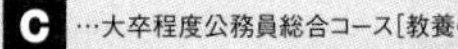

K …大卒程度公務員総合コース［教養+専門行政系］　C …大卒程度公務員総合コース［教養のみ］　L …大卒程度公務員択一攻略セット［教養+専門行政系］
D …大卒程度公務員択一攻略セット［教養のみ］　M …経験者採用試験コース　N …経験者採用試験［論文・面接試験対策］コース　R …市役所教養トレーニングセット

面接のポイントが動画や添削でわかる！

面接レッスン Video

K C M N R

面接試験をリアルに体感！

実際の面接試験がどのように行われるのか、自分のアピール点や志望動機をどう伝えたらよいのか？
面接レッスン Video では、映像を通して面接試験の緊張感や面接官とのやりとりを実感することができます。面接試験で大きなポイントとなる「第一印象」対策も、ベテラン指導者が実地で指南。対策が立てにくい集団討論やグループワークなども含め、準備方法や注意点をレクチャーしていきます。
また、動画内の面接官からの質問に対し声に出して回答し、その内容をさらにブラッシュアップする「実践編」では、「質問の意図」「回答の適切な長さ」などを理解し、本番をイメージしながらじっくり練習することができます。
［J トレプラス］内で動画を配信していますので、何度も見て、自分なりの面接対策を進めましょう。

面接レッスン Video の紹介動画公開中！

面接レッスン Video の紹介動画を公開しています。
実務教育出版 web サイト各コースページからもご覧いただけます。

指導者 Profile

坪田まり子先生

有限会社コーディアル代表取締役、東京学芸大学特命教授、プロフェッショナル・キャリア・カウンセラー®。
自己分析、面接対策などの著書を多数執筆し、就職シーズンの講演実績多数。

森下一成先生

東京未来大学モチベーション行動科学部コミュニティ・デザイン研究室 教授。
特別区をはじめとする自治体と協働し、まちづくりの実践に学生を参画させながら、公務員や教員など、公共を担うキャリア開発に携わっている。

面接試験対策テキスト / 面接カード添削

K C M N

テキストと添削で自己アピール力を磨く！

面接試験対策テキストでは、面接試験の形式や評価のポイントを解説しています。テキストの「質問例＆回答のポイント」では、代表的な質問に対する回答のポイントをおさえ、事前に自分の言葉で的確な回答をまとめることができます。面接の基本を学習した後は「面接カード」による添削指導で、問題点を確認し、具体的な対策につなげます。２回分の提出用紙を、「１回目の添削結果を踏まえて２回目を提出」もしくは「２回目は１回目と異なる受験先用として提出」などニーズに応じて利用できます。

▲面接試験対策テキスト

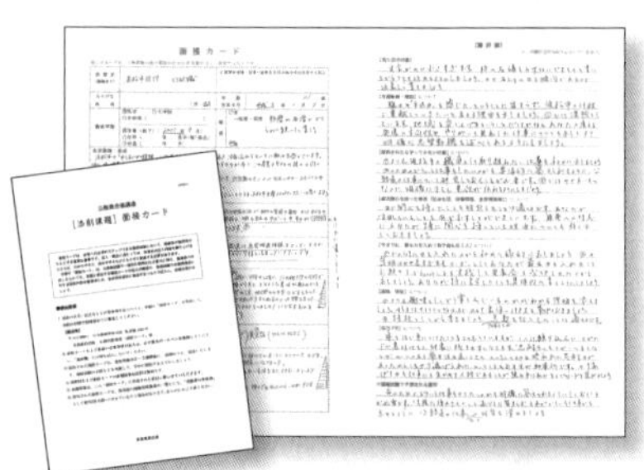
▲面接カード・添削指導

対応コースを記号で明記しています。
K …大卒程度公務員総合コース［教養＋専門行政系］　C …大卒程度公務員総合コース［教養のみ］　L …大卒程度公務員択一攻略セット［教養＋専門行政系］
D …大卒程度公務員択一攻略セット［教養のみ］　M …経験者採用試験コース　N …経験者採用試験［論文・面接試験対策］コース　R …市役所教養トレーニングセット

お申し込み方法・受講料一覧

インターネット

実務教育出版ウェブサイトの「公務員合格講座 受講申込」ページへ進んでください。

●受講申込についての説明をよくお読みになり【申込フォーム】に必要事項を入力の上［送信］してください。
●【申込フォーム】送信後、当社から［確認メール］を自動送信しますので、必ずメールアドレスを入力してください。

■お支払方法

コンビニ・郵便局で支払う
教材と同送の「払込取扱票」でお支払いください。
お支払い回数は「１回払い」のみです。

クレジットカードで支払う
インターネット上で決済できます。ご利用いただけるクレジットカードは、VISA、Master、JCB、AMEXです。お支払い回数は「１回払い」のみです。

※クレジット決済の詳細は、各カード会社にお問い合わせください。

■複数コース受講特典

コンビニ・郵便局で支払いの場合
以前、公務員合格講座の受講生だった方（現在受講中含む）、または今回複数コースを同時に申し込まれる場合は、受講料から3,000円を差し引いた金額を印字した「払込取扱票」をお送りします。
以前、受講生だった方は、以前の受講生番号を【申込フォーム】の該当欄に入力してください（ご本人様限定）。

クレジットカードで支払いの場合
以前、公務員合格講座の受講生だった方（現在受講中含む）、または今回複数コースを同時に申し込まれる場合は、後日当社より直接ご本人様宛にQUOカード3,000円分を進呈いたします。
以前、受講生だった方は、以前の受講生番号を【申込フォーム】の該当欄に入力してください（ご本人様限定）。

詳しくは、実務教育出版ウェブサイトをご覧ください。
「公務員合格講座 受講申込」
https://form.jitsumu.co.jp/contact/kouza_app/default.aspx?fcd=1203999

教材のお届け
あなたからのお申し込みデータにもとづき受講生登録が完了したら、教材の発送手配をいたします。
＊教材一式、受講生証などを発送します。　＊通常は当社受付日の翌日に発送します。
＊お申し込み内容に虚偽があった際は、教材の送付を中止させていただく場合があります。

受講料一覧［インターネットの場合］

コース記号	コース名	受講料	申込受付期間
K	大卒程度 公務員総合コース［教養＋専門行政系］	93,500円（本体85,000円＋税）	2024年3月15日〜2025年3月31日
C	大卒程度 公務員総合コース［教養のみ］	68,200円（本体62,000円＋税）	
L	大卒程度 公務員択一攻略セット［教養＋専門行政系］	62,700円（本体57,000円＋税）	
D	大卒程度 公務員択一攻略セット［教養のみ］	46,200円（本体42,000円＋税）	
M	経験者採用試験コース	79,200円（本体72,000円＋税）	
N	経験者採用試験［論文・面接試験対策］コース	39,600円（本体36,000円＋税）	
R	市役所教養トレーニングセット［大卒程度］	31,900円（本体29,000円＋税）	2024年8月1日〜2025年7月31日

＊受講料には、教材費・指導費などが含まれております。　＊お支払い方法は、一括払いのみです。　＊受講料は、2024年8月1日現在の税込価格です。

【返品・解約について】

◇教材到着後、未使用の場合のみ２週間以内であれば、返品・解約ができます。
◇返品・解約される場合は、必ず事前に当社へ電話でご連絡ください（電話以外は不可）。
TEL：03-3355-1822（土日祝日を除く９：00～17：00）
◇返品・解約の際、お受け取りになった教材一式は、必ず実務教育出版あてにご返送ください。教材の返送料は、お客様のご負担となります。
◇２週間を過ぎてからの返品・解約はできません。また、２週間以内でも、お客様による折り目や書き込み、破損、汚れ、紛失等がある場合は、返品・解約ができませんのでご了承ください。
◇全国の取扱い店（大学生協・書店）にてお申し込みになった場合の返品・解約のご相談は、直接、生協窓口・書店へお願いいたします。

個人情報取扱原則　実務教育出版では、個人情報保護法など関連法規に基づいて個人情報を取り扱います。

1　利用目的　実務教育出版の商品（通信講座など）をご契約、ならびにお問い合わせいただいたお客様に対して、教材発送、案内資料の送付、お問い合わせやご相談の返答、その他関連サービスの提供やご案内、また、社内での調査・研究（アンケート等）などに利用させていただきます。
2　個人情報の管理　(1) 関係する法令等を順守いたします。(2) 利用目的の範囲を超えて個人情報を利用することはありません。(3) 業務上、外部の協力会社等にデータ処理を委託する場合は、適切な指導・監督を行うとともに、委託業務に関して契約を取り交わし、機密保持に努めます。
3　個人情報の第三者への供与制限　お客様の個人情報は、以下のいずれかに該当する場合を除き、第三者に提供することはありません。(1) お客様への契約の履行、商品提供や各種サービスを実施するため、社外の協力会社へデータ処理を委託する場合。(2) お客様の同意がある場合。(3) 法令に基づき司法機関、行政機関から法的義務を伴う要請を受けた場合。
4　個人情報の訂正・利用停止の手続き　お客様ご本人より、個人情報の誤りについての訂正や利用停止のご連絡をいただいた場合は、お手続きの間に合う時点から速やかに処理を行います。
5　お問い合わせ窓口　個人情報についての苦情・お問い合わせは、下記にて受け付けいたします。
公務員指導部　TEL.03-3355-1822（土日祝日を除く９：00～17：00）

公務員受験生を応援するwebサイト

※サイトのデザインは変更する場合があります

実務教育出版は、68年の伝統を誇る公務員受験指導のパイオニアとして、常に新しい合格メソッドと学習スタイルを提供しています。最新の公務員試験情報や詳しい公務員試験ガイド、国の機関から地方自治体までを網羅した官公庁リンク集、さらに、受験生のバイブル・実務教育出版の公務員受験ブックスや通信講座など役立つ学習ツールを紹介したオリジナルコンテンツも見逃せません。お気軽にご利用ください。

公務員試験ガイド

【公務員試験ガイド】は、試験別に解説しています。試験区分・受験資格・試験日程・試験内容・各種データ、対応コースや関連書籍など、盛りだくさん！

あなたに合ったお仕事は？ 公務員クイック検索！

【公務員クイック検索！】は、選択条件を設定するとあなたに合った公務員試験を検索することができます。

公務員合格講座に関するお問い合わせ

実務教育出版 公務員指導部

「どのコースを選べばよいか」、「公務員合格講座のシステムのここがわからない」など、公務員合格講座についてご不明な点は、電話かwebのお問い合わせフォームよりお気軽にご質問ください。公務員指導部スタッフがわかりやすくご説明いたします。

電話 **03-3355-1822** （土日祝日を除く 9：00～17：00）

web **https://www.jitsumu.co.jp/contact/inquiry/** （お問い合わせフォーム）

実務教育出版
www.jitsumu.co.jp
〒163-8671 東京都新宿区新宿1-1-12 / TEL: 03-3355-1822（土日祝日を除く 9：00～17：00）

警察官・消防官［大卒程度］
一次試験対策セット！

大卒程度の警察官・消防官の一次試験合格に必要な書籍、教材、模試をセット販売します。問題集をフル活用することで合格力を身につけることができます。模試は自己採点でいつでも実施することができ、論文試験は対策に欠かせない添削指導を受けることができます。

警察官 スーパー過去問セット［大卒程度］

教材一覧

●大卒程度 警察官・消防官 スーパー過去問ゼミ［改訂第3版］
社会科学、人文科学、自然科学、判断推理、数的推理、文章理解・資料解釈

●数学の基礎確認ドリル

●［知識分野］要点チェック

●2026年度版 大卒警察官 教養試験 過去問350

●警察官・消防官［大卒程度］ 公開模擬試験
＊問題、正答と解説（自己採点）、論文（添削付き）

セット価格 18,150円（税込）

申込受付期間 2024年10月25日～

消防官 スーパー過去問セット［大卒程度］

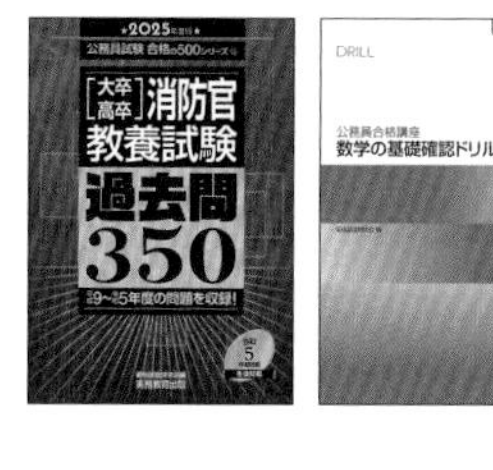

教材一覧

●大卒程度 警察官・消防官 スーパー過去問ゼミ［改訂第3版］
社会科学、人文科学、自然科学、判断推理、数的推理、文章理解・資料解釈

●数学の基礎確認ドリル

●［知識分野］要点チェック

●2025年度版 大卒・高卒消防官 教養試験 過去問350

●警察官・消防官［大卒程度］ 公開模擬試験
＊問題、正答と解説（自己採点）、論文（添削付き）

セット価格 18,150円（税込）

申込受付期間 2024年1月12日～

試験の特色

●全国主要６都市で「会場受験」を実施。（第１・２回は東京・大阪のみ）
遠隔地の方や当日会場に来られない方には「自宅受験」をご用意しております。
●実際の公務員採用試験に準拠して実施します。特に地方上級試験は、各自治体の出題内容に対応した型別出題システムで実施します。
●元試験専門委員などのスタッフが過去の問題を徹底分析、それに今後予想される出題傾向をプラスして精度の高い問題を作成します。
●解答方法の練習に役立つようマークシートの答案用紙を使用し、コンピュータで迅速に採点します。
●客観的かつ全国レベルでの実力が分かります。また、細かく分析された成績表により、弱点分野の克服に役立ちます。
●豊富なデータに基づく信頼性の高い合格可能度を判定します。
●「正答と解説」には全問にポイントを押さえた解説付き。解法のポイントやテクニックが盛り込まれており、弱点補強に役立ちます。
●「論文試験」添削指導（別途有料）が受けられます。

受験会場

※会場受験は、全国6会場（札幌・仙台・東京・名古屋・大阪・福岡）で実施します。（第1・2回は東京・大阪のみ）
下記の会場以外は、弊社ホームページでご確認いただくか、事務局まで直接お問い合わせください。（TEL 03-3241-4977）

札幌会場：札幌公務員受験学院　〒060-0809　北海道札幌市北区北9条西4-7-4 エルムビル6F　TEL 0120-561-276
福岡会場：麻生公務員専門学校／福岡校　〒812-0016　福岡県福岡市博多区博多駅南1-14-7　TEL 092-473-6051

☆都合により各会場の具体的な実施場所は変更になる場合があります。
事前に各受験者宛にお送りする「受験票」には、各会場への簡単な地図を掲載します。

試験の内容

（※出題される問題は各実施回ごとに異なります。）

●第3・5回　地方上級（行政系）
地方上級（各都府県・政令指定都市・特別区）の行政系に照準を合わせた問題です。**東京都・横浜市・相模原市・静岡市・神戸市および技術職**を志望される方は「教養試験」のみを受験してください。なお、北海道（札幌市を除く）・大阪府・奈良県・和歌山県・大阪市・堺市を志望される方、および、京都府・広島県・広島市の「法律」「経済」区分を志望される方は、本模擬テストの対象外となります。

●第3・5回　市役所上級（事務系）
地方上級の統一実施日に、ほぼ同レベルの問題で試験が実施される県庁所在地など比較的大きな市を志望する方が対象となります。なお、合格可能度は「市役所上級」として一本化して判定します。

●第3回　大卒警察官
警視庁・道府県警察の大卒程度警察官（男性・女性）を対象として実施します。必ず「教養試験」のみを受験してください。なお、和歌山県・警察官を志望される方は、本模擬テストの対象外となります。

●第3・5回　大卒消防官
主に東京消防庁・政令指定都市の大卒程度消防官志望者を対象として実施します。詳しくは右下の一覧表をご参照ください。

●第2・4回　国家一般職大卒（行政）
国家一般職大卒の行政に照準を合わせた問題です。**技術職**を志望される方は「教養試験（基礎能力試験）」のみを受験してください。

◎試験時間
（第３・５回）　教養試験：９時30分～12時（150分）
　　　　　　　　専門試験：13時～15時（120分）
（第２・４回）　教養試験：９時30分～11時20分（110分）
　　　　　　　　専門試験：12時30分～15時30分（180分）

◎出題科目
実際の採用試験に準じた科目で実施します。詳しい出題科目に関しましては、弊社ホームページをご覧ください。

◎成績資料
教養・専門試験の得点、判定、換算点、平均点、序列、問題別解答状況、分野別解答状況、合格可能度、昨年度本試験の実施結果、合格ラインの総合点

ご注意　「教養試験のみ」の受験者については、成績判定の総合に関するもの、および合格可能度は判定されません。
ただし、地方上級の東京都・横浜市・相模原市・静岡市・神戸市、および市役所上級、大卒警察官・消防官の志望者は例外となります。
なお、詳しい出題内容等につきましては、弊社ホームページをご覧ください。　http://www.sankei-koumuin.jp/about/detail/

試験の種別について（必ずお読みください。）

地方上級（第1・3・5回）
「専門試験」は〈行政系〉対応です。
技術職志望者は「教養のみ」を受験してください。
ただし、〈行政系〉志望であっても、東京都・横浜市・相模原市・静岡市・神戸市の志望者は「教養のみ」を受験してください。
また、北海道（札幌市を除く）・大阪府・奈良県・和歌山県・大阪市・堺市を志望される方、および、京都府・広島県・広島市の「法律」「経済」区分を志望される方は、本模擬テストの対象外となります。

国家一般職大卒（第2・4回）
「専門試験」は〈行政〉対応です。
技術職志望者は「教養のみ」を受験してください。

大卒警察官（第1・3回）
必ず「教養のみ」を受験してください。なお、和歌山県・警察官を志望される方は、本模擬テストの対象外となります。

市役所上級（第1・3・5回）
志望自治体によって「教養＋専門」「教養のみ」の別が決まりますので、択一式の専門試験の有無等、各自治体発表の採用試験情報をご自分でお調べの上、お申込みください。なお、「専門試験」は〈事務系〉対応です。技術職志望者は「教養のみ」を受験してください。また、合格可能度は「市役所上級」として一本化して判定します。

大卒消防官（第1・3・5回）
志望自治体によって「教養＋専門」「教養のみ」の別が決まりますので、必ず下記の一覧表を参照の上、お申込みください。なお、札幌市・浜松市・堺市の消防官を志望される方は、本模擬テストの対象外となります。

教養＋専門	教養のみ
広島市	仙台市、さいたま市、千葉市、東京消防庁、横浜市、川崎市、相模原市、新潟市、静岡市、名古屋市、京都市、大阪市、神戸市、岡山市、北九州市、福岡市、熊本市、その他の市

※「その他の市」は、地方上級の統一実施日に、ほぼ同レベルの問題で試験が実施される県庁所在地など比較的大きな市が対象となります（合格可能度は「その他の市」として一本化して判定）。上記以外の市の志望者は、試験の内容・レベルが異なる場合がありますので、あくまでも力試しとして受験してください。

お申込み方法

インターネットでお申込み

- 弊社ホームページからお申込みができます。（www.sankei-koumuin.jp）
- お支払い方法は、クレジットカード決済または各種コンビニ決済のどちらかをお選びください。
- コンビニ決済をお選びいただいた場合、お支払い期限はネット上でのお申込み手続き完了から二日以内（翌々日の23時59分59秒まで）となります。この期限を過ぎますと、お申込み自体が無効となりますので、十分ご注意ください。
- 郵便局や銀行等、各種金融機関の口座振込はご利用になれません。

書店・大学生協にてお申込み

- 全国の有名書店・大学生協にて、店頭受付をしている場合があります。
- 取扱書店名・大学生協名につきましては、このページ裏面のリストをご覧ください。
- 受付をしている各店舗には、専用の申込用紙をご用意しております。
- 書店・大学生協でのお申込みの場合、申込締切日は当日各店舗の営業時間内です。

お申込み・模擬試験の詳しい内容についてなど、弊社ホームページをご覧ください。

www.sankei-koumuin.jp

※右のQRコードをご利用いただくか、インターネットで《公務員テスト》を検索！

𝕏：@sankei_koumuin

𝕏でも随時情報公開中！

会場受験・自宅受験についてのご注意

会場

- 全国6会場（**札幌・仙台・東京・名古屋・大阪・福岡**）で実施します。なお、各会場の具体的な実施場所に関しては、弊社ホームページをご覧いただくか、事務局まで直接お問い合わせください。（TEL：03-3241-4977）
- 都合により各会場の具体的な実施場所は変更になる場合があります。
- 各会場ともに定員オーバーとなった場合、または諸般の事情により中止となった場合など、自宅受験に振り替えていただくこともあります。
- 「正答と解説」はネット上に公開します。試験終了時にアクセス用の情報をお渡しします。
- 会場受験の方へは、試験日の１週間ほど前までに受験票をお送りします。受験票は申込締切日より約１週間後に一斉に発送しますが、郵便事情等により到着が前後することがあります。**試験日の3日前になっても受験票が届かない場合、必ず事前に事務局(03-3241-4977)までご一報ください。**なお、ご連絡なき場合は到着したものとみなしますので、十分にご注意ください。また、受験票が未着のまま、試験当日、直接受験会場に来られても受験できない場合がありますので、特にご注意ください。

自宅

- 自宅受験の方へは、最初のページの実施日程表に記載された期日に、自宅受験のセットを一斉に発送します。郵便事情等により到着が前後することがありますが、**発送日より５日経っても問題が届かない場合、必ず事務局(03-3241-4977)までご一報ください。**なお、ご連絡なき場合は到着したものとみなしますので、十分にご注意ください。
- 自宅受験のセットには「受験時の注意事項」「問題冊子」「正答と解説（ネット上に公開。アクセス用の情報）」「マークシート」「答案提出用封筒」「結果返送用封筒」を同封します。
- 答案用紙（マークシート）の提出の際には「答案提出用封筒」に切手を貼って投函してください。なお、返送締切日は消印有効です。

論文試験について

- 付録として毎回「論文試験」が付いています。各回とも公務員試験合格のためのポイントを押さえた添削指導を行います。(別途有料：税込み2,300円)
- 「論文試験」に関しては、**事前のお申込み、および論文添削のみのお申込みは受け付けておりません。**詳しくは問題冊子に添付の「添削のご案内」をご覧ください。

受験内容の変更・キャンセルについて

- お申込み後の受験内容の変更・キャンセル等、**受験料の返金を伴うご要望には一切応じることができません。**その場合、別の実施回に振り替えていただくか、テキスト等資料の送付で対応します。事前に十分ご注意ください。

（お問い合わせ先・事務局）

産經公務員テスト機構

〒100-8079　東京都千代田区大手町1-7-2　産經新聞社　コンベンション事業部内

電話：03-3241-4977（土日祝日を除く 10:00～17:30）

E-mail：koumuin@sankei.co.jp　𝕏：@sankei_koumuin

公務員受験 BOOKS のご案内

2024年10月現在

各書籍の詳細については右記ウェブサイトをご覧ください。

基礎レベルの過去問演習書！ 学習スタート期に最適！

定価：各1,650円

公務員試験
集中講義 シリーズ

数的推理の過去問
資格試験研究会編／永野龍彦 執筆

判断推理の過去問
資格試験研究会編／結城順平 執筆

文章理解の過去問
資格試験研究会編／饗庭　悟 執筆

資料解釈の過去問
資格試験研究会編／結城順平 執筆

図形・空間把握の過去問
資格試験研究会編／永野龍彦 執筆

憲法の過去問
資格試験研究会編／鶴田秀樹 執筆

行政法の過去問
資格試験研究会編／吉田としひろ 執筆

民法Ⅰの過去問
資格試験研究会編／鶴田秀樹 執筆

民法Ⅱの過去問
資格試験研究会編／鶴田秀樹 執筆

政治学・行政学の過去問
資格試験研究会編／近　裕一 執筆

国際関係の過去問
資格試験研究会編／高瀬淳一 執筆

ミクロ経済学の過去問
資格試験研究会編／村尾英俊 執筆

マクロ経済学の過去問
資格試験研究会編／村尾英俊 執筆

公務員受験者必読の定番書籍です！

受験ジャーナル編集部編

受験ジャーナル増刊号

7年度試験対応　公務員試験
学習スタートブック
●定価：1,760円

7年度試験対応
公務員の仕事入門ブック
●定価：1,760円

7年度
国立大学法人等職員採用試験攻略ブック
●定価：2,200円

6年度　公務員試験
直前対策ブック
●定価：1,870円

6年度　公務員試験
面接完全攻略ブック
●定価：1,870円

6年度　公務員試験
直前予想問題
●定価：1,870円

公務員受験 BOOKS 取扱い書店一覧

公務員受験BOOKSは、掲載書店以外の書店・大学生協でも取扱っております。
書店で品切れの場合は、店頭での注文により、取り寄せることができます。

●北海道　紀伊國屋書店（札幌本店・厚別店）／MARUZEN＆ジュンク堂書店札幌店／三省堂書店札幌店／コーチャンフォー（美しが丘店・ミュンヘン大橋店・新川通り店・釧路店・旭川店・北見店）／喜久屋書店小樽店／函館蔦屋書店／ジュンク堂書店旭川店／リライアブルブックス運動公園通り店／くまざわ書店アリオ札幌店／江別 蔦屋書店

●青森県　宮脇書店青森本店／成田本店しんまち店

●秋田県　ジュンク堂書店秋田店／未来屋書店秋田店／宮脇書店秋田本店／スーパーブックス八橋店

●岩手県　さわや書店フェザン店／ジュンク堂書店盛岡店／エムズ エクスポ盛岡店／東山堂イオンモール盛岡南店／MORIOKA TSUTAYA

●山形県　八文字屋（本店・北店・鶴岡店）／こまつ書店（寿町本店・堀川町店）／戸田書店（三川店・山形店）／TENDO八文字屋

●宮城県　八文字屋（泉店・セルバ店）／紀伊國屋書店仙台店／丸善書店仙台アエル店／あゆみBOOKS仙台一番町店／ヤマト屋書店（仙台三越店・東仙台店）／未来屋書店名取店／くまざわ書店エスパル仙台店／蔦屋書店イオンタウン泉大沢店

●福島県　岩瀬書店（福島駅西口店・富久山店）／鹿島ブックセンター／ヤマニ書房本店／みどり書房（イオンタウン店・桑野店・福島南店）／ジュンク堂書店郡山店／くまざわ書店（福島エスパル店・会津若松店）

●茨城県　ACADEMIAイーアスつくば店／コーチャンフォーつくば店／川又書店（県庁店・エクセル店）／WonderGOOつくば店／未来屋書店（水戸内原店・土浦店・つくば店）／蔦屋書店（ひたちなか店・龍ヶ崎店）／ブックエース茨大前店／くまざわ書店取手店／リブロトナリエキュートつくば店

●栃木県　喜久屋書店宇都宮店／落合書店（イトーヨーカドー店・宝木店・トナリエ店）／うさぎや（自治医大店・栃木城内店）／くまざわ書店（宇都宮インターパーク店・宇都宮店）／TSUTAYA小山ロブレ店／ビッグワンTSUTAYA（佐野店・さくら店）

●群馬県　戸田書店高崎店／ブックマンズアカデミー（高崎店・太田店）／喜久屋書店太田店／紀伊國屋書店前橋店／くまざわ書店高崎店／蔦屋書店前橋みなみモール店／未来屋書店高崎店

●埼玉県　須原屋（本店・コルソ店・武蔵浦和店・川口前川店）／三省堂書店大宮店／ジュンク堂書店大宮高島屋店／紀伊國屋書店（川越店・さいたま新都心店・浦和パルコ店）／東京旭屋書店（新越谷店・志木店・イオンモール浦和美園店）／ブックファーストルミネ川越店／ブックデポ書楽／くまざわ書店（アズセカンド店・宮原店）／蔦屋書店フォレオ菖蒲店／ACADEMIA菖蒲店／文教堂書店川口駅店／未来屋書店レイクタウン店／明文堂書店TSUTAYA戸田／TSUTAYAレイクタウン／丸善書店桶川店／リブロ（ららぽーと富士見店・ララガーデン春日部店）／ツタヤブックストアグランエミオ所沢

●千葉県　三省堂書店（千葉そごう店・カルチャーステーション千葉店）／東京旭屋書店船橋店／丸善書店津田沼店／堀江良文堂書店松戸店／くまざわ書店（松戸店・津田沼店・ペリエ千葉本店・柏高島屋店）／紀伊國屋書店（流山おおたかの森店・セブンパークアリオ柏店）／喜久屋書店（千葉ニュータウン店・松戸店）／未来屋書店イオン成田店／精文館書店（木更津店・市原五井店）／蔦屋書店（幕張新都心店・茂原店）／ジュンク堂書店南船橋店／丸善ユニモちはら台店／ツタヤブックストアテラスモール松戸／有隣堂ニッケコルトンプラザ店

●神奈川県　有隣堂（横浜駅西口店・ルミネ横浜店・戸塚モディ店・本店・藤沢店・厚木店・たまプラーザテラス店・新百合ヶ丘エルミロード店・ミウィ橋本店・テラスモール湘南店・ららぽーと海老名店・ららぽーと湘南平塚店・キュービックプラザ新横浜店）／三省堂書店海老名店／文教堂書店（溝ノ口本店・横須賀MORE'S店）／八重洲B.C京急上大岡店／ブックファースト（青葉台店・ボーノ相模大野店）／紀伊國屋書店（横浜店・ららぽーと横浜店・武蔵小杉店）／丸善書店ラゾーナ川崎店／丸善日吉東急アベニュー店／ジュンク堂書店藤沢店／くまざわ書店（相模大野店・本厚木店・横須賀店）／ACADEMIAくまざわ書店橋本店／ACADEMIA港北店

●東京都　くまざわ書店（八王子店・錦糸町店・桜ケ丘店・武蔵小金井北口店・調布店・アリオ北砂店）／丸善書店（丸の内本店・日本橋店・お茶の水店・多摩センター店）／オリオン書房（ルミネ店・ノルテ店・イオンモールむさし村山店）／有隣堂（アトレ目黒店・アトレ恵比寿店・グランデュオ蒲田店）／久美堂本店／三省堂書店（神保町本店・池袋本店・有楽町店・成城店・東京ソラマチ店・経堂店）／紀伊國屋書店（新宿本店・玉川高島屋店・国分寺店・小田急町田店・アリオ亀有店）／東京旭屋書店池袋店／書泉芳林堂書店高田馬場店／啓文堂書店（府中本店・多摩センター店・渋谷店）／文教堂書店（二子玉川店・赤羽店・市ヶ谷店）／ジュンク堂書店（池袋本店・吉祥寺店・大泉学園店・立川高島屋店）／ブックファースト（新宿店・アトレ大森店・レミィ五反田店・ルミネ北千住店・中野店）／コーチャンフォー若葉台店／喜久屋書店府中店

●新潟県　紀伊國屋書店新潟店／ジュンク堂書店新潟店／戸田書店長岡店／知遊堂（三条店・亀貝店・上越国府店）／蔦屋書店（新通店・新発田店）／未来屋書店新潟南店

●富山県　文苑堂（福田本店・富山豊田店・藤の木店）／BOOKSなかだ本店／喜久屋書店高岡店／紀伊國屋書店富山店／くまざわ書店富山マルート店

●石川県　うつのみや金沢香林坊店／金沢ビーンズ明文堂書店／明文堂書店TSUTAYA（野々市店・KOMATSU店）／未来屋書店杜の里店

●長野県　平安堂（新長野店・上田店・東和田店）／宮脇書店松本店／MARUZEN松本店

●福井県　紀伊國屋書店福井店／Super KaBoS（新二の宮店・大和田店・敦賀店）

●山梨県　朗月堂本店／ブックセンターよむよむフレスポ甲府東店／BOOKS KATOH都留店／くまざわ書店双葉店／未来屋書店甲府昭和店

●静岡県　谷島屋（新流通店・浜松本店・イオンモール浜松志都呂店・ららぽーと磐田店・マークイズ静岡店）／未来屋書店浜松市野店／マルサン書店仲見世店／戸田書店（江尻台店・藤枝東店）／MARUZEN＆ジュンク堂書店新静岡店

●岐阜県　丸善書店岐阜店／カルコス（本店・穂積店）／未来屋書店各務原店／ACADEMIA大垣店／三省堂書店岐阜店／三洋堂書店アクロスプラザ恵那店

●三重県　宮脇書店四日市本店／本の王国文化センター前店／MARUZEN四日市店／コメリ書房鈴鹿店／TSUTAYAミタス伊勢店

●愛知県　三洋堂書店いりなか店／三省堂書店名古屋本店／星野書店近鉄パッセ店／精文館書店（本店・新豊田店）／ジュンク堂書店（名古屋店・名古屋栄店）／らくだ書店本店／MARUZEN名古屋本店／丸善書店（ヒルズウォーク徳重店・イオンタウン千種店）／未来屋書店（ナゴヤドーム店・大高店）／夢屋書店長久手店／TSUTAYA（春日井店・瀬戸店・ウィングタウン岡崎店・ららぽーと愛知東郷）／紀伊國屋書店（名古屋空港店・mozoワンダーシティ店）

●滋賀県　ジュンク堂書店滋賀草津店／ブックハウスひらがきAスクエア店／大垣書店フォレオ大津一里山店／喜久屋書店草津店／サンミュージック（ハイパーブックス彦根店・ハイパーブックスかがやき通り店）

●京都府　丸善書店京都本店／大垣書店（烏丸三条店・イオンモールKYOTO店・イオンモール京都桂川店・京都ヨドバシ店・イオンモール北大路店・京都本店・二条駅店）／未来屋書店高の原店

●奈良県　啓林堂書店奈良店／喜久屋書店（大和郡山店・橿原店）／三洋堂書店香芝店／ジュンク堂書店奈良店／WAY書店TSUTAYA天理店

●和歌山県　TSUTAYA WAY（ガーデンパーク和歌山店・岩出店・田辺東山店）／くまざわ書店和歌山ミオ店／宮脇書店ロイネット和歌山店／未来屋書店和歌山店

●兵庫県　喜久屋書店（北神戸店・須磨パティオ店）／ジュンク堂書店（三宮店・三宮駅前店・西宮店・姫路店・神戸住吉店・明石店）／紀伊國屋書店（加古川店・川西店）／ブックファースト阪急西宮ガーデンズ店／大垣書店神戸ハーバーランドumie店／未来屋書店伊丹店／メトロ書店神戸御影店／旭屋書店ららぽーと甲子園店

●大阪府　旭屋書店なんばCity店／紀伊國屋書店（梅田本店・グランフロント大阪店・泉北店・堺北花田店・京橋店・高槻阪急店・天王寺ミオ店・アリオ鳳店）／ジュンク堂書店（大阪本店・難波店・天満橋店・近鉄あべのハルカス店・松坂屋高槻店）／喜久屋書店阿倍野店／田村書店千里中央店／大垣書店高槻店／MARUZEN＆ジュンク堂書店梅田店／未来屋書店（大日店・りんくう泉南店・茨木店）／TSUTAYAららぽーとEXPOCITY／梅田蔦屋書店／丸善（八尾アリオ店・セブンパーク天美店）／水嶋書店くずはモール店／枚方蔦屋書店

●鳥取県　本の学校　今井ブックセンター／今井書店（湖山店・吉成店・錦町店）／宮脇書店鳥取店

●島根県　ブックセンタージャスト浜田店／今井書店（グループセンター店・学園通り店・出雲店・AERA店）／宮脇書店イオンモール出雲店

●岡山県　丸善（岡山シンフォニービル店・さんすて岡山店）／紀伊國屋書店（クレド岡山店・エブリィ津高店）／宮脇書店岡山本店／喜久屋書店倉敷店／TSUTAYA津島モール店／啓文社岡山本店／未来屋書店岡山店／TSUTAYA BOOKSTORE岡山駅前

●広島県　紀伊國屋書店（広島店・ゆめタウン広島店・ゆめタウン廿日市店）／廣文館広島駅ビル店／フタバ図書（TERA広島府中店・東広島店・MEGA・アルティアルパーク北棟店・アルティ福山本店）／啓文社ポートプラザ店／ジュンク堂書店広島駅前店／MARUZEN広島店／TSUTAYA（東広島店・フジグラン緑井店）／広島蔦屋書店／エディオン蔦屋家電

●山口県　宮脇書店（宇部店・徳山店）／明屋書店（南岩国店・MEGA大内店・MEGA新下関店）／くまざわ書店下関店／紀伊國屋書店ゆめタウン下松店

●香川県　宮脇書店（本店・南本店・総本店・高松天満屋店・丸亀店）／紀伊國屋書店丸亀店／くまざわ書店高松店／ジュンク堂書店高松店

●徳島県　紀伊國屋書店（徳島店・ゆめタウン徳島店）／附家書店（松茂店・国府店）／宮脇書店徳島本店／BookCity平惣徳島店／未来屋書店徳島店

●愛媛県　明屋書店（中央通店・MEGA平田店・石井店）／ジュンク堂書店松山三越店／TSUTAYA（エミフルMASAKI店・BOOKSTORE 重信・フジグラン松山店）／紀伊國屋書店いよてつ高島屋店

●高知県　TSUTAYA中万々店／宮脇書店高須店／金高堂／金高堂朝倉ブックセンター／高知 蔦屋書店／未来屋書店高知店

●福岡県　ジュンク堂書店福岡店／紀伊國屋書店（福岡本店・ゆめタウン博多店・久留米店）／福岡金文堂福大店／ブックセンタークエスト（小倉本店・エマックス久留米店）／丸善書店博多店／喜久屋書店小倉店／フタバ図書（TERA福岡店・GIGA春日店）／くまざわ書店（小倉店・福岡西新店・ららぽーと福岡店）／蔦屋書店イオンモール筑紫野／黒木書店七隈店／未来屋書店（福津店・直方店）／六本松蔦屋書店／TSUTAYA和白店／ツタヤブックストアマークイズ福岡ももち店

●佐賀県　積文館書店佐大通り店／くまざわ書店佐賀店／紀伊國屋書店佐賀店／TSUTAYA鳥栖店

●長崎県　紀伊國屋書店長崎店／メトロ書店本店／くまざわ書店佐世保店／ツタヤブックストアさせぼ五番街店／TSUTAYA長崎COCOWALK

●熊本県　金龍堂まるぶん店／紀伊國屋書店（熊本光の森店・熊本はません店・あらおシティモール店）／蔦屋書店（熊本三年坂店・嘉島店・小川町店）／明林堂書店（長嶺店・白山店）／メトロ書店熊本本店

●大分県　明林堂書店（別府本店・大分本店）／リブロ大分わさだ店／紀伊國屋書店アミュプラザおおいた店／くまざわ書店大分明野店

●宮崎県　田中書店妻ヶ丘本店／蔦屋書店宮崎高千穂通り店／くまざわ書店延岡ニューシティ店／未来屋書店イオンモール宮崎店／紀伊國屋書店アミュプラザみやざき店／ツタヤブックストア宮交シティ

●鹿児島県　ブックスミスミ（オプシア店・鹿屋店）／ジュンク堂書店鹿児島店／紀伊國屋書店鹿児島店／未来屋書店鹿児島店／TSUTAYA BOOKSTORE 霧島

●沖縄県　宮脇書店（太陽書房宜野湾店・太陽書房美里店・南風原店・うるま店・イオン名護店・経塚シティ店）／TSUTAYA那覇新都心店／球陽堂書房（那覇メインプレイス店・西原店）／くまざわ書店那覇店／ジュンク堂書店那覇店／未来屋書店ライカム店／HMV&BOOKS OKINAWA

（2024年8月現在）